# ÉCONOMIE GLOBALE

## 5ᵉ édition

**Campbell R. McConnell**
University of Nebraska – Lincoln

**Stanley L. Brue**
Pacific Lutheran University

**Ginette Tremblay**
Cégep Bois-de-Boulogne

Consultante
**Marie Gauthier**
Cégep Montmorency

Directeur de la collection
**François Cauchy**
Cégep Montmorency

COLLECTION
**DU RÉTIAIRE**

**Chenelière/McGraw-Hill**
MONTRÉAL • TORONTO

S. M

**Économie globale, 5e édition**

Campbell R. McConnell, Stanley L. Brue,
Ginette Tremblay

Traduction de: *Economics: Principles, Problems and Policies*,
© 1996, 1993, 1990, 1987, 1984, 1981, 1978, 1975, 1972, 1969,
1966, 1963 McGraw-Hill inc. (ISBN 0-07-046814-1) Publié
antérieurement sous le titre *Elementary Economics: Principles,
Problems, and Policies*. © 1960 McGraw-Hill, inc.

© 1998, 1994, 1988, 1983, 1981 Les Éditions de la Chenelière inc.

*Éditeur :* Michel Poulin
*Coordination :* Suzanne Champagne
*Révision linguistique :* Jacinthe Caron
*Correction d'épreuves :* Richard Lavallée
*Conception graphique et couverture :* Norman Lavoie
*Infographie :* Michel Phaneuf designer inc.

**Données de catalogage avant publication (Canada)**

McConnell, Campbell R
   Économie globale
   5e éd.
   (Collection du Rétiaire)
   Traduction et adaptation de: Economics.
   Publ. antérieurement sous le titre: L'économique.
   Comprend un index.
   Pour les étudiants du niveau collégial.

**ISBN 2-89461-182-X**

   1. Économie politique.— 2. Économie politique - Problèmes et
exercices. I. Brue, Stanley L., 1945- II. Tremblay, Ginette.  III. Titre.
IV. Titre: L'économique. V. Collection.

HB171.5.M11814 1998       330       C98-940595-8

**Chenelière/McGraw-Hill**
7001, boul. Saint-Laurent
Montréal (Québec)
Canada H2S 3E3
Téléphone : (514) 273-1066
Télécopieur : (514) 276-0324
chene@dlcmcgrawhill.ca

**ISBN 2-89461-182-X**

Dépôt légal: 2e trimestre 1998
Bibliothèque nationale du Québec
Bibliothèque nationale du Canada

Imprimé au Canada par Imprimeries Transcontinental inc.
Division Imprimerie Gagné.
1  2  3  4  5    02  01  00  99  98

L'Éditeur a fait tout ce qui était en son pouvoir pour retrouver les
copyrights. On peut lui signaler tout renseignement menant à la
correction d'erreurs ou d'omissions.

# PRÉFACE

## Un livre pour apprendre

Le livre que vous avez entre les mains fait partie de la collection du Rétiaire. Celle-ci est dédiée au soutien des apprentissages des élèves inscrits en sciences humaines au collégial. Le rétiaire était un gladiateur romain armé d'un trident et d'un filet. Ce filet illustre bien l'idée de cohérence sur laquelle s'appuie la collection. Le réseau de mailles qui le constitue fait référence aux relations qui existent entre les différentes étapes du programme de formation, entre les objectifs qui le jalonnent et, par le fait même, entre les ouvrages dont est composée la collection. Ce large filet évoque aussi les connexions que tout apprenant se doit de faire entre ce qu'il connaît déjà et ce qu'il souhaite apprendre.

Le rétiaire, émergeant des sources latines de notre civilisation occidentale, nous semblait être le candidat idéal pour défendre l'idée d'une collection consacrée à l'apprentissage des sciences humaines au collégial.

La collection du Rétiaire a, en effet, comme principal objectif de soutenir la mise en œuvre du programme des sciences humaines du réseau collégial. Ses volumes, pour se développer, s'appuient donc sur le projet de formation proposé par le programme, tel qu'il est traduit par chacun des cours qui le composent.

Nous avons conçu pour cette collection des ouvrages qui, en plus de présenter des notions de façon organisée, veulent vous aider à apprendre. Ce manuel va donc plus loin que la simple description d'un contenu de cours, il se présente comme un véritable outil d'apprentissage.

Mais — faut-il le mentionner ? — personne n'apprend passivement. Aucun outil, si performant soit-il, ne peut assurer à lui seul l'apprentissage chez celui qui l'utilise. L'enseignement est la responsabilité du professeur ; l'apprentissage est de votre ressort. Vous a-t-on, cependant, déjà enseigné à apprendre ?

C'est dernièrement que l'école a commencé à ce préoccuper de soutenir le processus d'apprentissage chez l'étudiant. En effet, pendant longtemps, on a demandé aux étudiants de prouver qu'ils avaient appris (par des travaux, des examens, etc.), sans qu'on ait jamais pensé à leur enseigner à apprendre. Dans cette préface, nous vous proposons quelques techniques simples qui, si vous faites l'effort de les appliquer, devraient maximiser les bénéfices que vous retirerez de vos études en ce qui a trait tant à l'acquisition des connaissances et des habiletés qu'au plaisir d'apprendre.

## Pourquoi étudier ?

Plusieurs répondront à cette question: «Pour réussir les examens.» Comme si le but de l'école était de nous faire réussir des examens! Étudier nous permet d'apprendre et apprendre nous permet de franchir des étapes, nous ouvre de nouveaux horizons. Apprendre nous aide à devenir ce que nous désirons être. L'école favorise la réalisation de ce quelqu'un en nous qui ne demande qu'à devenir. C'est là l'essence même du processus de développement des apprentissages.

Évidemment, si on ne vous a toujours demandé que de répéter une information apprise par cœur, de combler des espaces vides ou de cocher le bon choix de réponse, il est possible que l'étude (et même l'école) ait perdu son sens pour vous.

Nous y voilà, le «sens». Nous ne pouvons y échapper, il faut que les choses aient du sens pour être vraiment apprises, intégrées. Il faut que votre activité même d'étudiant ait du sens pour être efficace. L'individu qui donne un sens à ses activités est motivé. En effet, la motivation trouve sa source dans le fait que nous cherchons à assouvir des besoins ; pour cela, nous devons atteindre des objectifs. Vous devez donc toujours savoir quel objectif vous voulez atteindre en poursuivant des études (savoir quelle est la personne que vous désirez devenir en étudiant) afin de donner un sens — votre sens — à l'étude. Ainsi, les programmes collégiaux seront de plus en plus construits à partir de «cibles de formation» que sont les compétences, ce qui devrait leur donner plus de cohérence.

## La réussite motive

La réussite est une des principales sources de motivation. Comme le souligne Richard L. Côté[1].

1. Le succès augmente la valeur des activités intellectuelles associées à l'apprentissage visé.

2. Le succès augmente le niveau d'aspiration, l'échec le diminue.

3. Le niveau d'aspiration tend à suivre le niveau de rendement.

4. La probabilité d'augmentation du niveau d'aspiration est reliée à l'augmentation des chances de succès.

En deux mots, la motivation aide à réussir et la réussite favorise la motivation. La réussite augmente aussi le niveau d'aspiration, qui, lui, correspond aux objectifs que nous estimons réaliste de pouvoir atteindre.

Mais comment réussir? En travaillant, il n'y a pas d'autre recette. Il y a toutefois des façons de travailler plus efficaces que d'autres. Nous vous en suggérons ici quelques-unes. Elles sont placées non en fonction de leur importance, mais de leur ordre chronologique.

## 1. Chassez les démons

Combien d'heures d'«étude» avez-vous gaspillées à faire n'importe quoi sauf étudier? à penser à tout autre chose qu'à ce qui devrait vous préoccuper? à vous trouver «poche», à ronchonner contre l'école, le prof, le livre, la matière et que sais-je encore? Toutes les pensées qui ne sont pas reliées à votre sujet d'étude et qui encombrent votre esprit pendant votre travail sont autant de litres d'«essence cognitive» perdus. C'est pour cela, entre autres, que certains réussissent moins bien que d'autres tout en ayant «étudié» beaucoup plus longtemps.

Ne vous empêchez pas de rêvasser, c'est un des plaisirs de la vie, mais ne le faites pas en même temps que vous étudiez. Débarassez-vous aussi de tous ces jugements de valeur négatifs sur vous ou sur l'univers entier et qui vous assaillent lorsque vous faites face à un sujet difficile. Pestez contre tout ce que vous voudrez, mais arrêtez d'étudier pour le faire et reprenez votre étude une fois que vous vous serez bien défoulé.

## 2. Trouvez votre lieu

Cela peut sembler secondaire, mais il est important que vous vous trouviez, dans la mesure du possible, un endroit bien à vous pour étudier, et seulement pour étudier. L'idée, c'est de faire en sorte que l'état d'esprit favorable à la concentration que vous aurez développé en «chassant les démons» s'instaure automatiquement lorsque vous vous installez pour étudier. Évidemment, si l'état d'esprit associé à l'étude est un sentiment de dégoût ou de dépit, il s'enclenchera pareillement dès que vous aurez pris place à cet endroit où vous faites cette si horrible chose qu'est l'étude. C'est pourquoi il est important de développer un état d'esprit positif avant de l'associer à un lieu. C'est pourquoi, aussi, votre lit est un mauvais endroit pour étudier. L'état d'esprit qui y est associé est probablement plus près du sommeil que de la concentration active.

## 3. Découpez le saucisson en tranches

Vous le savez sûrement déjà: il est plus efficace d'étudier un peu tous les jours que d'essayer de tout assimiler en un coup la veille de l'examen. Vous le savez mais vous continuez de tout remettre au lendemain jusqu'à la dernière minute. Pourquoi? Parce qu'il y a tant de choses

---

1. R. L. Côté, *Psychologie de l'apprentissage et enseignement*, Montréal, Gaëtan Morin Éditeur, 1987.

plus agréables à faire que d'étudier et parce que vous vous êtes toujours débrouillé pour passer en étudiant à la dernière minute. Mais si vous voulez faire plus que vous «débrouiller pour passer», l'étude régulière est beaucoup plus efficace. Quant aux autres choses agréables, profitez-en au maximum, la vie est faite pour ça, mais réservez-vous une courte période quotidienne pour étudier dans le lieu que vous aurez choisi après avoir chassé vos démons. Ainsi, l'étude deviendra probablement pour vous l'une des choses agréables de la vie.

## 4. Surtour, ne dormez pas!

Gardez votre esprit en éveil, non seulement pour lire (c'est bien là l'activité la plus simple parmi toutes celles qui sont liées à l'étude), mais aussi pour traiter l'information. Certains lisent les textes qu'on leur demande de lire: les mots ont défilé devant leurs yeux, ils les ont même presque tous compris. Ils ont fait ce qu'on leur avait demandé de faire, et pourtant ils n'ont rien appris.

Pour apprendre, vous devez relier les nouvelles informations à celles que vous possédez déjà. Prenons une image. Supposons une toile d'araignée tridimensionnelle (ou un filet de rétiaire...) qui va dans tous les sens. Chaque point de jonction est un savoir que vous maîtrisez bien. Pour qu'un nouveau savoir soit appris, il doit s'insérer dans cette toile d'araignée. Il sera ainsi en relation avec les autres renseignements qui l'entourent et son introduction modifiera inévitablement la forme de la toile. Votre «structure cognitive» sera changée.

Pour être en mesure de faire cela, vous devez analyser ce que vous lisez. Dans un premier temps, il peut être utile de surligner ce que vous identifiez comme étant les mots clés du texte. Mais attention! si vous surlignez tout, cela ne vous avancera guère. Vous n'aurez pas repéré les mots clés, vous n'aurez que surligné les phrases importantes. Or les phrases qui ne sont pas importantes ont probablement déjà été éliminées du livre par l'éditeur. La grammaire, la syntaxe et le vocabulaire sont des  outils qui servent à transmettre des idées de façon intelligible. Une fois les idées cernées, beaucoup d'éléments nécessaires à leur transmission deviennent superflus. Reprenons les deux dernières phrases:

La grammaire, la syntaxe et le vocabulaire sont des outils qui servent à transmettre des idées de façon intelligible. Une fois les idées cernées, beaucoup d'éléments nécessaires à leur transmission deviennent superflus.

On peut considérer les mots surlignés comme des mots clés. Mettons-les bout à bout: grammaire, syntaxe, vocabulaire, outils, idées, intelligible, idées cernées, éléments, superflus. Cela ne veut rien dire. Les phrases complètes nous font comprendre les liens entre les concepts de notre structure cognitive n'ont pas besoin de phrases pour exister.

## 5. Barbouillez ce livre, il est à vous!

Résumez chacun des paragraphes en une phrase ou deux de votre cru. Pourquoi cette obstination des professeurs à vous faire écrire en vos propres mots alors que le livre est déjà bien écrit? Ce n'est pas pour faire de vous un auteur, c'est pour vous obliger à utiliser votre structure cognitive (ce que vous savez déjà) afin d'analyser le sens d'un nouvel apprentissage. Si vous n'êtes pas capable de résumer un paragraphe après l'avoir lu, c'est que vous n'avez pas bien intégré son contenu. Relisez-le et, s'il y a lieu, repérez ce que vous n'arrivez pas à comprendre. Notez la question et posez-la au professeur au prochain cours. S'il ne comprend pas lui non plus, téléphonez d'urgence à l'éditeur, car vous venez de trouver une «coquille»...

Vous pouvez aussi fabriquer des réseaux de concepts. Les réseaux de concepts illustrent la structure cognitive que vous vous serez construite. Ils illustrent d'une façon simple les liens représentés entre les différents éléments de contenu abordés. Si c'était vous donc, qui deviez illustrer le contenu à l'aide d'un réseau, comment le feriez-vous? Tentez l'expérience et comparez votre résultat avec celui d'autres étudiants. Les différences sont souvent fort éclairantes quand on cherche à les comprendre. Encore une fois, si vous n'arrivez pas à interpréter les différences entre les deux réseaux, parlez-en à votre prof, il vous présentera peut-être le sien...

## 6. Jouez au professeur

Tentez de donner un cours (intéressant) à quelqu'un d'autre à propos de ce que vous venez de lire. Tous les enseignants vous le diront, la meilleure façon d'apprendre, c'est d'enseigner. La personne à qui vous enseignez vous posera peut-être des questions auxquelles vous n'aviez pas pensé, elle mettra peut-être le doigt sur un lien obscur entre deux idées. Enseigner est un exercice qui permet de mesurer l'ampleur de notre ignorance…

Vous pouvez aussi imaginer l'examen que vous aurez à passer. Essayez d'inventer les questions que vous posera le professeur et (évidemment) répondez-y. C'est un exercice qui peut fort bien être fait à deux personnes ou plus[2]. Si vous avez fait des réseaux, ils vous aideront sans doute beaucoup lors de cet exercice.

## 7. Essayez la SQL2R

La SQL2R[3] est une bonne vieille méthode d'étude qui a fait ses preuves. Il s'agit de Survoler, Questionner, Lire, Réciter et Revoir.

Lorsque vous *survolez* un chapitre, vous le parcourez rapidement en lisant les titres et sous-titres, les résumés, les questions, les légendes des figures, tout ce qui attire l'attention. Survoler vous donne un avant-goût du texte en vous proposant une idée générale de ce que vous lirez. *Questionner*, c'est essayer d'identifier les interrogations que suscite en vous ce premier contact; il serait d'ailleurs intéressant de les noter afin de vérifier à la fin de votre lecture si vous y avez répondu. C'est justement pour favoriser une telle démarche que plusieurs des sujets traités dans ce livre sont abordés sous forme de questions.

*Lire*, c'est traiter l'information comme nous vous recommandions de le faire précédemment. *Réciter*, c'est jouer au professeur, conformément au point 6. Le dernier R renvoie à la *révision*. Il s'agit de survoler encore une fois les points majeurs du texte en insistant sur ceux qui vous ont posé le plus de difficultés.

## L'important, c'est d'aimer

Au fond, le plus important dans l'étude, c'est d'aimer ce que l'on fait, aimer apprendre, découvrir, être fier d'avoir compris, être stimulé par un nouveau domaine de connaissances à apprivoiser et, surtout, se faire confiance. Il faut que votre réussite scolaire ait assez de prix à vos yeux pour que vous soyez fier de celle-ci quand elle correspond à vos attentes et fouetté dans votre orgueil quand elle n'y correspond pas.

Cela, aucun truc, aucun livre, aucune technique ne peut vous le donner. Il n'en tient qu'à vous de prendre la décision, l'engagement qui s'impose. Les techniques dont nous venons de parler peuvent cependant vous aider si vous avez choisi de faire de vos études une activité qui compte vraiment pour vous.

Sur ce, je vous souhaite une agréable lecture. Je suis persuadé que ce livre saura, par sa facture même, vous aider à apprécier l'étude et l'apprentissage.

François Cauchy
Directeur de collection

---

2. Vous pourriez peut-être faire un «party d'étude»…
3. Aussi connue sous le nom de SQ3R (Survoler, questionner, relire, réciter et réviser).

## Un tour d'horizon

Essentiellement, *Économie globale* est un manuel d'introduction à la science économique. Nous espérons qu'à travers l'étude de ce livre vous développerez la capacité de raisonner correctement et objectivement sur les questions économiques et que vous développerez un intérêt croissant et durable pour ces questions. Ce manuel comporte 10 chapitres dont l'organisation couvre les trois grandes étapes de la démarche propre à la science économique: l'économie descriptive, l'économie théorique et la politique économique. Le chapitre 1 vous introduit à la science économique: son objet, sa méthode, ses particularités. Le chapitre 2 décrit les façons dont sont organisées les sociétés pour répondre aux questions fondamentales. Il s'attarde davantage à l'économie de marché dans laquelle nous vivons. Les chapitres 3 et 4 fournissent les principaux outils de mesure de l'activité économique et vous initient à leur maniement pour évaluer comment se porte l'économie (économie descriptive). Le chapitre 5 fait le tour des principales théories macro-économiques permettant d'expliquer les variations du niveau de l'activité économique (économie théorique). Le chapitre 6 se consacre à l'intervention de l'État dans l'économie (politiques économiques et finances publiques). Les chapitres 7 et 8 ajoutent la dimension monétaire à l'économie réelle tandis que les chapitres 9 et 10 précisent les interactions entre l'économie canadienne et celle des autres pays.

## Comment ce livre peut-il vous aider à réussir votre cours d'économie globale ?

En dehors du contenu fraîchement mis à jour, une foule d'activités d'apprentissage vous aideront à développer les compétences exigées pour réussir le cours d'économie globale. Tout d'abord, chaque chapitre est suivi d'un résumé organisé par section. Nous vous conseillons de le consulter après la lecture de chacune des sections. Si vous n'êtes pas capable de répondre à la question qui accompagne le résumé d'une section, vous devriez relire la section, car vous n'avez pas bien compris l'essentiel ou votre concentration était insuffisante pour retenir les principaux faits ou concepts. Lors de cette relecture, gardez en tête la question. Cela vous aidera à diriger votre attention sur les éléments importants.

Après avoir complété la lecture d'un chapitre, une bonne façon d'en vérifier votre compréhension globale est de travailler avec un réseau de concepts. Vous serez initié graduellement à ces réseaux. Dans les premiers chapitres, vous n'avez qu'à compléter les éléments manquants, liens ou concepts. Dans les chapitres suivants, vous devrez construire des petits morceaux de réseau puis un réseau complet à l'aide d'une liste de mots-clés et finalement tout un réseau sans aide. Comme l'information organisée et structurée est beaucoup plus facile à retenir, travailler avec des réseaux facilitera votre rétention des concepts centraux d'un chapitre. Ces réseaux vous permettront également de développer votre capacité de faire des liens et d'intégrer vos connaissances.

La liste des mots-clés qu'on retrouve après le résumé, est un bon outil pour travailler votre vocabulaire. Vous devriez être en mesure de définir chacun de ces mots. Essayez de le faire par écrit sans regarder dans le chapitre, puis corrigez-vous à l'aide des petits encadrés facilement repérables et situés généralement au centre des pages. Vous avez de la difficulté à repérer un mot? Utilisez l'index à la fin du volume, vous obtiendrez ainsi le numéro de la page où se trouve le mot-clé.

Vous pensez avoir bien compris l'essentiel, vous possédez votre vocabulaire, il est temps de passer aux exercices. Chaque chapitre est accompagné de nombreux exercices et problèmes qui vous aideront à raffiner votre compréhension et à travailler votre capacité d'appliquer vos nouvelles connaissances dans des contextes différents. Souvent après la lecture, on est persuadé de tout comprendre. C'est lorsque l'on doit résoudre des problèmes ou effectuer des exercices que l'on se rend compte qu'on ne maîtrise pas encore toutes les subtilités de la matière. Votre professeur peut vous donner d'autres exercices si vous en ressentez le besoin.

Chaque chapitre comprend également un complément d'information. Pour les premiers chapitres, il s'agit souvent d'une petite révision sur des aspects plutôt mathématiques tandis que dans les chapitres subséquents ce complément comprend un enrichissement pour celles et ceux qui peuvent ou veulent aller plus loin.

Les réalités économiques sont très changeantes. Le meilleur des manuels ne peut rester à jour très longtemps. C'est pourquoi il est très important de trouver par soi-même les informations les plus récentes. Chaque chapitre comprend une section portant sur la recherche documentaire. Vous serez graduellement initié aux techniques et aux outils permettant de mettre à jour les statistiques économiques, d'être au courant des plus récents changements au sein des institutions économiques canadiennes et mondiales ainsi que des événements de l'actualité économique.

Finalement, vous serez initié à la lecture de textes d'actualité économique dans la section *L'économique pour comprendre ce qui se passe*. Dans cette section, vous devrez faire le lien entre ce que vous avez appris dans un chapitre et un texte d'actualité économique. Cette activité est très importante, car elle vous amène à transférer vos nouvelles connaissances dans la vie de tous les jours. Elle donne donc plus de sens à tous les efforts que vous consentirez pour réussir ce cours.

Bonne lecture à toutes et à tous !

# Table des matières

# Chapitre 1

# L'objet et la méthode de la science économique

L'être humain, par sa nature même, est caractérisé par un ensemble de besoins qui sous-tendent ses comportements : besoins d'amour, d'estime et d'actualisation de soi, besoins physiques et de sécurité. La science économique étudie l'activité que déploie l'être humain pour améliorer ses conditions de vie matérielles. Plus précisément, l'économique a pour objet les activités de production, d'échange et de consommation de biens et de services propres à satisfaire les besoins matériels des gens.

## PROBLÉMATIQUE DE L'ÉCONOMIQUE

La problématique de l'économique peut se résumer ainsi : comment utiliser efficacement les ressources limitées pour satisfaire le mieux possible les besoins illimités de la population.

## L'ÉCONOMIQUE
### La problématique de l'économique, une science humaine

D'un côté, l'être humain est caractérisé par des besoins biologiques et sociaux. Il recherche la nourriture, l'habillement, le logement ainsi qu'une multitude de biens et de services associés à un niveau de vie jugé socialement acceptable. D'un autre côté, les individus sont dotés de certaines aptitudes et entourés de ressources tant naturelles que manufacturées : la capacité de travail, les outils et la machinerie, le sol, les réserves de minerais, etc. Cependant, l'ensemble des besoins et des désirs humains dépasse largement la capacité productive d'une société fortement dépendante des ressources disponibles. La **problématique** est donc la suivante : comment utiliser efficacement ces ressources limitées pour satisfaire le mieux possible les besoins illimités de la population ?

Même si ce n'est pas toujours évident, l'inflation, le chômage, les problèmes d'énergie, la pauvreté et l'inégalité sociale, la pollution, les déficits gouvernementaux et tous les autres problèmes économiques de l'heure trouvent leur origine dans l'usage plus ou moins efficace des ressources rares.

D'autres sciences, à part l'économique, étudient ces problèmes, mais elles le font d'un point de vue différent. Par exemple, une géographe voudra tracer la carte de la pauvreté à Montréal. Un sociologue étudiera les conséquences du chômage sur la famille. Une psychologue choisira d'aborder ce même problème du point de vue de la perte d'estime de soi et des autres. En fait, la science économique est une science sociale qui fait partie de la grande famille des **sciences humaines**. Ces sciences ont ceci en commun : elles étudient le comportement humain, ses formes, son organisation et ses produits. En étudiant l'économique, vous vous pencherez sur le comportement du consommateur et du producteur, sur les systèmes économiques, sur la quantité de biens et de services qu'une économie peut produire, sur la façon dont la société s'organise pour répondre aux besoins, etc. C'est pourquoi nous pouvons affirmer que l'économique est une science humaine à part entière. Cependant, il ne faudra pas vous étonner lorsque vous aborderez l'étude de la psychologie, de l'histoire, de la sociologie ou de toute autre science humaine si les sujets ou les objets d'étude sont souvent les mêmes. La santé préoccupe tout autant l'économiste (accessibilité aux soins, coûts croissants, etc.) que le psychologue (équilibre, hygiène mentale, etc.). C'est l'angle sous lequel les questions sont abordées qui diffère. Chaque discipline possède sa problématique.

---

**SCIENCES HUMAINES**

Ensemble des sciences qui étudient le comportement humain, ses formes, son organisation et ses produits.

**SCIENCE ÉCONOMIQUE OU ÉCONOMIQUE**

Science qui étudie l'activité économique ou l'économie (voir *La problématique de l'économique*).

---

## L'utilité de l'économique

Avant d'entreprendre l'étude de la **science économique**, il est raisonnable de s'interroger sur la pertinence d'une telle démarche. Est-il utile d'investir temps et efforts dans la maîtrise d'une telle discipline ? John Maynard Keynes (1883-1946), certainement l'économiste le plus influent du siècle présent, ne nous permet pas d'en douter.

*Les idées des économistes et des penseurs politiques, qu'elles soient justes ou erronées, sont plus puissantes qu'on ne l'admet généralement. En fait, elles gouvernent le monde. Les personnes pragmatiques, se croyant à l'abri de toute influence intellectuelle, sont souvent dominées par quelque économiste du passé.*

La pensée économique contemporaine provient, dans une large mesure, des économistes du passé : Adam Smith, John Stuart Mill, David Ricardo, Karl Marx et John Maynard Keynes[1]. De plus, il est devenu pratique courante pour les chefs d'État, quand ils ne sont pas eux-mêmes économistes, de recourir aux conseils des économistes et de s'appuyer sur leurs recommandations en matière de politiques. À l'heure actuelle, tous les ministères et les organismes ont à leur service des économistes dont les mandats sont très diversifiés : planification, prévisions, analyse de conjoncture, études sectorielles, etc.

De nos jours, le citoyen a besoin de connaissances élémentaires en économique pour être bien informé et jouer pleinement son rôle de partenaire social. En effet, les principaux problèmes d'actualité ont des connotations économiques importantes. L'électeur qui veut influencer judicieusement ses représentants gouvernementaux et éviter d'être manipulé par des politiciens adroits doit pouvoir comprendre la réalité économique.

La science économique est aussi très importante dans la vie de tous les jours. Elle constitue un atout en affaires. La compréhension du système économique permet de faire des choix plus adéquats. L'administrateur qui comprend les causes et les conséquences de l'inflation prendra de meilleures décisions en période inflationniste. Il pourra prévoir et planifier ses affaires de façon plus efficace. En fait, de plus en plus de grandes entreprises engagent des économistes ou font appel à des firmes d'économistes-conseils. Quelles sont leurs fonctions au sein de ces entreprises ? Ils recueillent et interprètent l'information à partir de laquelle des décisions rationnelles pourront être prises dans le meilleur intérêt de l'entreprise.

Cependant, malgré ses nombreux avantages pratiques, l'économique est une discipline scolaire et non une discipline professionnelle.

---

1. Les élèves qui veulent approfondir leur connaissance de l'histoire de la pensée économique peuvent consulter les ouvrages suivants : Henri Denis, *Histoire de la pensée économique*, 6e édition, Paris, PUF, 1980 ou André Piettre, *Histoire de la pensée économique et analyse des théories contemporaines*, 7e édition, Paris, Dalloz, 1979.

Contrairement à la comptabilité, à la publicité, aux finances publiques ou à la vente, l'économique n'a pas pour objet de nous enseigner comment gagner de l'argent. La connaissance de l'économique aidera sûrement à gérer une entreprise, mais ce n'est pas son but premier. De plus, la connaissance de l'économique a assez peu d'influence sur la gestion d'un budget personnel. L'économique envisage les problèmes d'un point de vue social et non en fonction d'intérêts individuels. La production, l'échange et la consommation de biens et de services sont analysés comme des activités qui doivent répondre aux besoins d'une société dans son ensemble et non aux intérêts d'un individu en particulier.

## LA MÉTHODOLOGIE

Que font les économistes ? Quels sont leurs objectifs ? Quelle méthodologie suivent-ils ? L'économiste cherche à définir les **principes** qui serviront à l'élaboration de *politiques* devant résoudre les *problèmes économiques*. La figure 1.1 résume bien cette démarche.

L'économiste doit d'abord recueillir et vérifier les données pertinentes à l'étude d'un problème particulier. Certains appellent cette étape «**économique descriptive**». Par la suite,

l'économiste ordonne ses observations de manière à en dégager un principe qui permet de généraliser les comportements habituels des individus et des institutions. On appelle «**théorie économique**» ou «analyse économique» ce processus qui consiste à tirer des principes ou des lois à partir d'un ensemble d'observations. Finalement, cette connaissance des comportements économiques que suggèrent les principes économiques nous permet de formuler des politiques pour corriger ou éviter le problème étudié. On appelle quelquefois cette dernière étape de la méthode «économique appliquée» ou «**politique économique**». En nous référant toujours à la figure 1.1, nous allons maintenant reprendre ces trois étapes plus en détail.

### L'économique descriptive

Toutes les sciences sont empiriques. Elles se fondent sur des faits observables et vérifiables. Dans le domaine des sciences physiques, ces données sont matérielles. Par contre, en tant que science sociale appartenant à la grande famille des sciences humaines, l'économique traite la question du comportement des individus et des institutions engagés dans des activités de production, d'échange et de consommation de biens et de services.

---

**PRINCIPE**

Généralisation permettant d'expliquer le comportement économique des individus ou des institutions.

**ÉCONOMIE DESCRIPTIVE**

Démarche consistant à recueillir les faits pertinents à un problème ou à un aspect de l'économie.

**THÉORIE ÉCONOMIQUE**

Généralisation des comportements économiques.

**POLITIQUE ÉCONOMIQUE**

Ensemble de mesures visant à contrôler ou à influencer les comportements économiques ou leurs conséquences.

---

**FIGURE 1.1** La relation entre les faits, les principes et les politiques en économique

**3. Les politiques économiques**

Les politiques économiques visent à contrôler ou à influencer les comportements économiques ou leurs conséquences.

**2. Les principes ou les théories**

L'économie théorique implique une généralisation du comportement économique.

INDUCTION          DÉDUCTION

**I. Les faits**

L'économique descriptive consiste à recueillir les faits pertinents à un problème ou à un aspect de l'économie.

Pour étudier un problème ou un secteur de l'économie, l'économiste doit d'abord recueillir les faits pertinents. Ces faits doivent ensuite être organisés de façon systématique, puis interprétés et finalement généralisés. Ces généralisations servent non seulement d'explications aux comportements économiques, mais aussi de base à la formulation des politiques économiques.

Quand on étudie un problème ou un secteur particulier de l'économie, la première étape importante est de recueillir des faits. Cela peut se révéler une tâche extrêmement complexe, car le réel se compose d'une infinité de faits reliés entre eux. L'économiste doit se montrer très sélectif dans sa collecte. Il doit d'abord faire la distinction entre ce qui est économique et ce qui ne l'est pas. Ensuite, il doit juger quelles observations économiques sont pertinentes au problème particulier qu'il veut étudier. Mais même après ce premier tri, les faits retenus peuvent sembler disparates.

## La théorie économique

Il ne suffit pas de décrire la réalité. Une simple énumération de faits demeure relativement inutile. C'est en organisant les faits de façon systématique, en les interprétant et en généralisant que l'économiste donne tout leur sens aux données. La théorie ou l'analyse économique, en reliant les faits entre eux, en définissant les liens qui les unissent, nous suggère des principes et des lois qui vont au-delà du cas particulier. Cette étape est fondamentale pour comprendre la mécanique de l'activité économique.

Le cheminement qui nous amène des faits à la théorie est plus complexe que ne semble l'indiquer la figure 1.1 (page 3). D'une part, les principes et les théories découlent de la généralisation des faits, mais, d'autre part, nous devons vérifier constamment la validité de ces principes en les confrontant avec les faits observés. Les faits économiques, c'est-à-dire les comportements des individus et des institutions quant à la production, à l'échange et à la consommation des biens et des services, évoluent constamment. Les économistes doivent donc mettre continuellement les théories existantes en présence de l'environnement économique mouvant. Quand nous étudions l'histoire de la pensée économique, nous constatons qu'une foule de théories basées sur le comportement des agents économiques à une certaine époque sont devenues périmées par suite de l'évolution de la société.

### La terminologie

Depuis le début du présent chapitre, nous avons utilisé les termes «principes», «lois», «théories» et «modèles» sans vraiment les définir avec pré-

cision. Il nous semble donc utile, à ce stade, de clarifier quelques éléments de terminologie. De façon générale, tous ces termes recouvrent essentiellement la même réalité : une explication du comportement économique des individus et des institutions. L'expression «loi économique» est un peu trompeuse, car elle suggère un haut degré de précision, une application universelle et même une certaine rigueur morale. Le terme «principe» signifie sensiblement la même chose, mais à un degré moindre. Certaines personnes dissocient injustement le terme «théorie» de la réalité et lui prêtent le sens de «jeu intellectuel» ou de «rêverie futile». Quant au terme «modèle», il mérite plus d'explications. Un modèle est une représentation simplifiée de la réalité, une abstraction de la façon dont les faits pertinents sont reliés. Dans le présent volume, nous utiliserons ces quatre expressions en respectant les conventions en usage. Nous emploierons un terme plutôt qu'un autre selon les usages en vigueur ou selon les besoins particuliers au problème étudié. Par exemple, la relation entre la quantité demandée par les consommateurs et le prix s'appelle «loi de la demande» plutôt que théorie ou principe de la demande, parce qu'il est convenu depuis toujours de l'appeler ainsi.

La théorie économique, peu importe l'expression utilisée, a donc plusieurs caractéristiques que nous allons étudier brièvement.

### Les généralisations

Les principes économiques, comme nous l'avons vu, sont des **généralisations** et par conséquent, comporteront toujours des exceptions et un certain degré d'imprécision dans les mesures. Les faits économiques sont habituellement fort diversifiés car les individus et les institutions n'agissent pas de façon identique. Les principes économiques prennent souvent la forme de moyennes ou de probabilités statistiques. Par exemple, quand les économistes affirment que le salaire moyen des femmes qui travaillaient à temps plein en 1990 était de 24 923 $, ils généralisent. Nous savons tous qu'il s'agit d'une moyenne. Certaines femmes reçoivent nettement moins. Toutefois, cette généralisation utilisée et interprétée de façon adéquate peut être très significative si nous la comparons, par

> **GÉNÉRALISATION**
>
> Formulation précisant la nature de la relation entre deux ou plusieurs ensembles de faits.

exemple, au salaire moyen des hommes, soit 36 863 $. De la même manière, la plupart des généralisations économiques dérivent de lois statistiques et sont exprimées sous forme de probabilités. Ainsi, nous dirons qu'il y a une probabilité de 95 % pour qu'une réduction de 1 $ de l'impôt personnel entraîne une augmentation des dépenses de consommation de 0,90 $. Cette affirmation ne s'applique pas dans 5 % des cas, mais nous pouvons quand même prévoir l'effet d'une telle baisse dans la majorité des cas.

### L'hypothèse : toutes choses étant égales par ailleurs

Comme tout scientifique, l'économiste utilise l'hypothèse « toutes choses étant égales par ailleurs » (TCEEPA) pour élaborer des théories économiques. Cette hypothèse signifie que seule la variable dont il étudie le comportement peut changer. Cette technique permet d'isoler une relation en particulier. Par exemple, s'il étudie la façon dont le prix d'un produit X peut influencer les quantités demandées de ce produit, il supposera que toutes les autres variables qui peuvent influencer la quantité demandée (goûts, besoins, revenu du consommateur, prix des autres produits, etc.) sont constantes. Ainsi, il isole la relation « prix du produit X — quantité demandée de X » et il est assuré que tout changement dans la quantité provient d'un changement de prix. En physique ou en biologie, il est possible de monter des expériences en laboratoire. Le chercheur peut alors maintenir certains paramètres constants (température, résistance de l'air, etc.) et ne faire varier que celui qui l'intéresse. Il peut ainsi vérifier de façon empirique la relation entre deux variables avec une marge d'erreur négligeable. L'économiste, lui, ne peut travailler en laboratoire. Ses vérifications empiriques reposent sur les données réelles engendrées par l'activité économique. Ce sont les séries statistiques qui lui permettent de vérifier ses théories. Malgré le développement de techniques statistiques plutôt sophistiquées pour maintenir les autres facteurs constants, les résultats sont loin d'être parfaits.

**ABSTRACTION**

Mise de côté des faits qui ne sont pas pertinents et qui n'ont pas un caractère économique dans la déduction d'un principe économique.

**〈〈 INDUCTION 〉〉**

Démarche qui consiste à recueillir des faits, à les classer de façon systématique et à les analyser pour en tirer des généralisations ou des principes.

**〈〈 DÉDUCTION 〉〉**

Démarche qui consiste à formuler une hypothèse théorique que l'on doit confronter avec les faits afin de la valider ou de la rejeter.

C'est pourquoi les principes économiques sont moins précis que ceux des sciences étudiées en laboratoire.

### Les abstractions

Les théories économiques sont des **abstractions** nécessaires. En soi, le processus qui consiste à éliminer des faits non pertinents au problème étudié lors de la collecte de données nous amène à un certain niveau d'abstraction par rapport à la réalité. Il ne faudrait pas pour autant conclure que les théories économiques sont irréalistes ou inutilisables. Au contraire, si elles sont utiles, c'est justement grâce à ce degré d'abstraction. La réalité est trop complexe pour que nous puissions l'interpréter dans son ensemble. La masse de faits disparates qu'elle contient ne devient significative qu'à partir du moment où l'économiste les agence d'une manière opérationnelle. Ainsi, généraliser, c'est faire une abstraction et, considérée dans cette optique, l'abstraction est nécessaire. Une théorie économique s'exprime sous la forme d'un modèle, c'est-à-dire d'une représentation simplifiée d'un secteur de l'économie. Les modèles nous permettent de comprendre la réalité parce qu'ils laissent de côté certains détails qui la masquent. Finalement, les bonnes théories sont basées sur des faits ; par conséquent, elles sont très utiles. Si une théorie ne repose pas sur des données réelles, elle est tout simplement mauvaise.

### L'induction et la déduction

Jusqu'à présent, nous avons décrit une méthode inductive ou empirique. Nous commençons par recueillir les faits. Par la suite, nous les classons de façon systématique. Finalement, l'analyse nous permet d'en tirer des généralisations ou des principes. L'**induction** nous conduit des faits à la théorie, du particulier au général, comme l'illustre la figure 1.1 (page 3). Il arrive souvent que les économistes amorcent leur étude en formulant une hypothèse théorique qu'ils confrontent avec les faits afin de la valider ou de la rejeter. Cette démarche, appelée « **déductive** » ou « hypothétique », permet aux économistes d'élaborer un principe à partir de leur intuition, de la logique ou de leur expérience de la vie. Ce principe est appelé « hypothèse » jusqu'à ce qu'il soit vérifié. Par exemple, se fiant au bon sens, une économiste peut émettre l'hypothèse qu'un consommateur rationnel achètera une quantité plus grande d'un produit lorsque son prix est bas que lorsque son prix est élevé. Elle doit par la suite vérifier son hypothèse en examinant de nombreux cas concrets et variés. La méthode déductive chemine donc du général vers le particulier, de la théorie vers la réalité. La plupart des économistes considèrent l'induction et la déduction comme des méthodes de recherche complémentaires plutôt qu'opposées. Les hypothèses découlant de la déduction donnent aux économistes un fil conducteur lorsqu'ils recueillent et classent les faits. D'un autre côté, une certaine connaissance de la réalité est préalable à la formulation d'hypothèses réalistes.

## Les politiques économiques

La valeur d'un principe économique repose sur l'information qu'il véhicule. Les modèles économiques peuvent nous aider à comprendre l'évolution des prix, les causes du chômage, les facteurs de pénurie ou de surplus, etc. Ils sont d'autant plus importants qu'ils servent de base aux politiques économiques. En effet, notre compréhension du fonctionnement de l'économie peut servir à résoudre ou à atténuer certains problèmes et à réaliser certains objectifs sociaux. Les principes économiques sont également des outils de prévision très intéressants. Pour être en mesure de changer le cours des événements, il faut être capable de prédire ceux-ci de façon assez précise. Par exemple, si nous arrivons à prédire ou à comprendre des phénomènes indésirables comme le chômage ou l'inflation, nous pourrons peut-être trouver des moyens de les résorber ou de les maîtriser. Même si nous ne parvenons pas à éliminer les problèmes, nous pourrons au moins nous y préparer et nous ajuster à leurs diverses conséquences. Les prévisions météorologiques ne nous permettent pas d'empêcher le mauvais temps prévu pour le lendemain, mais elles nous permettent d'en minimiser l'effet en emportant un parapluie ou un imperméable.

### Les valeurs

Il est évident qu'à ce stade interviennent les **jugements de valeur**, c'est-à-dire ce qui est désirable ou ce qui ne l'est pas. L'économique descriptive et la théorie économique se penchent sur la réalité. La politique économique, en tentant d'influencer cette réalité, véhicule nécessairement des jugements de valeur : certains événements sont plus ou moins désirables. Sur ce plan, l'économiste n'est plus un scientifique en soi. Il ne se préoccupe plus uniquement des faits, il y intègre les valeurs.

### Des exemples de politiques économiques

Deux exemples permettent de mieux comprendre ce qu'est une politique économique. La loi de la demande servira de base à notre première démonstration : en général, le consommateur achète plus lorsque le prix est bas que lorsque le prix est élevé. Supposons qu'un vendeur de vêtements ait un stock considérable de vêtements d'été au moment où la marchandise d'automne est sur le point d'arriver. Il doit se débarrasser d'une façon ou d'une autre de ces surplus indésirables. La loi de la demande

> **JUGEMENT DE VALEUR**
> Jugement par lequel on décide que certains événements sont plus ou moins désirables.

l'aidera à le faire. Sachant qu'une baisse de prix fera augmenter la quantité demandée, il déterminera sa politique de prix en conséquence et écoulera sa marchandise en solde. Notre deuxième exemple touche l'économie dans son ensemble. Un principe fondamental, en économique, nous révèle qu'à l'intérieur de certaines limites il existe une relation directe entre la valeur totale des dépenses et le niveau d'emploi dans une économie. Si les dépenses totales augmentent, ou diminuent, le niveau d'emploi augmentera, ou diminuera. Ce principe peut aider grandement un gouvernement quand il choisit ses politiques économiques. Si les économistes du gouvernement notent que les statistiques montrent une baisse des dépenses globales au pays, ils pourront prévoir une hausse du chômage.

Le gouvernement pourra tenter de contourner cette conséquence indésirable en mettant au point des politiques visant à stimuler les dépenses globales dans l'économie. Pour éviter un problème, il faut d'abord le prévoir et, pour ce faire, les principes économiques sont d'une utilité indéniable.

## Les objectifs économiques

Il est important maintenant d'étudier les principaux objectifs économiques véhiculés et acceptés majoritairement dans notre société comme dans beaucoup d'autres. Ils comprennent, entre autres :

1. **La croissance économique** On souhaite augmenter la production de biens et services, en quantité et en qualité, de manière à hausser le niveau de vie.

2. **Le plein-emploi** Tous ceux et celles qui peuvent et qui veulent travailler devraient pouvoir trouver un emploi qui leur sied.

3. **La stabilité des prix** De grandes fluctuations à la hausse ou à la baisse du niveau des prix devraient être évitées.

4. **L'équilibre des finances publiques** L'endettement et les déficits gouvernementaux devraient être maintenus à des niveaux compatibles avec le bon fonctionnement de l'économie.

5. **Une répartition équitable des revenus** Aucun groupe de citoyens ne devrait vivre dans la pauvreté alors que d'autres vivent dans le luxe et l'abondance.

6. **L'équilibre de la balance des paiements** On recherche un certain équilibre dans nos transactions avec les autres pays.

Sur cette liste d'objectifs acceptés par la plupart des sociétés occidentales industrialisées s'appuient de nombreux points de discussion importants. Premièrement, nous constatons que toute formulation d'objectifs économiques entraîne inévitablement des problèmes d'interprétation. Par exemple, qu'entend-on précisément par une répartition « équitable » des revenus ? De plus, bien que les objectifs 1, 2 et 3 soient relativement faciles à quantifier, les objectifs 5 et 6 prêtent à controverse quant à leurs significations exactes, car ils sont plus difficilement mesurables.

Deuxièmement, certains de ces objectifs peuvent se réaliser conjointement, car l'un dépend en partie de l'autre. Par exemple, si l'on parvient à réduire le chômage de façon considérable (objectif 2), cela devrait contribuer à réduire de façon importante le problème des faibles revenus (objectif 5). De la même façon, les objectifs 1 et 5 sont intimement liés du fait que la croissance économique entraîne généralement des hausses de revenus et minimise par conséquent les tensions sociopolitiques liées à une répartition inégale des revenus.

Troisièmement, certains objectifs peuvent s'opposer et même s'exclure mutuellement. Des économistes affirment que les mêmes facteurs qui entraînent le plein-emploi et la croissance économique sont inflationnistes. En fait, le conflit apparent entre les objectifs 2 et 3 nourrit depuis quelques années la recherche et les débats entre les différentes écoles de pensée. Pour certains économistes les objectifs 1 et 5 semblent également en opposition. Ils affirment que les politiques mises sur pied pour réduire l'inégalité des revenus peuvent réduire l'incitation au travail, l'investissement, l'innovation, le goût du risque en affaires, ce qui amènerait un ralentissement de la croissance économique. Leur argumentation repose sur le genre de politiques établies par les gouvernements pour réduire les écarts : taxer lourdement les hauts revenus et redistribuer ces revenus d'impôts aux moins bien nantis. L'incitation à gagner un revenu élevé serait d'autant diminuée que la taxation réduit sensiblement le pouvoir d'achat supplémentaire qu'il procure. Ainsi, un particulier à faible revenu serait moins motivé à travailler, parce qu'il est assuré d'un soutien de l'État presque aussi avantageux que le salaire minimum.

Quatrièmement, quand les objectifs fondamentaux sont contradictoires, la société doit définir des priorités au sujet des buts à atteindre. Par exemple, si le plein-emploi et la stabilité des prix s'opposent dans une certaine mesure, c'est-à-dire si le plein-emploi entraîne un certain taux d'inflation et que la stabilité des prix implique du chômage, la société devra décider quel objectif est le plus important. Supposons que le choix se pose ainsi : d'un côté, un taux d'inflation de 7 % et le plein-emploi ; de l'autre, une parfaite stabilité des prix et un taux de chômage de 8 %. Quelle sera la meilleure option ? Un compromis est-il possible, comme 4 % d'augmentation des prix et 6 % de chômage ? Les discussions peuvent être fort animées sur la question.

*La formulation de politiques économiques*

Il n'est pas facile de formuler les politiques économiques qui permettront d'atteindre les objectifs économiques fondamentaux de notre société. Récapitulons les étapes essentielles d'une telle démarche :

1. La première étape consiste à formuler clairement les objectifs. Le terme « plein-emploi » signifie-t-il que toutes les personnes en âge de travailler ont un emploi ? Veut-il plutôt dire que toutes celles qui le désirent en ont la possibilité ? Devons-nous considérer comme « normal » un taux de chômage qui découle de changements d'emploi volontaires ?

2. Il faut ensuite analyser les effets possibles des différentes politiques mises sur pied pour atteindre nos objectifs. Les coûts et les bénéfices de chacune doivent être définis de façon précise de même que la possibilité de sa réalisation sur le plan politique. Ainsi, les économistes divergent sensiblement d'opinion sur les mérites respectifs des politiques fiscale (faire varier les impôts et les dépenses gouvernementales) et monétaire (faire varier l'offre de monnaie) dans la lutte contre le chômage.

3. Il est dans notre intérêt comme dans celui des générations futures de faire le bilan des expériences passées en matière de politiques économiques. C'est en évaluant leurs performances que nous pourrons améliorer ce type d'interventions. Pourquoi un changement de taxation ou de taux d'intérêt n'a-t-il pas eu l'effet escompté ?

## Les pièges liés à l'étude des problèmes économiques

Cette analyse de la démarche économique a permis de cerner certains problèmes et certains pièges particuliers qui nous guettent lors de l'étude des problèmes économiques. Considérons maintenant les obstacles suivants à un raisonnement économique valable.

*Les préjugés*

Contrairement à ce qui se passe pour les physiciens ou les chimistes inexpérimentés, l'écono-

miste novice, comme le psychologue ou le sociologue, se lance dans un domaine d'étude avec une foule de biais et de **préjugés**. Par exemple, certains peuvent avoir des préjugés sur les profits des grandes entreprises ou d'autres peuvent croire que le crédit à la consommation est la source de tous les maux. Inutile de dire que ces préjugés obscurcissent la pensée et nuisent à une analyse objective des faits. Les néophytes doivent s'efforcer de remiser ces biais et ces préjugés que les faits ne confirment nullement.

*La terminologie*

La terminologie économique véhiculée dans les journaux et les revues populaires est souvent chargée d'émotivité. L'auteur, ou plutôt le groupe d'intérêts qu'il représente, défend souvent une cause, et les termes utilisés sont choisis pour susciter l'appui du lecteur. Ainsi, le programme du Parti québécois sera qualifié de « communiste-séparatiste » par certains de ses détracteurs, tandis que d'autres qui le soutiennent le qualifieront d'« étape fondamentale pour le développement économique du Québec ». Une telle terminologie n'est pas acceptable dans la mesure où nous cherchons à comprendre objectivement les problèmes économiques importants.

De plus, aucun scientifique n'est tenu d'employer le langage courant pour définir les termes qu'il utilise. L'économiste peut juger pratique et même essentiel de les utiliser autrement que selon l'usage habituel. Dans la mesure où l'économiste est clair et conséquent dans ses définitions, il est en terrain sûr. Par exemple, la plupart des gens utilisent le mot « investissement » quand ils évoquent les placements qu'ils peuvent effectuer en achetant des obligations du gouvernement ou des actions de la compagnie General Motors. Pour l'économiste, l'investissement concerne l'achat de biens de production comme la machinerie, l'outillage ou l'agrandissement d'une usine et non la transaction purement financière qui consiste à échanger de l'argent contre un bout de papier.

*Les sophismes : la macro-économique et la micro-économique*

Une erreur commune, en économique, consiste à croire que « ce qui est vrai pour un individu ou un sous-groupe l'est nécessairement pour le

> **PRÉJUGÉ**
> Croyance, opinion préconçue ou parti pris.

groupe entier ». Il s'agit d'un **sophisme**. Une généralisation valide pour un individu ou une partie d'un tout ne se vérifie pas automatiquement pour le groupe dans son ensemble.

Cette affirmation ne vaut pas que pour l'économique. Commençons par un exemple qui n'est pas économique. Supposons que vous assistiez à une partie de hockey. L'équipe locale jouit d'un avantage numérique. Au plus fort de l'attaque à cinq, vous vous levez pour mieux suivre le jeu. Pour un individu, nous pouvons généraliser comme suit : *si un individu* se lève, sa vision sera améliorée. Par contre, nous ne pouvons certes pas généraliser ce principe à l'ensemble de la foule présente, car si *tous* se lèvent pour mieux voir, tous, y compris vous-même, ne verront guère mieux qu'auparavant et verront peut-être même moins bien qu'avant.

Appliquons maintenant ce raisonnement à deux exemples économiques. Une augmentation de salaire pour madame Tremblay est souhaitable, car elle lui permettra d'accroître son pouvoir d'achat et son niveau de vie. Par contre, si tous les travailleurs ont de telles augmentations, sans qu'il y ait une hausse de productivité, les prix vont augmenter. L'inflation viendra donc gruger la hausse de salaire de madame Tremblay, de telle sorte que son niveau de vie pourrait ne pas être meilleur qu'avant. De la même manière, un fermier se réjouira du bon rendement de ses vaches laitières. Il peut en espérer un revenu plus élevé. Par contre, si tous les fermiers du Québec ont des rendements aussi élevés, il y aura une surproduction de lait, c'est-à-dire un surplus, qui fera chuter le prix du lait en l'absence de contrôles gouvernementaux. Si cette baisse est trop importante, le revenu des fermiers pourra même diminuer.

Ces commentaires sur les sophismes nous amènent à distinguer deux niveaux d'analyse essentiellement différents à partir desquels l'économiste peut formuler des lois sur les comportements économiques. Un premier niveau, la **macro-économique**, étudie l'économie dans son ensemble ou à partir des **agrégats** ou com-

---

**SOPHISME**

Argument ou raisonnement faux malgré une apparence de vérité.

**MACRO-ÉCONOMIQUE**

Partie de l'analyse économique qui s'intéresse à l'économie globale, à de grands agrégats tels que le secteur public et les secteurs des ménages, des entreprises, des transactions internationales, ainsi qu'aux totaux de l'économie.

**AGRÉGAT**

Ensemble d'unités économiques particulières qu'on étudie comme si elles constituaient une seule entité.

**MICRO-ÉCONOMIQUE**

Partie de l'analyse économique qui s'intéresse aux unités individuelles de l'économie que sont les secteurs, les firmes et les ménages, et à des marchés isolés, à des prix particuliers et à des biens et des services spécifiques.

---

posantes de base comme les ménages, les entreprises, l'État, les marchés étrangers. Un agrégat est un ensemble d'unités économiques particulières qu'on étudie comme si elles constituaient une seule entité. Ainsi, il peut être utile de traiter le grand nombre d'entreprises qui existent dans notre économie comme une seule grande entité : l'entreprise. Ce faisant, la macro-économique cherche à obtenir une vision globale de la structure de notre économie et des relations entre les principaux agrégats qui la constituent. Elle ne s'arrête pas à l'étude des unités particulières constituant ces agrégats. La macro-économique n'étudie pas le comportement d'un consommateur, mais plutôt la consommation en relation avec les autres grandes variables économiques : le revenu national, le niveau des prix, le revenu disponible, le niveau d'emploi, etc. En bref, la macro-économique analyse la forêt, non les arbres. Elle nous fournit une vue à vol d'oiseau de l'économie.

À un tout autre niveau, la **micro-économique** se préoccupe des unités économiques particulières et analyse de façon détaillée leur comportement économique. À ce niveau d'analyse, l'économiste observe minutieusement une unité ou un petit segment de l'économie qui compose les agrégats. Il étudiera une industrie particulière, une entreprise ou un ménage en rapport avec la production ou le prix d'un produit donné, avec le nombre de travailleurs d'une entreprise, avec le revenu ou les dépenses d'une entreprise ou d'un ménage en particulier, etc. La micro-économique se penche sur l'arbre et non plus sur la forêt. Elle sert à comprendre les comportements des agents économiques. Il faut retenir que les généralisations possibles à un niveau ne s'appliquent pas nécessairement à l'autre.

### Les relations de cause à effet

Un autre danger fort présent en économique consiste à croire que, lorsque deux événements se suivent chronologiquement, le premier est nécessairement la cause de l'autre. Voici un exemple amusant de ce faux raisonnement. Nous remarquons, à l'automne, que les oiseaux entament leur longue migration vers le sud. Après quoi, nous assistons à la chute des feuilles. Devons-nous conclure que ce sont les oiseaux qui maintiennent les feuilles aux branches des arbres puisque, lorsqu'ils quittent nos régions, les arbres se dénudent? Non, évidemment.

Il est particulièrement important, quand nous analysons plusieurs séries de données empiriques, de ne pas confondre une simple **corrélation** avec une relation de cause à effet. Une corrélation existe entre deux séries de données quand elles sont reliées d'une façon certaine et systématique; par exemple, nous pouvons remarquer que lorsque la variable X augmente la variable Y fait de même. Nous ne devons pas pour autant conclure que X est la cause de Y. Cette relation peut n'être qu'une coïncidence ou s'expliquer par un troisième facteur Z qui ne fait pas encore partie de notre analyse. Par exemple, les économistes ont déterminé une corrélation positive entre le revenu et le niveau d'instruction. En général, les personnes qui ont un niveau d'instruction supérieur obtiennent des revenus plus élevés que celles qui ont moins d'instruction. Nous serions tentés d'identifier l'instruction comme la cause du revenu supérieur; une instruction plus poussée rendrait le travailleur plus productif, de sorte qu'il recevrait une plus grande récompense monétaire. Cependant, si nous poussons davantage cette réflexion, se pourrait-il que la relation de cause à effet fonctionne en sens inverse? Ainsi, est-ce que les gens qui ont de gros revenus auraient plus facilement accès à l'instruction comme à tous les autres biens et services disponibles? Est-ce que l'instruction et le revenu sont corrélés positivement parce que les mêmes caractéristiques (motivation, aptitudes personnelles, compétence, etc.) sont requises pour réussir ses études et être un travailleur à revenu élevé? Quand nous y réfléchissons bien, la relation entre ces deux variables n'est pas si évidente, et conclure que l'une

est la cause de l'autre pourrait carrément être erroné.

En bref, les relations de cause à effet sont loin d'être toujours évidentes en économique. L'économiste doit se méfier des conclusions hâtives comme «A est la cause de B».

# LES FONDEMENTS DE LA SCIENCE ÉCONOMIQUE

Comme nous le mentionnions précédemment, le champ de la science économique est circonscrit par deux concepts fondamentaux. Comme l'étude de l'économique repose sur ces deux prémisses, il est essentiel de se pencher sur elles pour les comprendre parfaitement.

1. Les besoins matériels de la société, c'est-à-dire les désirs des individus et des institutions, sont virtuellement illimités ou impossibles à satisfaire totalement.

2. Les ressources économiques, c'est-à-dire les moyens de production, existent en quantité limitée, ce qui les rend rares au sens économique.

### Les besoins illimités

Expliquons d'abord le premier énoncé. Qu'entendons-nous par «besoins matériels»? En premier lieu, nous nous référons aux désirs des consommateurs d'obtenir et d'utiliser différents **biens** et **services** qui leur procurent du plaisir et de la satisfaction[2]. Une variété phénoménale de produits visent à combler ces besoins: maisons, automobiles, dentifrices, crayons, pizzas, chandails, etc. Nous pouvons les classer en deux catégories: les biens et les services de *première nécessité*, comme la nourriture, le logement, l'habillement, et les *biens de luxe*, comme les parfums, les planches à voile ou les manteaux de fourrure. Cependant, tous ces biens servent à satisfaire des besoins. Ce qui est une nécessité pour certains peut représenter un luxe pour d'autres. Certaines choses qui étaient un luxe autrefois sont devenues des nécessités aujourd'hui.

---

| **CORRÉLATION** |
| :---: |
| Lien qui relie deux séries de données de façon systématique. |
| **BIEN** |
| Quelque chose de tangible, de matériel; utilisé en opposition à service. |
| **SERVICE** |
| Quelque chose d'intangible qu'une firme, une collectivité publique ou un consommateur est prêt à donner en échange de quelque chose qui a une valeur. |

---

2. Cette définition omet plusieurs besoins: reconnaissance, rang social, amour, etc., dont l'étude revient aux autres sciences sociales.

Les services satisfont aussi nos besoins : la réparation d'une automobile, une intervention chirurgicale, une coupe de cheveux, un avis légal, un cours d'économie ; ils jouent donc le même rôle que les biens. Cependant, contrairement aux biens ou marchandises, on dit des services qu'ils sont intangibles et qu'ils sont généralement consommés au moment même où ils sont produits. En fait, nous achetons de nombreux biens pour les services qu'ils nous rendent, comme les automobiles ou les micro-ordinateurs. En ce sens, la différence entre les biens et les services est beaucoup plus ténue qu'il ne le semble à première vue.

Les entreprises, les institutions et les gouvernements ont également des besoins matériels. L'entreprise a besoin d'usines, de machinerie, de camions, d'entrepôts, etc., pour atteindre ses objectifs de production. Le gouvernement, qui veut répondre aux besoins collectifs ou à ses propres objectifs, a besoin d'autoroutes, d'écoles, d'hôpitaux et de matériel militaire.

Dans leur totalité, ces besoins matériels sont *insatiables ou illimités*[3]. En résumé, nous pouvons affirmer que, en tout temps, les individus et les institutions qui composent la société ont d'innombrables besoins insatisfaits. Certains de ces besoins ont des racines biologiques : nourriture, habillement, logement. Par contre, d'autres dépendent des mœurs et des conventions de la société. Les habitudes alimentaires, la mode, le type d'habitation sont définis par notre environnement social et culturel. Avec le temps, la création de nouveaux produits et la publicité intensive changent et multiplient les besoins.

Finalement, mentionnons que l'objectif fondamental de l'activité économique consiste à satisfaire ces besoins matériels.

---

**RESSOURCES PHYSIQUES**

Comprennent la terre, les matières premières et le capital qui contribuent à la production de biens et de services.

**RESSOURCES HUMAINES**

Comprennent le travail et l'esprit d'entreprise qui contribuent à la production de biens et de services.

**TERRE**

Correspond aux ressources naturelles (« dons de la nature ») qui peuvent être utilisées pour la production de biens et de services.

**CAPITAL**

Également appelé « biens de production ».

**BIENS DE PRODUCTION**

Ressources fabriquées par l'humain, qui servent à produire des biens et des services. Ils ne satisfont pas directement des besoins humains. Les biens de production forment le capital.

**BIENS DE CONSOMMATION**

Biens ou services qui satisfont directement des besoins humains.

---

## Les ressources rares

Considérons maintenant notre deuxième prémisse : les ressources économiques sont *limitées* ou *rares*. Qu'entend-on par « ressources économiques » ? En général, cette expression inclut toutes les ressources naturelles, humaines ou manufacturées qui contribuent à la production de biens et de services. Cette définition occupe un champ très vaste : les usines et les bâtiments de ferme ainsi que toutes sortes d'équipements, d'outils, de machineries qui contribuent à la production de biens manufacturés et de produits agricoles ; toute une gamme de moyens de transport et de communication ; un grand nombre de métiers ; la terre et les ressources minérales de toutes sortes. Pour en simplifier l'étude, nous les regroupons en deux catégories : (1) les **ressources physiques**, comprenant la terre ou les matières premières et le capital ; (2) les **ressources humaines**, comme le travail et l'esprit d'entreprise.

### Les différentes ressources

Quel sens l'économiste prête-t-il au mot « **terre** » ? Il entend par ce terme beaucoup plus que ce qu'entend la majorité des gens. La « terre » comprend toutes les ressources naturelles, « véritables dons de la nature », qui contribuent à la production, tels le sol arable, la forêt, les gisements de combustible et de minerais et les ressources hydrauliques. Que signifie le terme « **capital** » ? Le capital, ou **biens de production**, représente l'ensemble des biens manufacturés et des services qui contribuent à la fabrication des produits et à leur acheminement au consommateur : outils, machinerie, équipement, bâtiments, entreposage, transport et distribution. La principale différence entre le capital, c'est-à-dire les biens de production, et les **biens de consommation** se situe dans

---

3. Il faut souligner, ici, un sophisme possible. Nos désirs pour un bien ou un service particulier peuvent être, en général, satisfaits. À court terme, il est possible d'avoir suffisamment de jus de pomme ou de dentifrice. Une appendicectomie règle notre problème pour toute la vie. Mais si nous considérons les produits disponibles, ils ne sont habituellement pas suffisants pour combler l'ensemble des besoins de tous les individus durant toute leur vie. Nous élaborerons la question de la satisfaction des besoins ultérieurement.

la satisfaction des besoins. Les biens de consommation satisfont directement les besoins, alors que les biens de production le font de façon indirecte, c'est-à-dire en permettant la production de biens de consommation. Il est important de souligner que le mot « capital » n'est pas synonyme d'argent, bien que les gens d'affaires et les économistes parlent souvent du capital financier en faisant référence à l'argent nécessaire pour acheter les biens de production. En fait, l'argent en soi ne produit rien ; nous ne pouvons le considérer comme une ressource productive. Le vrai capital, c'est-à-dire les outils, la machinerie, les routes et tout autre matériel de production, est une ressource économique, car il participe à la production de biens et de services. Ce n'est pas le cas de l'argent ou du capital financier qui permet de s'approprier la ressource « capital ».

Le **travail**, que certains appellent « capital humain », est une expression qui englobe toutes les activités physiques ou mentales de l'individu, qui servent à la production de biens et de services, à l'exception de l'esprit d'entreprise que nous avons choisi de traiter séparément à cause du rôle particulier qu'il joue dans une économie capitaliste. Ainsi, les services offerts par un plombier, un commis-vendeur, un opérateur de machinerie lourde, un professeur, un joueur de football professionnel ou un physicien nucléaire sont des ressources productives qui entrent dans la catégorie travail.

Finalement, qu'en est-il de cette ressource appelée « **esprit d'entreprise** » ? Nous tâcherons d'en préciser le sens en définissant les quatre fonctions de base de l'entrepreneur :

1. L'entrepreneur prend l'initiative de combiner les autres ressources : terre, capital et travail, pour produire un bien ou un service. En ce sens, il est le point de départ du processus de production.

2. L'entrepreneur a la responsabilité de prendre toutes les décisions importantes qui orienteront la destinée de l'entreprise.

3. L'entrepreneur est un innovateur. Il tente d'introduire, dans une perspective lucrative, de nouveaux produits, de nouveaux procédés de fabrication ou de nouvelles formes d'organisation dans l'entreprise.

4. L'entrepreneur prend nécessairement des risques. Cela découle de ses trois autres fonctions. En effet, dans une économie de marché, les profits ne sont pas garantis. Son temps, ses efforts et ses compétences peuvent lui procurer des profits intéressants comme des pertes importantes. Il peut même faire faillite. En bref, l'entrepreneur ne risque pas seulement son temps, ses efforts et sa réputation d'homme ou de femme d'affaires, mais également les fonds qu'il a peut-être engagés et ceux de ses associés ou des actionnaires.

### La rémunération des ressources

Nous étudierons ici brièvement comment les ressources sont rémunérées pour leur apport à la production. On appelle « **rente** » ou « revenu d'**intérêt** » le revenu alloué aux ressources physiques comme la terre, les matières premières et les biens d'équipement. Le revenu alloué au travail s'appelle « **salaire** ». Il comprend la rémunération de base ainsi que les différentes formes de suppléments, comme les bonis, les commissions, les primes, les avantages sociaux. Finalement, le revenu que touche l'entrepreneur est le **profit** ; lorsque ce revenu prend une valeur négative, il est appelé « perte ».

Ce classement, en quatre grandes catégories de ressources économiques ou **facteurs de production**, comprend des zones grises quand il s'agit de classer certaines ressources particulières. Par exemple, les dividendes qu'a reçus une détentrice d'actions du Canadien Pacifique sont-ils des intérêts versés par la compagnie pour les biens de production que cette entreprise a pu acheter avec l'argent provenant des

---

**TRAVAIL**

Comprend les aptitudes (efforts) physiques et mentales des individus, qui peuvent être utilisées pour produire des biens et des services.

**ESPRIT D'ENTREPRISE**

Ressource humaine qui combine les autres ressources pour obtenir un produit, qui prend des décisions non routinières, qui innove et qui assume des risques.

**RENTE**

Prix payé pour l'utilisation de la terre et des autres ressources naturelles dont l'offre est fixe.

**INTÉRÊT**

Versement effectué pour l'utilisation de monnaie (de fonds empruntés).

**SALAIRE**

Prix payé pour la main-d'œuvre.

**PROFIT**

Revenu des personnes qui offrent à l'économie leur esprit d'entreprise.

**FACTEURS DE PRODUCTION**

Diverses ressources économiques : terre, capital, main-d'œuvre et esprit d'entreprise.

actions? Ou bien, ce revenu serait-il une partie des profits distribués aux actionnaires pour compenser le risque découlant de l'achat d'actions? Où devons-nous classer les revenus d'un propriétaire de dépanneur qui est à la fois entrepreneur et travailleur? Nous pouvons répondre à ces questions par «dans les deux catégories». L'essentiel est de pouvoir classer toute source de revenu, sans trop d'arbitraire, dans une des catégories suivantes: salaire, rente, intérêt ou profit.

### La rareté relative

La caractéristique fondamentale commune à l'ensemble des ressources économiques se résume ainsi: les ressources économiques sont rares ou existent en quantités limitées. Bien que la planète recèle des ressources apparemment abondantes, il n'en demeure pas moins que, en regard de la production de biens et de services, les quantités sont limitées. La superficie des terres arables, les réserves de minerais, la quantité disponible de biens de production, le potentiel d'heures de travail sont limités, en ce sens qu'ils forment un ensemble fini. Il ne s'agit pas d'une rareté absolue, mais d'une rareté relative. La rareté est en fait une absence de disponibilité immédiate ou suffisante. Compte tenu de cette rareté relative des ressources productives et de la limite qu'elle impose à l'activité productive, les quantités de biens et de services qui en résultent ne peuvent être que limitées. La société ne pourra donc pas consommer tous les biens et les services qu'elle pourrait désirer. Ainsi, le Canada, que nous pouvons considérer comme un des pays les plus riches du monde, a produit, en 1990, des biens et des services d'une valeur d'environ 25 244,79 $ *per capita* et le Québec a produit une valeur d'environ 23 225 $ de biens et de services par habitant.

## L'EFFICACITÉ ÉCONOMIQUE
### La définition de la science économique

Sachant que les besoins sont illimités et que les ressources sont rares, nous pouvons élargir la définition de la **science économique** de la façon suivante: c'est la science humaine qui étudie la

---

**SCIENCE ÉCONOMIQUE**

Science humaine qui étudie la façon dont l'être humain peut satisfaire ses besoins illimités en utilisant efficacement les ressources rares.

**EXTRANT**

Production de biens ou de services réalisée à partir d'une certaine quantité d'intrants.

**INTRANT**

Ressource utilisée dans la production de biens et de services.

---

façon de satisfaire le mieux possible les besoins illimités de la société (objectif de la production) en utilisant ou en administrant de manière rationnelle les ressources rares (moyens de production). L'économique cherche à utiliser le mieux possible notre potentiel. Comme nos ressources sont rares, tant que nos désirs seront sans limites, nous ne pourrons satisfaire tous les besoins matériels de la société. L'objectif consistera alors à en maximiser la satisfaction. L'économique enseigne comment s'y prendre, c'est-à-dire comment utiliser les ressources d'une façon efficace pour combler les besoins.

Plus précisément, quel sens l'économiste donne-t-il au mot «efficace»? En fait, il lui donne sensiblement la même signification que les ingénieurs. Quand ceux-ci disent qu'une locomotive à vapeur n'a que 15 % d'efficacité, c'est qu'une grande partie, environ 85 %, de l'énergie potentielle du carburant qu'elle utilise s'est dissipée à cause de la friction et des pertes de chaleur au lieu d'être transformée en puissance utilisable. On n'a pas réussi à produire le maximum de puissance possible (**extrant**) à partir du carburant utilisé (**intrant**).

L'efficacité économique se mesure également en fonction d'intrants et d'extrants[4]. On se préoccupe en particulier de la relation qui existe entre les unités de ressources rares utilisées dans le processus de production et le résultat qui s'ensuit, c'est-à-dire le produit demandé. Plus la production est élevée à partir d'une même quantité d'intrants (ressources), plus l'efficacité est grande. Moins on réussit à produire avec la même quantité d'intrants, moins l'efficacité est grande.

### Le plein-emploi et la capacité maximale de production

La société veut utiliser ses ressources de façon efficace. Pour ce faire, elle doit tirer le maximum de ses ressources limitées, c'est-à-dire produire le plus grand nombre de biens et de services qui peuvent combler les besoins en utilisant au mieux les ressources disponibles. Cet objectif nécessite le plein-emploi et un niveau de

---

4. Les termes «intrants» et «extrants» sont utilisés à la place des termes anglais *input* et *output*.

production qui correspondent à la capacité maximale de l'économie.

Le **plein-emploi des ressources** implique que toutes les ressources disponibles sont utilisées. N'importe quelle personne désirant travailler et capable de travailler doit pouvoir le faire ; aucun travailleur ne doit rester sans emploi contre son gré. Les biens de production, c'est-à-dire le capital et la terre arable, doivent être pleinement utilisés. Cependant, il faut préciser le sens donné au terme « ressources disponibles ». Toute société a des pratiques et des coutumes qui déterminent quelles ressources particulières sont disponibles à un moment donné. Par exemple, la loi et les habitudes limitent le travail des enfants et des personnes très âgées. Il en est de même pour le sol qu'il faut laisser en repos périodiquement afin de ne pas l'épuiser.

L'expression **« capacité maximale de production »** signifie que les ressources doivent être affectées de façon efficace. En d'autres termes, nous devons utiliser ces ressources à la bonne place de façon qu'elles contribuent le plus possible à maximiser la production totale. Un chauffeur de taxi n'a pas à plaider à la cour, pas plus qu'une avocate n'a à conduire un taxi. De la même manière, il faut éviter de planter des pommes de terre en Saskatchewan et du blé à l'Île-du-Prince-Édouard quand l'expérience révèle que la situation inverse permet une production supérieure des deux produits à partir de la même superficie de sol cultivée. L'affectation efficace des ressources pour une production maximale nécessite également l'usage des technologies appropriées. Lorsque la main-d'œuvre est surabondante et que le capital est presque inexistant (situation prévalant en Chine, il y a quelques années), il est préférable d'utiliser des techniques de production qui requièrent beaucoup de main-d'œuvre. Par contre, si la situation inverse prévaut dans un secteur (comme au Québec où la relève agricole est déficiente), la mécanisation des exploitations agricoles est impérative.

Nous étudierons plus loin de quelle façon le niveau de dépenses totales dans l'économie influence la quantité de ressources utilisée.

> **PLEIN-EMPLOI DES RESSOURCES**
>
> Utilisation de toutes les ressources économiques disponibles pour produire des biens et des services.
>
> **CAPACITÉ MAXIMALE DE PRODUCTION**
>
> Production qu'une économie peut atteindre si elle affecte ses ressources de façon efficace.

## Les possibilités de production

### *Le tableau des possibilités de production*

Le tableau des possibilités de production permet de mieux cerner la problématique de l'économique[5]. Cet instrument d'analyse ingénieux révèle la particularité de l'approche économique : les ressources étant rares, une économie qui produit au niveau du plein-emploi ne peut engendrer des biens et des services en quantité illimitée. Dans un premier temps, notre illustration reposera sur plusieurs postulats particuliers.

**L'EFFICACITÉ.** L'économie fonctionne au niveau du plein-emploi et à sa capacité maximale de production.

**LES RESSOURCES SONT FIXES.** Les moyens de production (ressources) disponibles sont fixes. Bien sûr, les ressources peuvent être mobiles, à l'intérieur de certaines limites. Par exemple, un travailleur non qualifié peut occuper différents emplois comme balayeur, gardien de sécurité ou plongeur dans un restaurant.

**L'ÉTAT DE LA TECHNOLOGIE EST CONSTANT.** L'état de la technologie ne pourra changer tout au long de notre analyse. Les techniques de production disponibles seront les mêmes du début à la fin du problème.

**L'ÉCONOMIE NE PRODUIT QUE DEUX BIENS OU DEUX SERVICES.** Pour simplifier l'illustration, nous supposerons que l'économie ne produit que deux biens ou deux services, par exemple du pain et des robots, plutôt qu'une infinité de produits comme dans la réalité. Le pain représentera les biens de consommation qui doivent satisfaire directement les besoins, alors que les robots symboliseront les biens de production, le capital, qui satisferont indirectement les besoins en permettant une production plus efficace de biens de consommation.

### *La nécessité de choisir*

Nos postulats ou suppositions de départ font ressortir nettement l'impossibilité d'une production illimitée. Nos ressources totales sont limitées,

5. Paul A. Samuelson et Scott Anthony, *Economics*, 5ᵉ édition canadienne, Toronto, McGraw-Hill Ryerson Limited, 1980, p. 19-28.

**TABLEAU 1.1** Les possibilités de production de pains et de robots à un niveau de plein-emploi en 1992 (données fictives)

| TYPES DE PRODUITS | POSSIBILITÉS DE PRODUCTION | | | | |
|---|---|---|---|---|---|
| | A | B | C | D | E |
| Pains (en centaines de milliers) | 0 | 1 | 2 | 3 | 4 |
| Robots (en milliers) | 10 | 9 | 7 | 4 | 0 |

par conséquent la quantité de robots et de pains que nous pourrons produire est également limitée. Nous devons donc choisir quelle quantité respective de chacun des deux produits nous désirons produire. *Des ressources limitées entraînent une production limitée.* Comme nos ressources sont limitées et pleinement utilisées, la production d'un robot supplémentaire entraînera nécessairement une baisse de la quantité produite de pains. L'inverse est également vrai. Nous ne pouvons produire un gâteau, des crêpes et un pain avec une tasse de farine. *Il faut choisir.* C'est l'essence même de l'économique.

Le tableau 1.1 illustre différentes combinaisons de robots et de pains qu'une économie pourrait éventuellement choisir de produire. Bien que ces données soient fictives, elles illustrent clairement qu'en pratique, pour produire davantage d'un bien, il faut réduire la production d'un autre bien. La combinaison A suppose que l'économie emploie toutes ses ressources à la production de robots, c'est-à-dire de biens de production. À l'autre extrême, la combinaison E indique que l'économie affecte toutes ses ressources à la production de pains, c'est-à-dire de biens de consommation. En fait, ces deux hypothèses extrêmes sont parfaitement irréalistes. Une économie vise, en général, un certain équilibre entre la production de biens de capital et celle de biens de consommation. Les hypothèses B, C, D supposent une production accrue de pains au détriment de celle de robots. Comme les biens de consommation satisfont directement nos besoins, les solutions s'approchant de l'hypothèse E sont plus alléchantes. La satisfaction immédiate des besoins s'accroît. Il faut cependant en payer le prix, car c'est la capacité de satisfaire nos besoins futurs qui est en jeu. En diminuant la fabrication de biens de production, l'économie

nuit à son stock de capital ou, à tout le moins, au taux de croissance de son stock de capital et, par conséquent, sacrifie l'efficacité future de son appareil productif. Bref, un déplacement de A vers E correspond au choix «plus, maintenant» aux dépens de «beaucoup plus, plus tard». À l'opposé, un déplacement de E vers A diminue la consommation présente en libérant des ressources qui pourront être consacrées à la production de biens de capital. L'augmentation du stock de capital qui en découle nous permet d'anticiper une plus grande efficacité de production dans l'avenir, d'où une plus grande consommation future.

Nous pouvons résumer cette analyse de la façon suivante : en tout temps, une économie de plein-emploi dont la production est maximale doit sacrifier une certaine quantité du bien X pour augmenter celle de Y.

### La courbe des possibilités de production

Pour parfaire notre compréhension du tableau des **possibilités de production**, nous l'illustrerons par un graphique. Pour cela, nous utiliserons un graphique à deux dimensions, dans lequel l'abscisse correspond à la quantité de pains produits, en centaines de milliers, et l'ordonnée représente la quantité de robots produits, en milliers (figure 1.2, page 16).

Chaque point de la courbe implique que la société affecte ses ressources disponibles d'une façon qui soit le plus efficace possible.

Les points situés *à l'extérieur* de la surface délimitée par les axes et la courbe, c'est-à-dire l'ensemble des possibilités de production, comme le point W, représentent des niveaux de production impossibles à atteindre compte tenu des ressources et de la technologie disponibles. Les points situés *à l'intérieur* de cette surface, comme le point Z, révèlent que toutes les

> **POSSIBILITÉS DE PRODUCTION**
>
> Quantités limitées de biens et de services qu'une économie peut produire compte tenu de ses ressources.

**FIGURE 1.2**   La courbe des possibilités de production

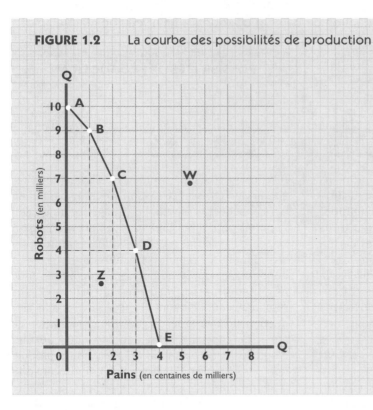

Chaque point sur la courbe des possibilités de production représente une production combinée maximale des deux produits. La société doit choisir quelle combinaison des deux produits elle désire : plus de robots implique moins de pains et vice versa. La rareté des ressources humaines et physiques rend impossible toute combinaison de robots et de pains située à l'extérieur de la courbe, comme W. Tout point à l'intérieur de la courbe des possibilités de production, comme Z, révèle un sous-emploi des ressources.

ressources disponibles n'ont pas été utilisées ou qu'elles n'ont pas été utilisées de façon efficace. Il y a du chômage, ou d'autres ressources sont sous-utilisées.

Par exemple, la discrimination sexuelle, raciale ou d'autre nature, en nuisant à l'utilisation efficace des ressources humaines, amène l'économie à fonctionner en deçà de ses possibilités de production. Cette discrimination empêche les femmes, les minorités ethniques et raciales ou les personnes handicapées d'occuper les postes ou les emplois dans lesquels elles pourraient mettre pleinement à profit leurs talents et leurs compétences. Par conséquent, l'élimination de la discrimination rapprocherait l'économie de la courbe des possibilités de production.

Parmi toutes les possibilités situées sur la courbe, à quelle combinaison une société accordera-t-elle sa préférence ? La réponse à cette question dépend des valeurs de cette société et ne concerne pas l'économiste, qui est un scientifique. Par exemple, entre les combinaisons B et D (figure 1.2), quel serait le meilleur choix ? Encore une fois, ce n'est pas une question d'ordre scientifique. La réponse dépendra des valeurs de la société qu'exprimeront ses

groupes de pressions : gouvernements, partis politiques, électorat, associations de citoyens, etc. Ce que l'économiste peut affirmer, c'est que si les possibilités de production d'une société sont les mêmes que celles qui sont représentées à la figure 1.2 et que cette société vise la combinaison indiquée au point B, elle n'utilise pas ses ressources de façon efficace si sa production est inférieure à 9 000 robots et 100 000 pains. Il peut également nous dire qu'une production supérieure à 9 000 robots et 100 000 pains est impossible compte tenu des ressources disponibles. L'économiste peut donc répondre en termes quantitatifs mais, bien qu'il puisse avoir des vues personnelles sur la question, il ne peut prétendre que la combinaison B est meilleure ou pire que la combinaison D.

## La loi des rendements décroissants

Nous avons démontré qu'il y a une rareté relative des ressources par rapport aux besoins illimités qu'elles sont appelées à satisfaire. En conséquence, des choix s'imposent. Plus précisément, plus d'un produit implique moins d'un autre. La quantité d'un produit qu'il faut sacrifier pour augmenter la production d'un autre s'appelle «**coût d'option**» ou, plus simplement, «coût économique du produit». Dans le tableau 1.1 (page 15), quand nous passons de A à B, nous remarquons que le coût d'une unité de pain équivaut à une unité de robot. Mais si nous appliquons cette notion de coût aux passages de B à C, de C à D et de D à E, nous constatons que le coût n'est pas toujours le même. Chaque unité supplémentaire de pain nécessitera de sacrifier plus d'unités de robots. Le coût d'option augmente. De B à C, il est de deux unités de robots pour une unité de pain, de C à D, il faut sacrifier trois unités de robots et, finalement, de D à E, il en coûte quatre unités.

### Une explication rationnelle

Quelle explication rationnelle l'économique fournit-elle à la loi des rendements décroissants (coûts croissants)? Pourquoi devons-nous sacrifier de plus en plus de robots pour obtenir plus de pains? La réponse à ces interrogations est plutôt complexe. En simplifiant, la **loi des rendements décroissants** s'explique par le fait que les ressources économiques ne sont pas parfaitement mobiles. En d'autres termes, les ressources économiques ne s'adaptent pas parfaitement à des emplois différents. Au fur et à mesure que nous tentons d'augmenter la production de pains, les ressources que nous devons déplacer sont de moins en moins adaptées à l'agriculture. Pour passer de A à B, nous choisissons, en premier lieu, les ressources les mieux adaptées à la production de pains, c'est-à-dire dont la productivité relative est moins grande quand elles sont employées à fabriquer des robots. Pensons à une boulangère fabriquant des robots. Mais plus nous nous approchons de E, plus ces ressources deviennent rares, et nous aurons recours à des ressources qui conviennent mieux à la production de robots et dont la productivité est faible quand elles sont utilisées à la fabrication de pains. Par exemple, utiliser une ingénieure pour fabriquer du pain est peu efficace. Il faut une grande quantité de ces ressources pour produire du pain; par conséquent, il faudra sacrifier beau-

coup de robots pour pouvoir produire encore une unité supplémentaire de pain. Cette absence de parfaite mobilité des ressources impliquant un coût d'option croissant pour la production d'une unité supplémentaire explique la *loi des rendements décroissants*.

### Récapitulation

La courbe des possibilités de production renvoie à quatre concepts de base. Premièrement, cette courbe implique la *rareté relative* des ressources, car aucune combinaison de production située à l'extérieur de la courbe des possibilités de production n'est réalisable. Deuxièmement, la *nécessité du choix* est illustrée par l'ensemble des possibilités de production parmi lesquelles la société doit faire une sélection. Troisièmement, la pente négative de la courbe démontre l'existence d'un *coût d'option*. Quatrièmement, la convexité de la courbe nous révèle que ces coûts sont croissants, en vertu de la *loi des rendements décroissants*.

> ### COÛT D'OPTION
> Quantité d'autres produits qui doit être abandonnée ou sacrifiée quand on fabrique une unité d'un produit.
>
> ### LOI DES RENDEMENTS DÉCROISSANTS
> Lorsqu'on ajoute des accroissements successifs égaux d'une ressource variable aux ressources fixes, le produit marginal de la ressource variable commence alors à décroître au-delà d'un certain niveau d'emploi.

## Une économie en croissance

En pratique, la quantité et la qualité des ressources ainsi que le niveau de technologie ne sont plus fixes. Le potentiel productif de l'économie pouvant alors changer, la courbe des possibilités de production se déplacera.

### La disponibilité croissante des ressources

Dans les faits, le postulat selon lequel les ressources, comme la terre, le travail, le capital et l'esprit d'entreprise, sont fixes n'est pas vérifié. Nous abandonnerons donc ce postulat et étudierons l'effet de cette nouvelle approche sur la courbe des possibilités de production. Avec le temps, la population d'une économie s'accroît et nous sommes en droit de nous attendre à une augmentation de la main-d'œuvre disponible[6]. Historiquement, le stock de capital n'a cessé de croître, bien qu'à un taux variable. De plus, malgré la consommation importante de minerais et de ressources énergétiques, on

---

6. Il ne faudrait pas conclure que toute augmentation de population est nécessairement bénéfique pour l'économie. La surpopulation peut influencer l'environnement et la qualité de vie, et ce, plus encore dans les pays en voie de développement où l'économie, pour toutes sortes de raisons, ne parvient pas à satisfaire les besoins vitaux de sa population.

**TABLEAU 1.2**    Les possibilités de production de pains et de robots à un niveau de plein-emploi en 2012 (données fictives)

| TYPES DE PRODUITS | POSSIBILITÉS DE PRODUCTION | | | | |
|---|---|---|---|---|---|
| | A´ | B´ | C´ | D´ | E´ |
| Pains (en centaines de milliers) | 0 | 2 | 4 | 6 | 8 |
| Robots (en milliers) | 14 | 12 | 9 | 5 | 0 |

découvre régulièrement des réserves, même si elles sont parfois plus difficiles d'accès, donc plus coûteuses (par exemple, le pétrole extrait des sables bitumineux). En supposant que nous utilisions toutes ces ressources croissantes de façon efficace, l'économie serait en mesure de produire toujours plus de robots et de pains. Ainsi, en l'an 2012, les possibilités de production de 1997 seraient dépassées et nous aurions un nouveau tableau où chaque possibilité représenterait une production des deux biens plus grande qu'en 1997 (tableau 1.2). Il s'est produit une cer-

taine croissance économique qui s'exprime par une production accrue.

Il faut cependant signaler qu'une telle augmentation des possibilités de production ne garantit pas que l'économie réalisera pleinement son potentiel.

## Le progrès technologique

Nous allons maintenant mettre de côté le troisième postulat, à savoir un niveau de technologie constant. La technologie ayant progressé de façon phénoménale depuis le début du siècle,

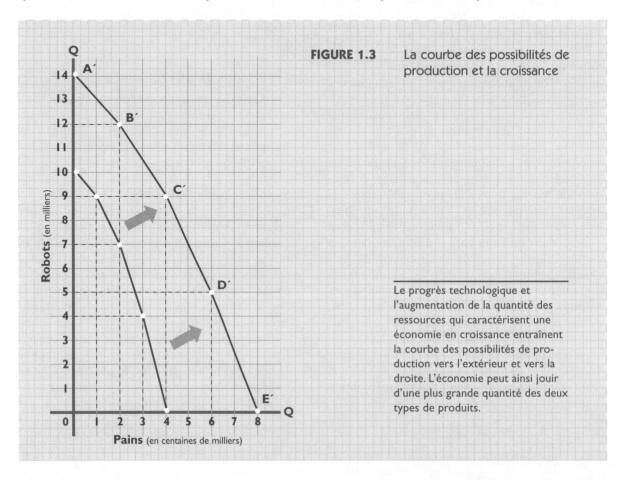

**FIGURE 1.3**    La courbe des possibilités de production et la croissance

Le progrès technologique et l'augmentation de la quantité des ressources qui caractérisent une économie en croissance entraînent la courbe des possibilités de production vers l'extérieur et vers la droite. L'économie peut ainsi jouir d'une plus grande quantité des deux types de produits.

nous pouvons nous demander quel est l'impact de cette mutation sur l'économie. Sans entrer dans les détails, nous pouvons affirmer que l'évolution technologique permet la fabrication de nouveaux produits d'une qualité supérieure à partir de procédés améliorés. Nous limiterons notre analyse à l'amélioration du capital, c'est-à-dire la machinerie et l'équipement. Nous verrons comment ce progrès technologique, en augmentant l'efficacité dans la production, permet de produire davantage de biens avec la même quantité de ressources. Comme dans le cas de l'augmentation des ressources disponibles, le progrès technologique permet de produire plus de pains et plus de robots.

> **CROISSANCE ÉCONOMIQUE**
> Capacité de produire une plus grande quantité de biens et de services.

Quelles sont les conséquences sur la courbe des possibilités de production d'une augmentation des ressources ou du progrès technologique? La courbe se déplace vers le haut et vers la droite (figure 1.3).

### La croissance économique

La **croissance économique**, définie comme étant la capacité de produire une plus grande quantité de biens et de services, se traduit par un déplacement vers le haut et vers la droite de la courbe des possibilités de production; cette croissance provient de l'augmentation de la quantité de ressources disponibles et du progrès technologique. En conséquence, l'économie à son niveau de plein-emploi profitera d'une production accrue de pains et de robots.

Pour mieux comprendre la problématique propre à l'économique, nous avons dû, jusqu'à présent, aborder le sujet sur un plan plutôt abstrait. Nous aborderons au chapitre suivant un terrain plus concret et étudierons quelques-unes des questions fondamentales auxquelles tout système économique doit répondre pour maximiser la satisfaction des besoins à partir des ressources rares. Nous y étudierons également comment le système capitaliste (économie de marché) répond à ces questions fondamentales.

# Activités d'apprentissage

## Résumé

*Si vous ne pouvez répondre à la question qui accompagne le résumé d'une section, vous devriez relire attentivement cette section et essayer de nouveau.*

*Nommez trois pro-blèmes qui relèvent de l'économique.*

### LA PROBLÉMATIQUE DE L'ÉCONOMIQUE, UNE SCIENCE HUMAINE

■ L'économique est une science humaine car elle étudie le comportement humain, ses formes, son organisation et ses produits. Plus spécifiquement, la problématique de l'économique est la suivante : comment utiliser effi-cacement les ressources limitées pour satisfaire le mieux possible les besoins illimités de la population.

### L'UTILITÉ DE L'ÉCONOMIQUE

*Décrivez une situation qui montre l'utilité de l'économique.*

■ L'économique est fort utile aux gouvernements, aux entreprises, aux citoyens car elle leur permet de prendre des décisions plus éclairées. L'économique envisage les problèmes d'un point de vue social et non en fonction d'intérêts individuels.

### L'ÉCONOMIQUE DESCRIPTIVE

*Quelle forme prennent les données recueillies par les économistes?*

■ Pour étudier un problème, l'économiste doit d'abord recueillir les faits (économie descriptive).

### LA THÉORIE ÉCONOMIQUE

*À quoi servent les principes économi-ques? Donnez un exemple.*

■ L'économique doit ensuite organiser ces données et les généraliser sous forme de principes, de lois, de théories ou de modèles (économie théorique). Les principes économiques ont plusieurs caractéristiques nota-bles. D'abord, ce sont des généralisations, de sorte qu'ils comportent sou-vent des exceptions et empêchent une quantification rigoureusement exacte. De plus, les principes économiques sont des modèles qui simplifient la réalité et qui sont, par conséquent, plutôt abstraits ; leur utilité dépend cependant de ce niveau d'abstraction.

## LES POLITIQUES ÉCONOMIQUES

■ L'économiste s'appuie sur ces principes pour formuler des politiques économiques visant à améliorer la situation économique. La croissance, le plein-emploi, la stabilité des prix, l'équilibre des finances publiques, l'équité dans la répartition des revenus, l'équilibre de la balance des paiements sont généralement acceptés en tant que principaux objectifs dans les sociétés industrialisées. Certains de ces objectifs sont complémentaires, d'autres s'opposent.

## LES PIÈGES LIÉS À L'ÉTUDE DES PROBLÈMES ÉCONOMIQUES

■ La personne débutante doit éviter de nombreux pièges lorsqu'elle étudie l'économique :
a) les biais et les préjugés ;
b) les problèmes de terminologie ;
c) les sophismes ;
d) les dangers de la surgénéralisation ;
e) la difficulté à bien reconnaître les relations de cause à effet.

## LES BESOINS ILLIMITÉS

■ Les besoins matériels correspondent aux désirs des consommateurs d'obtenir et d'utiliser différents biens et services qui leur procurent de la satisfaction. Ces besoins sont illimités.

## LES RESSOURCES RARES

■ Les ressources économiques correspondent à toutes les ressources naturelles, humaines ou manufacturées qui contribuent à la production de biens et services. Elles sont limitées ou rares. Cette rareté est relative puisqu'il s'agit d'une absence de disponibilité immédiate ou suffisante. On distingue deux types de ressources : les ressources physiques (les matières premières et le capital) et les ressources humaines (le travail et l'esprit d'entreprise). La rente ou revenu d'intérêt est la rémunération des ressources physiques comme la terre et le capital. Le salaire est la rémunération du travail. Le profit est la rémunération de l'esprit d'entreprise.

## LA DÉFINITION DE LA SCIENCE ÉCONOMIQUE

■ L'économique étudie l'affectation des ressources afin de satisfaire les besoins matériels de la société de façon efficace, c'est-à-dire en maximisant la satisfaction obtenue par unité de ressources rares utilisée.

## LE PLEIN-EMPLOI ET LA CAPACITÉ MAXIMALE DE PRODUCTION

■ Une affectation efficace doit s'appuyer sur le plein-emploi des ressources et l'utilisation maximale de la capacité de production.

## LES POSSIBILITÉS DE PRODUCTION

■ Une économie utilisant pleinement et efficacement ses ressources doit toujours sacrifier la production de certains biens et services si elle désire augmenter d'autres productions.

---

*Définissez librement: croissance, plein-emploi, stabilité des prix, équilibre des finances publiques, équité dans la répartition des revenus, équilibre de la balance des paiements.*

*Donnez un exemple de chacun des pièges.*

*Pourquoi dit-on que les besoins sont illimités?*

*Pourquoi dit-on que le pétrole est une ressource rare? À quoi correspondent l'esprit d'entreprise, la terre, le capital?*

*Reformulez en termes d'intrants et d'extrants.*

*Définissez plein-emploi des ressources et capacité maximale de production.*

*Pourquoi?*

ACTIVITÉS D'APPRENTISSAGE

**ACTIVITÉS D'APPRENTISSAGE**

*Y a-t-il une limite au transfert d'une ressource d'une utilisation à une autre?*

*Donnez un exemple d'accroissement des ressources humaines et d'accroissement des ressources physiques.*

### LA LOI DES RENDEMENTS DÉCROISSANTS

■ Comme la productivité des ressources varie selon l'usage que nous en faisons, le passage pour une ressource d'une utilisation à une autre obéit à la loi des rendements décroissants, c'est-à-dire que la production d'une unité supplémentaire d'un produit X nécessite un sacrifice toujours plus grand du produit Y.

### UNE ÉCONOMIE EN CROISSANCE

■ Au fil des ans, les progrès technologiques et l'amélioration des ressources humaines et physiques contribuent à l'accroissement de la production totale dans l'économie.

# Mots-clés

| | | |
|---|---|---|
| **Abstraction** | Induction et déduction | **Ressources limitées** |
| **Allocation efficace** | **Intérêt, rente, salaire, profit** | **Ressources physiques** |
| **Besoins illimités** | Intrant | **Science économique** (ou |
| **Biens et services** | Loi des rendements décroissants | économique) |
| Capacité maximale de production | Macro-économique et micro- | **Sciences humaines** |
| **Choix** | économique | Sophisme |
| Corrélation | Modèle | Surgénéralisation |
| Courbe et tableau des possibi- | Plein-emploi | **Terre, capital, travail, esprit** |
| lités de production | **Politique économique** | **d'entreprise** |
| Coût d'option | Préjugé | Théorie |
| Croissance | Principes ou généralisations | Toutes choses étant égales par |
| **Économie descriptive** | **Problématique** | ailleurs |
| **Économie théorique** | **Rareté** | Valeurs |
| **Efficacité** | Relation de cause à effet | |
| Extrant | **Ressources humaines** | |

# Réseau de concepts

Avec les mots-clés en caractères gras, nous allons construire un réseau de concepts. Si vous avez bien compris votre leçon, vous devriez être en mesure de préciser les liens entre ces principaux concepts. Dans les chapitres subséquents, vous développerez votre capacité à structurer la matière d'une leçon sous forme de réseaux soit en identifiant les concepts-clés, soit en les mettant en relation, soit en précisant cette relation. Remplissez les cases vides.

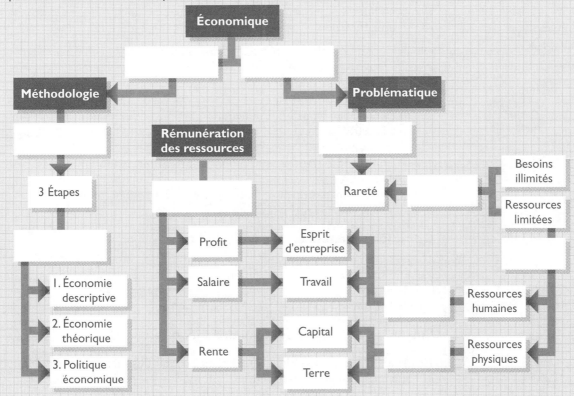

# Exercices et problèmes

**Vrai ou faux ? Justifiez vos réponses.**

1. L'économique sert d'abord et avant tout aux hommes d'affaires. Elle leur permet de maximiser leurs profits.

2. La macro-économique étudie l'effet des pluies acides sur les forêts.

3. La micro-économique analyse de façon détaillée le comportement économique des unités économiques particulières.

4. L'hypothèse «toutes choses étant égales par ailleurs» signifie qu'aucun autre facteur ou qu'aucune autre variable n'a d'influence sur le comportement étudié.

5. En faisant intervenir les valeurs, la politique économique ne relève plus exclusivement de la science.

ACTIVITÉS D'APPRENTISSAGE

**ACTIVITÉS D'APPRENTISSAGE**

6. Les modèles économiques sont des généralisations et des abstractions. C'est pourquoi ils ne sont guère utiles pour comprendre la réalité.

7. Les grands objectifs macro-économiques entrent parfois en contradiction. C'est pourquoi il est nécessaire d'établir des priorités.

8. On considère comme raisonnable pour le Canada :
   a) un taux de chômage de 12 % ;
   b) un taux d'inflation de 3 % ;
   c) un taux de croissance réel du PIB de 8 % ;
   d) un déficit gouvernemental équivalant à 30 % du PIB.

9. Il y a plein-emploi des ressources lorsqu'il n'y a pas de chômage.

**Choisissez la bonne réponse.**

10. Le coût d'option correspond :
    a) au coût des biens de production ;
    b) à la partie de la dette canadienne que devrait assumer un Québec souverain ;
    c) à la quantité d'un produit qu'on doit sacrifier pour augmenter celle d'un autre ;
    d) à l'assurance-emploi que l'on doit verser aux chômeurs ;
    e) aucune de ces réponses.

**Complétez l'énoncé.**

11. L'économique est la science qui étudie le problème de la _____. Elle se préoccupe de l'utilisation _____ des ressources dans la production de _____ et _____ devant satisfaire les _____ de l'être humain.

**Suivez les directives et répondez aux questions.**

12. À quel type de ressources appartient chacun des facteurs de production suivants et quel type de rémunération obtient-il ?
    a) Le coffre à outil d'un travailleur de la construction.
    b) La cueillette des pommes à Rougemont.
    c) Les efforts d'une jeune diplômée en marketing pour mettre sur pied son bureau de consultation.
    d) Une mine d'amiante à Asbestos.

13. Voici un tableau des possibilités de production pour le matériel militaire et la production civile.
    a) Comment ce tableau illustre-t-il la loi des rendements décroissants ? Si l'économie fonctionne présentement au point C, quel est le coût de 200 000 automobiles supplémentaires ? Quel est le coût de 6 000 missiles de plus ?

| TYPES DE PRODUITS | POSSIBILITÉS DE PRODUCTION | | | | |
| --- | --- | --- | --- | --- | --- |
| | A | B | C | D | E |
| Automobiles (en centaines de milliers) | 0 | 2 | 4 | 6 | 8 |
| Missiles antichars (en milliers) | 30 | 27 | 21 | 12 | 0 |

b) Quels sont les postulats sous-jacents à la courbe des possibilités de production? Que se passe-t-il quand nous écartons chacun de ces postulats?

14. Soit la courbe des possibilités de production ci-contre:
   a) Quel point permettra à l'économie de croître le plus rapidement?
   b) À quel point l'économie sous-utilise-t-elle ses ressources?
   c) Quel point n'est pas possible actuellement?

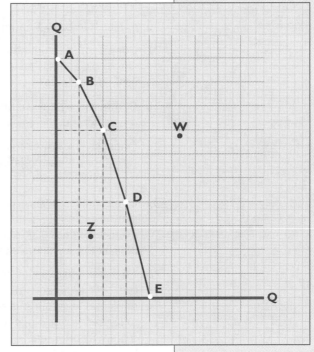

15. À quelle étape de la méthodologie propre à l'économique chacun des exemples suivants se réfère-t-il?
   a) Statistique Canada procède à son enquête sur le marché du travail.
   b) Laffer met au point son modèle décrivant la relation entre le niveau de taxation et les revenus fiscaux.
   c) La Banque du Canada hausse les taux d'intérêt pour soutenir le dollar canadien.
   d) Les Canadiens sont fortement endettés et leur consommation est à la baisse.
   e) Friedman affirme que les habitudes de consommation sont un déterminant de la consommation plus important que le revenu à court terme.

16. À quel piège dont il faut se méfier chacun des exemples suivants correspond-il?
   a) À l'heure de la mondialisation, les séparatistes sacrifient l'avenir économique des jeunes Québécois sur l'autel de leur nombrilisme nationaliste.
   b) Depuis 50 ans, les dépenses de l'État n'ont cessé d'augmenter ainsi que le taux de chômage. Donc, l'État est responsable de l'augmentation du taux de chômage.
   c) Si tous les revenus augmentaient, tout le monde serait plus riche.
   d) Si les grosses compagnies et les riches payaient leurs impôts, il n'y aurait plus de déficit et l'État ne serait pas obligé de couper dans la santé et l'éducation.
   e) J'ai investi 10 000 $ dans le Fonds de solidarité des travailleurs du Québec.

17. Sous quel angle l'économiste aborde-t-il l'étude:
   a) du secteur de l'éducation?
   b) de la production de chandails?
   c) des problèmes d'environnement?
   d) de la détente Est-Ouest?

18. Croyez-vous que le concept de temps soit une ressource économique?

19. Commentez cet extrait fictif d'un article de presse : « La polyvalente offre un délicieux repas pour 0,55 $ sans qu'il en coûte un sou aux contribuables. Cet exploit est rendu possible, en partie, grâce à une subvention gouvernementale. »

20. Quel est le coût d'option des études universitaires ?

21. Commentez l'énoncé suivant : « Je ne comprends pas pourquoi je dois suivre un cours d'économique. J'ai déjà choisi mon orientation. Je veux être psychologue. »

22. Commentez l'affirmation suivante : « Je suis contente de suivre un cours d'économique, je vais enfin apprendre à jouer à la bourse. »

23. Quelles conséquences découlent du fait que l'économique ne puisse pas se pratiquer en laboratoire ? Quels problèmes pouvons-nous rencontrer lors de l'énoncé et de l'application des principes économiques ?

24. Dans quelle mesure partagez-vous les six objectifs économiques mentionnés dans le présent chapitre ? Quelle importance relative leur accordez-vous ? Les objectifs décrits dans ce chapitre sont-ils compatibles avec les valeurs suivantes : progrès, stabilité, justice et liberté ?

25. Analysez chacun des objectifs particuliers suivants en fonction des six objectifs généraux mentionnés dans le présent chapitre et déterminez dans quelle mesure ils sont compatibles ou en contradiction :
    a) la préservation des ressources naturelles et le respect de l'environnement ;
    b) l'augmentation du temps de loisir ;
    c) la protection des producteurs canadiens contre les marchés étrangers ;
    d) la liberté individuelle.
    Lequel de ces objectifs particuliers jugez-vous prioritaire ?
    Justifiez votre choix.

26. Commentez l'affirmation suivante : « Les économistes qui remettent constamment en question les politiques économiques mises sur pied par les différents gouvernements doivent être considérés comme une source de progrès pour notre économie. »

# Complément

## DU BON USAGE DES INDICATEURS STATISTIQUES

*Peut-on faire dire n'importe quoi aux chiffres?*

Lorsque nous nous intéressons aux problèmes économiques courants et passés, que ce soit pour le travail ou comme simples citoyens, nous sommes confrontés à des données numériques, des statistiques qu'il nous faut interpréter. Et cette interprétation ouvre souvent la porte à des abus, que ce soit en politique, dans la publicité, dans les sports, etc. D'où l'adage : «On peut faire dire n'importe quoi aux chiffres.» Par exemple, supposons qu'un gouvernement veuille vanter ses performances en matière d'emploi, bien que ces dernières n'aient pas été particulièrement extraordinaires. Supposons également que l'ancien gouvernement au pouvoir n'ait créé que 10 000 emplois pour 500 000 chômeurs existants, alors que le présent gouvernement en a créé 20 000. Ce dernier aurait mathématiquement le droit d'affirmer : «Le nombre d'emplois créés a doublé en un an» ou mieux encore «L'emploi a augmenté de 100 % en un an.» Mais il n'aurait pas le droit, scientifiquement, d'assortir ces résultats du commentaire suivant : «La situation de l'emploi s'est grandement améliorée» ou bien «Des progrès remarquables ont été réalisés en matière d'emploi» parce que, pour juger de la situation de l'emploi sur le marché du travail, cette seule statistique est insuffisante. Il y aurait abus d'interprétation.

C'est pourquoi il faut être très prudent dans l'emploi des indicateurs économiques (et autres). La maîtrise du seul aspect mathématique, bien qu'elle soit importante, ne suffit pas à en garantir le bon usage. Chaque indicateur a ses limites et il est très rare qu'un seul indicateur puisse nous éclairer parfaitement sur une situation économique aussi complexe que le chômage, la croissance, etc. Il faut donc se méfier des données trop spectaculaires, surtout lorsqu'elles sont utilisées à des fins plus ou moins partisanes.

*«Moi, je ne crois pas aux statistiques.»*

Souvent, la seule source mentionnée dans certains discours est du type : «Des recherches ont démontré que...», «De nombreuses études ont prouvé...» Il faut se méfier de ces prétentions scientifiques, mais pas au point de nier la valeur et l'utilité de l'ensemble des indicateurs statistiques. Comme cet élève de cégep qui niait l'inégalité dans la distribution des revenus. Son professeur lui présenta alors un tableau de données sur la part du revenu total que recevait chaque quintile de la population canadienne. Jetant à peine un coup d'œil sur les données, il lui répondit : «Moi, je ne crois pas aux statistiques», ce à quoi le professeur rétorqua : «Ce n'est surtout pas une question de foi, c'est une question de source.»

En effet, une étude sérieuse mentionne toujours de façon précise la provenance de chacune des données de manière que la lectrice ou le lecteur puisse en vérifier l'exactitude et la portée. Il faut mentionner la publication ou l'organisme qui a publié les données, et la référence complète, y compris la page ou le numéro du tableau. Souvent, dans ces sources, se trouvent également la définition de l'indicateur et la façon dont il a été compilé. Alors, seulement, nous pouvons nous fier aux données et les utiliser de façon adéquate.

ACTIVITÉS D'APPRENTISSAGE

### Les statistiques pertinentes

Certaines personnes, pour en mettre plein la vue, vont truffer leurs articles ou leurs propos de statistiques comme si les chiffres leur conféraient une aura scientifique ou une valeur plus grande. Une étude sérieuse ne fait référence qu'aux statistiques réellement nécessaires pour supporter les affirmations, démontrer ou affirmer une hypothèse, illustrer une situation, etc. Il ne faut pas noyer le poisson! Quand un auteur nous inonde de données plus ou moins pertinentes, nous sommes en droit de nous demander s'il ne veut pas masquer le vide de son discours.

## LA DÉFINITION ET L'UTILITÉ

Plusieurs diront qu'ils n'aiment pas l'économique à cause de son contenu mathématique. Certes, on utilise abondamment la convention graphique en économique et on consulte beaucoup les données statistiques. Mais, au collégial, l'algèbre avancée ou le calcul différentiel ou intégral ne sont pas indispensables pour atteindre les objectifs du programme. Par conséquent, le contenu mathématique du cours «Économie globale» se résume facilement à quelques notions d'arithmétique que nous rafraîchirons dans les premiers chapitres. Ces quelques éléments mathématiques sont à la portée de tout élève qui a un bagage scientifique suffisant pour être admis au cégep. Il lui suffit d'apprivoiser les **indicateurs statistiques** pour se sentir déjà beaucoup plus à l'aise avec la science économique.

On appelle «indicateur statistique» tout indice, taux, ratio, toute variation, mesure, etc, dont les valeurs sont utilisées comme point de repère dans l'appréciation de l'état ou de l'évolution d'un phénomène non quantifiable ou difficilement quantifiable. Par exemple, il est difficile de quantifier l'évolution des prix. Le nombre de produits multiplié par le nombre de vendeurs différents de ces produits correspond à un nombre très élevé de prix différents qui n'évoluent pas tous dans le même sens ni dans la même proportion. Il nous faut alors bâtir un indicateur du niveau de prix. Nous devons trouver un nombre qui reflétera en quelque sorte les mouvements des prix : une sorte de moyenne. Si nous voulons mesurer le niveau de violence dans la société, nous sommes confrontés au même problème. Qu'est-ce que la violence? Quels en sont les symptômes? Pouvons-nous définir un indicateur qui augmenterait quand la violence augmente et diminuerait si celle-ci diminue? Pensons au nombre de vols, de meurtres, de femmes battues, etc., déjà nous pensons indicateur. Les **indicateurs économiques** sont des indicateurs statistiques qui nous renseignent sur des aspects quantitatifs de l'activité économique, tandis que les **indicateurs sociaux** nous renseignent sur des aspects plus qualitatifs.

C'est par souci d'objectivité que nous essayons de quantifier des phénomènes qui, *a priori*, sont difficilement quantifiables. En effet, comment pourrons-nous démontrer que la santé des autochtones est moins bonne que celle des autres habitants du Canada si nous n'avons pas de mesure de la santé? Nous pourrions toujours dire que nous sommes allés visiter de nombreuses réserves et que les gens n'avaient pas l'air très en santé ou très heureux. Ce genre de démarche peut nous mettre sur la piste et même nous permettre d'énoncer certaines hypothèses. Mais pour vérifier la validité de nos suppositions, pour prouver nos intuitions, nous devons mesurer. Et qui dit mesure dit quantitatif.

---

**INDICATEUR STATISTIQUE**

Instrument de mesure qui permet d'évaluer un phénomène difficilement quantifiable.

**INDICATEUR ÉCONOMIQUE**

Indicateur statistique qui nous renseigne sur des phénomènes quantitatifs : la croissance, les ventes, etc.

**INDICATEUR SOCIAL**

Indicateur statistique qui nous renseigne sur des phénomènes qualitatifs : la santé, l'éducation, etc.

Nous quantifions donc les phénomènes pour pouvoir les évaluer et les comparer. Nous pouvons souhaiter comparer dans le temps, c'est-à-dire mesurer l'évolution d'un phénomène. Par exemple, l'activité économique est-elle plus forte cette année qu'elle ne l'a été l'année dernière ? La criminalité augmente-t-elle rapidement ? Nous pouvons également vouloir comparer l'ampleur d'un phénomène dans deux régions différentes. Y a-t-il plus d'analphabètes dans les pays en voie de développement que dans les pays industrialisés ? Le taux de chômage est-il plus élevé au Canada qu'aux États-Unis ? Pour répondre sans ambiguïté à toutes ces questions, nous devons utiliser des mesures, des chiffres, que nous les aimions ou non. Nous pouvons utiliser des taux, des ratios, des indices, des échelles, etc., mais, dans le fond, tout ce que nous faisons, c'est mesurer.

Ces indicateurs se distinguent des indicateurs purement économiques, en ce sens qu'ils ne visent pas à décrire les performances quantitatives de l'économie, mais plutôt à décrire (de façon quantitative) la qualité de vie dans nos sociétés par rapport à différents domaines comme la santé, le logement, l'éducation, l'environnement, etc. Chacun de ces domaines est étudié sous plusieurs aspects et il faut parfois plusieurs indicateurs pour cerner un seul aspect de la qualité de vie. Par exemple, pour la santé, mentionnons : l'espérance de vie à la naissance, l'espérance de vie en bonne santé, l'espérance de vie perdue, le taux de mortalité infantile, les années potentielles de vie perdues (APVP) selon certaines causes, les principales causes de décès, les taux comparatifs de mortalité selon certaines causes, le taux brut de mortalité générale, les années de vie perdues, la prévalence d'un facteur de risque, le taux de morbidité hospitalière, l'indice de surmortalité masculine, etc. En matière d'environnement, tous les taux de pollution sont à l'honneur. Pour le logement, citons l'indice d'encombrement, le taux de vacance, etc. Finalement, en matière d'éducation, soulignons le taux d'alphabétisation, le taux d'inscrits dans l'enseignement supérieur, le taux de décrochage, etc.

La qualité de vie a longtemps été considérée comme un domaine trop subjectif pour intéresser l'économiste. Mais à mesure que se sont développés de bons indicateurs fiables, ils ont commencé à figurer en bonne place dans les études économiques. Beaucoup de ces indicateurs sont des taux, des ratios ou des indices. Il faut donc être attentif lorsqu'on analyse ces données.

Essayez de trouver des indicateurs pour les phénomènes suivants :
   a) la qualité de l'air ;
   b) l'état de santé de la population ;
   c) la solidité d'une entreprise ;
   d) la pauvreté d'un pays ;
   e) la croissance économique.

ACTIVITÉS D'APPRENTISSAGE

**ACTIVITÉS D'APPRENTISSAGE**

# Recherche documentaire

## LES SOURCES D'INFORMATION ÉCONOMIQUE

Lorsque nous cherchons de l'information économique, nous ne pouvons nous contenter de consulter des volumes ou des livres traitant l'économique. Les faits et même les théories ou les modèles économiques évoluent trop rapidement pour que les volumes puissent nous renseigner sur les événements récents. Il n'existe pas non plus d'ouvrage qui fasse le tour de toutes les réformes économiques déjà entreprises ni de leur aboutissement. La conjoncture change trop rapidement. Aucun manuel d'économique présentement sur le marché ne vous renseignera sur le taux de chômage du mois passé. Les délais d'impression et de mise en marché ne permettent pas ce genre d'exploit. Il faut donc utiliser des sources variées selon le genre d'information recherchée.

### Où trouver l'information

Lorsque vous voulez savoir quelle équipe de hockey est présentement en tête du classement de la Ligue nationale, vous consultez n'importe quel quotidien. Si vous voulez une description détaillée du dernier match disputé par Les Canadiens de Montréal, vous ne consulterez certainement pas *Le Devoir* ou *Le Monde diplomatique*. Vous choisirez un quotidien spécialisé dans les sports. D'un autre côté, si vous cherchez le record de tous les temps de buts marqués par un joueur durant une saison, vous pourrez trouver cette information dans un ouvrage de référence comme le *Livre Guiness des records* ou un almanach. Il existe aussi des sources d'information appropriées au genre d'information économique que vous cherchez: volumes, ouvrages de référence, périodiques (revues ou journaux), recueils de statistiques.

### Les volumes

Les volumes vous apporteront des informations de base sur l'économique en général ou sur un sujet économique particulier. Dans ce dernier cas, il est très important de toujours vous informer de la date de parution du volume pour bien situer la période sur laquelle il vous renseigne. Par exemple, un volume intitulé *Pays industrialisés/Pays sous-développés-Faits et chiffres* peut sembler très intéressant lorsque vous cherchez de l'information sur l'endettement des pays en voie de développement. Mais à partir du moment où vous connaissez la date de parution, soit 1972, vous savez que vous ne pourrez y puiser aucune donnée récente. Par contre, pour mieux comprendre les principaux concepts, les principaux modèles ou les principales théories, il existe de nombreux manuels qui font le tour de la question. L'idéal est encore cependant de choisir les plus récents.

### Les ouvrages de référence

Il est souvent très utile, lorsque vous entreprenez une recherche sur un sujet particulier, de circonscrire dans un premier temps votre sujet en consultant des ouvrages de référence: dictionnaires, encyclopédies, annuaires, atlas, etc. Ces documents peuvent vous fournir des synonymes, des mots-clés, des grands thèmes qui sont indispensables à la poursuite de votre recherche. Ils font en quelque sorte un tour rapide de la question. Ils vous aident à déterminer les variables en cause. Par exemple, vous voulez étudier le problème du chômage au Québec. En consultant une encyclopédie spécialisée, vous obtiendrez des mots-clés auxquels vous n'aviez pas pensé ou que vous ne connaissiez pas comme : main-d'œuvre, précarisation, emploi, marché du travail, population active, spécialisation, travail à temps partagé, etc. Outre les nombreux dictionnaires et les nombreuses encyclopédies économiques, nous pouvons mentionner comme ouvrage de référence sur la plupart des pays et dont la parution est annuelle : *Atlaséco, L'état du Monde, Rapport sur le Développement dans le monde, Ramses*. Le Canada et le Québec publient régulièrement un annuaire très complet.

## Les périodiques

Pour vous tenir au courant des derniers développements économiques ainsi que des dernières analyses publiées, il faut absolument consulter les périodiques. On les appelle ainsi, car ils paraissent à intervalles plus ou moins réguliers (quotidien, hebdomadaire, mensuel, etc.). Cependant, il existe un nombre tellement grand de publications qu'à moins d'y passer vos journées et vos nuits vous ne pourrez jamais parcourir, même rapidement, tout ce qui s'écrit en économique. Heureusement, il existe des outils de recherche appelés « index ». Un index est un ouvrage de référence qui permet de trouver rapidement des articles publiés dans des revues ou des journaux. Cet ouvrage vous offre une liste alphabétique des articles classés par sujets. Les descripteurs utilisés pour l'indexation des articles proviennent généralement d'une liste inspirée du *Répertoire des vedettes-matière* de la bibliothèque de l'Université Laval. Cette liste est révisée régulièrement. Au début de chaque index, vous trouverez des notes explicatives concernant leur utilisation. Les principaux index que vous pouvez utiliser pour recueillir de l'information récente sont *Point de Repère* pour les revues de langue française, *Readers Guide to Periodical Literature* pour les revues de langue anglaise, l'*Index de l'Actualité* pour les journaux *Le Devoir, La Presse, Le Soleil* et *Infodex* pour *La Presse* (support microfiches). L'*Index des Affaires* répertorie et classe, depuis 1988, les articles de nature économique publiés dans de nombreux journaux et périodiques. Il va de soi que rien ne peut remplacer la lecture de votre quotidien préféré pour vous tenir à la fine pointe des derniers développements. De nos jours, la plupart des index se retrouvent sur disque compact, ce qui accélère d'autant plus la recherche.

## Les publications statistiques

Si vous cherchez des données récentes, il faut consulter des revues statistiques. Pour vous aider à trouver l'information particulière que vous recherchez, il existe une liste des publications de Statistique Canada par sujets ainsi qu'un *Catalogue* de Statistique Canada (11-204). Le gouvernement du Québec publie également un *Répertoire des publications statistiques du gouvernement du Québec* par l'entremise du Bureau de la statistique du Québec. La *Revue de la Banque du Canada*, publiée mensuellement, est également une source à ne pas négliger.

En bref, il existe des sources diversifiées qui correspondent à des types d'information particuliers. Une petite visite à la bibliothèque de votre collège s'impose. Cette visite peut être virtuelle à l'aide de l'ordinateur ou d'Internet.

## Activité

**Vérifiez et complétez votre connaissance des renseignements suivants.**

- Où se trouve la bibliothèque de votre collège?
- Quelles en sont les heures d'ouverture?
- Y a-t-il des ordinateurs à votre disposition?
- Quels sont les outils de recherche disponibles?
- Où, dans la bibliothèque, se trouvent les ouvrages de référence, les publications statistiques, les livres d'économique, les revues spécialisées, les journaux?
- Est-il possible d'imprimer les articles de revues, de journaux? Si oui, comment? Si non, où est située la photocopieuse?

ACTIVITÉS D'APPRENTISSAGE

ACTIVITÉS D'APPRENTISSAGE

# L'économique pour comprendre ce qui se passe

Dans ce texte, on parle d'urbanisme, de géographie, d'histoire, de culture. On y retrouve également des concepts économiques que nous avons abordés dans ce premier chapitre.

1. Quels sont les besoins et les ressources mentionnés dans ce texte?
2. De quels problèmes économiques y parle-t-on?
3. Quel jugement sur l'efficacité économique y porte-t-on?
4. Quel objectif économique mentionne-t-on?

Appuyez vos réponses en citant des extraits du texte.

La Catherine d'un bout à l'autre

# Lendemains de catastrophe

Parlez à un urbaniste montréalais de développement global
et il fera invariablement la grimace.

### Serge Truffaut
LE DEVOIR, Montréal le 29 mars 1997

Signe très révélateur lorsqu'on interroge un urbaniste de Montréal sur le développement de façon globale, invariablement cet urbaniste va parler de Radio-Canada. Ce faisant, c'est garanti, il va faire la grimace. Il y a de quoi.

Tenez, lorsqu'on dialogue avec Bernard Vallée du collectif L'autre Montréal, lorsqu'on l'interroge sur la présence, les présences, d'autant de terrains vagues et de stationnements automobiles tout au long du centre-ville entre Papineau et Atwater, il va sortir un chiffre et un lieu. Les stationnements qui flanquent Radio-Canada. Et alors? «On a détruit 800 logements pour loger des bagnoles. On a détruit davantage pour la déesse auto que pour la tour elle-même.»

Pourquoi donc? C'est affaire de culture. Celle de l'époque, celle de l'administration Drapeau. Jamais, tout au long du règne Drapeau, on a songé doter Montréal d'un plan d'urbanisme. En fait, et ainsi que l'a souligné M. Vallée, Montréal a été une des dernières villes du monde à se confectionner un tel plan. C'était

au début des années 90. Retournons dans l'histoire.

Voilà, Radio-Canada symbolise les us et coutumes immobilières des années 60 et 70 ainsi: les promoteurs construisaient, l'administration municipale s'adaptait. Elle se pliait. Et alors? Et alors! Les premiers détruisaient souvent plus qu'il ne le fallait. Les seconds acceptaient de transformer le terrain vague ainsi «récolté» en parking, au lieu évidemment d'obliger les promoteurs à modifier les plans afin, par exemple, de remiser les voitures au sous-sol.

Cette culture, cette manie, ce vice, a produit cette masse «de surfaces lépreuses, a confié M. Vallée, que sont les stationnements extérieurs de Radio-Canada et d'ailleurs.» Ajoutez à cela autoroute Ville-Marie et autres trucs, et on constate... on se souvient qu'entre 35 000 et 40 000 unités résidentielles ont été détruites. De ce massacre, le quartier centre-sud fut le plus touché.

Ces surfaces lépreuses, ces autoroutes Ville-Marie et, plus loin,

Décarie répondaient à une bizarre conception de l'avenir: «plus on fait pénétrer l'automobile, plus on étale, plus les gens, obligés à l'exode vers les banlieues, jouiront de meilleures conditions de vie.» Symbole de cette vision un tantinet mégalomaniaque, Radio-Canada était et reste «un désastre monumental», pour reprendre le mot de David Hanna, professeur de géographie urbaine à l'UQAM et président de Héritage Montréal.

Entre Radio-Canada, le Complexe Desjardins, la Place Guy-Favreau, l'ensemble La Cité, la Place des Arts, on arrête là, et on entend M. Vallée nous dire: «Drapeau a détruit ce qui faisait de Montréal sa caractéristique. À savoir le plus riche patrimoine architectural du XIXe siècle en Amérique du Nord.»

On a détruit la beauté. Ce faisant, on a nettoyé...

#### Le Village gay
En détruisant tous les îlots résidentiels nécessaires à la fois à Radio-Canada et à l'autoroute Ville-Marie, on a naturellement accéléré la

baisse des valeurs des résidences épargnées, comme on a évidemment favorisé une diminution des loyers des commerces de la rue Sainte-Catherine entre Berri et Papineau.

Roger Le Clerc est le président du Centre des gays et lesbiennes de Montréal. Forcément, il connaît bien cette communauté mais aussi son histoire. Dans les années 60, «la concentration gay était beaucoup plus à l'ouest qu'aujourd'hui. Elle était regroupée entre Mackay et Drummond.»

En vue de l'Expo 67, la police a multiplié les descentes «afin qu'on vide le coin. Le mouvement de nettoyage s'est complété en 1976 avec les Olympiques. Pendant une dizaine d'années, il y a eu une volonté très ferme de faire déménager les membres de cette communauté.»

Le prix des commerces dans la zone Berri-Papineau ayant reculé, «Le Priape fut le premier établissement gay à ouvrir ses portes dans le quartier. Il fut suivi par La Boîte en haut, au coin de Sainte-Catherine et Alexandre-de-Sève.» En investissant le coin pour des raisons économiques, les gays ont en quelque sorte confirmé l'hétérogénéité de la rue Sainte-Catherine à partir de Saint-Laurent. Autrement dit, ils l'ont prolongée. C'est du moins le constat de M. Hanna.

«Leur implantation dans ce quartier aurait été encore impossible dans les années 60, selon M. Hanna. Le quartier était alors trop marqué de catholicisme. Cela n'aurait pas été possible. Il faut se rappeler que, lorsque les bourgeois ont quitté le Vieux-Montréal en remontant la rue Berri, ils ont construit leurs demeures entre Sanguinet et Amherst ainsi que, et c'est important, des grandes institutions religieuses comme la cathédrale Saint-Jacques et, plus tard, l'église Saint-Pierre Apôtre.» La première a été nettoyée dans l'UQAM. La deuxième occupe une partie de la zone ceinturée entre Beaudry et Panet, au sud de Sainte-Catherine.

Le long de la bande qui va de Amherst à Papineau, les gays les plus commerçants ont ouvert des restos, des cafés, des bars et d'autres commerces. Mais... mais l'ensemble laisse une impression de fragilité. Il y a de l'incertitude économique qui explique d'ailleurs la très récente création d'une Chambre de commerce des gays et lesbiennes de Montréal.

Pourquoi? La Chambre de commerce de Montréal ne répond-elle pas à vos besoins? «Pas du tout, de laisser tomber M. Le Clerc. Pour nous, la Chambre de commerce des gays et lesbiennes va encourager une prise de conscience. On a des besoins spécifiques. On veut en tout cas travailler à attirer les touristes.»

L'assemblée de fondation de cette Chambre de commerce eut lieu dans le restaurant La Grappa. Une institution qui faisait quelque peu la fierté des gays habitant dans le coin. Elle a brûlé pas plus tard que la semaine dernière.

Une dernière chose: on estime que les gays et lesbiennes représentent environ 35 % de la population du quartier.

### La colère des autres

Dans la foulée de la construction de Radio-Canada, des gays se sont donc installés entre Amherst et Papineau. D'autres, la fibre sociale chevillée au corps, ont fondé des coopératives d'habitation dans les années 70. Il y en a rue Beaudry, rue Robin, rue Montcalm et rue Saint-André. Les autres? Beaucoup d'entre eux souffrent. D'économie et de solitude.

Sur ce sujet, Michel Leclair est prolixe. Il est le président du conseil d'administration du Centre communautaire centre-sud. Celui-ci loge dans une ancienne école de la CECM rue Beaudry, au nord de Sainte-Catherine. Géographiquement, ce centre, ses bénévoles et sa poignée de permanents répondent tant bien que mal aux multiples besoins d'une population habitant à l'intérieur du territoire allant de Bleury à Moreau et de Sherbrooke

jusqu'au fleuve. En un mot: le territoire est énorme. De facto, la demande pour les services dispensés par ce centre est doublement énorme.

Le midi, les désargentés du quartier et des autres coins viennent se nourrir à des prix très bas (2,35 $) dans la cantine installée dans le sous-sol de cette école. Combien de repas par jour? 250 au minimum. Déshérence économique oblige, une banque alimentaire a été organisée. Dans la grande salle, et en dehors évidemment des heures de repas à prix de pauvre, on distribue des aliments en criant des numéros. 700 personnes, 700 sans-emploi et victimes de coupures budgétaires viennent s'approvisionner toutes les semaines. Et la demande ne cesse d'augmenter.

Pourquoi donc? «Ce quartier est le plus pauvre du Canada, de marteler Michel Leclair. Les problèmes les plus aigus y sont rassemblés. Il y a tellement de problèmes, je vous le dis, qu'on sent une révolte à l'horizon. Il y a tellement de gens acculés au mur... On n'arrête pas de socialiser la misère.»

«Pour les gens qui viennent ici, la question de l'indépendance du Québec, des Anglais et des Français, tout ça, ce débat, est bien loin. Parce que l'essentiel, pour eux, c'est bouffer. On est là. Bouffer et combattre la solitude. À l'extérieur, on n'a pas idée de la gravité de la situation. Quoi dire... Quoi dire à la fille qui se prostitue une fois qu'elle est dégelée? Au fond, c'est ça qu'on nous demande de faire.»

Et pour ce faire, Michel Leclair et ses bénévoles, Michel Leclair et ses trop rares permanents travaillent au développement d'une solidarité. «Ce que je souhaite, c'est qu'on développe une agora au sens athénien. Je crois que nous en sommes arrivés au moment où il va falloir développer un rapport de forces.»

# Chapitre 2

# Les systèmes économiques : la demande, l'offre et l'équilibre du marché

*I faut convenir qu'une économie peut recourir à un grand nombre d'institutions et de mécanismes pour répondre aux questions fondamentales. Les systèmes économiques diffèrent quant à ces institutions et à ces mécanismes. Le modèle de l'offre et de la demande permet de mieux comprendre le fonctionnement de l'économie de marché (capitalisme) où les prix ont une fonction de rationnement.*

## LES SYSTÈMES ÉCONOMIQUES

### Le rôle d'un système économique : répondre aux questions fondamentales

Un système économique constitue la façon dont une société est organisée pour gérer la rareté relative des ressources. Peu importe le système économique en vigueur, pour utiliser les ressources de façon efficace, il faut répondre à cinq questions fondamentales :

1. Quel niveau de production devons-nous atteindre ?

2. Que devons-nous produire ?

3. Comment devons-nous produire ?

4. Pour qui devons-nous produire ?

5. Comment le système doit-il s'adapter aux changements ?

### Quel niveau de production devons-nous atteindre ?

À quel niveau ou dans quelle mesure devons-nous intégrer nos ressources au processus de production ? La société doit d'abord décider dans quelle mesure les ressources sont disponibles pour la production courante. En ce qui concerne les ressources humaines, nous devons décider de l'âge auquel les travailleurs intégreront le marché et le quitteront, de la durée de la semaine de travail, du nombre de jours de congé et de vacances, etc. Il s'agit de départager travail et loisir. Le travail apporte des revenus monétaires qui permettent de satisfaire les besoins par l'achat de biens et de services. Par contre, le loisir est également une façon de satisfaire les besoins. À quoi peut servir une raquette de tennis ou un équipement de ski si nous n'avons pas le temps de les utiliser ? Quant aux ressources physiques, le dilemme se situe sur le plan de la conservation des ressources naturelles. L'exploitation abusive des ressources non renouvelables comme le pétrole ou le gaz naturel permet certes une production supérieure actuellement, mais hypothèque grandement la production future. Quel devrait être le taux optimal d'utilisation des ressources naturelles ?

Une fois établi le niveau d'utilisation des ressources, la société doit veiller à ce que celui-ci soit effectivement atteint. L'efficacité d'un système économique repose sur un niveau d'emploi élevé et stable. Le sous-emploi involontaire des ressources est une marque d'inefficacité.

### Que devons-nous produire et en quelle quantité ?

*La société doit déterminer le panier de biens et de services le plus apte à satisfaire ses besoins.* Quels biens et quels services particuliers devons-nous produire et en quelle quantité ? Lors de l'analyse de la courbe des possibilités de production, nous avons supposé l'existence de deux produits. En réalité, le problème est beaucoup plus complexe. Désirons-nous produire des automobiles, un stade olympique, des logements décents, des robots, des chasseurs-bombardiers, des navettes spatiales ? De quelle quantité de chacun de ces produits avons-nous besoin ? Il faut garder en tête le coût d'option entre la production actuelle et la production future, c'est-à-dire choisir les quantités respectives de biens de consommation et de production qui correspondent à l'importance que nous accordons à la satisfaction immédiate par rapport à celle que nous pouvons avoir dans l'avenir. Si nous affectons maintenant plus de ressources aux biens de production, la consommation immédiate sera moindre, mais la consommation future sera grandement accrue.

### Comment devons-nous produire ?

*Une fois établie la composition de la production totale, il s'agira alors de décider comment celle-ci sera organisée.* Quelle est la meilleure combinaison de ressources, c'est-à-dire la technologie la plus efficace, pour atteindre nos objectifs de production ? Par exemple, en agriculture, nous devons choisir entre la culture intensive et la culture extensive qui nécessitent plus ou moins de terre arable. Nous pouvons utiliser plus ou moins de machinerie, donc plus ou moins de main-d'œuvre. Pourquoi le Canada opte-t-il pour une agriculture extensive et très mécanisée, alors que le Japon préfère la culture intensive produite avec une main-d'œuvre abondante ? La réponse réside dans la rareté relative des ressources disponibles des deux pays.

### Pour qui devons-nous produire ?

*Comment devons-nous répartir cette production entre les différentes unités économiques ?* Comment la partager entre les ménages ? Cette distribution doit-elle se faire selon les besoins ou selon la contribution de chacun au processus de production ? Les inégalités découlant de ce partage sont-elles justifiables ou désirables ? Comment répartir le capital entre les nombreuses industries et les différentes entreprises qui y œuvrent ? Quelle doit être la part de l'État ? Nous ne pouvons répondre à ces questions d'un point de vue purement économique. L'approche doit être également politique, sociale et morale. Elle nécessite l'apport de toutes les sciences humaines.

### Comment le système doit-il s'adapter aux changements ?

*Dans quelle mesure notre système économique peut-il s'adapter aux changements de manière à demeurer efficace à travers le temps ?* Les sociétés modernes étant dynamiques, elles sont en perpétuelle mutation. Les goûts et les besoins des consommateurs évoluent, la disponibilité des ressources et la technologie également. Le panier de biens et de services convenant à vos parents durant les années soixante ou soixante-dix ne répondrait pas à vos besoins actuels. Vous optez pour la production de disques compacts de préférence à celle de disques en vinyle. De la même manière, la technologie ayant progressé et la composition des ressources disponibles s'étant modifiée, il faut réorganiser les ressources si nous voulons rester efficaces. Nous ne pouvons plus produire des automobiles ou récolter le blé comme en 1920.

Nous devons nous souvenir que la rareté relative des ressources est sous-jacente à chacune des cinq questions fondamentales. Celles-ci convergent vers la même réalité qui constitue la problématique de base en économique, à savoir la rareté des ressources et les besoins illimités. Nous devons donc traiter ces cinq questions simultanément, car la réponse à l'une impose des contraintes quant aux choix de réponses pour les autres. Toutes les sociétés ne sont pas organisées de la même manière pour répondre aux grandes questions fondamentales. Ce mode d'organisation s'appelle « système économique ». Nous étudierons de façon plus détaillée les différents systèmes économiques, et plus spécifiquement l'économie de marché, plus loin dans ce chapitre.

Les deux caractéristiques principales des modes de production en vigueur dans les sociétés industrialisées sont les suivantes : (1) la propriété des moyens de production ; (2) la gestion de l'économie. Deux types de systèmes économiques mettent en évidence les différences entre ces caractéristiques de base. Nous allons les étudier brièvement avant d'aborder l'étude du fonctionnement du marché.

## Les types de systèmes économiques

### Le capitalisme pur

**Le capitalisme pur**, ou le « laissez-faire », repose sur la propriété privée des moyens de production. Le marché et les prix y sont les régulateurs de l'activité économique. Dans ce système, la motivation de chacun provient de ses intérêts purement individuels ; chaque agent économique tente de maximiser sa satisfaction en tenant compte de ses préférences et de ses possibilités budgétaires. Le système de marché est le mécanisme par lequel les décisions des individus sont communiquées et coordonnées en réponse aux cinq questions fondamentales. Le contexte de concurrence régissant la production de biens et de services et l'approvisionnement

> **CAPITALISME PUR**
>
> Système économique dans lequel les ressources matérielles font l'objet d'une propriété privée, et où les marchés et les prix servent à orienter et à coordonner les activités économiques.
>
> **ÉCONOMIE CENTRALISÉE**
>
> Système économique dans lequel les autorités publiques possèdent les ressources matérielles et où une planification économique centrale sert à orienter et à coordonner les activités économiques.
>
> **ÉCONOMIE MIXTE**
>
> Économie qui se situe entre les deux pôles que sont le capitalisme pur et l'économie centralisée.

en ressources fait en sorte que, pour chaque marché, il existe de nombreux acheteurs et de nombreux vendeurs indépendants. Le pouvoir économique s'en trouve éparpillé. Les défenseurs du capitalisme pur affirment qu'un tel système permet à l'économie d'utiliser efficacement ses ressources et amène une production et un niveau d'emploi stables ainsi qu'une croissance économique rapide. Par conséquent, l'État n'a pas à intervenir, ni à planifier, ni à contrôler. Il doit laisser agir les marchés, sinon il nuirait à leur efficacité. L'État doit donc se confiner dans le rôle de protecteur de la propriété privée et établir le cadre légal qui facilite le fonctionnement du libre marché.

### L'économie centralisée

**L'économie centralisée**, ou communisme, a pour caractéristiques la propriété collective des moyens de production et une planification centralisée de l'économie. Toutes les décisions importantes quant au niveau d'utilisation des ressources disponibles, à la nature et à la répartition de la production de même qu'à l'organisation de celle-ci sont la responsabilité d'un comité central de planification. Les entreprises appartiennent à l'État et sont exploitées selon ses directives. Le comité central détermine les objectifs de production pour chaque entreprise et lui affecte en conséquence une quantité déterminée de ressources pour lui permettre d'atteindre les objectifs du plan. Le plan gère également la main-d'œuvre et parfois ses déplacements. Les décisions concernant la répartition de la production entre les investissements et les biens de consommation ainsi que le partage de la production entre les citoyens émanent également du comité central de planification. Ses priorités à long terme déterminent la répartition des investissements entre les industries et les entreprises.

### Les économies mixtes

En fait, les économies modernes se situent entre les extrêmes que constituent le capitalisme pur et l'économie centralisée. Le système économique canadien tend vers le capitalisme pur, mais comporte des différences substantielles. L'État joue un rôle très actif dans l'économie. Il recherche la stabilité et la croissance économiques ; il produit également les biens et les services que le marché ne parvient pas à produire en quantité suffisante ; il cherche à réduire les écarts de revenus, et ainsi de suite. À l'opposé de l'atomisation du pouvoir économique du capitalisme pur, le capitalisme canadien comprend des organisations économiques puissantes comme les sociétés de portefeuille (*holdings*) et les centrales syndicales. L'existence de ces puissances économiques, qui parviennent à contrecarrer les lois du marché, incite l'État à intervenir davantage dans l'économie. L'économie soviétique, pour sa part, était de type centralisée même s'il y subsistait des éléments de propriété privée et si les déterminants du marché servaient, dans une certaine mesure, à fixer les prix.

Il convient de signaler que la propriété privée des moyens de production ne va pas obligatoirement de pair avec l'économie de marché, pas plus que la propriété collective des moyens de production n'est indissociable de la planification. Par exemple, le fascisme hitlérien alliait un contrôle important de l'économie à la propriété privée de l'appareil productif. À l'opposé, le socialisme de marché de la Yougoslavie associait la propriété collective des moyens de production à un marché de plus en plus libre d'organiser et de coordonner l'activité économique. L'économie suédoise est également hybride. L'État intervient considérablement sur le plan de la stabilité de l'économie et de la répartition des revenus, bien que 90 % de l'appareil productif soit entre les mains du secteur privé.

Le tableau 2.1 résume les différentes façons de cataloguer les systèmes économiques à partir de deux critères utilisés jusqu'à présent. Il s'agit bien sûr d'approximations.

> **ÉCONOMIE TRADITIONNELLE**
>
> Système économique dans lequel les traditions et les coutumes déterminent la façon dont l'économie utilisera ses ressources rares.

### L'économie traditionnelle

Le tableau 2.1 concerne les économies industrialisées ou qui sont en voie de l'être. Beaucoup de pays en voie de développement ont des **économies traditionnelles** ou conservatrices. Les modes de production, l'échange et la répartition des revenus dépendent principalement de la tradition. L'hérédité ou les castes déterminent le rôle économique des individus ; cela tend à freiner l'évolution socio-économique. La tradition et le tissu social s'opposent aux changements technologiques et à l'innovation. Les valeurs religieuses et culturelles priment sur l'activité économique, et la société désire maintenir le *statu quo*. Dans leur recherche du développement économique, ces sociétés doivent choisir le modèle du tableau 2.1 qui permettra la croissance sans aller à l'encontre des autres objectifs économiques et non économiques qu'elles véhiculent.

Il faut absolument garder à l'esprit qu'il n'y a pas de recette magique ou de « meilleur système économique ». La réponse aux cinq grandes questions n'est pas unique ou universelle. Différentes sociétés, selon leur contexte historique, culturel et idéologique, sans mentionner les inégalités qualitatives de leurs ressources, apportent des réponses substantiellement différentes à ces questions. Les États-Unis, le Canada, la Chine et la Russie, compte tenu de leurs objectifs, de leurs idéologies, de leurs technologies et de leurs ressources, poursuivent essentiellement le même but, à savoir l'utilisation efficace de leurs ressources. Une méthode très valable pour les uns, à une époque donnée, peut ne pas convenir du tout aux autres ou à une autre époque.

**TABLEAU 2.1**    Une comparaison des systèmes économiques

| | MÉCANISMES DE GESTION | |
|---|---|---|
| **Propriété des ressources** | **Économie de marché** | **Planification centralisée** |
| Privée | États-Unis | Allemagne nazie |
| Publique | Yougoslavie | Union soviétique |

## FIGURE 2.1 — Les flux circulaires de la production et des revenus

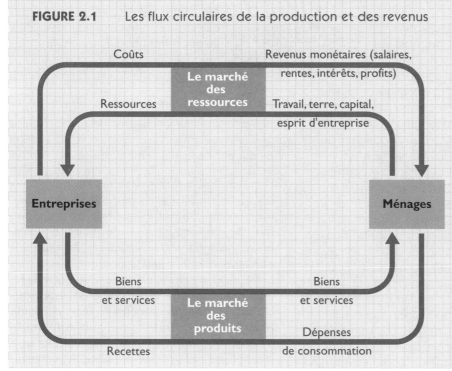

Les prix payés pour l'usage du sol, du travail, du capital et de l'esprit d'entreprise sont déterminés sur le marché des ressources représenté par la boucle supérieure. Sur ce marché, les entreprises forment la demande, tandis que les consommateurs forment l'offre. Les prix des biens et des services finis sont déterminés sur le marché des produits situé dans la boucle inférieure. Sur ce marché, les ménages forment la demande, tandis que les entreprises forment l'offre.

En fait, une société qui évolue idéologiquement, qui modifie ses priorités peut même être amenée à bouleverser totalement son système économique. Les récents événements dans les pays de l'Europe centrale et de l'Est tendent à le démontrer. Les valeurs de liberté et de démocratie ont soulevé les peuples de ces pays, aidées en cela, il faut l'admettre, des pénuries réelles de biens de consommation. Les systèmes tentent de s'ajuster, mais la transition n'est certes pas facile. Il faut dire qu'avant même les soulèvements des populations de ces régions l'économie avait commencé à s'essouffler sérieusement. Pour bien comprendre ce qui se passe quand une économie centralisée tente une transition vers l'économie de marché, nous devons d'abord comprendre les mécanismes de marché. Nous y consacrerons le reste du présent chapitre.

## Un modèle d'économie de marché : les flux circulaires de la production et des revenus

Deux types de marché caractérisent le capitalisme pur. Observons le genre de transactions qui s'y pratiquent.

### Le marché des ressources et des produits

La figure 2.1 nous offre la vue d'ensemble que nous recherchons.

La moitié supérieure représente le **marché des ressources**. Les ménages possèdent toutes les ressources de l'économie, directement ou indirectement par la propriété des entreprises. Ils offrent leurs ressources aux entreprises[1]. L'entreprise, de son côté, demande ces ressources, car elle en dépend pour produire des biens et des services. La rencontre de l'offre et de la demande de ressources en détermine le prix. Les paiements que fait l'entreprise en échange des ressources sont des coûts pour celle-ci, mais constituent un flux de revenus pour les ménages qui fournissent

> **MARCHÉ DES RESSOURCES**
>
> Marché sur lequel les ménages vendent directement, ou par l'intermédiaire de firmes, des ressources que les firmes achètent.

---

1. Il est préférable, ici, de se représenter les entreprises comme des entités légales et de ne pas tenir compte de la machinerie, des matières premières, du travail et de l'esprit d'entreprise.

ces ressources : salaire, rente, intérêt et profit.

La moitié inférieure du diagramme représente le **marché des produits**. La monnaie qu'ont reçue les ménages en échange de leurs ressources n'a de valeur que grâce aux biens et aux services qu'elle leur permet de se procurer. Les ménages expriment leurs préférences pour des produits en consacrant leur revenu monétaire à l'achat de ceux-ci. En même temps, les entreprises combinent les ressources qu'elles se sont procurées pour produire et offrir les biens et les services sur ce marché. Comme nous le verrons à la prochaine section, l'interaction de l'offre et de la demande déterminera le prix des produits. Nous remarquons également que les dépenses des consommateurs pour l'obtention de biens et de services correspondent à des revenus pour l'entreprise. Le schéma des flux circulaires représente un tissu de décisions complexes interreliées qui composent l'activité économique. Les ménages comme les entreprises participent aux deux marchés, mais ils échangent leurs rôles quand ils changent de marché. L'entreprise constitue l'offre du marché des biens et des services et la demande du marché des ressources. Les ménages forment la demande de biens et de services et l'offre des ressources. Chaque groupe d'agents économiques achète et vend.

De plus, la rareté domine toutes ces transactions. Les revenus des consommateurs sont limités par la rareté des ressources qu'ils peuvent offrir. Un nombre de dollars limité ne peut permettre aux consommateurs de se procurer tous les biens et les services qu'ils désirent. De la même manière, comme les ressources sont limitées, la production de biens et de services le sera également.

En résumé, dans une économie monétaire, les ménages, en tant que propriétaires de ressources, vendent celles-ci aux entreprises et, comme consommateurs, dépensent leurs revenus pour l'obtention de biens et de services. Les entreprises achètent les ressources pour produire des biens et des services qu'elles vendent aux ménages. Les dépenses de consommation constituent les recettes de l'entreprise. Nous distinguons donc un flux réel des ressources économiques ainsi que des biens et des services

---

**MARCHÉ DES PRODUITS**

Marché sur lequel les ménages achètent les produits que les firmes ont fabriqués et qu'elles vendent.

---

allant dans le sens inverse des aiguilles d'une montre, et un flux monétaire de revenus et de dépenses de consommation allant en direction opposée. Ces flux sont simultanés et continus.

### Les limites du schéma

Le schéma des flux circulaires de revenus comporte certaines imperfections et certaines omissions qui méritent d'être mentionnées :

1. Le schéma des flux circulaires ne reflète pas les innombrables faits particuliers à chaque ménage, à chaque entreprise et à chaque marché de ressources ou de produits. Il n'illustre pas, non plus, les transactions entre les ménages et celles qui se pratiquent entre les entreprises. Le principal intérêt que comporte ce schéma est justement de faire ressortir les caractéristiques fondamentales du capitalisme pur sans être embrouillé par une foule de détails. Nous cherchons ici une vue d'ensemble de la forêt. L'examen de chacun des arbres viendra plus loin.

2. Le schéma des flux circulaires fait abstraction du rôle de l'État dans l'économie. Le capitalisme pur relègue l'État à un rôle mineur, car il considère l'économie comme autonome et autorégulatrice. À la quatrième partie, nous modifierons le schéma pour y inclure le rôle que joue l'État dans l'économie canadienne de type capitaliste mixte.

3. Ce modèle suppose que les ménages dépensent tous leurs revenus monétaires et que les flux de revenus et de dépenses ont par conséquent un volume constant. En réalité, cela implique que les niveaux de production et d'emploi sont constants. Au chapitre 4, nous étudierons les causes et les effets des fluctuations économiques.

4. Notre analyse des flux circulaires ne permet pas d'expliquer comment les prix des ressources et des produits sont réellement déterminés. Cette démonstration constitue la suite de ce chapitre : comment les prix des ressources et des produits sont déterminés dans un système capitaliste pur.

# LA DEMANDE, L'OFFRE ET L'ÉQUILIBRE DU MARCHÉ

Les outils d'analyse que sont la demande et l'offre nous permettent de comprendre non seulement certains problèmes courants, mais aussi le fonctionnement du système économique dans son ensemble. D'abord, nous présenterons sommairement l'analyse de la demande et de l'offre. Ensuite, nous aborderons quelques applications particulières de cette théorie.

## La demande

En économie, le mot «**demande**» a une signification très particulière. *La demande est un barème représentant les quantités d'un produit que désirent et peuvent acheter les consommateurs à chaque prix possible durant une période déterminée*[2]. La demande ne fait qu'illustrer une série de possibilités qui peut prendre la forme d'un tableau. Comme l'indique notre définition, nous considérons généralement la demande en fonction du prix, c'est-à-dire que la demande nous révèle quelles quantités les consommateurs désireront acheter à différents prix possibles. Il est également correct et parfois plus utile d'aborder la demande au moyen des quantités. Au lieu de nous demander quelles quantités seront vendues à chaque prix, nous pouvons nous interroger sur les prix que sont prêts à payer les consommateurs pour différentes quantités d'un produit. Le tableau 2.2 (page 42) présente un barème de demande d'un consommateur pour des boisseaux d'avoine.

Cette représentation de la demande sous forme de tableau décrit la relation entre le prix de l'avoine et les quantités que ce consommateur hypothétique voudrait et pourrait acheter à chaque prix. Remarquez que nous utilisons les mots «vouloir» et «pouvoir» parce que, sur un marché, le désir seul n'a pas d'impact. Nous pouvons bien désirer une Cadillac, mais si ce désir n'est pas accompagné de la *capacité d'acheter*, c'est-à-dire des dollars nécessaires, il ne se réalisera pas et n'influencera pas le marché. Le tableau 2.2 nous indique que, si le prix de l'avoine était de 5 $ par boisseau, ce consomma-

teur voudrait et serait en mesure d'acheter 10 boisseaux par semaine. Si le prix était de 4 $, il voudrait et pourrait acheter 20 boisseaux par semaine, et ainsi de suite.

La demande en tant que telle ne révèle pas à quel prix se vend présentement l'avoine. Comme nous l'avons dit précédemment, le prix du marché dépend à la fois de l'offre et de la demande. La demande représente en quelque sorte les intentions du consommateur quant aux achats qu'il effectuera selon le prix.

Il faut souligner que les quantités demandées à chaque prix n'ont un sens que dans la mesure où l'on a précisé la période durant laquelle la quantité prévaut : un jour, une semaine, un mois, etc. Dire qu'un consommateur achèterait 10 boisseaux d'avoine à 5 $ n'est guère précis et, par conséquent, pas très utile. Mais affirmer qu'il achèterait 10 boisseaux d'avoine par semaine à 5 $ est très clair et, par conséquent, significatif.

> **‹‹ DEMANDE ››**
>
> Relation qui existe entre le prix d'un produit et la quantité de ce produit que désirent acheter les consommateurs.
>
> **‹‹ LOI DE LA DEMANDE ››**
>
> Il existe une relation inverse entre le prix d'un produit et la quantité demandée de ce produit.

### *La loi de la demande*

En général, plus le prix d'un produit diminue, plus la quantité demandée augmente. Inversement, lorsque le prix d'un produit augmente, la quantité demandée diminue. Nous remarquons donc qu'il existe une relation inverse entre le prix et la quantité demandée. Cette relation inverse qui caractérise la demande s'appelle «**loi de la demande**». Nous allons maintenant étudier sur quoi repose cette loi : l'observation, l'utilité marginale et les effets de revenu et de substitution.

1. Le bon <u>sens et l'observation</u> confirment la pente négative de la courbe de demande. Habituellement, les consommateurs achètent effectivement une plus grande quantité d'un produit quand le prix est bas que lorsqu'il est élevé. Le prix représente pour les consommateurs un frein ou un obstacle à l'achat de biens et de services. Alors, plus ce frein est puissant, moins les consommateurs achèteront. La simple existence de soldes de toutes sortes (feu, inventaire, fin de saison, ouverture, liquidation, etc.) confirme la loi de

---

2. Pour le marché des ressources, il suffit de changer le mot «produit» pour le mot «ressources» et de remplacer «consommateur» par «entreprise».

**TABLEAU 2.2** La demande individuelle d'avoine (données fictives)

| Prix par boisseau (en dollars) | Quantité demandée par semaine |
|---|---|
| 5 | 10 |
| 4 | 20 |
| 3 | 35 |
| 2 | 55 |
| 1 | 80 |

la demande. Pour écouler leurs stocks, les entreprises baisseront leurs prix, elles ne les augmenteront certes pas.

2. Pour une période donnée, le consommateur verra diminuer la satisfaction ou l'« utilité » qu'il obtient de la consommation d'un produit au fur et à mesure qu'il en consomme des unités supplémentaires. Par exemple, le deuxième hamburger apporte sûrement moins de plaisir que le premier et le cinquième risque de rendre malade. L'utilité découlant du cinquième pourrait même être négative. Par conséquent, comme la consommation a une **utilité marginale (U***m***) décroissante**, le consommateur achètera des unités supplémentaires d'un produit à la seule condition qu'il y ait une réduction du prix de ce produit.

3. Sur un plan plus poussé, nous pouvons expliquer la loi de la demande par les effets de revenu et de substitution. L'**effet de revenu** nous indique que si le prix du produit diminue, nous pouvons nous en procurer davantage sans sacrifier la consommation d'un autre produit. En d'autres termes, une baisse de prix peut se comparer à une hausse de revenu, en ce sens qu'elle permet de se procurer plus de biens et de services qu'auparavant, car le pouvoir d'achat du revenu est augmenté. Un prix plus élevé aura l'effet contraire. L'**effet de substitution** nous permet de prévoir qu'à un prix plus bas, le consommateur aura tendance à substituer le pro-

duit moins cher à d'autres produits semblables qui sont devenus relativement plus chers. Pour illustrer ces deux effets, considérons une baisse du prix du bœuf. Cette baisse de prix entraînera une hausse du pouvoir d'achat du revenu du consommateur, lui permettant d'acheter davantage avec le même revenu (effet de revenu). De plus, à un prix plus bas, le bœuf peut avantageusement remplacer le porc, l'agneau, le poulet et le poisson (effet de substitution). Ces deux effets combinés permettent aux consommateurs d'acheter un produit en plus grande quantité à un prix faible qu'à un prix élevé. Ils les incitent même à le faire.

### La courbe de demande

Nous pouvons représenter par un graphique la relation inverse entre le prix et la quantité demandée. Par convention, les quantités demandées sont représentées en abscisse (axe horizontal), alors que les prix apparaissent en ordonnée (axe vertical). Rappelons-nous (voir le Complément à la fin de ce chapitre) que, pour tracer une courbe, il suffit de représenter les cinq combinaisons possibles (prix-quantité) du tableau 2.2. Pour ce faire, il faut tirer des droites perpendiculaires aux axes à partir des points appropriés. Ainsi, le point 5 $ (prix)-10 boisseaux (quantité demandée) sera obtenu en traçant une droite perpendiculaire à l'ordonnée partant de 5 $ et une autre perpendiculaire à l'abscisse à 10 boisseaux. Le point se situera à l'intersection de ces deux droites. On dessine ainsi les cinq points qui correspondent aux cinq combinaisons (figure 2.2).

---

**UTILITÉ MARGINALE DÉCROISSANTE**

En général, plus on consomme d'un produit, moins on retire de satisfaction des dernières unités. Par exemple, le huitième yogourt que je mange en collation me procure moins de plaisir que le premier que j'ai avalé.

**EFFET DE REVENU**

Effet d'une variation du prix d'un produit sur le pouvoir d'achat d'un consommateur.

**EFFET DE SUBSTITUTION**

Effet d'une variation du prix d'un produit sur la cherté relative de ce produit. Cet effet explique la tendance qu'aura le consommateur à acheter ce produit.

Chaque point représente un prix et la quantité que désire acheter le consommateur à ce prix. Supposons que la même relation inverse existe entre les prix et les quantités demandées pour tous les points situés entre ceux qui sont dessinés sur le graphique. Nous pouvons illustrer cette généralisation en reliant les cinq points entre eux. La courbe ainsi obtenue représente toutes les combinaisons possibles (prix-quantité demandée) de ce graphique. Cette courbe s'appelle « **courbe de demande** ». Elle est indiquée par les lettres DD à la figure 2.2. Comme la relation entre le prix et la quantité demandée est inverse, la pente de la courbe est négative, ce qui traduit bien la loi de la demande — le consommateur désire acheter davantage lorsque les prix sont bas que lorsqu'ils sont élevés.

### La demande individuelle et la demande du marché

Jusqu'à présent, nous avons étudié la demande d'un consommateur. Mais le nombre d'acheteurs sur un marché est très élevé. Nous obtiendrons la **demande du marché** simplement en addition-

> **COURBE DE DEMANDE**
>
> Représentation graphique de la relation qui existe entre le prix et la quantité demandée.
>
> **DEMANDE DU MARCHÉ**
>
> Somme des demandes individuelles de tous les consommateurs sur un marché.

nant les quantités demandées de chaque consommateur à tous les prix possibles. Supposons que le marché ne comprenne que trois acheteurs (tableau 2.3, page 44), nous obtiendrons facilement les quantités demandées à chaque prix en additionnant les quantités demandées par le premier, le deuxième et le troisième consommateur pour chacun des prix possibles.

De la même manière, la figure 2.3, page 44, montre que la courbe de demande du marché résulte de l'addition horizontale des courbes de demande individuelle des trois consommateurs, en utilisant le prix 3 $ comme exemple.

Bien sûr, simultanément, il y a plus de trois acheteurs. Pour éviter de très longues additions, nous supposerons que le marché de l'avoine compte 200 acheteurs et que chacun achète, à chaque prix, la même quantité que le consommateur du début (figure 2.2). Pour obtenir la demande du marché, il suffit alors de multiplier les quantités demandées, à chacun des prix, par 200 (tableau 2.4, page 45). La courbe $D_1$ de la figure 2.4 (page 46) représente la demande des 200 consommateurs.

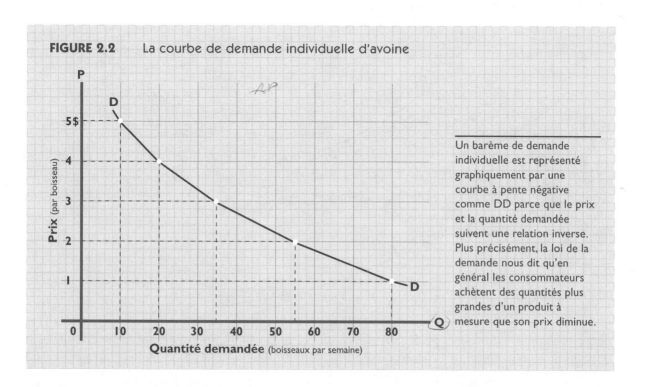

**FIGURE 2.2** La courbe de demande individuelle d'avoine

Un barème de demande individuelle est représenté graphiquement par une courbe à pente négative comme DD parce que le prix et la quantité demandée suivent une relation inverse. Plus précisément, la loi de la demande nous dit qu'en général les consommateurs achètent des quantités plus grandes d'un produit à mesure que son prix diminue.

Prix (par boisseau)

Quantité demandée (boisseaux par semaine)

**TABLEAU 2.3**    La demande de trois acheteurs sur le marché de l'avoine

| Prix par boisseau (en dollars) | Quantité demandée, premier acheteur | | Quantité demandée, deuxième acheteur | | Quantité demandée, troisième acheteur | | Quantité demandée totale par semaine |
|---|---|---|---|---|---|---|---|
| 5 | 10 | + | 12 | + | 8 | = | 30 |
| 4 | 20 | + | 23 | + | 17 | = | 60 |
| 3 | 35 | + | 39 | + | 26 | = | 100 |
| 2 | 55 | + | 60 | + | 39 | = | 154 |
| 1 | 80 | + | 87 | + | 54 | = | 221 |

### Les facteurs déterminant la demande

Lorsque l'économiste construit une courbe de demande comme D$_1$, il doit supposer que, « toutes choses étant égales par ailleurs », les **déterminants autres que le prix** demeurent constants. Quand ces facteurs changent, la demande n'est plus la même et la nouvelle courbe se situera à la droite ou à la gauche de D$_1$.

Quels sont les principaux déterminants de la demande du marché, à part le prix du produit étudié ? Nous

> **DÉTERMINANTS AUTRES QUE LE PRIX**
>
> À part le prix, plusieurs autres facteurs influencent la quantité d'un produit que désire acheter le consommateur. Ces facteurs sont des déterminants de la demande.
>
> **PRODUITS SUBSTITUTS**
>
> Biens ou services qui remplissent le même usage, comme le gaz naturel et le mazout.
>
> **PRODUITS COMPLÉMENTAIRES**
>
> Biens et services qui doivent se consommer ensemble, comme l'essence et l'automobile.

en retiendrons cinq : (1) les goûts et les préférences des consommateurs ; (2) le nombre de consommateurs sur un marché ; (3) le revenu des consommateurs ; (4) les prix des autres **produits substituts** ou **complémentaires** ; (5) les anticipations des consommateurs quant à l'évolution des prix et des revenus.

### Les changements de la demande

Que se passerait-il si un ou plusieurs déterminants de la demande changeaient ? Nous l'avons dit précédemment : le changement d'un ou de plusieurs facteurs influençant la

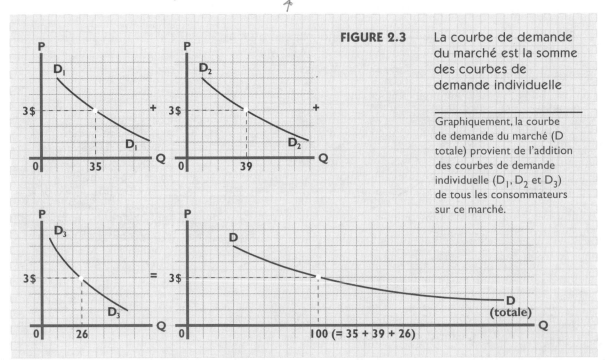

**FIGURE 2.3**    La courbe de demande du marché est la somme des courbes de demande individuelle

Graphiquement, la courbe de demande du marché (D totale) provient de l'addition des courbes de demande individuelle (D$_1$, D$_2$ et D$_3$) de tous les consommateurs sur ce marché.

demande modifiera notre barème de demande (tableau 2.4) et, par conséquent, la position de la courbe (figure 2.4, page 46). Nous appelons ces modifications du barème de demande ou de la position de la courbe de demande des « **changements de la demande** ».

Plus précisément, si les consommateurs désirent et peuvent acheter de plus grandes quantités d'un produit que celles de la colonne 4 du tableau 2.4, et ce, à tous les prix, nous parlerons d'une **augmentation de la demande**. La courbe D$_2$ (figure 2.4) représentant cette nouvelle demande sera située à droite de l'ancienne. Nous dirons que la courbe s'est déplacée vers la droite (D$_1$ vers D$_2$). Inversement, une baisse de la demande correspond à la diminution des quantités demandées à chacun des prix possibles. Graphiquement, une **baisse de la demande** correspond à un déplacement de la courbe vers la gauche, par exemple, D$_1$ vers D$_3$ (figure 2.4).

Nous examinerons maintenant ce qui arrive à la demande quand ses principaux déterminants changent.

### Les goûts

Si les goûts des consommateurs changent en faveur d'un produit, que ce soit à cause de la publicité, de la mode ou de toute autre raison, les quantités demandées de ce produit seront plus grandes à tous les prix, c'est-à-dire que la demande augmentera. Par contre, si les préfé-

> **CHANGEMENT DE LA DEMANDE**
>
> Augmentation ou diminution de la demande quand, à un même prix, la quantité demandée a augmenté ou diminué par suite de la modification d'un ou de plusieurs des facteurs qui déterminent la demande, et ce, à tous les prix possibles.
>
> **AUGMENTATION DE LA DEMANDE**
>
> Quand la demande augmente, c'est toute la colonne des quantités demandées qui change. À chacun des prix, la quantité correspondante est plus grande. On a un nouveau barème de demande.
>
> **BAISSE DE LA DEMANDE**
>
> Quand la demande diminue, c'est toute la colonne des quantités demandées qui change. À chacun des prix, la quantité correspondante est plus petite. On a un nouveau barème de demande.
>
> **BIEN SUPÉRIEUR OU NORMAL**
>
> Bien ou service dont la consommation suit l'évolution du revenu.

rences des consommateurs se modifient au détriment d'un produit, la demande diminuera et la courbe se déplacera vers la gauche. Nous remarquons que les changements technologiques, en modifiant le panier de biens et de services, influenceront les préférences des consommateurs. L'arrivée du disque compact a presque complètement éliminé la demande de disques de vinyle.

### Le nombre d'acheteurs

Il va de soi qu'une augmentation du nombre d'acheteurs sur un marché, découlant d'une augmentation de la population, d'améliorations du transport, etc., entraînera une augmentation de la demande. Un moins grand nombre de consommateurs fera diminuer la demande.

### Le revenu

Les modifications du revenu influencent la demande d'une façon un peu plus complexe. Une hausse de revenu entraînera une augmentation de la demande de la plupart des produits. Quand les revenus des consommateurs augmentent, ceux-ci achètent plus de souliers, de steak, de chaînes stéréo. Mais si leurs revenus diminuent, ils en achèteront moins. Les biens dont la demande varie directement en fonction du revenu sont appelés « **biens supérieurs** » ou « **normaux** ». Bien que la plupart des produits soient normaux, il existe quelques exceptions. Par exemple, quand le revenu dépasse un certain

**TABLEAU 2.4**   La demande de 200 acheteurs sur le marché de l'avoine (données fictives)

| (1) Prix par boisseau (en dollars) | (2) Quantité demandée, par semaine, un seul acheteur | | (3) Nombre d'acheteurs sur le marché | | (4) Quantité demandée totale par semaine |
|:---:|:---:|:---:|:---:|:---:|:---:|
| 5 | 10 | x | 200 | = | 2 000 |
| 4 | 20 | x | 200 | = | 4 000 |
| 3 | 35 | x | 200 | = | 7 000 |
| 2 | 55 | x | 200 | = | 11 000 |
| 1 | 80 | x | 200 | = | 16 000 |

**FIGURE 2.4**      Les changements de demande sur le marché de l'avoine

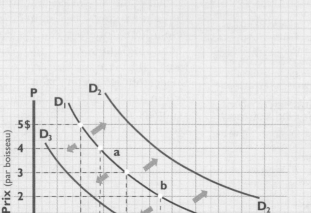

Le changement d'un ou de plusieurs déterminants de la demande (préférences des consommateurs, nombre d'acheteurs sur le marché, revenus, prix des autres produits reliés, anticipations des consommateurs) entraînera un changement de la demande. Une augmentation de la demande déplacera la courbe vers la droite, de $D_1 D_1$ à $D_2 D_2$. Une diminution de la demande déplacera la courbe vers la gauche, de $D_1 D_1$ à $D_3 D_3$. Un changement de la quantité demandée provient d'un changement du prix du produit étudié et entraîne un déplacement d'un point à un autre sur la courbe de demande inchangée, comme le déplacement du point *a* au point *b* sur la courbe $D_1$.

niveau, les quantités de pain, de pommes de terre ou de choux que nous achetons à chacun des prix peuvent se mettre à diminuer parce que le revenu supérieur permet de les remplacer par d'autres produits plus riches en protéines comme les produits laitiers et la viande. De la même manière, une hausse de revenu peut faire diminuer la demande de hamburgers et de margarine, car les consommateurs plus riches peuvent se permettre d'acheter du steak et du beurre à la place. Les biens dont la demande varie de façon opposée au revenu s'appellent « **biens inférieurs** ».

> **BIEN INFÉRIEUR**
>
> Bien ou service dont la consommation augmente à mesure que le revenu du consommateur diminue et que ce dernier délaisse quand son revenu augmente.

### Le prix des autres produits

L'influence que le prix d'un produit peut avoir sur la demande d'un autre produit dépend du lien entre ces deux produits. S'ils sont complémentaires, c'est-à-dire s'ils doivent être consommés ensemble, l'augmentation du prix de l'un fera diminuer la demande de l'autre. Par exemple, si le prix de l'essence augmente, le consommateur roulera probablement moins et, par conséquent, sa demande d'huile à moteur sera moindre. L'inverse est également vrai. Si le prix de l'essence diminue, le consommateur utilisera davantage son automobile et la quantité demandée d'huile à moteur augmentera à tous les prix. Cela est également vrai pour les magnétoscopes et les cassettes, les disques et les lecteurs, les appareils photo et les films, etc. Quand deux biens sont complémentaires, le prix d'un bien et la demande de l'autre sont liés de façon inverse. D'autres produits ont sensiblement le même usage : ils sont substituts. Par exemple, le beurre et la margarine sont substituts ou en concurrence. Si le prix du beurre augmente, les consommateurs achèteront moins de beurre et le remplaceront en partie par de la margarine. La demande de margarine augmentera alors. Si le prix du beurre diminue, les consommateurs en achèteront une plus grande quantité, ce qui fera diminuer la demande de margarine. La demande de beurre est inchangée. Seule la quantité demandée a varié puisque le prix a changé. Par contre, la courbe de demande de margarine se déplace vers la gauche (diminue) parce que les consommateurs en désirent moins au même prix.

Bref, quand deux produits sont substituts, le prix de l'un et la demande de l'autre sont liés directement. C'est le cas de deux marques de bière ou de cigarettes, du thé et du café, du gaz naturel et du mazout, etc. Lorsque les biens ne sont pas liés entre eux, on les appelle « **indépendants** ». Le prix de l'un ne modifiera pas la demande de l'autre. Par exemple, le prix des bicyclettes n'influe pas sur la demande de pizzas.

### Les anticipations

Si les consommateurs prévoient des hausses de prix durables, ils auront tendance à acheter maintenant pour ne pas payer des prix plus élevés. De même, si les consommateurs anticipent des hausses de revenu pour une longue période, ils se laisseront davantage aller à consommer en comptant sur des revenus futurs supérieurs. Au contraire, si les consommateurs anticipent des baisses de prix ou de revenu, leur demande aura tendance à diminuer. Par exemple, lors d'une longue récession, même les gens qui ont encore leur emploi, craignant de le perdre, vont diminuer leur demande. Par contre, si les variations de prix ou de revenu sont perçues comme temporaires par les ménages, elles auront une influence moindre.

En résumé, une augmentation ou une diminution de la demande, c'est-à-dire une augmentation ou une diminution des quantités demandées à chacun des prix, peut être causée par : (1) un changement favorable ou défavorable dans les goûts des consommateurs ; (2) une augmentation ou une diminution du nombre d'acheteurs sur le marché ; (3) une hausse ou une baisse de revenu si le bien est normal ou inférieur ; (4) une augmentation ou une diminution du prix d'un bien relié à un autre bien s'il est complémentaire ou substitut ; (5) des anticipations de hausse ou de baisse de prix ou de revenu.

### Les changements de la quantité demandée

Il ne faut pas confondre un changement de la demande et un **changement de la quantité demandée**. Un changement de la demande entraîne un déplacement de la courbe de demande vers la gauche (baisse de la demande) ou vers la droite (hausse de la demande). L'attitude du consommateur quant à l'achat du produit a changé parce qu'un ou plusieurs déterminants de la demande ont changé. Quand les

---

**BIENS INDÉPENDANTS**

Des biens sont indépendants lorsqu'il n'existe aucun lien entre leur consommation, comme la pizza et le shampoing.

**ANTICIPATION**

Ce que le consommateur s'attend à voir se produire dans l'avenir. Changement de comportement suite à certaines prévisions.

**CHANGEMENT DE LA QUANTITÉ DEMANDÉE**

Le prix ne fait varier que la quantité demandée. La quantité demandée augmente ou diminue lorsque le prix diminue ou augmente.

**OFFRE**

Relation qui existe entre le prix d'un produit et la quantité que désirent en produire les producteurs à chacun des prix.

---

économistes utilisent le mot « demande », ils se réfèrent au barème complet ou à la totalité de la courbe. Par conséquent, un changement de la demande signifie que tout le barème a changé et que, graphiquement, la courbe s'est déplacée. Par contre, un changement des quantités demandées est provoqué par un changement du prix du produit étudié. Graphiquement, il y a déplacement d'un point à l'autre sur une courbe de demande inchangée. Au tableau 2.4 (page 45), une baisse du prix de l'avoine de 5 $ à 4 $ fera augmenter les quantités demandées de 2 000 à 4 000 boisseaux. La figure 2.4 nous aide à distinguer un changement de la demande d'un changement de la quantité demandée. Les déplacements de la courbe de demande $D_1$ vers $D_2$ et $D_3$ représentent des changements de la demande. Par contre, le déplacement du point $a$ au point $b$ sur la courbe $D_1$ marque un changement de la quantité demandée par suite d'une variation de prix.

## L'offre

L'*offre est un barème qui nous indique les quantités d'un bien qu'une entreprise est disposée à produire et à rendre disponibles sur un marché, à chacun des prix donnés et pour une certaine période*. Ce barème illustre une série de possibilités pour un même producteur (tableau 2.5, page 48). Supposons qu'un producteur cultive de l'avoine. La définition de l'offre nous indique qu'on envisage habituellement la question du point de vue des prix. On étudie ce que les producteurs peuvent et désirent offrir à différents prix possibles. On peut parfois trouver utile d'envisager l'offre du point de vue des quantités. Plutôt que de se demander quelles quantités seront offertes à chacun des prix, on se demande quels prix inciteront les producteurs à offrir diverses quantités d'un produit.

### La loi de l'offre

Nous notons immédiatement que le tableau 2.5 montre une relation directe entre les prix et les quantités offertes. Quand le prix augmente, la quantité offerte augmente ; si le prix diminue, la

**TABLEAU 2.5**    L'offre individuelle d'avoine (données fictives)

| Prix par boisseau (en dollars) | Quantité demandée par semaine |
|---|---|
| 5 | 60 |
| 4 | 50 |
| 3 | 35 |
| 2 | 20 |
| 1 | 5 |

quantité offerte diminue aussi. On appelle ce lien entre le prix et la quantité offerte «**loi de l'offre**». Cette loi nous dit que les producteurs désirent produire et offrir des quantités plus grandes quand le prix est élevé que lorsque le prix est faible. Pourquoi? Au fond, c'est une question de bon sens.

Pour le consommateur, le prix est un frein à l'achat. Le consommateur, c'est-à-dire la personne qui paie, achète de faibles quantités quand le prix est élevé. Plus le prix est bas, plus les quantités demandées sont élevées. La personne qui offre, pour sa part, est celle qui reçoit le prix du produit. Le prix est le revenu unitaire d'un producteur et, par conséquent, son stimulant à produire et à vendre. Plus le prix est élevé, plus le producteur est incité à produire et à vendre sur un marché.

Prenons l'exemple d'un fermier dont les ressources sont relativement mobiles d'une production à l'autre. Au tableau 2.5, quand le prix de l'avoine augmente, le fermier a intérêt à diminuer sa production de blé, de seigle et d'orge et à utiliser le sol pour augmenter sa production d'avoine. De plus, le prix plus élevé de l'avoine lui permet de couvrir les coûts occasionnés par une culture plus intensive et par l'utilisation d'une quantité plus grande d'engrais et de pesticides. Tous ces efforts se solderont par des récoltes d'avoine supérieures. Considérons maintenant une entreprise manufacturière. Jusqu'à un certain point, les coûts par unité produite sont croissants. Ils augmentent parce que certaines ressources, plus particulièrement la machinerie et la taille de l'établissement, ne peuvent varier sensiblement à court terme.

Puisque l'entreprise peut augmenter les quantités d'autres ressources comme le travail, les matières premières et les pièces, l'équipement fixe deviendra en quelque sorte congestionné, ce qui diminuera la productivité des ressources utilisées (revoir la loi des rendements décroissants au chapitre 1); le coût des unités supplémentaires produites s'accroîtra donc. Les producteurs doivent recevoir un prix plus élevé pour ces unités qui coûtent plus cher[3].

### La courbe d'offre

Comme c'était le cas pour la demande, il se révèle pratique de représenter graphiquement le concept de l'offre. Les axes de la figure 2.5 sont les mêmes que ceux de la figure 2.4 (page 46), sauf que nous avons remplacé les quantités demandées par les quantités offertes. La technique est identique, seules les données et la relation changent. Les données de l'offre ($O_1$) représentées graphiquement à la figure 2.5 proviennent du tableau 2.6, page 50. Nous supposons qu'il existe 200 «offreurs» sur ce marché ayant le même barème que le producteur décrit au tableau 2.5.

---

**→ LOI DE L'OFFRE ←**

Il existe une relation directe entre le prix d'un produit et la quantité offerte de ce produit.

**→ COURBE D'OFFRE ←**

Représentation graphique de la relation qui existe entre le prix et la quantité offerte.

---

### Les facteurs déterminant l'offre

Quand il construit une courbe d'offre, l'économiste suppose que le prix est le déterminant le plus significatif de la quantité offerte de n'importe quel produit. Mais comme c'était le cas pour la courbe de demande, la courbe repose sur l'hypothèse «toutes choses étant égales par ailleurs». Nous avons donc tracé la courbe d'offre en supposant que certains déterminants de la quantité offerte autres que le prix existent, mais

---

3. Ces notions sont approfondies en micro-économie.

ne changent pas. Si un ou plusieurs facteurs varient, nous obtiendrons une nouvelle courbe située à droite ou à gauche de la première.

Les principaux facteurs influençant l'offre sont : (1) les procédés de fabrication ; (2) le prix des ressources ; (3) les taxes et les subventions ; (4) le prix des autres produits ; (5) les anticipations quant au prix ; (6) le nombre de producteurs dans un marché. Tout changement de l'un ou de l'autre de ces déterminants entraînera un déplacement de la courbe d'offre d'un produit vers la gauche ou vers la droite. Un déplacement vers la droite, de $O_1$ à $O_2$ (figure 2.5), représente une **augmentation de l'offre**. Les producteurs offrent une quantité plus grande à chaque prix. Un déplacement vers la gauche, de $O_1$ à $O_3$, indique une **baisse de l'offre**. Les offreurs proposent une quantité moins grande à chaque prix.

### Les changements de l'offre

Considérons maintenant l'effet du changement de chaque déterminant sur l'offre d'un produit.

### Les procédés de fabrication et le prix des ressources

Les deux premiers déterminants de l'offre, la technologie et le prix des ressources, sont les principaux éléments des coûts de production. Les coûts et l'offre sont intimement liés. Nous nous limiterons à constater que tout ce qui fait diminuer les coûts de production, par exemple un progrès technologique ou une baisse du prix des ressources, fera augmenter l'offre. Quand les

> **AUGMENTATION DE L'OFFRE**
>
> Quand l'offre augmente, c'est toute la colonne des quantités offertes qui change. À chacun des prix, la quantité correspondante est plus grande. On a un nouveau barème d'offre.
>
> **BAISSE DE L'OFFRE**
>
> Quand l'offre diminue, c'est toute la colonne des quantités offertes qui change. À chacun des prix, la quantité correspondante est plus petite. On a un nouveau barème d'offre.

coûts sont bas, il est plus profitable d'offrir une grande quantité à chaque prix possible. Une augmentation du prix des ressources (il est peu probable qu'une régression technologique se produise, bien que le capital puisse se détériorer si la machinerie est usée et brisée) augmentera les coûts de production et amènera une baisse de l'offre. La courbe d'offre se déplacera vers la gauche.

### Les taxes et les subventions

Les taxes payées par les producteurs correspondent en quelque sorte à des augmentations de coûts et, par conséquent, réduisent l'offre. Les subventions qu'ils reçoivent, au contraire, abaissent les coûts de production et font donc augmenter l'offre.

### Le prix des autres produits

Les changements de prix d'autres produits peuvent aussi influencer l'offre. Une baisse du prix du blé incitera peut-être un fermier à produire et à offrir plus d'avoine à chacun des prix. À l'opposé, une hausse du prix du blé incitera les fermiers à produire moins d'avoine et à en offrir moins sur le marché.

### Les anticipations

Les anticipations du producteur quant à l'évolution du prix de son produit peuvent également influer sur l'offre de ce produit. Il est difficile de prévoir comment ces anticipations, d'une augmentation de prix par exemple, modifieront l'offre du produit. Les fermiers peuvent décider

**TABLEAU 2.6** L'offre de 200 producteurs sur le marché de l'avoine (données fictives)

| (1) Prix par boisseau (en dollars) | (2) Quantité offerte par semaine, un seul producteur | | (3) Nombre de vendeurs sur le marché | | (4) Quantité offerte totale par semaine |
|---|---|---|---|---|---|
| 5 | 60 | x | 200 | = | 12 000 |
| 4 | 50 | x | 200 | = | 10 000 |
| 3 | 35 | x | 200 | = | 7 000 |
| 2 | 20 | x | 200 | = | 4 000 |
| 1 | 5 | x | 200 | = | 1 000 |

de retarder la mise en marché de leur produit jusqu'au moment où les prix seront meilleurs. Alors, l'offre diminuera. Dans d'autres circonstances, une entreprise manufacturière qui anticiperait des hausses de prix pourrait être tentée d'augmenter sa production dans l'immédiat pour profiter des prix élevés, ce qui ferait augmenter l'offre.

### Le nombre de producteurs

Compte tenu de la taille de chaque entreprise, plus le nombre de producteurs sera élevé, plus l'offre sera grande. Au fur et à mesure que les entreprises entrent sur un marché, l'offre s'accroît et la courbe se déplace vers la droite. Si une industrie compte peu d'entreprises, l'offre sera restreinte. À mesure que les entreprises quittent le marché, l'offre diminue et la courbe se déplace vers la gauche.

### Les changements de la quantité offerte

Il faut distinguer **changement de l'offre** et **changement de la quantité offerte**. Nous pouvons établir un parallèle, avec la distinction faite précédemment, entre les changements de la

> **CHANGEMENT DE L'OFFRE**
>
> Augmentation ou diminution de l'offre quand, à un même prix, la quantité offerte augmente ou diminue par suite de la modification d'un ou de plusieurs des facteurs qui déterminent l'offre, et ce, à tous les prix possibles.
>
> **CHANGEMENT DE LA QUANTITÉ OFFERTE**
>
> Le prix ne fait varier que la quantité offerte. La quantité offerte augmente ou diminue lorsque le prix augmente ou diminue.

demande et de la quantité demandée. Un changement de l'offre provoquera le déplacement de toute la courbe. Le barème n'est plus le même, les quantités sont différentes à chacun des prix. Une augmentation déplacera la courbe vers la droite, une diminution la déplacera vers la gauche. Toute variation d'un ou de plusieurs déterminants de l'offre amènera un changement de l'offre. L'économiste utilise le terme « offre » dans le sens d'un tableau ou d'une courbe. Par conséquent, un changement de l'offre veut dire que tout le tableau a changé ou que la courbe s'est déplacée. Par contre, un changement de la quantité offerte correspond au passage d'un point à un autre sur la courbe d'offre inchangée. Seul le prix du produit peut entraîner un tel changement. Dans le tableau 2.6, une baisse du prix de l'avoine, de 5 $ à 4 $, amène une baisse des quantités offertes d'avoine de 12 000 à 10 000 boisseaux. Déplacer la courbe $O_1$ vers $O_2$ ou $O_3$ sous-entend un changement de l'offre (figure 2.5, page 49). Le déplacement du point *a* au point *b* sur la courbe $O_1$ illustre le changement de la quantité offerte.

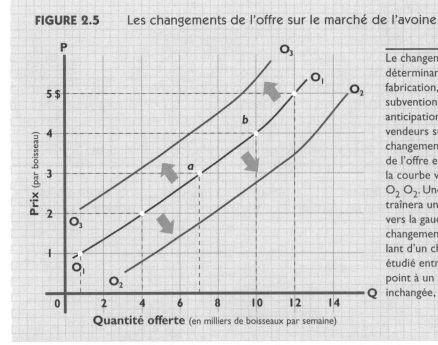

**FIGURE 2.5**     Les changements de l'offre sur le marché de l'avoine

Le changement d'un ou de plusieurs déterminants de l'offre (procédés de fabrication, prix des ressources, taxes, subventions, prix des autres produits, anticipations quant au prix, nombre de vendeurs sur le marché) entraînera un changement de l'offre. Une augmentation de l'offre entraînera un déplacement de la courbe vers la droite, de $O_1 O_1$ à $O_2 O_2$. Une diminution de l'offre entraînera un déplacement de la courbe vers la gauche, de $O_1 O_1$ à $O_3 O_3$. Un changement de la quantité offerte découlant d'un changement du prix du produit étudié entraînera un déplacement d'un point à un autre sur la courbe d'offre inchangée, comme du point *a* au point *b*.

## L'offre et la demande : l'équilibre du marché

Nous étudierons maintenant comment la rencontre de l'offre et de la demande, c'est-à-dire les intentions de vendre des producteurs et d'acheter des ménages, détermine le prix du produit et les quantités effectivement échangées sur un marché. Les colonnes 1 et 2 du tableau 2.7, page 52, reproduisent le barème d'offre d'avoine du tableau 2.6 et les colonnes 2 et 3 correspondent au barème de demande du tableau 2.4 (page 45). Remarquez que nous utilisons la colonne 2 à la fois pour l'offre et la demande, car l'ensemble des prix possibles est le même pour les consommateurs et les producteurs.

Notre analyse repose sur l'hypothèse que ce marché connaît la concurrence, c'est-à-dire qu'il existe sur ce marché un grand nombre de vendeurs et d'acheteurs.

Maintenant, nous tenterons de trouver auquel des cinq prix possibles l'avoine se vendra sur ce marché. Ce prix s'appelle « **prix d'équilibre** ». Procédons par tâtonnement. Sans raison particulière, nous commencerons par le prix de 5 $. À ce prix, les consommateurs désirent acheter 2 000 boisseaux et les producteurs désirent en vendre 12 000. Le prix semble trop élevé pour les consommateurs et décourage l'achat d'avoine. Les producteurs semblent très stimulés par un tel prix et sont prêts à en produire une grande quantité. Par conséquent, nous constatons un surplus de 10 000 boisseaux sur le marché. En effet, la quantité offerte surpasse de 10 000 la quantité demandée. Les producteurs se retrouvent alors avec des stocks indésirés. Est-ce que ce prix pourrait se maintenir longtemps sur le marché ? Certainement pas. Cet impressionnant surplus forcerait les producteurs concurrents à abaisser leurs prix pour encourager les consommateurs à acheter l'avoine. Supposons que le prix s'abaisse à 4 $. La quantité offerte est maintenant de 10 000 boisseaux, la baisse de prix ayant quelque peu refroidi l'ardeur des producteurs. La quantité demandée est de 4 000 boisseaux, les consommateurs ayant été encouragés par la baisse de prix. Cette dernière n'était quand même pas suffisante, car un surplus de 6 000 boisseaux

---

**ÉQUILIBRE DU MARCHÉ**

Le marché est en équilibre lorsque les quantités échangées coïncident et que le prix auquel elles s'échangent est stable. Seul un changement de l'offre ou de la demande pourra rompre cet équilibre.

**PRIX D'ÉQUILIBRE**

Prix auquel s'effectue la transaction. C'est le prix auquel la quantité offerte est égale à la quantité demandée. À ce prix, il n'y a ni surplus ni pénurie.

---

persiste sur le marché. La concurrence entre les vendeurs amènera une nouvelle baisse du prix de l'avoine. Nous pouvons donc conclure que les prix de 5 $ et de 4 $ sont instables parce qu'ils sont trop élevés. Le prix d'équilibre du marché devra être inférieur à 4 $.

Pour bien illustrer le mécanisme courant et comprendre comment l'offre et la demande déterminent le prix du marché, nous abaisserons ce prix à 1 $. À ce prix, la quantité demandée est très élevée, soit 16 000 boisseaux. Les consommateurs sont enthousiasmés par un prix aussi bas. Par contre, les producteurs ne sont pas prêts à laisser aller leur marchandise à si vil prix, et la quantité offerte chute à 1 000 boisseaux. Cette baisse de prix a provoqué une forte pénurie sur le marché, soit 15 000 boisseaux manquants. Ce prix ne pourra se maintenir sur le marché. La concurrence entre les producteurs poussera le prix à la hausse. En d'autres termes, si le prix est fixé à 1 $, de nombreux consommateurs désireux et capables d'acheter de l'avoine seront insatisfaits. Parmi ceux-ci, plusieurs seraient prêts à payer plus de 1 $ pour être assurés de se procurer la marchandise. Supposons que la concurrence fasse monter le prix à 2 $. Ce prix plus élevé découragera sûrement certains consommateurs. La quantité demandée est maintenant de 11 000 boisseaux. D'un autre côté, la hausse de prix encourage les producteurs à affecter plus de ressources à la production d'avoine. La pénurie s'est résorbée en partie. La quantité demandée dépasse encore la quantité offerte de 7 000 boisseaux. La concurrence amènera donc une nouvelle augmentation de prix.

Par essais et erreurs, nous avons éliminé tous les prix, sauf celui de 3 $. À ce prix, et à ce prix seulement, la quantité demandée est égale à la quantité offerte, soit 7 000 boisseaux. Il n'y a donc ni surplus ni pénurie. Le désir d'acheter des consommateurs correspond au désir de vendre des producteurs. Comme ce sont les surplus qui poussent les prix vers le bas et les pénuries qui exercent une pression à la hausse, l'absence de l'une ou de l'autre de ces situations sur le marché est susceptible de stabiliser le prix de l'avoine. Trois dollars est le prix d'équilibre,

**TABLEAU 2.7** La demande et l'offre sur le marché de l'avoine (données fictives)

| (1)<br>Quantité offerte<br>totale par semaine | (2)<br>Prix par boisseau<br>(en dollars) | (3)<br>Quantité demandée<br>totale par semaine | (4)<br>Surplus (+) Pénurie (−)<br>(les flèches indiquent l'effet sur le prix) |
|---|---|---|---|
| 12 000 | 5 | 2 000 | + 10 000 ↓ |
| 10 000 | 4 | 4 000 | + 6 000 ↓ |
| 7 000 | 3 | 7 000 | 0 |
| 4 000 | 2 | 11 000 | − 7 000 ↑ |
| 1 000 | 1 | 16 000 | − 15 000 ↑ |

« équilibre » signifiant stabilité. À 3 $, les quantités demandées et offertes sont les mêmes. Alors, 3 $ est le seul prix stable pour l'avoine, compte tenu de l'offre et de la demande du tableau 2.7. En d'autres termes, le prix d'équilibre sera atteint quand les intentions des consommateurs et des producteurs coïncideront. Ce n'est qu'à 3 $ qu'ils se rejoignent. À un prix plus élevé, les offreurs veulent vendre plus que ce que les consommateurs sont prêts à acheter : il y aura un surplus. À un prix inférieur, les consommateurs désirent acheter plus que ce que les producteurs désirent vendre : il y aura une pénurie. Si les intentions des acheteurs et des vendeurs ne coïncident pas, le prix aura tendance à changer de manière à concilier les désirs d'achat et de vente.

Si nous abordons cette question graphiquement, nous devrions aboutir aux mêmes conclusions. À la figure 2.6, nous avons superposé les courbes d'offre et de demande du marché de l'avoine. L'axe horizontal représente maintenant les quantités demandées ou offertes. En examinant bien ce graphique, nous remarquons que les prix supérieurs à 3 $ amènent une **offre excédentaire** ou un surplus. En effet, pour ces prix, les quantités offertes sont supérieures aux quantités demandées. Dans un contexte de concurrence, les vendeurs désirant se débarrasser de leurs surplus devront diminuer leur prix. Cette baisse de prix fera diminuer les quantités offertes d'avoine et encouragera les consommateurs à en acheter

davantage. Tous les prix inférieurs au prix d'équilibre créeront une pénurie ou une **demande excédentaire** sur le marché. En effet, pour les prix inférieurs à 3 $, la quantité demandée est supérieure à la quantité offerte. La concurrence fera augmenter le prix de manière à accroître les quantités offertes et à décourager certains consommateurs qui ne sont pas prêts à payer un prix supérieur ; cela éliminera la pénurie. Graphiquement, le point d'équilibre, c'est-à-dire la combinaison prix d'équilibre-quantité d'équilibre, se situe à l'intersection des deux courbes : dans notre exemple, le point d'équilibre est 3 $ – 7 000 boisseaux.

### La fonction de rationnement des prix

En situation de concurrence, le mécanisme par lequel l'offre et la demande engendrent un prix qui permet d'ajuster les intentions d'achat et de vente s'appelle « **fonction de rationnement des prix** ». Dans notre exemple, le prix d'équilibre de 3 $ protège le producteur de tout surplus non désiré et évite aux consommateurs les inconvénients d'une pénurie. Ce prix découlant d'une multitude de décisions individuelles libère le marché. Tous les consommateurs susceptibles et capables de payer 3 $ le boisseau d'avoine pourront en obtenir la quantité qu'ils désirent. Ceux qui ne peuvent payer ce prix ou qui ne sont pas prêts à le faire devront s'en passer. L'équilibre ne signifie donc pas que tous les besoins sont satis-

---

**OFFRE EXCÉDENTAIRE OU SURPLUS**

Trop grande quantité d'un produit sur le marché. Un surplus existe sur un marché lorsque la quantité offerte est supérieure à la quantité demandée.

**DEMANDE EXCÉDENTAIRE OU PÉNURIE**

Quantité insuffisante d'un produit sur le marché. Une pénurie existe sur un marché lorsque la quantité demandée est supérieure à la quantité offerte.

**FONCTION DE RATIONNEMENT DES PRIX**

Capacité des prix, sur un marché concurrentiel, d'égaliser la quantité demandée et la quantité offerte, et d'éliminer, par une augmentation ou une diminution, les pénuries et les surplus.

faits. Les producteurs prêts à produire et à vendre des boisseaux d'avoine à 3 $ sont assurés d'écouler leur production ; les autres ne le pourront pas. C'est ce que nous enseigne le mécanisme de l'offre et de la demande. Quand ce mécanisme n'est pas en mesure de fonctionner efficacement pour harmoniser les décisions des producteurs et des acheteurs, l'État a tendance à intervenir pour éviter les pénuries ou les surplus qui surgiraient inévitablement.

### Les changements de l'offre et de la demande

Nous avons vu que l'offre et la demande pouvaient varier quand certains facteurs déterminants se modifiaient : goûts et préférences, revenus, anticipations, prix des autres produits, coûts de production, etc. Qu'arrive-t-il au prix d'équilibre quand l'offre, la demande ou les deux se modifient ?

### Un changement de la demande

Nous garderons, pour l'instant, l'offre constante et nous étudierons l'impact que peut avoir un changement de demande sur l'équilibre du marché. Supposons une augmentation de la demande (figure 2.7*a*, page 54). La courbe s'est déplacée vers la droite et la nouvelle intersection se situe à un niveau plus élevé tant pour le prix que pour la quantité échangée. Nous pouvons

donc conclure que lorsque la demande augmente, toutes choses étant égales par ailleurs, *le prix et la quantité échangée augmentent*. En effet, au prix d'équilibre initial, il y aurait une pénurie, puisque la quantité demandée serait plus grande que la quantité offerte. Le prix aurait donc tendance à augmenter pour empêcher cette pénurie. Une diminution de la demande aurait l'effet contraire (figure 2.7*b*). Au prix initial, la quantité demandée serait inférieure à la quantité offerte. Pour éviter le surplus, le prix devra baisser et le nouveau point d'équilibre sera situé plus bas tant pour le prix que pour la quantité. *Il existe donc une relation directe entre un changement de la demande et son effet sur le prix et la quantité d'équilibre.*

### Un changement de l'offre

Pour comprendre comment une variation de l'offre peut influencer l'équilibre, nous maintiendrons la demande constante. Si l'offre augmente, toutes choses étant égales par ailleurs, la nouvelle intersection des courbes d'offre et de demande donnera un prix d'équilibre inférieur au précédent (figure 2.7*c*). En effet, au prix initial, la quantité offerte serait maintenant supérieure à la quantité demandée. Pour éviter un surplus, le prix devrait baisser. Par contre, la nouvelle quantité d'équilibre sera supérieure à

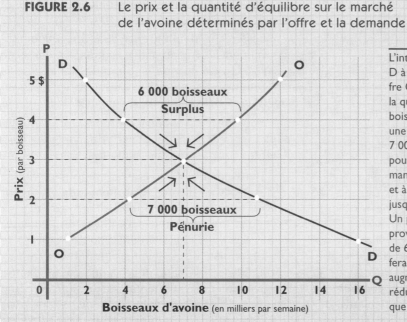

**FIGURE 2.6**  Le prix et la quantité d'équilibre sur le marché de l'avoine déterminés par l'offre et la demande

L'intersection de la courbe de demande D à pente négative et de la courbe d'offre O à pente positive donne le prix et la quantité d'équilibre, soit 3 $ et 7 000 boisseaux. Un prix inférieur entraînerait une pénurie d'avoine, par exemple de 7 000 boisseaux à 2 $. Cette pénurie pousserait le prix vers le haut de manière à augmenter la quantité offerte et à réduire la quantité demandée jusqu'à ce que l'équilibre soit atteint. Un prix supérieur au prix d'équilibre provoquerait un surplus, par exemple de 6 000 boisseaux à 4 $. Ce surplus ferait baisser le prix de manière à augmenter la quantité demandée et à réduire la quantité offerte jusqu'à ce que l'équilibre soit atteint.

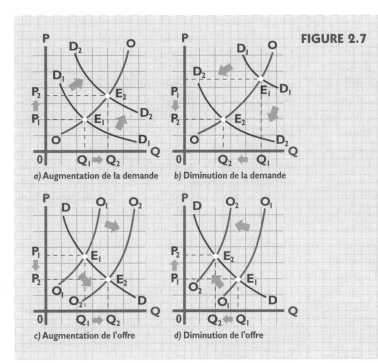

**FIGURE 2.7**    Les effets des changements de l'offre et de la demande sur le prix et la quantité d'équilibre

a) Augmentation de la demande

b) Diminution de la demande

c) Augmentation de l'offre

d) Diminution de l'offre

L'augmentation de la demande, en *a*, et la diminution de la demande, en *b*, indiquent une relation directe entre le changement de la demande et les changements du prix et de la quantité d'équilibre. L'augmentation de l'offre, en *c*, et la diminution de l'offre, en *d*, indiquent une relation inverse entre le changement de l'offre et le changement du prix d'équilibre, mais une relation directe entre le changement de l'offre et le changement de la quantité d'équilibre.

l'ancienne. Une augmentation de l'offre permet donc *une plus grande quantité échangée à un prix plus bas*. D'un autre côté, si l'offre décroît, le nouveau prix d'équilibre sera plus élevé, car, au prix initial, il se produirait une pénurie. Les quantités échangées seront moindres. *Il existe donc une relation inverse entre un changement de l'offre et le prix d'équilibre.*

### Les changements simultanés de l'offre et de la demande

Il existe de nombreux autres cas plus complexes où interviennent des changements simultanés de l'offre et de la demande. Premièrement, l'offre et la demande peuvent changer *en direction opposée*. Par exemple, supposons que l'offre augmente et que la demande diminue. L'effet de chaque changement sur le prix d'équilibre est le même, à savoir une baisse. Par conséquent, le résultat net sera une baisse de prix plus grande que celle qu'aurait provoquée l'une ou l'autre des variations survenant de façon isolée. En ce qui concerne la quantité d'équilibre, l'augmentation de l'offre aurait pour effet de faire augmenter la quantité d'équilibre, alors que la baisse de la demande aurait l'effet contraire. Le résultat net dépendra de l'ampleur relative des variations de l'offre et de la demande. Nous pou-

vons également faire face à une baisse de l'offre ajoutée à une augmentation de la demande. Ces deux changements tendent à faire augmenter le prix. Nous pouvons donc prévoir une hausse de prix plus forte que dans le cas où seul l'un des deux changements se serait produit. En ce qui a trait à la quantité d'équilibre, une fois encore le résultat est indéterminé. Il dépendra de l'ampleur relative des deux variations. Si la baisse de l'offre est relativement plus importante que la hausse de la demande, la quantité d'équilibre diminuera. Par contre, si la diminution de l'offre est plus que compensée par la hausse de la demande, des quantités supérieures s'échangeront au nouveau point d'équilibre.

Vous devriez essayer de représenter graphiquement ces deux possibilités de manière à vérifier les conclusions que nous en avons tirées.

Deuxièmement, nous examinerons ce qui se passe lorsque l'offre et la demande changent *dans la même direction*. L'effet sur le prix d'équilibre est indéterminé ; il variera d'un cas à l'autre. S'il y a une augmentation de l'offre et de la demande, nous devons comparer les effets contradictoires quant au prix : une baisse de prix provenant de l'augmentation de l'offre et une hausse de prix provenant de l'augmentation de la demande. Si l'augmentation de l'offre est supérieure à celle de la demande, l'effet net sera une baisse de prix. Si l'inverse se produit, nous constaterons alors une augmentation du prix d'équilibre. Par contre, la quantité d'équilibre augmentera puisque l'augmentation de l'offre, tout comme celle de la demande, fait augmenter la quantité d'équilibre. Par contre, une baisse de l'offre et de la demande fera augmenter le prix d'équilibre si l'ampleur de la baisse de l'offre est inférieure à l'ampleur de la baisse de la demande. Dans le cas contraire, le prix d'équilibre chutera. Parce qu'une baisse de l'offre et de la demande a pour effet de faire diminuer la quantité d'équilibre, cette dernière sera certainement moindre qu'au départ.

Nous ne nous sommes certes pas arrêtés à ces cas uniquement pour des considérations théoriques. Il arrive régulièrement qu'un événement influence en même temps l'offre et la demande. Par exemple, la découverte des effets nocifs de la mousse isolante d'urée-formol (MIUF — matériau pour l'isolation des maisons) sur la santé a entraîné, d'une part, la baisse de la demande pour ce type de maison, car les acheteurs ne voulaient pas mettre en péril leur santé et, d'autre part, une augmentation importante de l'offre de ces maisons sur le marché, car de nombreux propriétaires touchés par ce produit toxique ont mis leur maison en vente. L'effet combiné de cette baisse de la demande et de cette augmentation de l'offre a fait chuter de façon spectaculaire le prix des maisons isolées à la MIUF.

Il peut arriver qu'un changement de l'offre annule l'effet d'un changement de la demande. L'équilibre, dans ces cas, ne serait pas modifié.

### Le marché des ressources

Qu'en est-il des courbes d'offre et de demande du marché des ressources ? Comme pour le marché des produits, la courbe d'offre de ressources aura une pente positive, tandis que celle de demande de ressources sera négative.

Les courbes d'offre de ressources ont une pente généralement positive, car il existe une relation directe entre le prix des ressources et les quantités offertes. Par exemple, une travailleuse acceptera de travailler un nombre d'heures plus important (heures supplémentaires) si on la paye à un prix plus élevé. De même, de hauts salaires dans un secteur d'acti-vité attireront plus de travailleurs dans ce secteur que dans un autre où la rémunération est relativement plus faible. Les détenteurs de ressources ont intérêt à offrir davantage de ressources quand le prix en est élevé. De la même manière, si le prix de la terre utilisée à des fins agricoles est trop faible, les propriétaires de cette terre l'offriront sur le marché de l'im-mobilier où le prix y est plus élevé.

En ce qui concerne la demande de ressources, les entreprises achèteront moins d'une res-source dont le prix est élevé et auront tendance à lui en substituer une autre dont le prix est plus faible. On demandera des quantités relativement plus grandes d'une ressource quand son prix est bas que lorsque son prix est élevé. Par con-séquent, la pente de la courbe de demande est négative.

En bref, de la même manière que l'offre et la demande des producteurs et des consomma-teurs déterminent le prix sur le marché des pro-duits, l'offre et la demande des ménages et des entreprises déterminent le prix sur le marché des ressources. Nous vous invitons à relire la section du chapitre 1 sur la rémunération des ressources et à essayer de trouver, dans chaque cas, des exemples qui illustrent les effets de l'of-fre et de la demande sur le prix des diverses ressources.

### L'hypothèse «toutes choses étant égales par ailleurs» dans ce nouveau contexte

Nous nous rappellerons qu'au chapitre premier nous avons étudié comment l'hypothèse «toutes choses étant égales par ailleurs» suppléait à l'im-possibilité pour les économistes de réaliser des expériences en laboratoire pour vérifier leurs hypothèses. Nous avons également analysé, dans le présent chapitre, comment de nombreux facteurs conditionnaient l'offre et la demande. Par conséquent, lorsque les économistes tracent des courbes d'offre et de demande comme $D_1$ et O de la figure 2.7a, ils considèrent que le prix est la variable la plus importante dans la déter-mination des quantités offertes ou demandées. En représentant les lois de l'offre et de la demande par des courbes dont les pentes sont respectivement positive et négative, les économistes supposent que tous les autres déterminants de la demande et de l'offre, à part le prix (goûts, revenu, prix des ressources, technologie, etc.), sont demeurés constants ou inchangés. En d'autres termes, une courbe de demande ou d'offre particulière est valide tant et aussi longtemps que les déterminants autres que le prix ne changent pas.

Il existe donc une relation inverse entre le prix et les quantités demandées, *toutes choses étant égales par ailleurs*. Il existe une relation directe entre le prix et les quantités offertes, *toutes choses étant égales par ailleurs*. Si nous oublions que les lois de l'offre et de la demande reposent sur cette hypothèse, certaines situations peuvent sembler en contradiction avec ces lois. Par exemple, supposons que la compagnie Pepsi ait vu ses ventes de boissons gazeuses augmenter année après année entre 1960 et 1998 ; pourtant, le prix du litre est environ 10 fois plus élevé en 1998 qu'en 1960. Le prix et la quantité achetée varient de façon directe et ces données semblent contredire la loi de la demande. En fait, ces données n'invalident pas la loi de la demande, car l'hypothèse « toutes choses étant égales par ailleurs » n'est pas vérifiée dans cette étude. D'une année à l'autre, la population s'accroît ainsi que les revenus. La publicité a peut-être convaincu plusieurs consommateurs de substituer Pepsi à une autre marque réputée. Les goûts ont peut-être changé. En fait, la courbe de demande de boisson gazeuse de marque Pepsi s'est déplacée vers la droite avec le temps. L'offre s'est également modifiée. Notre exemple renvoie à plusieurs équilibres différents d'une année à l'autre. La loi de la demande étudie l'influence du prix sur le désir et la capacité d'acheter des consommateurs, toutes choses étant égales par ailleurs. Une fois de plus, il ne faut pas confondre demande et quantité demandée ou influence de la demande sur le prix d'équilibre et influence du prix sur la quantité demandée.

Voici un autre exemple de ce genre de confusion à éviter. Examinons la figure 2.7*d* (page 54). Comparons le point d'équilibre original $E_1$ avec le nouveau point d'équilibre $E_2$. Nous remarquons que les quantités vendues ou offertes sont moindres, et ce, à un prix supérieur. Cette situation pourrait laisser croire qu'il existe une relation inverse entre le prix et la quantité offerte. L'erreur de jugement provient du fait que l'hypothèse

« toutes choses étant égales par ailleurs » n'a pas été respectée. Peut-être que les coûts de production ont augmenté ou qu'une nouvelle taxe a été imposée sur ce produit, provoquant le déplacement vers la gauche de la courbe d'offre, de $O_1$ à $O_2$. Ces exemples nous montrent bien que la distinction entre un changement de l'offre ou de la demande et un changement de la quantité offerte ou de la quantité demandée est essentielle pour une bonne compréhension du fonctionnement des marchés.

Seriez-vous capable de trouver un exemple personnel d'un produit que vous consommez en plus grande quantité maintenant qu'il y a quelques années malgré le fait que son prix a augmenté ? Essayez d'expliquer dans vos propres mots comment cette situation ne contredit nullement la loi de la demande.

## L'UTILITÉ DU MODÈLE D'OFFRE ET DE DEMANDE

Le modèle d'offre et de demande peut s'appliquer à tous les marchés en concurrence. Nous aurons à l'utiliser fréquemment tout au long de cet ouvrage. C'est un outil d'analyse économique très puissant. En l'adaptant, l'économiste peut ainsi expliquer les taux de salaire, les loyers, les taux d'intérêt, les taux de change, l'influence des tarifs sur les importations, l'incidence des taxes sur la consommation, les conséquences des contrôles de prix ou de salaires par l'État, etc. Nous utiliserons également ce modèle pour analyser les politiques gouvernementales dans le cadre du contrôle de la pollution et des embouteillages. Bref, le modèle d'offre et de demande nous servira tout au long de cet ouvrage.

> ⟶ **PRIX PLANCHER** ⟵
>
> Prix minimal fixé par l'État pour un produit. Il vise à protéger le producteur.

### *Les contrôles de prix par les gouvernements*

Pour terminer le présent chapitre, nous illustrerons la capacité d'analyse de ce modèle en étudiant les conséquences des contrôles de prix sur les marchés. Le rôle des prix, dans une économie de marché, consiste principalement à rationner les biens et les services et à répartir les ressources. Il arrive que, sur certains marchés, des circonstances poussent le gouvernement à fixer des prix plafonds ou des **prix planchers**, c'est-à-dire des prix inférieurs ou supérieurs au prix d'équilibre. Qu'arrive-t-il au

α✓

fonctionnement du marché quand le gouvernement fixe de tels prix ?

### Les prix plafonds et les pénuries

Les **prix plafonds**, c'est-à-dire les prix maximaux fixés par le gouvernement *au-dessous* du prix d'équilibre, ont été utilisés à plusieurs reprises comme instrument de politique anti-inflationniste. Ils le furent lors de la Seconde Guerre mondiale (1939-1945) et plus récemment, en 1975, par le gouvernement fédéral.

Nous analyserons les effets, lors de la Seconde Guerre mondiale, d'un prix plafond pour le beurre. La prospérité économique accompagnant les activités de guerre au début des années 1940 avait fait augmenter la demande de beurre, déplaçant la courbe vers la droite. Supposons que le prix d'équilibre P fût de 2,50 $/kg (figure 2.8). La hausse rapide du prix du beurre avait deux effets néfastes. Elle contribuait à alimenter l'inflation et empêchait les familles dont les revenus ne pouvaient suivre l'inflation de se procurer ce produit. Alors, pour lutter contre l'inflation et pour permettre à toutes les familles d'avoir du beurre sur leur table, le gouvernement imposa un prix plafond $P_p$. Supposons $P_p$ égal à 2,00 $/kg. Quels seront les effets néfastes de ce prix plafond ? Le marché ne pourra plus remplir efficacement sa fonction de rationnement. Une situation de pénurie persistera à ce prix. Voyons ce qui arrive au marché du beurre. À $P_p$, la quantité demandée de beurre est $Q_d$ et la quantité offerte $Q_o$ (figure 2.8).

La pénurie est représentée par le segment $Q_o$ $Q_d$. En d'autres termes, le prix plafond $P_p$ fixé par le gouvernement empêche le marché d'atteindre l'équilibre. La concurrence entre les acheteurs ne peut plus faire augmenter le prix, ce qui encouragerait les producteurs à produire davantage et découragerait certains consommateurs, faisant ainsi disparaître la pénurie au point d'équilibre (P-Q). En empêchant cet ajustement automatique, le prix plafond pose le problème du rationnement. Comment la quantité offerte $Q_o$ sera-t-elle répartie entre les consommateurs qui en désirent une quantité supérieure, soit $Q_d$ ? Doit-elle se vendre sur la base du premier arrivé, premier servi ? La capacité et la volonté d'attendre en ligne doivent-elles être un critère de rationnement ? Nous avons toutes et tous pu constater, lors de reportages télévisés, les magasins vides et les longues files d'attente en Pologne ou en URSS. Le favoritisme a de grosses chances d'intervenir dans la répartition de cette denrée. Donc, pour éviter qu'une répartition injuste (sur la base du

> **PRIX PLAFOND**
>
> Prix maximal fixé par l'État pour un produit. Il vise à protéger le consommateur.

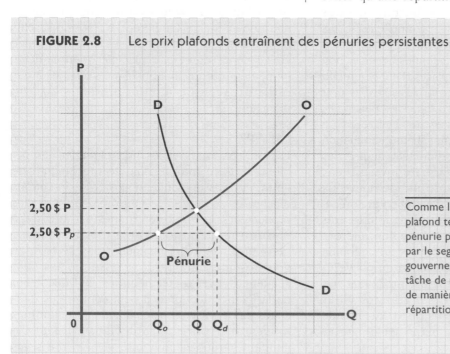

**FIGURE 2.8**     Les prix plafonds entraînent des pénuries persistantes

Comme l'imposition d'un prix plafond tel que $P_p$ entraîne une pénurie persistante (représentée par le segment $Q_o$ $Q_d$), le gouvernement doit assurer la tâche de rationner le produit de manière à atteindre une répartition équitable.

revenu) ne soit remplacée par une autre tout aussi inique, le gouvernement devra mettre sur pied un système de rationnement du produit équitable pour tous les consommateurs. C'est ce qu'il a fait lors de la Seconde Guerre mondiale en distribuant des bons de rationnement en fonction de la taille de la famille. Ainsi, qu'elle fût riche ou pauvre, toute famille était assurée de se procurer cette denrée de base. Le nombre de bons émis correspondant à $Q_0$, théoriquement on évitait ainsi les pénuries.

Le problème qui se pose avec ce genre de formule, c'est qu'il suscite souvent l'apparition de **marchés noirs**, c'est-à-dire des marchés où le produit s'achète et se vend au-dessus du prix plafond. En effet, la courbe de demande nous dit qu'il existe de nombreux consommateurs prêts à payer un prix supérieur au prix fixé par l'État. Par contre, même si ce mode de rationnement est imparfait, il ne faut pas conclure qu'avoir laissé le marché fonctionner librement dans un tel contexte (économie de guerre) eût amené une situation plus enviable. Le prix plafond a quand même permis à l'ensemble des familles de se procurer une denrée essentielle, ce qui aurait été impossible dans le marché libre.

Cependant, les prix plafonds ont comme autre effet secondaire d'empêcher l'ajustement des prix nécessaire à l'affectation efficace des ressources dans le temps. Par exemple, les loyers payés dans les centres d'accueil sont fixés selon la capacité de payer des personnes âgées et non selon la rareté relative des places d'hébergement. Bien que l'objectif de tels contrôles soit d'assurer l'accès à ce type de service à toutes les personnes en perte d'autonomie, sans égard à leur revenu, à long terme, ces mesures empêchent l'élimination de pénuries potentielles. Compte tenu du prix des loyers trop bas pour satisfaire les investisseurs, ces derniers hésitent à construire de nouveaux centres. À plus court terme, l'entretien et la réparation deviennent également moins intéressants pour ces investisseurs. En fait, le contrôle des loyers empêche l'augmentation des prix qui indiquerait au marché que l'affectation de nouvelles ressources dans ce secteur est profitable. En général, dans la plupart des grandes villes européennes et américaines, les contrôles de loyer ont eu pour effet de perpétuer de graves crises du logement.

Un prix inférieur au prix d'équilibre n'est pas l'apanage des politiques gouvernementales. Les groupes rock comme U2 vendent en général leurs billets au-dessous du prix du marché. L'existence d'un marché noir en témoigne. Pourquoi ces groupes populaires maintiennent-ils une telle politique de prix ? Ils pourraient certes augmenter sensiblement leurs revenus en haussant le prix des billets tant qu'il y a des files d'attente, c'est-à-dire une pénurie. Mais ces files d'attente ont une valeur publicitaire énorme. Elles ont un effet positif sur les ventes de disques de ces groupes. Ainsi, ce « prix-cadeau » (plus faible que le prix d'équilibre) profite également au groupe populaire par la publicité qui découle des files d'attente qu'il entraîne.

> ↗ **MARCHÉ NOIR** ↖
>
> Marché où se négocient des produits illégaux ou des produits légaux à des prix illégaux.

### Les prix planchers et les surplus

Un prix plancher est un prix minimal fixé par le gouvernement. Ce prix minimal est *supérieur* au prix d'équilibre. Des prix minimaux sont imposés quand la société considère que le libre marché n'amène pas une distribution équitable des revenus. La loi sur le salaire minimum et le soutien des prix agricoles sont deux exemples de prix planchers. Ces prix planchers entraînent généralement des surplus sur le marché. Au Québec, le décret de la construction, en fixant des salaires supérieurs au prix du marché, a contribué pendant longtemps à créer un surplus de main-d'œuvre dans ce secteur. Une autre conséquence de ce prix plancher a été le développement du travail au noir qui s'effectue à des tarifs presque de moitié inférieurs au prix plancher.

### Révision

Les prix plafonds et les prix planchers empêchent le libre marché, par le mécanisme de l'offre et de la demande, d'ajuster les intentions d'achat et de vente des consommateurs et des producteurs. Les prix déterminés par le marché ont un rôle de rationnement des ressources. Ceux que fixe la loi ne jouent pas ce rôle. Le gouvernement devra donc assumer les conséquences (surplus ou pénuries) qui découlent de la fixation des prix. Il peut contrer ces difficultés par la mise en place d'autres programmes influençant l'offre ou la demande. Il faut cependant garder en mémoire que, même si les contrôles de prix amènent d'épineux problèmes aux gouvernements qui les imposent, ils ne sont pas pour autant à rejeter totalement. Dans des contextes spécifiques, accompagnés de mesures compensatoires ou pour de courtes périodes, ils ont prouvé leur utilité : salaire minimum, taux usuraire, etc. Une société a bien d'autres objectifs que l'harmonisation des intentions d'achat et de vente. Le fonctionnement libre du marché entraîne souvent des injustices qu'il est impérieux de corriger. Toutefois, les contrôles de prix ne sont pas les seuls moyens que possède le gouvernement pour combler les failles de l'économie de marché. Avant d'agir, l'État doit par conséquent peser les avantages et les inconvénients de telles interventions.

# Activités d'apprentissage

## Résumé

*Si vous ne pouvez répondre à la question qui accompagne le résumé d'une section, vous devriez relire attentivement cette section et essayer de nouveau.*

### LE RÔLE D'UN SYSTÈME ÉCONOMIQUE : RÉPONDRE AUX QUESTIONS FONDAMENTALES

■ Un système économique constitue une façon de répondre aux cinq questions fondamentales issues de la problématique propre à l'économie. Les systèmes économiques abordent ces questions de manières différentes.

*Nommez et illustrez les cinq questions fondamentales.*

### LES TYPES DE SYSTÈMES ÉCONOMIQUES

■ Les systèmes économiques abordent les questions fondamentales de façons différentes. Les principales distinctions se situent sur le plan de la propriété des moyens de production, collective ou privée, et dans la gestion de l'économie, centralisée (planification) ou décentralisée (économie de marché).

*Nommez les principaux types de systèmes économiques et caractérisez-les en fonction de ces distinctions.*

### UN MODÈLE D'ÉCONOMIE DE MARCHÉ : LES FLUX CIRCULAIRES DE LA PRODUCTION ET DES REVENUS

■ Le schéma des flux circulaires de revenus permet de saisir le fonctionnement général du système capitaliste. Cette représentation de l'économie situe les marchés des ressources et des produits, et indique les flux les plus importants qui alimentent l'économie capitaliste : le flux des dépenses et des revenus, et celui des ressources et de la production.

*Reproduisez de mémoire le schéma des flux circulaires. N'oubliez pas ce que vous avez déjà appris au premier chapitre sur les ressources et leur rémunération.*

## LA DEMANDE

■ La demande est représentée par un barème des différentes quantités que les consommateurs désirent et peuvent acheter pendant une période déterminée, à chacun des prix auxquels le produit est susceptible de se vendre sur le marché.

■ Selon la loi de la demande, les consommateurs achètent habituellement une quantité plus grande d'un produit à un prix faible qu'à un prix élevé. C'est pourquoi il existe une relation inverse entre le prix et la quantité demandée, ce qui donne à la courbe de demande une pente négative.

■ Une variation d'un ou de plusieurs facteurs déterminant la demande (préférences des consommateurs, revenus monétaires, prix des autres produits substituts ou complémentaires, nombre d'acheteurs sur le marché et anticipations des consommateurs) entraînera un déplacement de la courbe de demande. Un déplacement vers la droite correspond à une augmentation de la demande ; un déplacement vers la gauche correspond à une diminution de la demande. Il ne faut pas confondre un changement de la demande et un changement de la quantité demandée. Ce dernier correspond au passage d'un point à un autre sur la courbe de demande par suite d'un changement du prix du produit étudié.

## L'OFFRE

■ L'offre est représentée par un barème des différentes quantités d'un produit que désirent et peuvent produire et mettre en vente les producteurs, pour une période déterminée, à chacun des prix auxquels le produit est susceptible de se vendre sur le marché.

■ Selon la loi de l'offre, les producteurs offrent habituellement des quantités plus grandes à des prix élevés qu'à des prix plus faibles. Par conséquent, il existe une relation directe entre le prix et la quantité offerte d'un produit. La courbe d'offre a donc une pente positive.

■ La variation d'un des facteurs déterminant l'offre d'un produit (technique de production, prix des ressources, prix des autres produits, nombre de vendeurs sur le marché, anticipations des producteurs quant au prix, taxes ou subventions) entraînera un déplacement de la courbe d'offre. Un déplacement vers la droite correspond à une augmentation de l'offre, tandis qu'un déplacement vers la gauche correspond à une diminution de l'offre. Un changement du prix du produit étudié n'influera pas sur la courbe d'offre, mais plutôt sur la quantité offerte du produit. Ce changement de la quantité offerte correspond au déplacement d'un point à l'autre sur la courbe d'offre qui demeure inchangée.

## L'OFFRE ET LA DEMANDE : L'ÉQUILIBRE DU MARCHÉ

■ En situation de concurrence, l'interaction entre l'offre et la demande du marché détermine un prix auquel les quantités offertes sont égales aux quantités demandées. Ce prix s'appelle « prix d'équilibre ». La quantité échangée à ce prix s'appelle « quantité d'équilibre ».

ACTIVITÉS D'APPRENTISSAGE

*Quelle est la différence entre demande et quantité demandée ?*

*Comment explique-t-on le fait que les consommateurs achètent moins quand le prix est plus élevé ?*

*Donnez un exemple d'un événement provoquant un déplacement vers la gauche d'une courbe de demande.*

*Illustrez par un barème une offre hypothétique d'un producteur de motomarines.*

*Pourquoi les producteurs offrent-ils des quantités plus grandes à des prix plus élevés ?*

*Qu'est-ce qui peut amener un producteur à augmenter l'offre de son produit ?*

*Expliquez la fonction de rationnement des prix.*

*Complétez ce tableau :*

■ Un changement de l'offre, de la demande ou des deux entraînera une modification du prix et de la quantité d'équilibre. Il existe une relation directe entre un changement de la demande et le changement d'équilibre (prix, quantité) qui en résulte. Il existe une relation inverse entre un changement de l'offre et la variation du prix d'équilibre qui en résulte. Par contre, la quantité d'équilibre variera dans la même direction.

| Changement de l'offre | Changement de la demande | Effet sur le prix d'équilibre | Effet sur la quantité d'équilibre |
|---|---|---|---|
| augmentation | diminution | | |
| diminution | augmentation | | |
| augmentation | diminution | | |
| diminution | augmentation | | |

*Dans quelles circonstances et dans quels buts les gouvernements sont-ils quand même amenés à contrôler les prix ?*

**L'UTILITÉ DU MODÈLE D'OFFRE ET DE DEMANDE**

■ Certaines circonstances poussent parfois les gouvernements à fixer des prix supérieurs (prix planchers) ou inférieurs (prix plafonds) au prix du marché. Ce faisant, ils empêchent le libre marché de jouer son rôle de rationnement, provoquant des surplus ou des pénuries.

# Mots-clés

| | | |
|---|---|---|
| Biens complémentaires | Économie centralisée | Marché des produits |
| Biens inférieurs | Économie mixte | Marché des ressources |
| Biens substituts | Économie traditionnelle | Offre |
| Biens supérieurs | Effet de revenu | Pénurie |
| Changement de la demande (offre) | Effet de substitution | Prix et quantité d'équilibre |
| Changement de la quantité demandée (quantité offerte) | Flux circulaires des revenus et des dépenses | Prix plafonds |
| Courbe de demande | Fonction de rationnement des prix | Prix planchers |
| Courbe d'offre | Loi de la demande | Questions fondamentales |
| Demande | Loi de l'offre | Surplus |
| Économie capitaliste | Marché | Système économique |
| | | Utilité marginale décroissante |

# Réseau de concepts

Remplissez les boîtes vides de ce réseau de concepts, tout d'abord sans vous aider du texte afin d'évaluer votre compréhension ainsi que votre mémorisation. Ensuite corrigez vos réponses en vous aidant des mots-clés, du résumé et du texte si nécessaire.

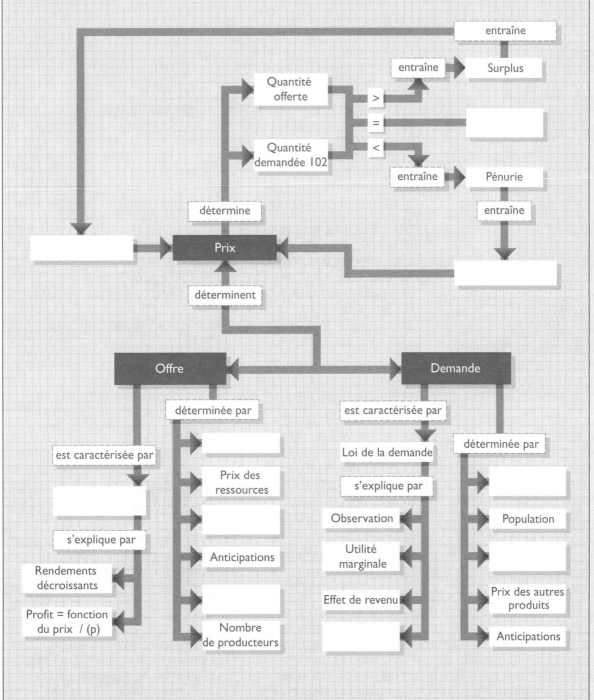

# Exercices et problèmes

**Choisissez la bonne réponse.**

1. L'économie du Québec se rapproche davantage :
   a) du capitalisme pur ;
   b) du capitalisme mixte ;
   c) du socialisme de marché ;
   d) d'une économie centralisée ;
   e) d'une économie traditionnelle ;
   f) aucune de ces réponses.

2. L'économie de l'URSS appartenait au type suivant :
   a) économie centralisée ;
   b) capitalisme mixte ;
   c) socialisme de marché ;
   d) économie de marché ;
   e) économie traditionnelle ;
   f) aucune de ces réponses.

3. Les différences fondamentales dans le fonctionnement des divers systèmes économiques du monde reposent sur :
   a) la propriété des moyens de production et la gestion de l'économie ;
   b) l'importance accordée à l'armée et à l'industrie lourde ;
   c) la production de biens de consommation et l'accès aux services essentiels ;
   d) la quantité de ressources naturelles et le niveau de scolarisation ;
   e) aucune de ces réponses.

4. L'expression « toutes choses étant égales par ailleurs » dans le contexte de la loi de la demande signifie :
   a) il n'y aura pas d'autres effets ;
   b) seul le prix a changé ;
   c) les autres facteurs ne nous intéressent pas ;
   d) aucun autre facteur n'a d'influence ;
   e) aucune de ces réponses.

5. Si nous omettons l'expression « toutes choses étant égales par ailleurs » dans un problème du type : qu'arrivera-t-il au prix du bien A s'il se produit l'événement C ? alors :
   a) il est impossible de prévoir le changement de prix ;
   b) le prix ne bouge pas, seule l'offre ou la demande change ;
   c) le prix ne bouge pas, seules les quantités offertes ou les quantités demandées changent ;
   d) aucune de ces réponses.

6. La loi de la demande stipule que :
   a) plus les gens achètent une grande quantité d'un produit, plus le prix de ce produit va diminuer, toutes choses étant égales par ailleurs ;
   b) plus les gens achètent une grande quantité d'un produit, plus ce produit va coûter cher, toutes choses étant égales par ailleurs ;

c) plus le prix d'un produit est élevé, plus la quantité demandée de ce produit sera faible, toutes choses étant égales par ailleurs ;

d) plus un produit est rare, plus les gens sont prêts à le payer cher, toutes choses étant égales par ailleurs ;

e) aucune de ces réponses.

7. Qu'arrivera-t-il au prix de l'électricité québécoise, toutes choses étant égales par ailleurs, si le gouvernement subventionne les systèmes de chauffage au mazout ?
a) Il va augmenter.
b) Il va diminuer.
c) Il va demeurer le même.
d) Il est impossible de le prédire.
e) Aucune de ces réponses.

8. Qu'arrivera-t-il au prix de l'électricité québécoise si l'automobile à l'électricité fait enfin ses preuves, toutes choses étant égales par ailleurs ?
a) Il va augmenter.
b) Il va diminuer.
c) Il va demeurer le même.
d) Il est impossible de le prédire.
e) Aucune de ces réponses.

9. Qu'arrivera-t-il au prix de l'électricité québécoise si le projet Grande-Baleine ne peut être réalisé, toutes choses étant égales par ailleurs ?
a) Il va augmenter.
b) Il va diminuer.
c) Il va demeurer le même.
d) Il est impossible de le prédire.
e) Aucune de ces réponses.

10. Qu'arrivera-t-il au prix de l'électricité québécoise si le Québec met de l'avant une grande campagne d'économie de l'énergie, toutes choses étant égales par ailleurs ?
a) Il va augmenter.
b) Il va diminuer.
c) Il va demeurer le même.
d) Il est impossible de le prédire.
e) Aucune de ces réponses.

11. Qu'arrivera-t-il au prix de l'électricité québécoise si les événements mentionnés aux numéros 7, 8, 9 et 10 se produisent en même temps, toutes choses étant égales par ailleurs ?
a) Il va augmenter.
b) Il va diminuer.
c) Il va demeurer le même.
d) Il est impossible de le prédire.
e) Aucune de ces réponses.

12. Le point d'intersection de la courbe d'offre et de la courbe de demande correspond au point où :
a) les décisions d'achat et de vente des consommateurs et des producteurs coïncident ;
b) le marché est en équilibre ;

c) il n'y a ni surplus ni pénurie ;

d) les quantités demandées sont égales aux quantités offertes ;

e) toutes ces réponses sont bonnes.

13. La fonction de rationnement des prix correspond :

a) à la tendance qu'ont les courbes d'offre et de demande à s'éloigner en des directions opposées ;

b) au fait que des bons sont nécessaires pour éviter les pénuries de biens durant les périodes de guerre ;

c) à la capacité d'un marché en situation de concurrence de rendre égales les quantités offertes et les quantités demandées ;

d) à la capacité du système de marché d'engendrer une juste répartition des revenus ;

e) aucune de ces réponses.

## Suivez les directives et répondez aux questions.

14. Supposons que la demande et l'offre d'œufs (catégorie A, gros) par mois, à Montréal, soient les suivantes :

| Milliers de douzaines demandées | Prix par douzaine | Milliers de douzaines offertes | Surplus (+) Pénurie (−) |
|---|---|---|---|
| 85 | 2,25 $ | 72 | — |
| 80 | 2,30 $ | 73 | — |
| 75 | 2,35 $ | 75 | = |
| 70 | 2,40 $ | 77 | + |
| 65 | 2,45 $ | 79 | + |
| 60 | 2,50 $ | 81 | + |

a) Déterminez le prix d'équilibre. Quelle est la quantité d'équilibre ? En utilisant la colonne des surplus ou des pénuries, justifiez vos réponses.

b) En utilisant les données précédentes, tracez les courbes de demande et d'offre d'œufs. Indiquez correctement les axes, le prix et la quantité d'équilibre.

c) Pourquoi le prix d'équilibre ne peut-il être de 2,25 $ sur ce marché ? Pourquoi ne peut-il être de 2,50 $ ? Êtes-vous d'accord avec cette affirmation : « Les surplus font augmenter les prix, tandis que les pénuries les font diminuer » ?

d) Supposons que le gouvernement fixe un plafond de 2,30 $ pour ces œufs. Expliquez les effets de cette intervention. Illustrez votre réponse graphiquement. Qu'est-ce qui peut pousser le gouvernement à établir une telle politique ?

15. Comment les changements suivants de l'offre, de la demande ou des deux courbes influenceront-ils le prix et la quantité d'équilibre sur un marché en situation de concurrence ? En d'autres termes, est-ce que le prix et la quantité augmenteront, diminueront, resteront les mêmes ou bien la réponse est-elle indéterminée, car elle dépend de l'ampleur relative des changements de l'offre et de la demande ? Vérifiez vos réponses à l'aide de graphiques.

a) L'offre diminue et la demande ne change pas.
b) La demande diminue et l'offre ne change pas.
c) L'offre augmente et la demande ne change pas.
d) La demande augmente ainsi que l'offre.
e) La demande augmente et l'offre ne change pas.
f) L'offre augmente et la demande diminue.
g) La demande augmente et l'offre diminue.
h) La demande diminue et l'offre diminue.

16. Parmi les questions suivantes, laquelle n'est pas une question fondamentale ?
    a) Quoi produire ?
    b) Comment produire ?
    c) Pour qui produire ?
    d) Pourquoi produire ?
    e) Aucune de ces réponses.

## Complétez les énoncés.

17. Si le prix du savon augmente, l'offre de savon va _____, toutes choses étant égales par ailleurs.

18. Si le prix du porc augmente, le prix du bœuf va _____, toutes choses étant égales par ailleurs.

19. Si la population québécoise diminue, la demande d'automobiles va _____, toutes choses étant égales par ailleurs.

20. Si les consommateurs anticipent une hausse du prix des maisons, la demande de maisons va _____, toutes choses étant égales par ailleurs.

## Vrai ou faux ? Justifiez vos réponses.

21. En concurrence, les surplus font augmenter les prix ; les pénuries les font diminuer.

22. La fonction de rationnement des prix signifie que le gouvernement doit distribuer tous les surplus de biens qui peuvent survenir sur un marché en concurrence.

23. Une baisse des coûts de production entraînera une augmentation de la quantité offerte.

24. Les consommateurs achètent plus de biens normaux quand les revenus augmentent.

25. Le dentifrice et la brosse à dents sont des biens substituts.

26. Les magnétoscopes et les cassettes vidéo sont des biens complémentaires.

**27.** Comblez les vides du schéma des flux circulaires suivant :

a) _____

_____

b) _____

_____

c) _____

_____

d) _____

_____

## Questions à développement

**28.** Que pensez-vous de cette affirmation : « Lorsque nous comparons les deux points d'équilibre de la figure 2.7*a* (page 54), nous remarquons que la quantité achetée est plus grande à un prix supérieur. Cette situation contredit la loi de la demande » ?

**29.** Comment l'engouement des consommateurs montréalais pour les lecteurs de disques compacts peut-il expliquer l'effondrement des prix sur le marché des disques de vinyle ?

**30.** « Sur le marché des jeans, la demande est parfois supérieure à l'offre et parfois l'offre excède la demande. » « Les variations de l'offre et de la demande de jeans font augmenter ou diminuer le prix des jeans. » Dans laquelle de ces deux affirmations, les termes « offre » et « demande » sont-ils utilisés correctement ? Justifiez votre réponse.

**31.** « Les prix sont des régulateurs automatiques qui tendent à équilibrer la consommation et la production. » Expliquez cette affirmation.

**32.** Expliquez cette affirmation : « Même si les parcomètres n'engendrent guère ou pas de revenu net, on doit les maintenir en fonctionnement, car ils jouent un rôle de rationnement. »

**33.** Plusieurs pays ont des lois contre les prêts usuraires. Ces lois déterminent les taux d'intérêt maximaux que les prêteurs ont le droit d'exiger des emprunteurs. Qu'arriverait-il si le marché du prêt traversait une période où le taux d'intérêt d'équilibre était supérieur au taux fixé par l'État ? Expliquez votre réponse en détail. À la suite de cette analyse, que pouvons-nous penser de ces lois ?

**34.** Pourquoi l'État doit-il accompagner les mesures qui fixent les prix plafonds d'autres politiques qui permettent le rationnement ? Démontrez graphiquement comment les prix plafonds entraînent des pénuries.

**35.** Dans les cas suivants, essayez de déterminer s'il s'agit d'un changement de l'offre, de la quantité offerte, de la demande ou de la quantité demandée.

a) Le revenu des consommateurs augmente. Il s'ensuit une hausse des achats de bijoux.

b) Un coiffeur hausse le prix de la coupe de cheveux et s'aperçoit que son chiffre d'affaires diminue.

c) Le prix des automobiles de marque Ford augmente et, par conséquent, les ventes d'automobiles de marque Chevrolet augmentent.

d) À cause d'une baisse des coûts de production, les producteurs ont vendu plus d'automobiles.

e) La baisse du prix du blé a entraîné une augmentation de la vente mensuelle de boisseaux d'avoine.

f) Il y a peu de pommes offertes parce que leur prix a diminué sur les marchés de détail.

g) Le gouvernement a tellement augmenté les taxes sur les cigarettes que les ventes de ces dernières ont chuté de façon draconienne.

h) Le prix des micro-ordinateurs a beaucoup diminué, ce qui a fait augmenter les ventes.

i) Les gens mangent moins de porc parce qu'ils surveillent leur taux de cholestérol.

**36.** Tracez un graphique qui représente le cas où la baisse de l'offre est plus importante que la hausse de la demande et un autre qui représente le cas où la diminution de l'offre est compensée par l'augmentation de la demande. Dans chacun des cas, indiquez le point d'équilibre initial, c'est-à-dire avant les changements de l'offre et de la demande, et le point d'équilibre final, c'est-à-dire après les changements survenus. Comparez, dans chacun des cas, les quantités d'équilibre initiale et finale ainsi que les prix d'équilibre initial et final. Si vous éprouvez de la difficulté à vous y retrouver, utilisez des couleurs différentes pour les courbes initiales et finales. N'hésitez pas à consulter la figure 2.7 (page 54) pour vous aider à tracer les différentes courbes.

ACTIVITÉS D'APPRENTISSAGE

# Complément

## LA REPRÉSENTATION GRAPHIQUE

Les graphiques sont particulièrement utiles pour visualiser une relation. Nous nous en servirons tout au long du présent volume. La plupart des principes que nous étudierons expliquent le lien qui existe entre deux séries de faits économiques, par exemple la relation entre le prix d'un produit et la quantité que désirent acheter les consommateurs. Les graphiques à deux dimensions illustrent bien ce genre de relations ; ils nous permettent de les visualiser afin que nous puissions ensuite les manipuler facilement.

Les graphiques (figure 2.9) sont dessinés sur du papier quadrillé divisé en quatre sections appelées « quadrants ».

L'axe vertical s'appelle **ordonnée** et l'axe horizontal **abscisse**. L'intersection de ces deux axes est l'« origine ». Chaque axe comporte une échelle numérique. Sur l'axe vertical, toutes les valeurs au-dessus de l'origine sont positives et celles en dessous sont négatives. Sur l'axe horizontal, les valeurs à droite de l'origine sont positives, celles à gauche sont négatives. Le point d'intersection, c'est-à-dire l'origine, a la valeur zéro. Dans la figure 2.7, page 54, nous avons donné la même valeur numérique aux deux axes, mais ce n'est pas toujours le cas. Nous pouvons, en effet, utiliser des unités différentes pour les deux axes. Par exemple, l'axe horizontal peut représenter des quantités de tomates échelonnées par dizaines, alors que l'axe vertical représenterait des prix échelonnés de 0,05 $ en 0,05 $. En économique élémentaire, nous utilisons uniquement des relations concernant des faits dont la valeur est positive. C'est pourquoi nous travaillerons principalement dans le quadrant supérieur droit.

Nous allons maintenant construire et interpréter un ou deux graphiques pour illustrer ce que nous venons d'expliquer. Supposons qu'une enquête statistique nous révèle, toutes choses étant égales par ailleurs, la relation entre le prix du boisseau de blé et la quantité de boisseaux de blé que les fermiers sont prêts à produire et à mettre en vente chaque année (tableau 2.8, page 71).

Comment pouvons-nous illustrer ce lien graphiquement ? Simplement en choisissant un axe pour chacune des séries de données, prix du produit et quantité offerte, et en situant sur le graphique les cinq combinaisons prix-quantité du tableau 2.8). Quel axe choisirons-nous pour chacune des variables ? Ce choix repose en général sur une convention ou sur le côté pratique de l'opération. Par convention, les économistes ont choisi l'axe

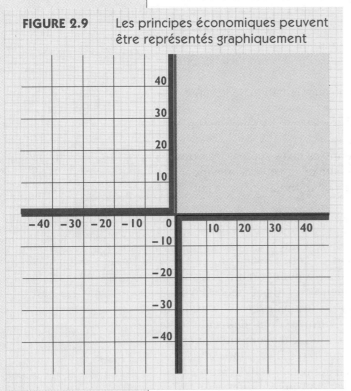

**FIGURE 2.9**   Les principes économiques peuvent être représentés graphiquement

| **ORDONNÉE** |
| Axe vertical d'un graphique |
| **ABSCISSE** |
| Axe horizontal d'un graphique |

**TABLEAU 2.8**　　La quantité de blé offerte par les fermiers à différents prix (données fictives)

| Prix par boisseau (en dollars) | Quantité demandée par semaine |
|---|---|
| 5 | 12 000 |
| 4 | 10 000 |
| 3 | 7 000 |
| 2 | 4 000 |
| 1 | 1 000 |

vertical pour représenter les prix et l'axe horizontal pour les quantités (figure 2.10)

Les cinq combinaisons prix-quantité sont représentées sur le graphique par cinq points. Chaque point correspond à l'intersection de deux droites tirées perpendiculairement à chacun des axes à partir des valeurs numériques correspondant aux combinaisons prix-quantité que nous voulons illustrer. Par exemple, le point 5 $-12 000 boisseaux sera situé à l'intersection de deux droites, l'une verticale croisant l'abscisse à la valeur 12 000 boisseaux et l'autre horizontale croisant l'ordonnée à la valeur 5 $. Les quatre autres combinaisons se situeront de la même manière. Nous supposons que la même relation entre le prix et la quantité offerte existe pour tous les autres points situés entre les cinq combinaisons que nous avons illustrées, ce qui permet de relier les cinq points entre eux par une ligne droite. Nous remarquons que les deux séries de données sont reliées

**FIGURE 2.10**　　La représentation graphique d'une relation directe et d'une relation inverse

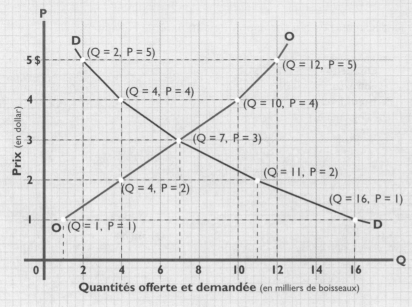

Quand deux séries de données économiques sont reliées directement, comme le prix et la quantité offerte, la courbe a une pente positive, c'est-à-dire qu'elle monte de gauche à droite (OO). Quand deux séries de données sont reliées de façon inverse, comme le prix et la quantité demandée, la courbe a une pente négative, c'est-à-dire qu'elle descend de gauche à droite (DD).

ACTIVITÉS D'APPRENTISSAGE

**TABLEAU 2.9**    La quantité de blé que les consommateurs achèteront à différents prix (données fictives)

| Prix par boisseau (en dollars) | Quantité demandée par année |
|---|---|
| 5 | 2 000 |
| 4 | 4 000 |
| 3 | 7 000 |
| 2 | 11 000 |
| 1 | 16 000 |

directement, c'est-à-dire que le prix et la quantité varient dans la même direction. En d'autres termes, ils augmentent ou diminuent en même temps. Quand deux variables sont reliées directement, nous obtenons une courbe dont la pente est positive, c'est-à-dire qu'elle monte de gauche à droite telle la courbe OO de la figure 2.10, page 71.

Maintenant, supposons que notre enquête révèle que le prix du blé et la quantité que désirent acheter les consommateurs suivent la relation du tableau 2.9.

Ces données indiquent que plus le prix est élevé, moins les consommateurs désirent acheter de blé en grande quantité, de sorte que la **relation** entre ces deux variables est **inverse**. Si le prix augmente, toutes choses étant égales par ailleurs, les quantités demandées diminueront. Au contraire, si le prix diminue, toutes choses étant égales par ailleurs, les quantités demandées augmenteront. La courbe représentant une telle relation a une pente négative (courbe DD, figure 2.10).

La fonction de rationnement des prix correspond à la capacité du marché d'harmoniser les intentions de vente et d'achat des producteurs et des consommateurs de manière à éliminer tout surplus ou toute pénurie.

> **RELATION INVERSE**
>
> Lorsque deux séries de données varient en direction opposée, on dit que la relation entre ces deux variables est inverse.

1. Tracez les courbes qui correspondent au barème suivant :

| Prix du kilogramme (en dollars) | Quantité demandée de bœuf haché (en kilogrammes) | Quantité offerte de bœuf haché (en kilogrammes) |
|---|---|---|
| 1,50 | 120 | 70 |
| 2,00 | 110 | 90 |
| 2,50 | 100 | 100 |
| 3,00 | 90 | 120 |
| 3,50 | 80 | 150 |

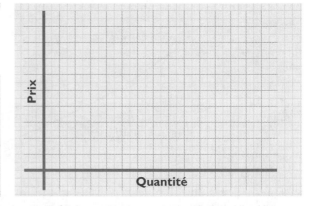

2. Tracez la courbe qui correspond au barème suivant et dites quelle information elle nous fournit :

| Consommation (en milliards de dollars) | Revenu disponible (en milliards de dollars) |
|---|---|
| 375 | 370 |
| 390 | 390 |
| 405 | 410 |
| 420 | 430 |
| 435 | 450 |
| 450 | 470 |

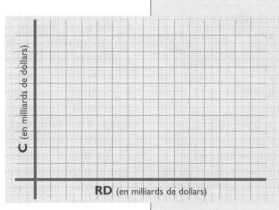

3. Interprétez les trois segments (*a*, *b* et *c*) de la courbe ci-contre :

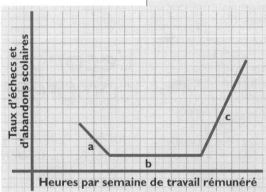

# Recherche documentaire

Avant de vous aventurer à la bibliothèque pour chercher de l'information sur un sujet en particulier, il est indispensable de préciser ce que vous cherchez vraiment. Pour ce faire, vous pouvez formuler sous forme d'une ou de plusieurs questions précises ce que vous cherchez à savoir. Par exemple, si vous voulez savoir comment va l'économie, vous ne pouvez vous rendre à la bibliothèque et demander tous les documents traitant de l'économie. Vous seriez noyé de renseignements et guère plus avancé. Vous devez préciser ce que vous voulez savoir :

1. Quelle économie m'intéresse : le Québec, le Canada, les pays en voie de développement, l'Europe, ... ?

2. Quel aspect de l'économie m'intéresse : la conjoncture, les perspectives d'avenir, les problèmes structurels, ... ?

3. Y a-t-il un thème particulier qui me préoccupe : les jeunes, l'emploi, les femmes, la pauvreté, la faim, les nouvelles technologies, l'épuisement des ressources naturelles, la croissance, ... ?
   Il faut donc réfléchir un moment pour mieux orienter votre recherche.

ACTIVITÉS D'APPRENTISSAGE

ACTIVITÉS D'APPRENTISSAGE

## Activité

Trouvez un article de journal ou de revue qui traite de l'évolution du prix mondial d'une matière première en termes du modèle de l'offre et de la demande.

Pour ce faire, précisez votre question. Dressez la liste d'au moins cinq mots-clés. Selon le collège que vous fréquentez, utilisez les cédérom disponibles dans les laboratoires informatiques ou allez directement à la bibliothèque.

Indiquez dans votre article les références à la demande, à l'offre et au prix du marché. Faites un bref résumé (maximum 10 lignes) qui expliquera l'évolution du prix de cette matière première selon le modèle de l'offre et de la demande.

Lorsque vous avez précisé ce que vous désirez savoir, demandez-vous avec quels mots vous interrogerez les outils de recherche. Il s'agit de dresser une liste de mots-clés qui vous aideront à cerner votre sujet. Par exemple, vous cherchez de l'information sur les perspectives d'emplois au Québec pour les jeunes. Vous pouvez dresser la liste des mots-clés suivants : économie, Québec, emploi, chômage, travail, jeunes, perspectives, prévisions, ... Ainsi, si le mot « chômage » ne donne pas grand-chose, vous pourrez essayer « travail » ou « emploi ». Vous devez combiner ces mots pour rétrécir votre champ de recherche. Par exemple, « économie » tout seul vous donnerait beaucoup trop de documents. Si vous ajoutez « Québec », cela éliminera tous les documents qui ne parlent pas du Québec. Si vous ajoutez « emploi », il ne vous restera que les documents traitant de l'économie du Québec en matière d'emploi. En précisant davantage avec le mot « jeune », vous devriez avoir réuni un nombre de documents suffisamment restreint pour que vous puissiez les évaluer et choisir les plus pertinents.

# L'économique pour comprendre ce qui se passe

Comment expliquer le prix élevé de la marijuana ? Répondez en respectant les étapes suivantes :

1. Quels facteurs ont pu influencer la demande et dans quel sens ?
2. Quels facteurs ont pu influencer l'offre et dans quel sens ?
3. Comment peut-on expliquer l'augmentation du prix en termes de demande, d'offre et d'équilibre ?

# Le prix élevé de la marijuana

À la fin de 1990 et au début de 1991, le prix de la marijuana a connu des sommets historiques. Au début de cette décennie, le prix d'une once de marijuana pouvait s'établir entre 200 $ et 400 $ aux États-Unis, comparé à 370 $ pour une once d'or. On peut expliquer cette situation à partir du modèle de l'offre et de la demande. Voici quelques renseignements qui vous seront utiles.

La marijuana est, de loin, la drogue illégale la plus populaire. On estime qu'environ le tiers des adultes américains – environ 66 millions de personnes – l'ont essayée au moins une fois dans leur vie. En 1979, plus de 35 % de tous les jeunes adultes (âgés entre 18 et 35 ans) en consommaient au moins une fois par mois. En 1990, cette proportion a chuté à 13 %. En d'autres termes, plus de 22 millions de gens fumaient de la marijuana en 1979, comparativement à un peu plus de 10 millions en 1990.

Durant cette période, les mesures législatives au Mexique, principal exportateur de marijuana aux États-Unis, se sont renforcées. De plus, de nombreux producteurs de marijuana ont décidé d'utiliser leurs ressources pour la production d'autres drogues. Plus particulièrement, en Colombie, l'industrie incroyablement rentable de la cocaïne a connu un développement spectaculaire et attiré les ressources autrefois consacrées à la marijuana. Il faut comprendre qu'il est beaucoup plus aisé et bon marché de transporter de petites quantités de cocaïne que des conteneurs remplis de marijuana. La lutte aux contrebandiers de marijuana a aussi connu plus de succès ; il y a moins de marijuana qui arrive aux États-Unis. Finalement, aux États-Unis mêmes, la destruction de plantations s'est grandement accrue.

# Chapitre 3

# La comptabilité nationale

**L**a comptabilité nationale permet d'avoir le pouls de l'économie. Les différentes mesures que comprend la comptabilité nationale visent à connaître le niveau de production de l'économie à un moment déterminé et permettent d'expliquer pourquoi l'économie fonctionne à ce niveau. De plus, en comparant ces informations sur une longue période, il est possible de suivre l'évolution de l'économie sur le plan de la croissance ou de la stagnation. Cela permet également de comparer les performances au niveau international.

« L'économie a ralenti en novembre », « La construction résidentielle reprend du poil de la bête », « Croissance record des dépenses en immobilisations », « Croissance de 4 % au Canada », « Le PIB en hausse de 5,5 % ; le Canada est vraiment en forte expansion », etc.

Ces titres font sans cesse les manchettes des journaux ou de leurs cahiers économiques. Pourtant, de nombreux lecteurs et de nombreuses lectrices sautent ces articles, les considérant comme trop techniques et, par conséquent, d'intérêt limité. Le présent chapitre devrait faire en sorte que vous n'apparteniez pas à cette catégorie de lecteurs ou de lectrices. Nous avons déjà abordé les indicateurs au chapitre 1. Nous allons maintenant étudier la façon dont les statisticiens et les comptables du gouvernement mesurent et compilent les données sur les niveaux de la production intérieure, du revenu intérieur et des prix au Canada. Nous y définirons également de nombreux concepts fort utiles à la compréhension des chapitres subséquents, comme le produit intérieur, le revenu intérieur, le revenu personnel, le revenu disponible et le niveau des prix.

Dans un premier temps, nous expliquerons pourquoi il est important de pouvoir mesurer la performance de l'économie. Ensuite, nous définirons l'indicateur central de la comptabilité nationale : le produit intérieur brut (PIB). Nous verrons que le PIB peut se mesurer soit à partir des dépenses effectuées pour se procurer la production, soit du point de vue des revenus engendrés par cette production. Nous définirons et expliquerons également d'autres indicateurs de la production, des revenus et du niveau général des prix fréquemment utilisés. Nous verrons également comment il est possible d'ajuster le PIB pour tenir compte des variations du niveau général des prix (inflation ou déflation) de manière à mieux refléter les variations des quantités de biens et de services réellement produits au pays. Finalement, nous établirons les limites et les faiblesses de nos indicateurs de la production et du revenu.

## LA MESURE DE LA PRODUCTION

Nous allons tout d'abord définir et expliquer un ensemble de concepts relatifs à la comptabilité nationale. Ces outils devraient nous permettre d'évaluer les performances de l'économie quant à la production nationale. La **comptabilité nationale** joue, pour l'économie dans son ensemble, le même rôle que joue la comptabilité privée pour l'entreprise privée ou pour les ménages. L'administrateur doit connaître les performances de son entreprise pour être en mesure de prendre les meilleures décisions. Cependant, ce genre d'évaluation de la santé d'une entreprise ne se fait pas à peu près. C'est en mesurant les flux de revenus et de dépenses que l'administrateur pourra rédiger les états financiers de l'entreprise. À partir de ces informations, il pourra soit expliquer les succès de son entreprise (coûts à la baisse, hausse du prix du produit, etc.), soit découvrir les causes des problèmes de l'entreprise. S'il compile toutes ses informations sur une longue période, il pourra analyser la croissance ou le déclin de son entreprise et en déterminer les principaux facteurs. Ce travail lui permettra de prendre des décisions avisées.

Les informations que fournit la comptabilité nationale servent d'assises à la formulation et à l'application de politiques économiques qui pourront améliorer les performances de l'éco-

nomie. Sans la comptabilité nationale, la politique économique ne s'appuierait sur rien de solide. En bref, la comptabilité nationale permet d'évaluer la santé économique de la société et de formuler des politiques intelligentes qui contribueront à la maintenir en santé.

## LE PRODUIT INTÉRIEUR BRUT

Nous pouvons imaginer toutes sortes d'outils pour mesurer les performances d'une économie. Toutefois, nous reconnaissons généralement que le meilleur indicateur présentement disponible est la production annuelle de biens et de services de l'économie. Cette mesure de base de la comptabilité nationale s'appelle « produit intérieur brut ». Il correspond à la *valeur monétaire totale*, *au prix du marché*, *de tous les biens et les services produits au cours d'une année dans une économie*. Nous étudierons maintenant en détail cet indicateur économique (voir le complément du chapitre 1).

### Le PIB : définition

Il faut d'abord souligner que le **PIB** mesure la production annuelle au prix du marché. Le PIB est une mesure monétaire. En effet, si nous voulons être en mesure de comparer des productions hétérogènes de différentes années quant à leur valeur, nous devons les exprimer en termes comparables. Par exemple, laquelle des productions suivantes a le plus de valeur : celle de la première année, soit 3 pommes et 2 pêches, ou celle de la deuxième année, soit 2 pommes et 3 pêches ? Nous ne pouvons répondre à cette question à moins de fixer un prix à chaque production pour exprimer la valeur que la société accorde à ces produits. Le tableau 3.1 illustre cette solution.

Supposons que le prix des pommes soit de 0,20 $ l'unité et celui des pêches de 0,30 $, et que ces prix soient constants. Nous pouvons donc conclure que la production de la deuxième année est supérieure à celle de la première. Pourquoi ? Parce que la société accorde plus de valeur à la production de la deuxième année. Elle est prête à payer davantage pour le panier de biens produits la deuxième année.

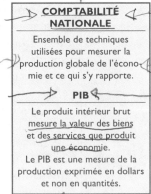

**COMPTABILITÉ NATIONALE**

Ensemble de techniques utilisées pour mesurer la production globale de l'économie et ce qui s'y rapporte.

**PIB**

Le produit intérieur brut mesure la valeur des biens et des services que produit une économie.
Le PIB est une mesure de la production exprimée en dollars et non en quantités.

quelque définition utiles

**TABLEAU 3.1**    L'utilisation de la monnaie pour comparer des productions hétérogènes (données fictives)

| Année | Production annuelle | Valeur au prix du marché |
|---|---|---|
| 1 | 3 pommes et 2 pêches | 3 × 0,20 $ + 2 × 0,30 $ = 1,20 $ |
| 2 | 2 pommes et 3 pêches | 2 × 0,20 $ + 3 × 0,30 $ = 1,30 $ |

## Il faut éviter le double emploi

Pour bien mesurer la valeur de la production, chaque bien et chaque service doit être compté une fois, mais juste une fois. Avant d'être offerts sur le marché, la plupart des produits traversent plusieurs étapes de transformation ou de distribution, de telle sorte que des parties ou composantes de la plupart des produits finis sont achetées et vendues plusieurs fois sous différentes formes. Par exemple, la farine sera vendue une première fois au boulanger et revendue une deuxième fois en tant qu'ingrédient final du pain. Pour éviter de comptabiliser plusieurs fois les éléments d'un produit qui sont vendus et revendus, nous ne tiendrons compte que de la valeur finale, au prix du marché, des biens produits et nous ignorerons les transactions portant sur des biens intermédiaires.

Un **bien final** est un bien ou un service qui ne sera pas revendu ou transformé. Le consommateur l'achète pour une utilisation finale. Les transactions concernant les **biens intermédiaires** sont les achats de biens et de services à des fins de transformation ou de distribution. Nous incluons la production finale, mais nous omettons les productions intermédiaires, car la valeur de la production finale inclut toutes les transactions intermédiaires nécessaires. Si nous ajoutons les transactions intermédiaires, nous calculerions deux fois les mêmes éléments, et le PIB surestimerait la valeur de la production. Le prix du pain comprend déjà la valeur de la farine qu'il contient. Si nous ajoutons le prix de la farine à celui du pain nous comptons deux fois la valeur de la farine.

Nous clarifierons cette question en étudiant l'exemple d'un bien dont la production et la distribution s'effectuent en cinq étapes.

---

**BIEN FINAL**

Bien que le consommateur achète pour son utilisation.

**BIENS INTERMÉDIAIRES**

Biens qu'une entreprise achète pour les transformer ou les revendre.

**FAIRE DOUBLE EMPLOI**

Calculer deux fois la même production, par exemple, en calculant une première fois la valeur de la laine lors de sa production et une seconde fois dans le prix du complet.

---

Le tableau 3.2 (page 78) nous indique qu'une ferme d'élevage de moutons, l'entreprise A, vend pour 60 $ de laine brute à un fabricant de tissus, la firme B. La firme A utilise ces 60 $ pour payer les facteurs de production qu'elle a utilisés. L'entreprise B fabrique des tissus qu'elle vend à la firme C, un fabricant de complets, pour la somme de 100 $. Que fait la firme B avec ce montant? Déjà 60 $ sont allés à la firme A et les 40 $ restants permettront à la firme B de payer les ressources qu'elle a utilisées pour fabriquer les tissus : salaires, loyer, intérêts et profits. Le fabricant vend le complet à la firme D, un marchand de vêtements en gros qui, à son tour, le revend à l'entreprise E, un détaillant de complets. Finalement, le consommateur achètera ce complet au prix de 250 $. À chaque étape, la différence entre le montant reçu de la vente et le montant versé pour le bien intermédiaire est distribuée en salaires, en loyer, en intérêts et en profits, de manière à payer les ressources utilisées pour produire ou distribuer le produit.

L'exercice consiste à déterminer ce que doit comptabiliser le PIB quant à la production de ce complet. En fait, la production est égale à un complet évalué à 250 $ au prix du marché. Dans notre exemple, c'est le seul produit disponible. Le PIB devrait donc être égal à 250 $. Ce montant comprend toutes les transactions intermédiaires avant la vente finale. Le PIB surestimerait grandement la production s'il devait inclure les transactions intermédiaires en plus de la vente finale (tableau 3.2, colonne 2). Ce serait **faire double emploi**, c'est-à-dire comptabiliser deux fois les mêmes valeurs, à savoir la vente finale et les ventes et reventes des différentes composantes qui correspondent à chaque étape de la production.

**TABLEAU 3.2** La valeur ajoutée dans un processus de production en cinq étapes (données fictives)

| (1)<br>Étape de<br>production | (2)<br>Valeur des ventes des biens<br>intermédiaires et du produit final | (3)<br>Valeur ajoutée |
|---|---|---|
| Entreprise A : élevage de moutons | 60 $ | 60 $ –   0 $ = 60 $ |
| Entreprise B : tisserand | 100 $ | 100 $ – 60 $ = 40 $ |
| Entreprise C : fabricant de vêtements | 125 $ | 125 $ – 100 $ = 25 $ |
| Entreprise D : distributeur de vêtements | 175 $ | 175 $ – 125 $ = 50 $ |
| Entreprise E : détaillant | 250 $ | 250 $ – 175 $ = 75 $ |
| Total des ventes | 710 $ | |
| Valeur ajoutée (revenu total) | | 250 $ |

Pour éviter le double emploi, nous devons nous appliquer à ne calculer que la valeur ajoutée par chaque entreprise. La **valeur ajoutée** est la valeur de la production de l'entreprise, au prix du marché, de laquelle nous soustrayons la valeur des biens intermédiaires. Ainsi, dans notre exemple, nous observons que la valeur ajoutée par l'entreprise B est de 40 $, c'est-à-dire la différence entre la valeur de son produit, 100 $, et le montant payé pour les intrants, soit 60 $. En additionnant toutes les valeurs ajoutées du tableau 3.2, nous pouvons mesurer précisément la valeur totale du complet. En procédant de la même façon pour toutes les entreprises de l'économie, nous obtiendrons la valeur totale de la production au prix du marché. Bref, en additionnant les valeurs ajoutées par toutes les entreprises, nous obtiendrons le PIB.

> **VALEUR AJOUTÉE**
> Différence entre les recettes de l'entreprise et la valeur des biens intermédiaires.
>
> **PAIEMENTS DE TRANSFERT PUBLICS**
> Distribution d'argent (ou de biens et de services) par l'État en contrepartie de laquelle l'État ne reçoit aucun bien ou aucun service produit pendant la même période. Appelés également « transferts publics ».

### Le PIB exclut les transactions non productives

Le PIB se veut une mesure de la production annuelle de l'économie. Par conséquent, il faut prendre garde d'inclure dans notre calcul la valeur des transactions qui ne contribuent pas à la production. Il existe deux types de transactions non productives : (1) les transactions purement financières ; (2) les ventes de biens d'occasion.

### Les transactions financières

Il existe trois genres de transactions purement financières, c'est-à-dire sans contrepartie réelle :

(1) les **paiements de transfert publics** ; (2) les paiements de transfert privés ; (3) les achats et les ventes de valeurs mobilières.

1. *Les paiements de transfert publics* comprennent tous les paiements de sécurité sociale ou de bien-être social que les gouvernements versent aux ménages. Ces paiements ont une même caractéristique : les bénéficiaires ne contribuent pas à la production courante en retour de ces montants. Par exemple, pour toucher des allocations familiales, les familles n'ont pas à produire des biens ou des services en retour. Il en est de même pour les allocations de sécurité de la vieillesse. Les bénéficiaires les touchent automatiquement lorsqu'ils atteignent l'âge de 65 ans et ne retournent aucune production au gouvernement en échange. Par conséquent, si nous incluons ces sommes dans le calcul du PIB, nous surestimons grandement la valeur de la production annuelle. Ces montants correspondent tout simplement à un transfert d'argent de certains contribuables à d'autres citoyens par l'intermédiaire des taxes et des impôts.

2. *Les paiements de tranfert privés* ne découlent pas non plus d'un apport à la production. Par exemple, un gain à la loterie n'est que le transfert d'argent de milliers d'individus vers quelques chanceux.

**3.** *Les transactions mobilières*, c'est-à-dire l'achat et la vente d'actions ou d'obligations, ne doivent pas être comptabilisées dans le calcul du PIB. Les transactions boursières correspondent en fait à des échanges de valeurs mobilières. Elles n'ajoutent rien à la production d'une économie. Cependant, lorsque les transferts d'argent des épargnants vers les emprunteurs nécessitent des dépenses en biens et en services, ces dernières sont incluses dans le calcul du PIB.

### Les ventes de biens d'occasion

Nous comprenons facilement qu'une deuxième transaction portant sur un bien final, c'est-à-dire la vente d'un bien d'occasion, ne doit pas faire partie du PIB. La valeur de ce bien ayant déjà été comptabilisée dans le PIB à la suite d'une première vente, nous ferions double emploi si nous ajoutions la valeur à laquelle il se négocie. Par exemple, supposons que vous désiriez vendre votre planche à voile pour en acheter une nouvelle plus performante. La vente de votre planche d'occasion ne doit pas être comptabilisée dans le PIB, car elle n'implique pas de production nouvelle ; elle a déjà été comptabilisée l'année où elle a été produite. Si nous incluions le montant de la vente dans le calcul du PIB, nous comptabiliserions pour la deuxième fois cette production.

### Les deux approches du calcul du PIB

Maintenant que nous comprenons la signification générale du PIB, nous nous interrogerons sur la façon dont nous pouvons mesurer la valeur totale de la production et, par le fait même, la valeur de chaque unité produite. Par exemple, comment pouvons-nous mesurer la valeur d'un coton ouaté au prix du marché ? Nous avons deux possibilités. Premièrement, nous pouvons regarder ce que le consommateur, dernier utilisateur du produit, a déboursé pour se le procurer. Deuxièmement, nous pouvons additionner tous les revenus, c'est-à-dire les salaires, les rentes, les intérêts et les profits, qui découlent de la production de ce chandail. Cette dernière façon correspond tout simplement à la méthode de la valeur ajoutée dont il a été question précédemment. En fait, ces deux méthodes

constituent deux angles sous lesquels nous pouvons observer la même réalité.

Le modèle des flux circulaires du chapitre 1 est basé sur cette constatation. Si nous dépensons 90 $ pour l'achat d'un chandail, ce montant correspond au total des revenus qui découlent de sa production. L'égalité entre la dépense faite pour se procurer un produit et les revenus qui proviennent de sa production est garantie par l'existence ou non de profits. Le profit ou la perte est le revenu qui reste une fois que les salaires, les rentes et les intérêts ont été payés par le producteur. Si les salaires, les rentes et les intérêts que l'entreprise doit verser en contrepartie de la production du chandail totalisent moins que les 90 $ dépensés pour acheter le chandail, la différence se traduira en profit pour l'entreprise. Par contre, si les salaires, les rentes et les intérêts sont supérieurs à 90 $, le profit sera négatif. En ajoutant cette perte aux revenus qui résultent de la production, nous obtiendrons une valeur équivalant à la dépense effectuée pour acquérir le produit.

Nous pouvons appliquer ce même raisonnement à l'économie dans son ensemble. Il existe deux façons d'aborder le PIB. La première approche consiste à additionner toutes les dépenses qui ont été faites pour se procurer l'ensemble des biens et des services produits. Il s'agit de l'approche par les dépenses. Quand le PIB est calculé de cette manière, certains l'appellent « **dépense intérieure brute** » (DIB). L'autre approche consiste à faire la somme de tous les revenus qui ont été gagnés en signe de contribution à la production. Il s'agit de l'approche par les revenus. Une analyse plus poussée de ces deux approches révélerait que *nous pouvons déterminer le PIB en additionnant soit toutes les dépenses engagées pour se procurer la production finale d'une année donnée, soit tous les revenus qui en découlent.* Nous pouvons traduire ce raisonnement sous forme d'équation :

> **LES DEUX APPROCHES DU CALCUL DU PIB**
>
> Ce que certains dépensent pour se procurer un produit est nécessairement gagné par d'autres qui ont contribué à la production de ce produit.
>
> **DÉPENSE INTÉRIEURE BRUTE (DIB)**
>
> Valeur du PIB calculée par l'approche des dépenses.

$$\left[\begin{array}{c}\text{Dépenses engagées}\\\text{pour acquérir la}\\\text{production totale}\\\text{de cette année}\end{array}\right] = \left[\begin{array}{c}\text{Revenus découlant}\\\text{de la production}\\\text{totale de}\\\text{cette année}\end{array}\right]$$

En fait, cette équation est une identité. Acheter, c'est-à-dire dépenser de l'argent, et vendre, c'est-à-dire recevoir un revenu, ne sont que deux angles sous lesquels nous pouvons envisager la même transaction.

Comme nous pouvons le voir au tableau 3.3, cette identité s'applique à l'économie dans son ensemble.

Nous constatons que l'ensemble des dépenses qui ont été faites pour se procurer la production de l'économie canadienne proviennent essentiellement de quatre sources : les ménages, les gouvernements, les entreprises et les non-résidants. Ce tableau indique également que, mises à part certaines allocations, toutes les recettes que les entreprises perçoivent de la vente de la production totale sont distribuées aux fournisseurs de ressources sous forme de salaires, de rentes, de profits et d'intérêts. Nous étudierons maintenant plus en détail la signification des dépenses qui figurent dans ce tableau.

## L'APPROCHE PAR LES DÉPENSES

Pour déterminer le PIB par l'approche des dépenses, il faut additionner toutes les catégories de dépenses effectuées pour se procurer les biens et les services finals produits. Cependant, la comptabilité nationale utilise un vocabulaire plus sophistiqué que celui du tableau 3.3 pour désigner les diverses catégories de dépenses. Nous allons donc nous familiariser avec cette terminologie.

---

**DÉPENSES DE CONSOMMATION**

Tous les achats de biens de consommation neufs et de services qu'effectuent les ménages. On les représente par la lettre C.

**INVESTISSEMENT BRUT**

Investissement total. Il comprend tous les achats de biens de production, les dépenses de construction et les variations de stocks. On le représente par les lettres $I_b$.

On inclut la variation des stocks dans le PIB, car il faut tenir compte de la production de l'année en cours qui n'a pas été vendue et enlever la valeur de la production d'une autre année qui aurait été vendue cette année.

---

### Les dépenses de consommation des ménages

La comptabilité nationale appelle « dépenses personnelles en biens et en services de consommation » ce que nous appelons, dans le tableau 3.3, les « **dépenses de consommation des ménages** ». Ce poste comprend les dépenses que font les ménages pour l'achat de biens de consommation durables (automobiles, réfrigérateurs, cuisinières, etc.), de biens de consommation semi-durables (chemises, complets, chaussettes, chaussures, etc.), de biens de consommation non durables (pain, lait, bière, dentifrice, etc.) et les dépenses des consommateurs pour des services (avocat, médecin, mécanicien, coiffeur, etc.). La somme de ces dépenses est représentée par la lettre C.

### Les dépenses d'investissement des gouvernements et des entreprises

Dans la comptabilité nationale, toutes les dépenses d'investissement qu'effectuent les gouvernements et les entreprises se trouvent à la rubrique « **investissement brut** ». L'investissement brut comprend trois éléments de base : (1) tous les achats finals de machinerie, d'équipement et d'outils effectués par les gouvernements et les entreprises ; (2) toutes les dépenses des gouvernements, des entreprises et des ménages pour la construction ; (3) les variations de stocks.

---

**TABLEAU 3.3**    Les deux approches du calcul du PIB : les revenus et les dépenses

| L'approche par les dépenses | | L'approche par les revenus |
|---|:---:|---|
| Les dépenses de consommation des ménages | | Les salaires |
| + | | + |
| Les dépenses d'investissement des gouvernements et des entreprises | = PIB = | Les rentes |
| + | | + |
| Les dépenses publiques en biens et en services | | Les profits |
| + | | + |
| Les dépenses nettes des non-résidants | | Les intérêts |
| | | + |
| | | Les autres allocations |

Expliquons maintenant pourquoi tous ces éléments sont comptabilisés dans cette composante représentée par les lettres $I_b$.

Le premier élément n'est qu'une nouvelle formulation de la définition originale d'investissement : les achats d'outils, de machinerie et d'équipement. Le deuxième élément, la construction, nécessite une explication plus poussée. Nous concevons assez facilement que la construction d'une nouvelle usine, d'un entrepôt ou d'un élévateur à grains soit une forme d'investissement. Par contre, comment pouvons-nous justifier l'inclusion de la construction résidentielle dans l'investissement brut plutôt que dans les dépenses personnelles de consommation ? La construction d'immeubles d'habitation s'apparente facilement à la construction d'une usine, car toutes deux engendrent des revenus. Les autres unités résidentielles qui sont louées sont des biens d'investissement pour la même raison. De plus, les maisons habitées par leurs propriétaires sont classées comme investissement parce qu'elles pourraient être louées et engendrer un revenu, même si le propriétaire en a décidé autrement. Pour toutes ces raisons, on considère que la construction résidentielle constitue un investissement. Finalement, pourquoi les variations de stocks font-elles également partie de cette composante ? Parce qu'une augmentation des stocks correspond à une production non utilisée à des fins de consommation, ce qu'est précisément un investissement.

### Les variations de stocks comme forme d'investissement

Il faut se rappeler que le PIB est un indicateur qui mesure la valeur totale de la production d'une année. Il doit donc comprendre tous les produits fabriqués durant cette année, *même s'ils n'ont pas été vendus*. En bref, pour mesurer adéquatement la valeur totale de la production, le PIB doit inclure la valeur au prix du marché de toutes les hausses de stocks de l'année. Si nous ne tenons pas compte de ces augmentations, le PIB sous-estimera la valeur de la production totale de l'année en cours. Si les entreprises possèdent, à la fin de l'année, plus de produits sur leurs tablettes ou dans leurs entrepôts qu'elles

---

**INVESTISSEMENT NET**

Investissement qui permet d'augmenter la capacité de production de l'économie.

**AMORTISSEMENT**

Investissement nécessaire pour compenser la perte de valeur des biens de production due à l'usure. On l'appelle également «investissement de remplacement».

---

n'en avaient au début, nous devons conclure que l'économie a produit plus qu'elle n'a consommé durant cette période. Une telle hausse des stocks doit, par conséquent, être ajoutée au PIB si nous voulons mesurer la production de *l'année en cours*.

Qu'en est-il d'une baisse des stocks ? Cette baisse devra être soustraite du PIB parce qu'elle signifie que l'économie a consommé plus qu'elle n'a produit durant l'année en cours. La différence a fait diminuer les stocks. La valeur des stocks au début de l'année correspond à une production antérieure et a déjà été comptabilisée dans le PIB de l'année précédente. Par conséquent, les ventes découlant de la baisse des stocks correspondent à des productions déjà enregistrées. Il faut donc les soustraire du total des ventes pour obtenir la valeur de la production de cette année. Il faut se rappeler que le PIB mesure la production de l'année en cours ; nous ne devons donc pas y inclure les productions des années antérieures, en l'occurrence une baisse des stocks. Si nous voulons parler d'investissement brut sans tenir compte des variations de stocks, nous utiliserons l'expression «formation brute de capital fixe».

### La distinction entre l'investissement brut et l'investissement net

Après avoir éclairci la notion d'investissement, nous allons raffiner ce concept en distinguant l'investissement brut de l'**investissement net**.

L'investissement brut comprend la production de tous les biens de production, ceux qui sont destinés à remplacer la machinerie, l'équipement et les bâtiments utilisés durant l'année en cours ainsi que tous les ajouts qui font augmenter le stock de capital de l'économie. Les investissements bruts comprennent donc à la fois les investissements de remplacement et les nouveaux investissements. Les dépenses d'investissement net ne comprennent pas les investissements de remplacement appelés également «**amortissement**». Ce sont les dépenses qui permettent d'augmenter le stock de capital de l'année en cours. En fait, l'estimation de l'investissement net ne correspond pas à l'usure réelle de l'équipement. On utilise comme mesure de dépréciation ou d'amortissement les *provisions pour consommation de capital* faites par les entreprises comme déduction de leur revenu brut avant impôts.

### L'investissement net et la croissance économique

La comparaison entre l'investissement brut et l'investissement de remplacement (amortissement) permet d'évaluer dans quelle mesure notre économie croît, décline ou est plutôt stationnaire. La figure 3.1 illustre ces trois cas.

**UNE ÉCONOMIE EN CROISSANCE** Quand l'investissement brut est supérieur à l'amortissement, comme dans la figure 3.1*a*, l'économie traverse une période de croissance, en ce sens que son potentiel productif mesuré par son stock de capital est en expansion. Plus simplement, l'investissement net est un indicateur positif de la croissance économique.

**UNE ÉCONOMIE STATIONNAIRE** Quand l'investissement brut ne couvre que l'amortissement, c'est-à-dire quand l'investissement brut est égal à l'amortissement, l'économie est stationnaire, elle marque le pas. Cette économie ne produit que le capital nécessaire au remplacement de celui qui a été consommé au cours de la production de l'année; elle ne fait ni plus, ni moins. Cette situation prévalait en 1942, durant la Seconde Guerre mondiale. Le gouvernement avait volontairement restreint l'investissement pour orienter les ressources vers la production de matériel militaire. Ainsi, à la fin de 1942, le stock de capital était sensiblement le même qu'au début de

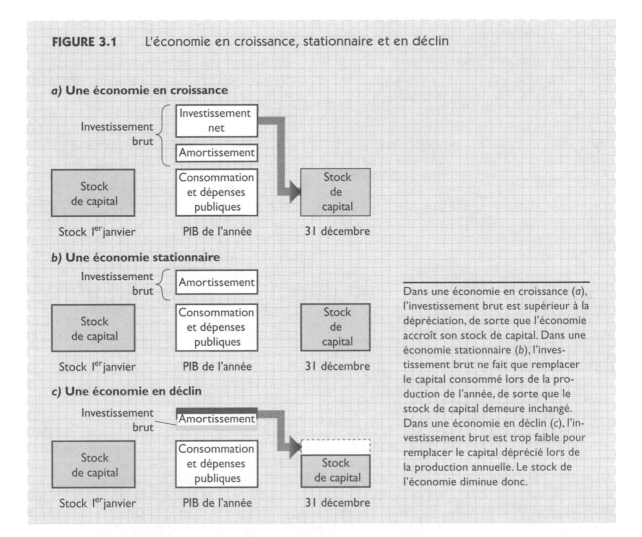

**FIGURE 3.1**    L'économie en croissance, stationnaire et en déclin

*a)* **Une économie en croissance**

*b)* **Une économie stationnaire**

*c)* **Une économie en déclin**

Dans une économie en croissance (*a*), l'investissement brut est supérieur à la dépréciation, de sorte que l'économie accroît son stock de capital. Dans une économie stationnaire (*b*), l'investissement brut ne fait que remplacer le capital consommé lors de la production de l'année, de sorte que le stock de capital demeure inchangé. Dans une économie en déclin (*c*), l'investissement brut est trop faible pour remplacer le capital déprécié lors de la production annuelle. Le stock de l'économie diminue donc.

l'année. En d'autres termes, l'investissement net avoisinait le zéro. La figure 3.1*b* représente le cas d'une économie stationnaire.

**UNE ÉCONOMIE EN DÉCLIN** Lorsque l'investissement brut est inférieur à l'amortissement, l'économie traverse une période de déclin. Cela se produit quand l'économie consomme plus de capital dans une année qu'elle n'en produit. Dans ces circonstances, l'investissement net correspond à une valeur négative : l'économie «désinvestit». Les dépressions économiques favorisent ce genre de situation. Cette situation prévalait au cœur de la Grande Dépression. En 1933, par exemple, l'investissement brut n'atteignit que 208 millions de dollars, alors que le capital se dépréciait de 532 millions de dollars durant l'année. La figure 3.1*c* illustre le cas d'une économie en déclin.

Nous utiliserons la lettre I pour représenter les dépenses d'investissement, accompagnée de l'indice $_b$ quand il s'agit de l'investissement brut et de l'indice $_n$ pour l'investissement net. Alors $I_b = I_n + d$, où $d$ représente l'amortissement ou l'investissement de remplacement.

## Les dépenses publiques en biens et en services

Les **dépenses publiques en biens et en services** comprennent toutes les dépenses gouvernementales courantes, qu'elles soient fédérales, provinciales ou municipales, en vue d'acheter des produits finals ou d'acquérir des ressources, principalement humaines, nécessaires à l'accomplissement de leurs mandats. Cependant, cette composante exclut : (1) toutes les dépenses du gouvernement pour acquérir de nouveaux actifs ; (2) tous les paiements de transfert gouvernementaux parce que ces derniers ne représentent aucune production courante. Nous utiliserons la lettre G pour symboliser les dépenses publiques en biens et en services.

## Les exportations nettes

Comment la comptabilité nationale tient-elle compte du commerce international ? D'abord, il faut se rappeler que nous cherchons à faire la somme de toutes les dépenses effectuées afin de se procurer la production de l'économie cana-

dienne pour l'année en cours. Par conséquent, les achats de produits canadiens effectués sur les marchés étrangers devront être comptabilisés de la même manière que ceux qui sont effectués par les Canadiens. Nous voulons donc additionner, dans le calcul du PIB par l'approche des dépenses, ce que les étrangers ont dépensé pour des biens et des services canadiens, c'est-à-dire la valeur des *exportations* (X). D'un autre côté, il faut admettre qu'une partie des dépenses de consommation, d'investissement et des dépenses gouvernementales que nous avons déjà comptabilisées ne correspond pas à l'achat de produits canadiens. En effet, une portion de ces dépenses est affectée à l'achat de produits étrangers. Il faut donc soustraire la valeur des *importations* (M) pour éviter de surestimer la production totale canadienne.

Plutôt que de traiter ces deux éléments (importations et exportations canadiennes) de manière distincte, la comptabilité nationale utilise simplement leur différence. Ainsi, *les exportations nettes de biens et de services, ou plus simplement les exportations nettes, représentent la différence entre les exportations et les importations*. Par exemple, si les non-résidents achètent des exportations canadiennes d'une valeur de 100 milliards de dollars et que les Canadiens importent pour une valeur de 98 milliards de dollars la même année, les exportations nettes seront alors de 2 milliards de dollars. Il est possible que les exportations nettes prennent une valeur négative. Si les Canadiens importent plus qu'ils n'exportent, les exportations nettes seront négatives, ce qui est extrêmement rare au Canada. Nous représenterons les exportations nettes par les lettres $X_n$.

## Le calcul du PIB par l'approche des dépenses

Si nous additionnons les quatre catégories de dépenses que nous venons d'étudier, les dépenses de consommation (C), les investissements bruts ($I_b$), les dépenses publiques en biens et en services (G) et les exportations nettes ($X_n$), nous faisons la somme de tous les types de dépenses possibles et, par conséquent, nous obtenons la valeur de la production de l'année

---

**DÉPENSES PUBLIQUES EN BIENS ET EN SERVICES**

Dépenses courantes qu'effectuent les gouvernements pour se procurer des biens et des services. Cette composante est nettement inférieure à l'ensemble des débours des gouvernements. On les symbolise par la lettre G.

**EXPORTATIONS NETTES**

Les exportations correspondent à la valeur des produits canadiens vendus à l'étranger. Les importations correspondent à la valeur des produits étrangers vendus au Canada.

au prix du marché, c'est-à-dire le PIB. L'équation prendra cette forme :

$$C + I_b + G + X_n = PIB$$

Pour 1996, en milliards de dollars (tableau 3.4) :

$$483,0 + 141,2 + 148,5 + 25,2 - 0,1\,[1] = 797,8$$

## L'APPROCHE PAR LES REVENUS

De quelle façon ces 797,8 milliards de dollars de dépenses ont-ils été répartis sous forme de revenus ? Il serait plus simple d'affirmer que cette somme est répartie entre les agents économiques sous forme de salaires, de rentes, d'intérêts et de profits. Malheureusement, la situation est un peu plus complexe. Dans le calcul du PIB, il faut tenir compte de certains éléments qui ne sont pas des revenus. Nous y reviendrons à la fin de cette section. Pour l'instant, nous décrirons les différentes formes de revenus sous lesquelles les dépenses sont redistribuées.

### La rémunération des salariés

Les salaires et les traitements versés par les entreprises et les gouvernements aux travailleurs constituent la catégorie de revenus la plus impor-

> **DIVIDENDES**
>
> Quote-part des profits attribuée aux propriétaires d'une entreprise, c'est-à-dire aux actionnaires.

tante dans l'économie. Elle comprend toute une gamme d'avantages sociaux, plus particulièrement les contributions de l'employeur à l'assurance-emploi, à la Commission de la santé et de la sécurité du travail, à des régimes de pension privés ou publics, etc. Ces sommes versées en supplément des salaires et des traitements font partie des coûts que l'employeur doit assumer pour obtenir les services des salariés ; par conséquent, elles sont comprises dans cette catégorie au même titre que les salaires et les traitements.

### Les bénéfices des sociétés avant impôts

Nous pouvons diviser les bénéfices des sociétés en trois parties. Premièrement, une partie ira au gouvernement sous forme d'*impôts sur les bénéfices des sociétés*. Deuxièmement, une partie des bénéfices sera distribuée aux actionnaires sous forme de **dividendes**. Les dividendes reviennent aux ménages qui possèdent les entreprises. Troisièmement, ce qui reste, une fois ces impôts payés et les dividendes versés, ce sont les *bénéfices non distribués des*

**TABLEAU 3.4**   Les comptes nationaux des revenus et des dépenses en 1996 (en milliards de dollars)

| L'approche par les dépenses | | L'approche par les revenus | |
|---|---|---|---|
| Dépenses de consommation (C) | 483,0 | Rémunération des salariés | 434,0 |
| Investissement brut ($I_b$) | 141,2 | Bénéfices des sociétés avant impôts | 64,1 |
| Dépenses publiques courantes en biens et en services (G) | 148,5 | Intérêts et revenus divers de placement | 55,8 |
| Exportations nettes ($X_n$) | 25,2 | Revenu comptable net des exploitants agricoles au titre de la production agricole | 2,9 |
| Divergence statistique | –0,1 | Revenu net des entreprises individuelles non agricoles, loyers compris | 43,0 |
| | | Ajustement de la valeur des stocks | –1,2 |
| | | Revenu intérieur net au coût des facteurs | 598,6 |
| | | Impôts indirects moins les subventions | 98,4 |
| | | Provisions pour consommation de capital *(amortissement)* | 100,7 |
| | | Divergence statistique | 0,1 |
| Produit intérieur brut aux prix du marché | 797,8 | Produit intérieur brut aux prix du marché | 797,8 |

**Source :** Données tirées de Statistique Canada, *L'observateur économique canadien*, mensuel, catalogue 11-010-XPB, juin 1997.

---

1. Nous pourrions simplifier en omettant la divergence statistique et les ajustements de la valeur des stocks.

*sociétés*. Ces bénéfices non distribués ainsi que les provisions pour consommation de capital serviront à l'achat de nouvelles installations ou de nouveaux équipements à plus ou moins long terme, faisant ainsi croître l'actif réel de l'entreprise.

## Les intérêts et les revenus divers de placement

On appelle «intérêts» les paiements effectués par les entreprises privées aux fournisseurs de capital financier. On compte dans «revenus divers de placement» certaines catégories plus petites, comme les redevances de certains individus.

## D'autres revenus dont les loyers

Dans cette catégorie, nous avons regroupé les autres formes de revenus non encore mentionnées : le revenu comptable net des exploitants agricoles, le revenu net des entreprises individuelles non incorporées et non agricoles ainsi que les loyers (revenu net) perçus par les particuliers autres que les fermes et les sociétés provenant de la location de leurs propriétés. Nous devons également ajuster la valeur des stocks pour que les profits ou les pertes qui résultent de l'écoulement de produits à des prix plus élevés ou plus faibles que leurs coûts d'acquisition ne créent pas de gains ou de pertes de capital qui seraient inclus dans le PIB.

Si nous additionnons les éléments énumérés jusqu'à présent, nous obtenons le revenu intérieur net.

## Les impôts indirects moins les subventions

Comme nous le mentionnions au début de cette section, nous devons tenir compte de certains **éléments autres que les revenus** dans le calcul du PIB par l'approche des revenus. Les gouvernements lèvent certains impôts indirects que les entreprises comptabilisent comme des coûts de production et qu'elles ajoutent, par conséquent, aux prix de leurs produits. Ces taxes comprennent les taxes sur les ventes, sur le chiffre d'affaires et d'accise, les permis et les droits de douane. Nous pouvons envisager la situation comme suit. Supposons qu'une firme produise un bien qu'elle désire vendre 1 $. Cette production

> **ÉLÉMENTS AUTRES QUE LES REVENUS**
>
> Le prix du produit n'est pas composé que de revenus. Il comprend également les taxes indirectes nettes et l'amortissement. C'est pourquoi il faut inclure ces deux éléments dans le calcul du PIB par l'approche des revenus.

engendre des revenus de 1 $ répartis sous forme de salaires, de rentes, d'intérêts et de profits. Cependant, le gouvernement fédéral impose une taxe sur les ventes de 7 % sur la plupart des biens et des services. Le détaillant ajoute ces 7 % au prix du produit, ce qui fait augmenter le prix de 1 $ à 1,07 $. Ces 7 % des recettes doivent être versées au gouvernement avant que le 1 $ ne parvienne aux ménages sous forme de revenus, de salaires, de rentes, d'intérêts ou de profits. Le gouvernement est un créancier privilégié. De plus, ces taxes ne peuvent être considérées comme des revenus puisque le gouvernement n'a pas contribué directement à la production du bien en échange des recettes qu'il a perçues. Par conséquent, nous devons considérer séparément les recettes provenant des impôts indirects lorsque nous évaluons les revenus totaux que touchent chaque année les facteurs de production.

Une partie de la valeur de la production annuelle reflète ces impôts indirects qui sont transmis aux consommateurs au moyen de prix plus élevés. À l'opposé, les subventions sont des sommes que les gouvernements versent aux entreprises afin d'alléger les coûts de production. Comme leur effet est de ramener le prix au-dessous des coûts de production, nous devons les soustraire du total des revenus versés aux facteurs de production si nous voulons obtenir le PIB au prix du marché.

## L'amortissement : les provisions pour consommation de capital

Cette catégorie comprend l'autre élément du PIB qui ne correspond pas à une rémunération des facteurs de production. La durée de vie effective de la plupart des biens de production s'étend au-delà de leur acquisition. Quand l'entreprise échelonne leurs coûts sur plusieurs années, elle adapte donc ses écritures à la réalité. Si elle imputait entièrement cette dépense à l'année d'acquisition, elle sous-estimerait grandement ses profits et, par conséquent, ses revenus totaux pour cette année. Suivant le même raisonnement, elle surestimerait ses profits et ses revenus totaux des années subséquentes. Le montant auquel on évalue la dépréciation annuelle de la machinerie constitue l'amortissement.

L'amortissement n'est donc qu'une écriture qui permet d'évaluer de façon plus juste les profits et les revenus totaux de l'économie dans son ensemble. La valeur enregistrée de cette dépréciation s'appelle « provisions pour consommation de capital ». Pourquoi ? Parce qu'en fait elles correspondent précisément à la valeur du capital qui a été consommé lors de la production du PIB de l'année en cours. Ce montant important correspond à la différence entre l'investissement brut et l'investissement net dont il a été question précédemment.

### Les erreurs résiduelles d'estimation

En dépit de la meilleure volonté du monde, Statistique Canada, après maintes vérifications, ne peut parvenir à rendre égaux les résultats des deux approches : revenus et dépenses. Par exemple, si elle constate une différence de 2 millions de dollars entre les deux approches, elle divisera cette somme en deux. Elle soustraira donc 1 million de dollars du plus grand résultat et additionnera ce montant au plus petit. C'est ce qu'elle a fait en 1996 (tableau 3.4, page 84).

Les principaux éléments des deux approches se trouvent au tableau 3.4. Nous pouvons considérer ce dernier comme une immense déclaration de revenus pour l'économie entière. La colonne de gauche nous montre ce que l'économie a produit en 1996 et les recettes totales qui ont découlé de cette production. La colonne de droite nous révèle la façon dont les revenus qui découlent de la production de 1996 ont été distribués. Nous pouvons évaluer le PIB en additionnant soit les quatre types de dépenses effectuées pour se procurer la production finale de biens et de services, soit les six catégories de revenus qui proviennent de la production et les deux autres éléments. Comme la production et le revenu ne sont que deux façons d'envisager la même réalité, les deux additions doivent donner le même résultat.

## LES AUTRES INDICATEURS DE LA COMPTABILITÉ NATIONALE

Jusqu'à présent, nous avons axé l'étude sur le PIB. Il existe, bien sûr, d'autres concepts faisant partie de la comptabilité nationale qui sont aussi importants que le PIB et qui en dérivent. Nous commencerons par le produit national brut (PNB) et, à partir de divers ajustements, soustractions et additions, nous définirons les autres variables importantes.

### Le produit national brut

Jusqu'en juillet 1986, le **produit national brut (PNB)** était l'indicateur central des comptes nationaux publiés par Statistique Canada. On a décidé d'utiliser le produit intérieur brut parce que, dans un pays comme le Canada où l'investissement étranger est très important, le produit intérieur brut devenait un meilleur indicateur à la fois de la production réalisée à l'intérieur du Canada et des revenus totaux qui en découlent (tableau 3.5).

### Le revenu national

L'étude de certains problèmes économiques nécessite la connaissance du montant que reçoivent les offreurs de ressources pour leur contribution (terre, travail, capital et esprit d'entreprise) à la production annuelle nette. Les deux composantes du PNB qui ne correspondent pas à une rémunération des facteurs de production sont les impôts indirects et les provisions pour consommation de capital. Alors, pour obtenir la mesure exacte des revenus (salaires, rentes, intérêts et profits) qui découlent de la production, il faut soustraire ces deux éléments du PNB. Le nouvel indicateur ainsi obtenu est le revenu national net au coût des facteurs ou, plus simplement, le **revenu national (RN)**. Il mesure les revenus que touchent les offreurs de ressources pour leur participation à la production. Du point de vue de l'entreprise, le revenu national évalue les coûts des facteurs de production ou des ressources ; il reflète le coût au prix du marché des ressources économiques engagées dans la production de l'année en cours (tableau 3.5).

### Le revenu personnel

Les revenus gagnés (revenu national) et les revenus reçus **(revenu personnel [RP])** ne sont pas égaux, car certains revenus gagnés, comme les bénéfices non distribués des sociétés et les

---

**PRODUIT NATIONAL BRUT (PNB)**

Produit intérieur brut (PIB) moins les revenus de placement nets des non-résidents.

**REVENU NATIONAL (RN)**

Rémunération totale des facteurs de production : salaires + loyers + intérêts + bénéfices des entreprises.

**REVENU PERSONNEL (RP)**

Ensemble des revenus que reçoivent les ménages, qu'ils découlent ou non d'une contribution à la production.

impôts sur les bénéfices des entreprises, ne sont pas effectivement touchés par les ménages. D'autre part, certaines sommes perçues, comme les paiements de transfert, n'ont pas été gagnées durant la période visée. Rappelons-nous que les paiements de transfert comprennent, entre autres choses, les régimes de rentes fédéral et provincial, les pensions de vieillesse, les prestations d'assurance-emploi, l'aide sociale, les allocations familiales fédérales et provinciales et toutes sortes de versements aux anciens combattants.

Le passage du revenu national comme mesure des revenus gagnés au revenu personnel comme mesure des revenus effectivement reçus nécessite la soustraction d'éléments du revenu national qui sont gagnés mais non reçus et l'addition des

> **REVENU DISPONIBLE (RD)**
>
> Montant dont disposent les ménages pour consommer ou épargner.

revenus reçus mais non gagnés durant l'année visée, c'est-à-dire 1996 (tableau 3.5).

## Le revenu disponible

Si nous soustrayons du revenu personnel les impôts personnels et les autres transferts des particuliers aux gouvernements, nous obtenons le **revenu disponible (RD)**. Les impôts personnels comprennent l'impôt sur le revenu des particuliers et les taxes foncières. L'impôt sur le revenu des particuliers est de loin l'impôt personnel le plus important. Les autres transferts des particuliers aux gouvernements comprennent les contributions à l'assurance-emploi, les régimes de rentes canadiens et québécois et les régimes de retraite des organismes publics.

**TABLEAU 3.5** Relation entre le PIB, le PNB, le RN, le RP, le RD et l'épargne (données de 1996)

| | en milliards de dollars |
|---|---|
| **Produit intérieur brut aux prix du marché** | **797,8** |
| Revenus de placement nets des non-résidants | − 26,0 |
| **Produit national brut aux prix du marché** | **771,8** |
| **Produit national brut aux prix du marché** | **771,8** |
| Impôts indirects moins subventions | − 98,4 |
| Provisions pour consommation de capital | − 100,7 |
| Divergence statistique | − 0,1 |
| **Revenu national** | **572,6** |
| **Revenu national (revenus gagnés)** | **572,6** |
| Paiements de transfert publics | 115,0 |
| Autres revenus non versés aux ménages | − 8,0 |
| **Revenu personnel (revenus reçus)** | **679,6** |
| **Revenu personnel** | **679,6** |
| Impôts personnels et autres transferts des particuliers aux gouvernements | − 166,3 |
| **Revenu disponible** | **513,3** |
| Dépenses de consommation | − 483,0 |
| Intérêts payés par les consommateurs aux sociétés | − 5,7 |
| Transferts courants aux non-résidants | − 1,1 |
| **Épargne personnelle** | **23,5** |

Les ménages usent de leurs revenus disponibles de trois façons. Ils les utilisent en majeure partie à des fins de consommation. Ils en épargnent également une proportion importante. Finalement, de petites sommes servent à payer des intérêts ou des transferts à des non-résidents (principalement des immigrants de fraîche date qui envoient de l'argent à leurs familles dans leurs pays d'origine). Nous pouvons considérer que l'épargne est un résidu, c'est-à-dire ce qui reste du revenu disponible une fois enlevés les dépenses de consommation et d'intérêts, et les versements aux non-résidents. Nous avons représenté ainsi la différence entre le revenu personnel et le revenu disponible en 1996 (tableau 3.5, page 87).

### Les relations entre les principaux éléments des comptes nationaux

À partir du PIB, nous avons formulé quatre nouveaux concepts de la comptabilité nationale : (1) le produit national brut (PNB) — le revenu reçu par les facteurs de production nationaux découlant de la production annuelle qui inclut les provisions pour consommation de capital et

les impôts indirects ; (2) le revenu national (RN) — le revenu gagné par les facteurs de production pour avoir contribué à la production de l'année en cours ou les coûts de facteurs engagés dans la production de l'année ; (3) le revenu personnel (RP) — le revenu reçu par les ménages avant les impôts personnels ; (4) le revenu disponible (RD) — le revenu reçu par les ménages après les impôts personnels. Les liens entre ces éléments sont résumés à la figure 3.2.

## UN MODÈLE PLUS POUSSÉ DES FLUX CIRCULAIRES

La figure 3.3 synthétise les deux approches, dépenses et revenus, du calcul du PIB. Ce modèle des flux circulaires est plus réaliste et tient davantage compte de la complexité des rouages de notre économie. Vous avez intérêt à l'étudier minutieusement. Commençons par le rectangle qui représente le PIB dans le coin supérieur gauche. Pour simplifier la représentation, nous avons supposé que l'investissement étranger était égal à zéro. Ainsi PIB = PNB. Immédiatement à droite de ce rectangle se trouvent les neuf composantes du PIB ainsi que les diverses

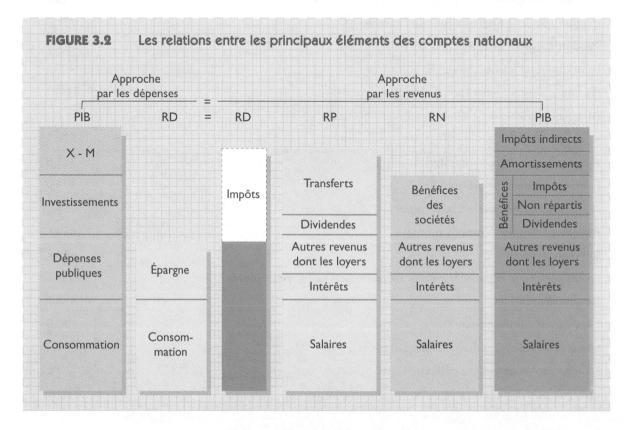

**FIGURE 3.2    Les relations entre les principaux éléments des comptes nationaux**

**FIGURE 3.3**    La production nationale et les flux circulaires des dépenses et des revenus

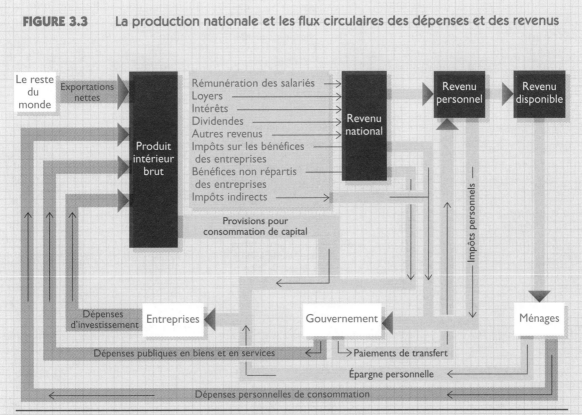

Cette figure est un diagramme plus poussé des flux circulaires qui permet de relier les deux approches du calcul du PIB. Le flux des revenus apparaît en bleu et le flux des dépenses en cuivre. Vous devriez pouvoir retracer les approches par les dépenses et par les revenus tout en les reliant aux concepts de base de la comptabilité nationale.

additions et soustractions nécessaires au calcul du revenu national (RN) et du revenu personnel (RP). Nous remarquons, entre le RP et le RD, le flux des impôts personnels. Nous pouvons également observer la division du RD entre les deux usages que peuvent en faire les ménages : consommation et épargne.

Pour le gouvernement, les trois types fondamentaux de taxation (flux des revenus) se trouvent à droite du rectangle qui le représente. À gauche de ce rectangle apparaissent les divers débours du gouvernement, soit les achats de biens et de services et les transferts. Nous avons schématisé, à droite du rectangle représentant les entreprises, leurs trois principales sources de financement et, à gauche, leurs dépenses d'investissement.

Remarquez le rôle du reste du monde dans cette figure. Les dépenses effectuées par les non-résidants pour acheter nos exportations contribuent à notre PIB, mais une partie de nos dépenses de consommation, gouvernementales et d'investissement sont des importations. La flèche provenant du « reste du monde » représente les exportations nettes (exportations moins importations). Cette contribution peut être aussi bien positive que négative.

L'intérêt principal de ce schéma est de concilier les deux approches du PIB : dépenses et revenus. Cette figure démontre assez bien que les dépenses et les revenus constituent des flux circulaires continus et répétitifs. Causes et effets s'entremêlent : les dépenses engendrent des revenus qui, à leur tour, provoquent de nouvelles dépenses alimentant les flux des revenus, et ainsi de suite.

## LE PIB NOMINAL ET LE PIB RÉEL

Rappelons d'abord que le PIB, par définition, mesure la valeur au prix du marché de l'ensemble des biens et des services produits durant une année. Nous devons utiliser la monnaie comme étalon pour fondre une production hétérogène en un tout significatif. Cependant, l'utilisation de la monnaie entraîne un problème de taille : nous ne pouvons comparer la production de deux années que dans la mesure où la valeur de la monnaie n'a pas changé. En effet, l'inflation (hausse générale du niveau des prix) et la déflation (baisse générale du niveau des prix) changent la valeur de notre étalon d'une année à l'autre et, par conséquent, faussent les comparaisons dans le temps.

Comme le PIB dépend de la période, de la quantité produite et du niveau des prix, les changements d'un ou de plusieurs de ces facteurs le feront varier. Les données brutes à partir desquelles nous estimons le PIB sont tirées des ventes totales des entreprises ; la valeur de ces ventes varie en fonction des quantités produites et des prix auxquels sont vendus les produits. Cela implique qu'un changement du niveau des prix, tout comme un changement des quantités produites, **modifiera la valeur du PIB**. Cependant, le niveau de vie des familles dépend de la quantité de biens et de services produits et distribués aux ménages et non du prix attaché à cette production. Le hamburger de 1970 qui se vendait 0,50 $ appor-

> **VARIATION DU PIB NOMINAL ET RÉEL**
>
> Les variations des quantités produites et des prix peuvent faire varier le PIB en dollars courants. Seules les variations des quantités produites peuvent faire varier le PIB en dollars constants ou réel.
>
> **DÉGONFLEMENT**
>
> On dégonfle une variable lorsqu'on ajuste sa valeur monétaire pour enlever les variations causées uniquement par l'augmentation des prix.
>
> **DÉFLATEUR DU PIB**
>
> Indice du prix de l'ensemble des biens et des services finals utilisé pour ajuster le PIB nominal et obtenir le PIB réel. Le PIB mesure le volume de l'activité économique. Il ne nous dit pas comment cette activité répond aux besoins de la société.

tait la même satisfaction que celui de 1996 qui se vendait 1,75 $. Le problème consiste donc à trouver un moyen qui permette au PIB de refléter les variations physiques de la production et non les changements de prix.

Heureusement, on a pu résoudre ce problème. Les économistes **dégonflent le PIB** quand les prix augmentent et le gonflent lorsque le niveau des prix diminue. Ces ajustements permettent de mesurer la valeur de la production comme si les prix et le niveau du dollar étaient demeurés constants. Le PIB en dollars courants ou nominal est calculé suivant les prix de l'année en cours. Le PIB en dollars constants ou réel a été ajusté pour tenir compte des changements du niveau des prix.

## Le calcul du PIB réel

Pour calculer le PIB réel, nous avons besoin d'un indicateur du niveau des prix (voir le complément sur les indices, à la fin du présent chapitre).

L'indice de prix du PIB, le **déflateur du PIB**, est utile pour évaluer le niveau de l'ensemble des prix, car il inclut non seulement les prix des biens et des services de consommation, mais aussi le prix des biens de production, des biens et des services achetés par le gouvernement

**TABLEAU 3.6**   La construction d'un indice de prix du PIB pour 1997 (données fictives)

| (1) Produits | (2) Quantités produites en 1997 | (3) Prix de 1997 des biens produits en 1997 | (4) Valeur du panier produit en 1997 aux prix de 1997 (3) × (2) | (5) Prix de 1986 des biens produits en 1997 (1986 : année de base) | (6) Valeur du panier produit en 1997 aux prix de 1986 (5) × (2) |
|---|---|---|---|---|---|
| Pizzas | 2 | 12 $ | 24 $ | 5 $ | 10 $ |
| Robots | 1 | 18 | 18 | 20 | 20 |
| Pinces à papier | 1 | 8 | 8 | 6 | 6 |
| Disquettes d'ordinateur | 1 | 14 | 14 | 14 | 14 |
| **Coût total** | | | 64 $ | | 50 $ |

$$\text{Indice de prix du PIB (déflateur)} = \frac{64\ \$}{50\ \$} \times 100 = 128$$

ainsi que les biens et les services qui font partie des échanges internationaux. C'est pourquoi nous utilisons le déflateur du PIB comme indice pour transformer le PIB nominal (PIB au prix du marché) en PIB réel ou PIB à prix constants.

Au tableau 3.6, nous présentons un exemple du calcul du PIB réel et du déflateur du PIB.

Nous remarquons, à la colonne 1, que cette économie n'a produit, en 1997, que quatre produits : des pizzas (bien de consommation), des robots industriels (bien de production), des pinces à papier (bien acheté par le gouvernement) et des disquettes d'ordinateur (bien exporté). Supposons qu'en 1997 les quantités produites de ces quatre biens soient respectivement de 2, de 1, de 1 et de 1 unités (voir la colonne 2). De plus, supposons que les prix unitaires de ces quatre produits, en 1997, soient les prix indiqués à la colonne 3. La valeur totale de la production de 1997 est alors de 64 $, montant que nous obtenons en faisant la somme des dépenses totales pour chaque produit (voir la colonne 4).

Nous choisissons maintenant, de façon tout à fait arbitraire, 1986 comme année de référence (voir le complément sur les indices, à la fin du présent chapitre) pour construire un indice de prix pour 1997. Nous trouvons les prix de 1986 pour les produits fabriqués en 1997 à la colonne 5 du tableau 3.6. À partir des colonnes 5 et 3, nous observons que les prix des pizzas et des pinces à papier étaient plus faibles en 1986 qu'en 1997, que le prix des robots était plus élevé et que le prix des disquettes n'a pas changé. Fait encore plus important, la valeur totale de la production de 1997, calculée à la colonne 6, était de 50 $ en 1986 comparée à 64 $ en 1997. Nous pouvons en conclure que notre production de 1997 aurait valu 50 $ si les prix n'avaient pas changé depuis 1986. Pour obtenir l'indice de prix de 1997, nous divisons la valeur du panier de biens (64 $), aux prix de 1997, par la valeur de ce même panier de biens (50 $), aux prix de 1986. Nous multiplions ensuite le résultat par 100 pour obtenir la forme habituelle d'un indice de prix.

$$\text{Déflateur du PIB}_{1997}$$
$$= \left[ \frac{\text{valeur du panier}_{1997} \text{ en 1997}}{\text{valeur du panier}_{1997} \text{ en 1986}} \right] \times 100$$

Plus concrètement,

$$\text{Déflateur du PIB}_{1997} = \left[ \frac{64\,\$}{50\,\$} \right] \times 100 = 128$$

Le déflateur du PIB pour 1997 est égal à 128. Cette valeur de l'indice peut être considérée comme le niveau des prix en 1997 comparativement à 1986.

Nous pouvons refaire ces différentes étapes pour calculer des niveaux de prix pour toutes les années d'une série. Par exemple, nous trouvons le déflateur pour l'année de référence, 1986, en calculant la valeur du panier de biens et de services produits en 1986 et en la comparant à la valeur du même panier aux prix de l'année de référence. Cependant, comme 1986 est notre année de référence, dans ce cas particulier, le déflateur sera égal à 100 :

$$\text{Déflateur}_{1986}$$
$$= \left[ \frac{\text{valeur du panier}_{1986}}{\text{valeur du panier}_{1986}} \right] \times 100 = 100$$

En effet, pour l'année de base, l'indice de prix prend automatiquement la valeur 100.

De la même manière, si nous voulons connaître le déflateur du PIB pour 1950, il suffit de connaître la production de 1950 et d'évaluer ce qu'un panier de biens et de services similaires aurait coûté en 1986. Si les prix de ces biens et de ces services ont quadruplé entre 1950 et 1986, le rapport entre les valeurs des paniers serait de 1/4 (= 0,25) et le déflateur du PIB de 1950 serait égal à 25 (= 0,25 x 100).

Une fois que nous avons calculé le déflateur du PIB pour chacune des années d'une série, il devient alors possible de comparer les niveaux des prix entre les années. Par exemple, les déflateurs des années 1997 et 1986 sont respectivement égaux à 128 et à 100. Nous pouvons alors conclure que les prix ont augmenté de 28 % entre ces deux années (voir le complément sur les variations, à la fin du présent chapitre). Ainsi, dans notre exemple précédent, le déflateur de 1950 était égal à 25. Nous pouvons conclure que le niveau des prix a augmenté de 412 % entre 1950 et 1997 soit (128 – 25)/25. Finalement, si le déflateur avait chuté de 100 en 1986 à 98 en 1988, nous saurions que le niveau des prix a diminué de 2 %, soit (98 – 100)/100.

En conclusion, le déflateur permet de comparer le niveau des prix entre les années. Une augmentation du déflateur d'une année à l'autre constitue de l'inflation, tandis qu'une diminution constitue de la déflation.

La façon la plus simple et la plus directe de dégonfler ou de gonfler le PIB en dollars courants est de diviser celui-ci par le déflateur.

$$\frac{\text{PIB en dollars courants}}{\text{Déflateur}} \times 100 = \text{PIB réel}$$

Le tableau 3.6 (page 90) permet d'illustrer cette méthode. En 1997, le PIB en dollars courants (nominal) était de 64 $ et le déflateur, égal à 128. Ce qui veut dire qu'une production qui valait 100 $ lors de l'année de référence vaudrait, en 1997, 128 $. Le PIB réel de 1997 est donc :

$$\frac{64 \, \$}{128} \times 100 = 50 \, \$$$

En résumé, le PIB réel mesure la valeur totale de la production au cours des années comme si les prix des produits étaient demeurés constants depuis l'année de référence. Le PIB réel indique alors la valeur de la production de chaque année mesurée en dollars constants, c'est-à-dire des dollars qui ont la même valeur, le même pouvoir d'achat que ceux de l'année de référence. Le PIB réel est nettement supérieur au PIB en dollars courants (nominal) comme indicateur des performances économiques en matière de production.

## Le gonflement et le dégonflement du PIB

Vous trouverez, au tableau 3.7, un exemple réel du processus d'ajustement du PIB.

Nous avons pris les valeurs du PIB en dollars courants pour certaines années, nous les avons divisées par l'indice général des prix puis nous avons multiplié le résultat par 100, ce qui nous a donné le PIB réel. Nous avons choisi 1986 comme année de base. Comme les prix ont tendance à augmenter à long terme, les données des années antérieures à 1986 devront être augmentées. Cette hausse signifie que les prix étaient inférieurs à ceux de 1986 pour les années précédentes, de sorte que le PIB en dollars courants sous-estime la valeur réelle de la production pour cette période. La colonne 4 nous indique quelle aurait été la valeur du PIB pour certaines années si les prix avaient été ceux

**TABLEAU 3.7**    L'ajustement du PIB aux changements du niveau des prix

| (1)<br>Année | (2)<br>PIB nominal ou en<br>dollars courants<br>(en milliards de dollars) | (3)<br>Indice du niveau<br>des prix*<br>en décimales (1986 = 100) | (4)<br>PIB réel ou en dollars constants,<br>dollars de 1986<br>(en milliards de dollars) |
|---|---|---|---|
| 1984 | 444,7 | 94,6 | (444,7/94,6) × 100 = 470,1 |
| 1985 | 478,0 | 97,5 | |
| 1986 | 505,7 | 100 | (505,7/100) × 100 = 505,7 |
| 1987 | 551,6 | 104,8 | (551,6/104,8) × 100 = 526,3 |
| 1990 | 671,6 | 119,3 | (671,6/119,3) × 100 = 562,9 |
| 1991 | 679,2 | 123,1 | (679,2/123,1) × 100 = 551,7 |
| 1992 | 688,5 | 124,3 | (688,5/124,3) × 100 = 553,9 |
| 1993 | 712,9 | 124,7 | (712,9/124,7) × 100 = 571,7 |
| 1994 | 747,3 | 125,6 | (747,3/127,5) × 100 = 586,3 |
| 1995 | 776,3 | 127,5 | |
| 1996 | 797,8 | 129,1 | (797,8/129,1) × 100 = 617,8 |

\* Statistique Canada, Indices-chaînes des prix, PIB 1986 = 100

**Source :** Données tirées de Statistique Canada, données de 1993 dans *L'Observateur économique canadien*, mensuel, catalogue 11-010, avril 1992, tableaux 1.1 et 1.17 ; autres données dans *L'Observateur économique canadien*, supplément historique 1990/1991, supplément historique 1992/1993, catalogue 11-210, tableaux 1.1 et 1.17 ; données de 93 à 96 dans *L'Observateur économique canadien*, catalogue 1-010, juin 1996.

de 1986. Cependant, la hausse continue des prix fait en sorte que le PIB en dollars courants surestime la valeur réelle de la production annuelle pour les années postérieures à 1986. Il faut donc dégonfler ces données pour avoir une vision juste de ce qu'aurait été la production de ces années si les prix n'avaient pas changé depuis 1984. En bref, le PIB en dollars courants reflète les changements de prix et de production, tandis que le PIB réel nous permet de connaître les changements de la production réelle, car les prix sont maintenus constants. Nous avons omis les calculs pour les années 1985 et 1995. Vous pouvez vérifier votre compréhension en complétant le tableau.

## La croissance économique

La croissance économique peut être définie et mesurée de deux façons. En effet, nous pouvons considérer la croissance économique (1) comme une augmentation du PIB réel qui se produit au cours d'une période donnée ou (2) comme l'augmentation du PIB réel *per capita*, c'est-à-dire le PIB réel divisé par la population. Par exemple, pour une personne que la question du potentiel militaire préoccupe, la première définition est plus pertinente. Mais la production *per capita* est une mesure nettement supérieure pour comparer les niveaux de vie de différents pays ou de différentes régions. Bien que le PIB de l'Inde soit supérieur de 30 % à celui de la Suisse, le niveau de vie de la Suisse équivaut à 80 fois celui de l'Inde.

Nous pouvons mesurer le taux de croissance d'une économie en calculant le taux de variation du PIB réel (voir le complément sur les variations, à la fin du présent chapitre). À partir des données de la colonne 4 du tableau 3.7, nous pouvons calculer le taux de croissance de l'économie canadienne entre 1984 et 1996 comme suit :

$$\text{Taux de croissance}_{1984\text{-}1996}$$
$$= \left[ \frac{\text{PIB réel}_{1996} - \text{PIB réel}_{1984}}{\text{PIB réel}_{1984}} \right] \times 100$$

Les gens se demandent parfois pourquoi les économistes réagissent fortement à des variations du taux de croissance qui semblent infimes. Est-ce vraiment important de savoir que le taux de croissance est de 4 % plutôt que de 5 % ? Bien sûr! Au Canada, le PIB en dollars courants était

d'environ 797,8 milliards en 1996. Une différence d'un point de pourcentage dans le taux de croissance, par exemple 2 % plutôt que 3 %, représente environ 8 milliards de dollars de production par année. Dans un pays vraiment pauvre, une variation d'un demi-point du taux de croissance peut très bien constituer la différence entre la famine et la faim.

De plus, lorsque nous l'envisageons sur une période de plusieurs années, une différence apparemment petite peut devenir très importante à cause de l'effet du taux d'intérêt composé. Une récession survient lorsque la croissance économique est négative pendant au moins six mois — deux trimestres consécutifs. Concrètement, une récession se traduit par plus de chômeurs, plus d'entreprises qui font faillite et plus de misère humaine. Nous nous souvenons tous de la récession de 1991 qui a fait les manchettes des journaux pendant de nombreux mois. Des milliers de travailleurs ont perdu leur emploi. Les soupes populaires ne fournissaient plus à la demande. Et pourtant, en 1991, le PIB réel n'a diminué que de 1,1 %. Dans le même ordre d'idées, soulignons que la croissance de l'économie japonaise, considérée comme spectaculaire et exceptionnelle par tous, a été en moyenne de 6,6 % entre 1950 et 1980.

Qu'en est-il du taux de croissance historique de l'économie canadienne? Le taux de croissance à long terme du PIB réel canadien a été de l'ordre de 3,6 % à 4,6 % par année, tandis que le PIB réel *per capita* a crû à un rythme annuel légèrement plus élevé que 2 % durant le siècle.

Ces conclusions quantitatives sous-estiment la croissance économique qu'a effectivement connue le Canada, et ce, pour au moins deux raisons. Ces données ne tiennent pas pleinement compte des améliorations survenues dans la qualité des produits. Des données purement quantitatives ne permettent pas une comparaison exacte entre l'ère de la locomotive à vapeur et celle du diesel. Les hausses du PIB réel et du PIB *per capita* ont été réalisées malgré une augmentation considérable du temps de loisir. La semaine de 70 heures de travail est depuis longtemps révolue. D'un autre côté, ces statistiques ne tiennent pas compte des effets négatifs de la croissance économique sur l'environnement physique ou sur la qualité de la vie en général.

Bien qu'impressionnante, la croissance qu'a connue le Canada est quand même inférieure à celle de certains autres pays industrialisés. Durant les dernières années, plusieurs pays d'Europe de l'Ouest ont atteint des taux de croissance équivalents ou supérieurs à ceux du Canada, surtout lors des 30 dernières années.

En bref, le taux de croissance, malgré ses faiblesses, est un indicateur fort utile pour évaluer l'activité économique à court et à long terme. C'est un outil très sensible dont de petites variations représentent des bouleversements importants de la vie économique.

## LE PIB ET LE BIEN-ÊTRE DE LA SOCIÉTÉ

Le PIB est une mesure relativement précise et fort utile pour évaluer les performances de l'économie nationale. Cependant, cette mesure ne peut évaluer le bien-être de la société ; elle n'est pas censée le faire non plus. Le PIB n'est en fait qu'une mesure du volume de l'activité économique des marchés officiels, bien que cet indicateur puisse sembler nous renseigner sur le bien-être de la société.

Cependant, nous observons une tendance largement répandue selon laquelle il existe une forte corrélation positive entre le PIB et le bien-être de la société ; une plus grande production entraînerait la société vers le mieux-être. C'est pourquoi il est important de comprendre certaines faiblesses du PIB, c'est-à-dire comprendre pourquoi le PIB ne mesure pas exactement la production réelle et pourquoi une plus grande production n'entraîne pas nécessairement une amélioration de notre vie en société.

### Les transactions hors marché et l'économie souterraine

Il existe certaines transactions productives qui s'effectuent hors marché. Comme le PIB mesure la valeur de la production au prix du marché, il ne tient pas compte de ces transactions. Par exemple, le travail domestique n'est comptabilisé que s'il est rémunéré, ce qui exclut du calcul les tâches ménagères effectuées par les ménages eux-mêmes. On ne calculera pas non plus les réparations qu'un menuisier effectue à sa propre maison, ni toutes les activités bénévoles. De telles activités n'apparaissent pas dans les pertes et les profits des entreprises et, par con-

séquent, sont omises du calcul du PIB, ce qui sous-estime ce dernier. Cependant, la comptabilité nationale prend en considération certaines transactions hors marché de taille comme la portion de la production agricole consommée par les fermiers.

Les économistes reconnaissent le phénomène de l'économie souterraine. En effet, une part importante et croissante de l'activité économique est cachée. Mentionnons des activités illégales comme le trafic de drogues et de cigarettes, l'usure, la prostitution, le jeu. Les revenus provenant de ces industries ne sont évidemment pas déclarés. Certains revenus, pourtant légaux, ne le sont pas non plus. Les pourboires sont souvent sous-estimés. Certains commerçants ne retournent pas toute la taxe sur les ventes au gouvernement. Certains travaux s'effectuent au noir.

Il n'est pas facile d'évaluer les rentrées fiscales dont les gouvernements sont privés à cause de l'existence de l'économie parallèle. Mais tous s'accordent à dire que ces sommes sont importantes. Si la part de l'économie souterraine s'accroît par rapport à l'économie légale, la croissance et les performances de notre économie seront de plus en plus sous-estimées. De la même manière, les statistiques du chômage seront d'autant plus surestimées que le nombre de travailleurs au noir s'accroîtra. Il deviendra alors de plus en plus difficile de bâtir des politiques économiques adéquates puisqu'elles seront basées sur des indicateurs de moins en moins précis.

### Le loisir

Le nombre d'heures de loisir s'est considérablement accru au cours des années. En effet, le temps passé au travail a beaucoup diminué grâce à la réduction de la semaine de travail, à l'augmentation du nombre de congés et des vacances annuelles. Le semaine moyenne de travail du secteur manufacturier est passée de 50 heures, en 1926, à environ 38 heures actuellement. Ce changement contribue à augmenter sensiblement le bien-être des individus. Cependant, cette amélioration de la qualité de vie ne se reflète pas dans des changements du PIB. Ainsi, nous ne pouvons tenir compte de la rémunération psychologique, c'est-à-dire de la satisfaction qui découle de l'enrichissement des tâches.

## Les changements dans la qualité du produit

Le PIB est plus une mesure quantitative qu'une mesure qualitative. Il ne reflète pas les changements de qualité des produits. Par exemple, les calculatrices de poche d'aujourd'hui ne se comparent aucunement aux premiers modèles apparus sur le marché il y a une vingtaine d'années. Ce progrès fantastique s'est cependant traduit par une baisse de prix. Nous sous-estimons donc doublement cette amélioration de notre bien-être. Le PIB est incapable de rendre compte des variations qualitatives de la production; par conséquent, il sous-estime notre bien-être matériel.

## La composition et la répartition de la production

La composition et la répartition de la production totale entre les ménages peut grandement influencer le bien-être économique. Le PIB ne reflète que l'ampleur de la production et ne nous renseigne pas sur la façon dont cette production satisfait les besoins d'une société. Par exemple, un nouvel hôpital et un hélicoptère pour l'armée ont le même poids à l'intérieur du PIB, car ils se vendent au même prix. Une distribution plus équitable de la production pourrait donc améliorer le bien-être économique de la population. En effet, une diminution des écarts entraînerait une amélioration du bien-être de la société, tandis qu'une répartition plus inégale tendrait à diminuer ce bien-être. Bref, le PIB mesure la taille du panier de biens et de services disponibles, mais ne reflète aucunement la composition et la répartition de cette production qui peuvent grandement influencer le bien-être économique de la société.

## Le PIB et l'environnement

Il existe de nombreux sous-produits indésirables provenant de la production nationale. Qu'il s'agisse de pollution chimique, d'embouteillages, de bruits, de stress ou d'amoncellement de détritus, la pollution sous toutes ses formes influence sûrement le bien-être économique. Elle entraîne également des coûts importants pour l'économie : dégradation des forêts, problèmes d'eau potable, effets nocifs sur la santé, etc. Dans certains pays de l'Europe centrale et de l'Est, ces coûts sont même devenus des freins au développement économique. Non seulement ces coûts externes ne sont pas déduits du PIB, mais les dépenses engagées par les gouvernements pour pallier les dommages qui découlent de la pollution y sont comptabilisées. Ironiquement, quand le PIB augmente, la pollution augmente également et, par conséquent, la surestimation du PIB s'accroît. La croissance du PIB entraîne plus de déchets et provoque la dégradation de l'environnement.

## La production *per capita*

Pour de nombreuses raisons, on considère que la production *per capita* est une mesure plus significative du bien-être économique que le PIB. Comme le PIB mesure la production totale, il peut donner une vision erronée de l'évolution du niveau de vie d'une population. Par exemple, le PIB peut augmenter de façon importante, mais, si la population croît à un rythme supérieur, le niveau de vie de celle-ci pourra diminuer. C'est malheureusement souvent le cas dans les pays moins développés.

# Activités d'apprentissage

## Résumé

*Si vous ne pouvez répondre aux questions sur le résumé d'une section, vous devriez relire attentivement cette section et essayer de nouveau.*

### LE PIB : DÉFINITION

■ Le produit intérieur brut (PIB), une mesure de base des performances économiques de la société, est la valeur au prix du marché de l'ensemble des biens et des services finals produits durant une année. Les biens intermédiaires, les transactions non productives et les ventes de biens d'occasion sont exclus volontairement du calcul du PIB.

*Pourquoi exclut-on ces transactions ?*

### LES DEUX APPROCHES DU CALCUL DU PIB

■ On peut calculer le PIB en faisant la somme de toutes les dépenses qui sont faites pour acquérir la production finale ou en additionnant l'ensemble des revenus qui découlent de la participation à la production.

*Expliquez l'équivalence de ces deux approches.*

### L'APPROCHE PAR LES DÉPENSES

■ L'approche par les dépenses détermine le PIB au moyen des achats de biens et de services que font les consommateurs, de l'investissement brut qu'effectuent les gouvernements et les entreprises, des dépenses courantes des gouvernements pour l'achat de biens et de services et des exportations nettes. Ce qui donne :

$$PIB = C + I_b + G + X_n$$

*Pourquoi inclut-on les exportations nettes dans cette approche ?*

■ L'investissement brut comprend :
a) l'investissement de remplacement (nécessaire pour maintenir le stock de capital à son niveau actuel) ;
b) l'investissement net (accroissement net du stock de capital).

Un investissement net positif correspond à une économie en croissance, tandis qu'un investissement net négatif signifie que l'économie est en déclin.

*Comment un investissement peut-il être négatif ?*

## L'APPROCHE PAR LES REVENUS

■ Par l'approche des revenus, on calcule le PIB en additionnant les salaires et les traitements, les intérêts, les bénéfices des entreprises, les loyers et les autres revenus qui découlent de la production ainsi que deux autres éléments (impôts indirects et provisions pour consommation de capital) qui ne sont pas des revenus, mais qui permettent de réconcilier cette approche avec celle des dépenses.

## LES AUTRES INDICATEURS DE LA COMPTABILITÉ NATIONALE

■ D'autres mesures importantes de la comptabilité nationale découlent du PIB. Le produit national brut (PNB) correspond au PIB moins les revenus nets d'investissements étrangers. Le revenu national (RN) est le revenu total gagné par les facteurs de production ; on l'obtient en retranchant les taxes indirectes et les provisions pour consommation de capital du PNB. Le revenu personnel (RP) comprend tous les revenus versés aux ménages avant qu'on en retranche les impôts personnels. Le revenu disponible (RD) mesure le montant que les ménages ont en leur possession pour consommer ou épargner.

## UN MODÈLE PLUS POUSSÉ DES FLUX CIRCULAIRES

■ Un modèle plus poussé des flux circulaires permet de synthétiser les deux approches du calcul du PIB (figure 3.3, page 89).

Dans une économie en croissance (*a*), l'investissement brut est supérieur à la dépréciation, de sorte que l'économie accroît son stock de capital. Dans une économie stationnaire (*b*), l'investissement brut ne fait que remplacer le capital consommé lors de la production de l'année, de sorte que le stock de capital demeure inchangé. Dans une économie en déclin (*c*), l'investissement brut est trop faible pour remplacer le capital déprécié lors de la production annuelle. Le stock de l'économie diminue donc.

## LE PIB NATIONAL ET LE PIB RÉEL

■ Le PIB en dollars courants (nominal) mesure la valeur de la production d'une année suivant les prix de l'année en cours. Le PIB en dollars constants (réel) mesure la valeur de la production d'une année suivant les prix d'une année de référence. Comme le PIB réel tient compte des variations de prix, il mesure de façon plus juste le niveau de l'activité productive.

■ On utilise un indice du niveau des prix, appelé «déflateur du PIB», pour transformer le PIB nominal en PIB réel.

## LE PIB ET LE BIEN-ÊTRE DE LA SOCIÉTÉ

■ Les différentes mesures de la comptabilité nationale ne tiennent pas compte des transactions hors marché et illégales, ni des changements dans le rapport travail-loisir ou dans la qualité du produit, ni de la composition et de la distribution de la production, ni des effets de la production sur l'environnement. Malgré tout, ces mesures sont relativement précises et restent fort utiles pour évaluer les performances économiques d'un pays.

*À quoi correspondent les provisions pour consommation de capital ?*

*Quel est l'intérêt de calculer tous ces indicateurs ?*

*a) À quoi correspondent les rectangles rouges ?*
*b) À quoi correspondent les rectangles bleus ?*
*c) À quoi correspondent les flèches rouges ?*
*d) À quoi correspondent les flèches bleues ?*

*Quel PIB utilise-t-on pour calculer le taux de croissance d'une économie ?*

*Cherchez l'origine du mot «déflateur».*

*Peut-on dire que lorsque le PIB augmente, le bien-être économique s'accroît ? Pourquoi ?*

ACTIVITÉS D'APPRENTISSAGE

ACTIVITÉS D'APPRENTISSAGE

# Mots-clés

| | | |
|---|---|---|
| Amortissement | Double emploi | Placements |
| Balance commerciale | Épargne | Production |
| Bénéfices non distribués | Exportations et importations | Produit intérieur brut |
| Capital | Flux des revenus | Produit national brut |
| Commerce extérieur | Impôts sur les bénéfices des | Provisions pour dépréciation |
| Comptabilité nationale | entreprises | Rente |
| Comptes nationaux | Impôts sur les revenus des parti- | Revenu disponible |
| Consommation | culiers | Revenu intérieur |
| Croissance | Indice de prix | Revenu national |
| Déclin | Inflation | Revenu personnel |
| Déflateur | Intérêt | Salaires |
| Dépenses publiques | Investissements bruts, nets et de | Valeur ajoutée |
| Développement économique | remplacement | |
| Dividendes | Loyer | |

# Réseau de concepts

**Remplir les cases vides du réseau suivant:**

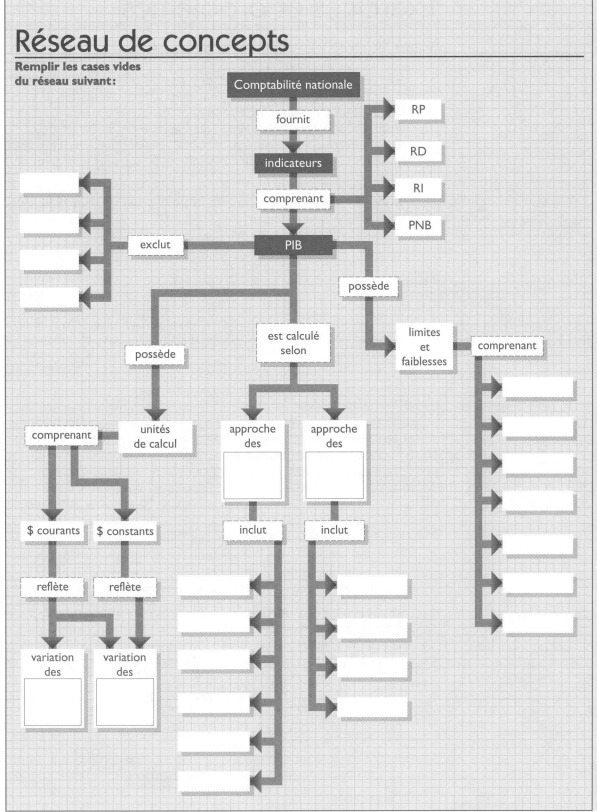

ACTIVITÉS D'APPRENTISSAGE

# Exercices et problèmes

**Suivez les directives et répondez aux questions.**

1.  Parmi les biens suivants, lesquels sont toujours finals, lesquels sont toujours intermédiaires ou lesquels sont parfois finals, et parfois intermédiaires : tournevis, aluminium, dictionnaire, feuille de contreplaqué utilisée dans la fabrication d'un meuble, bobine de fil achetée chez Walmart, farine, acier, pain, automobile, clous, disquette, chaussure, chaise, plastique, pâte à papier, lait servant à fabriquer le yogourt et le fromage ?

2.  Calculez la valeur ajoutée lors de la production d'un meuble d'une valeur de 100 $, sachant que :

    salaires    =  20 $
    bois        =  15 $
    bénéfices   =  25 $
    colle       =   1 $
    clous       =   2 $

3.  Dites si les transactions suivantes sont comptabilisées dans le PIB. Si elles le sont, précisez dans quelle(s) composante(s) et selon quelle approche.
    a) La vente d'un humidificateur usagé.
    b) L'achat d'une maison neuve de 110 000 $.
    c) Des chaussures de l'année invendues.
    d) Le travail d'une mère de famille au foyer.
    e) Le travail déclaré d'un gardien d'enfant rémunéré pour ses services.
    f) Des dividendes reçus pour des actions que vous détenez.
    g) Le revenu d'un trafiquant de drogues.
    h) Les allocations familiales reçues par une mère de huit enfants.
    i) La vente à l'État du Vermont de un million de dollars d'électricité par Hydro-Québec.
    j) L'achat d'une toile de Picasso par un collectionneur.
    k) L'argent reçu par monsieur Therrien pour la vente de sa Lada de l'année à monsieur Dindonneau.
    l) L'achat de 100 actions ordinaires de Bombardier.

4.  Sachant que les prix ont augmenté de 10 % entre 1996 et 1997 et que les données suivantes sont exprimées en dollars courants, calculez la valeur de la consommation et des investissements de 1997 en dollars constants de 1996 :

    |     | 1996 | 1997 |
    |-----|------|------|
    | C   | 20   | 28   |
    | I   | 18   | 24   |

5.  Utilisez vos réponses à la question 4 pour déterminer si la consommation et l'investissement ont réellement augmenté entre 1996 et 1997. Justifiez votre réponse.

6. À partir des données suivantes, exprimées en milliards de dollars :

| | 1996 | 1997 |
|---|---|---|
| **PIB nominal** | 180,0 | 198,0 |
| **PIB réel (1986 = 100)** | 130,0 | 136,5 |

   a) expliquez brièvement (en fonction de l'économie) la signification du nombre 130 ;
   b) calculez le taux de croissance de l'économie entre 1996 et 1997 et interprétez ce taux ;
   c) calculez, en pourcentage, la variation des prix entre 1996 et 1997 ; en prenant 1996 comme année de référence, exprimez cette variation par un indice ;
   d) pouvez-vous dire que le bien-être économique s'est accru durant cette période ? Pourquoi ?
   e) quelles données manque-t-il pour calculer le PIB per capita ? À quoi servirait un tel indicateur ?
   f) quelle donnée manque-t-il pour calculer les PNB de 1996 et de 1997 ?

7. a) Calculez le taux de croissance entre chacune des années du tableau ci-contre :
   b) À partir des taux de croissance que vous avez calculés, dites en quelle année la croissance a été la plus forte.
   c) Pouvez-vous dire que l'économie a connu une baisse de l'activité économique à un moment donné et, si oui, en quelle(s) année(s) ?

| Année | PIB (en milliards de dollars) |
|---|---|
| 1992 | 100 |
| 1993 | 110 |
| 1994 | 112 |
| 1995 | 120 |
| 1996 | 132 |
| 1997 | 140 |

8. Voici quelques données de la comptabilité nationale pour une certaine année. Tous les montants sont en milliards de dollars. Vous devrez trouver les principales variables de la comptabilité nationale à partir de deux approches : la méthode des revenus et la méthode des dépenses. Il va de soi que les réponses provenant des deux approches doivent être identiques.

| | |
|---|---|
| Dépenses personnelles de consommation | 120 |
| Paiements de transfert du gouvernement | 29 |
| Revenu comptable net des exploitants agricoles | 5 |
| Provisions pour consommation de capital (amortissement) | 20 |
| Intérêts et revenus divers de placement | 10 |
| Exportations nettes | −5 |
| Bénéfices des sociétés avant impôts | 24 |
| Rémunération des salariés | 113 |
| Impôts indirects (moins les subventions) | 21 |
| Bénéfices non répartis des sociétés | 8 |
| Impôts personnels | 30 |
| Impôts sur les bénéfices des sociétés | 9 |
| Dépenses publiques courantes en biens et en services | 40 |
| Investissement net | 30 |

Épargne personnelle        8

Revenu net des entreprises individuelles non agricoles   12

a) En utilisant les données qui précèdent, trouvez le PIB à partir des deux approches : dépenses et revenus.

b) Maintenant, en effectuant les soustractions requises, trouvez le RN, le RP et le RD à partir du RP et de son utilisation.

9. Voici les taux de croissance de plusieurs pays en 1995 :

Selon vous, la performance de l'économie canadienne est-elle enviable ? Justifiez votre réponse.

| Pays | % de croissance |
|------|-----------------|
| États-Unis | 2,0 |
| Japon | 0,9 |
| Allemagne | 1,9 |
| France | 2,2 |
| Italie | 3,0 |
| Royaume-Uni | 2,4 |
| Canada | 2,2 |
| Australie | 3,1 |
| République tchèque | 4,8 |
| Mexique | − 6,8 |
| Suisse | 0,7 |
| Irlande | 7,7 |

Source : OCDE, *Perspectives économiques* de l'OCDE, n° 59, juin 1996

10. Pourquoi la comptabilité nationale n'inclut-elle que les biens finals lorsqu'elle mesure la production totale ?

11. Pourquoi devons-nous inclure la variation des stocks dans les dépenses d'investissement ? Supposons qu'en 1997 les stocks aient diminué de un milliard de dollars. Expliquez de quelle manière l'investissement brut et le PIB de 1997 seront modifiés.

12. Êtes-vous d'accord avec l'affirmation suivante : « En 1933, l'investissement net a été de −324 millions de dollars. Nous pouvons donc conclure que, cette année-là, l'économie n'a produit aucun bien de production » ? Justifiez votre réponse. Expliquez cet énoncé : « Bien que l'investissement net puisse être positif, nul ou négatif, il est impossible que l'investissement brut soit inférieur à zéro. »

13. Supposons que les non-résidents dépensent 7 milliards de dollars pour des exportations canadiennes lors d'une année donnée et que les Canadiens dépensent 10 milliards de dollars en importations durant cette même année. Quel est le montant des exportations nettes du Canada ?

14. Expliquez pourquoi on comptabilise les intérêts et les dividendes et qu'on ne comptabilise pas les revenus tirés de la vente d'obligations et d'actions dans le calcul du PIB par l'approche des revenus.

15. Pourquoi compare-t-on la valeur de la production totale de différentes années plutôt que le niveau physique de la production ? Quel problème soulève la comparaison de la valeur nominale de la production totale de différentes années ? Comment peut-on résoudre ce problème ?

16. Expliquez l'énoncé suivant : « Le PIB a ses limites, car il ne fait que mesurer le niveau de l'activité économique et, de plus, il le mesure imparfaitement. »

## Choisissez la bonne réponse.

17. Lorsque le PIB réel a augmenté, on peut conclure :
    a) que le niveau de vie a augmenté ;
    b) qu'on a produit plus de biens et de services ;
    c) que les prix ont augmenté plus rapidement que la production ;
    d) les réponses b et c sont vraies ;
    e) les réponses a, b et c sont vraies.

18. Si le PIB en dollars courants est passé de 120 milliards de dollars à 132 milliards de dollars et que le PIB réel soit passé de 100 milliards de dollars à 110 milliards de dollars, on peut conclure que :
    a) le niveau des prix a augmenté ;
    b) le niveau des prix est demeuré le même ;
    c) la production a diminué ;
    d) la production est restée la même ;
    e) aucune de ces réponses.

19. Lequel de ces éléments n'est pas considéré comme un investissement ?
    a) Les stocks accumulés au cours de l'année par un marchand.
    b) La construction d'une école.
    c) La construction d'un projet domiciliaire de banlieue.
    d) L'achat de 100 actions de ITT par un homme d'affaires.
    e) L'achat d'un micro-ordinateur par la société AJAX.

# Complément

## LES VARIATIONS

Très souvent, en économie, on s'intéresse à l'évolution d'un phénomène. On veut savoir, par exemple, si la production a augmenté ou diminué et, si oui, dans quelle proportion. Trouver la variation est très simple, il suffit d'effectuer une soustraction. Par exemple, si le Québec avait produit en 1996 des biens et des services d'une valeur **au prix du marché (PIB)** de 137 044 millions de dollars et qu'en 1995 le PIB eût été de 135 570 millions de dollars, nous pourrions dire que le PIB a augmenté de 1 474 millions de dollars. Au Yukon, en 1995, le PIB était de 760 millions de dollars, comparativement à 815 millions en 1996, soit une augmentation de 55 millions de dollars. Si nous souhaitons comparer la croissance de ces deux économies, nous ne pouvons comparer directement ces deux augmentations (1 471 et 55).

> **PRODUIT INTÉRIEUR BRUT AUX PRIX DU MARCHÉ**
>
> Valeur calculée, avec les prix en cours, de l'ensemble de biens et de services produits dans une région au cours d'une certaine période.

ACTIVITÉS D'APPRENTISSAGE

La taille de l'économie du Yukon étant beaucoup plus petite que celle du Québec, les changements auraient toujours l'air plus importants au Québec. Il faut transformer ces données pour les rendre comparables.

Supposons que le prix moyen des disques compacts passe de 20 $ à 40 $ et que, pendant la même période, le prix moyen des maisons passe de 200 000 $ à 200 020 $. Quel marché sera le plus touché? Il est certain que les ventes de disques vont diminuer considérablement. Par contre, le marché immobilier ne risque guère d'être influencé par une si faible hausse. Et pourtant, dans les deux cas, l'augmentation a été de 20 $. Pourquoi alors dire que la hausse du prix des maisons est moins importante que celle du prix des disques? C'est bien simple, comparativement à leur prix initial (avant la hausse du prix), ces deux augmentations ont un poids bien différent. En effet, pour le disque compact, l'augmentation du prix représente une hausse de 100 %, soit (20 $/20 $) x 100. Pour la maison, l'augmentation du prix n'est que de 0,01 %, soit (20 $/200 000 $) x 100. En calculant ainsi le pourcentage de **variation**, nous obtenons une variation relative qui nous permet de comparer n'importe quel changement.

Nous calculons le **taux de variation** en divisant la variation par la valeur initiale, c'est-à-dire la valeur de la variable avant le changement. Cela nous donne une proportion qui, multipliée par 100, sera exprimée en pourcentage.

$$\text{Taux de variation} = \frac{\text{variations}}{\text{valeur initiale}} \times 100$$

Comparons donc la croissance de la production du Québec avec celle du Yukon.

$$\text{Croissance du PIB au Québec} = \frac{1\,474}{135\,570} \times 100 = 1,1\,\%$$

$$\text{Croissance du PIB au Yukon} = \frac{55}{760} \times 100 = 7,2\,\%$$

Ainsi, contrairement à ce que les données brutes pouvaient nous laisser croire, la croissance de la production a été plus importante au Yukon qu'au Québec en 1996. Une augmentation de 55 millions de dollars pour le Yukon est proportionnellement plus importante qu'une augmentation de 1 474 millions pour le Québec. En économique, il est essentiel de considérer les variations de façon relative pour pouvoir évaluer correctement les performances.

Remarquez que la comparaison ne se fait pas nécessairement avec la plus petite valeur. Si la production avait diminué au Québec, passant de 140 000 millions de dollars à 135 570 (donnée fictive) millions de dollars, alors le taux de variation aurait été de:

$$-4\,430/140\,000 \times 100 = -3,2\,\%$$

Remarquez le signe « moins » qui accompagne le taux de variation. Quand il y a baisse ou diminution, le taux de variation est toujours négatif. S'il n'y a pas de signe, c'est que la variation est positive, donc qu'il y a eu augmentation.

1. Calculez les taux de variation suivants:
   a) Le prix des jeans que vous achetez habituellement est passé de 60 $ à 66 $.
   b) Le prix moyen des maisons a chuté de 125 000 $ à 100 000 $ dans votre quartier.

---

**VARIATION**

Tout changement dans la valeur d'une variable. Une variation positive correspond à une hausse, ou augmentation. Une variation négative correspond à une baisse, ou diminution.

**TAUX DE VARIATION**

Variation exprimée en proportion de la valeur initiale.

Si vous n'obtenez pas comme réponse 10 % pour *a* et –20 % pour *b*, relisez bien les explications sur la façon de calculer un taux de variation.

Une erreur fréquente d'interprétation consiste à penser qu'il y a une diminution lorsque le taux de variation diminue. En fait, notre variable a augmenté tant que le taux de variation est positif. Elle peut avoir augmenté moins fortement, mais elle a quand même augmenté. C'est l'augmentation qui a diminué.

**TABLEAU 3.8**  La production de véhicules automobiles au Canada (unités, variation annuelle en pourcentage)

| Année | Variation (en pourcentage) |
|-------|----------------------------|
| 1994 | 4,3 |
| 1995 | 2,9 |
| 1996 | 1,5 |

Source : Données tirées de Statistique Canada, *L'Observateur économique canadien*, mensuel, catalogue 11-010, juillet 1997, p. 6.66.

En regardant le tableau 3.8, nous pouvons affirmer que le nombre de véhicules automobiles fabriqués au Canada n'a pas diminué en 1995 (2,9 % d'augmentation), même s'il a moins augmenté qu'en 1994 (4,3 % d'augmentation). La croissance a diminué, mais non le nombre de véhicules. Pour éviter ce genre d'erreur d'interprétation, il faut prendre le temps de bien lire le titre du tableau, de bien repérer les variables et les unités avec lesquelles elles sont mesurées. Il faut se demander ce que représente chacune des données du tableau. Comme nous le verrons dans la dernière section sur la lecture de tableaux et de graphiques, cette remarque est valable pour tous les tableaux et les graphiques. Par exemple, si nous considérons la deuxième ligne du tableau 3.8, quelle information pouvons-nous y trouver ? Nous pouvons faire une phrase avec cette ligne : « En 1995, le nombre de véhicules automobiles fabriqués au Canada a augmenté de 2,9 %. » Il faut prendre le temps de faire ce genre de lecture pour éviter le piège qui nous amènerait à dire que le nombre de véhicules automobiles fabriqués au Canada a diminué puisque le taux de variation a diminué.

> **INDICES**
>
> Si nous effectuons une comparaison dans le temps, l'indice de l'année à laquelle nous comparons les autres aura comme valeur 100. Si nous comparons deux variables entre elles pour une même période, l'indice de la variable à laquelle nous comparons l'autre sera égal à 100.

2. À la lecture du tableau ci-contre,
   a) pouvez-vous dire que la population n'a jamais diminué ?
   b) pouvez-vous dire en quelle année la population a le plus augmenté ?

Si vous n'avez pas obtenu comme réponse oui pour *a* et 1995 pour *b*, relisez bien attentivement la section jusqu'à ce que vous ayez compris votre erreur.

| Croissance de la population (en %, données fictives) | |
|------|------|
| 1993 | 3 |
| 1994 | 2 |
| 1995 | 5 |
| 1996 | 0 |
| 1997 | 4 |

## LES INDICES

Les indices sont une autre forme d'indicateurs fréquemment utilisés en économique et en d'autres sciences humaines. Un **indice** est tout simplement un nombre qui indique le rapport entre deux valeurs.

*ACTIVITÉS D'APPRENTISSAGE*

## LA COMPARAISON DANS LE TEMPS

Il peut s'agir de comparer la valeur d'une variable à une période donnée et sa valeur à une autre période que nous aurons choisie comme base, c'est-à-dire comme point de comparaison ou de référence. Pour cette période de référence, nous aurons donné 100 comme valeur à notre indice. Par exemple, nous pouvons souhaiter comparer le niveau des prix dans le temps. L'indice des prix à la consommation (IPC), comme nous le verrons de façon plus détaillée à la fin de cette section, est un indice qui représente l'augmentation ou la diminution du niveau général des prix par rapport à une année de référence. Si l'IPC (1986 = 100), en 1996, est de 133,1 au Québec, cela veut tout simplement dire que les prix ont augmenté de 33 % depuis 1986. Si, en 1995, l'IPC (1986 = 100) au Québec était de 131,0 nous pouvons dire alors que les prix ont augmenté de 1,6 % au Québec, en 1996 :

$$\frac{133,1 - 131,0}{131,0} \times 100 = 1,6 \ \%$$

Nous pouvons obtenir plus rapidement ce même résultat par la formule équivalente suivante :

$$\left[ \frac{133,1}{131,0} \times 100 \right] - 100 = 1,6 \ \%$$

### La comparaison de deux variables

Nous pouvons également vouloir connaître le rapport entre la valeur d'une variable à une période donnée et celle d'une autre variable à la même période. Nous choisissons comme point de comparaison une des deux variables et nous fixons pour cette variable l'indice à 100. Par exemple, si nous souhaitons comparer la productivité de l'énergie de plusieurs pays, c'est-à-dire l'efficacité avec laquelle différents pays utilisent l'énergie pour produire, nous pouvons choisir un pays comme point de comparaison, par exemple les États-Unis, et lui donner comme indice la valeur 100. Si le Québec a un indice de 80, c'est qu'il est 20 % moins efficace, donc qu'il utilise 20 % plus d'énergie pour produire la même valeur de production que les Américains. Si le Japon obtient un indice de 200, c'est qu'il est deux fois plus efficace, donc qu'il utilise deux fois moins (100 % moins) d'énergie que les États-Unis pour obtenir la même production.

3. À la lecture des données fictives suivantes,

a) pouvez-vous dire que la productivité aux États-Unis est restée stable de 1990 à 1992 ?

b) pouvez-vous dire que le Japon est plus productif que les États-Unis ?

c) pouvez-vous dire que la productivité canadienne a continuellement augmenté entre 1990 et 1992, contrairement à celle du Japon qui a décliné en 1991 ?

| Année | Indice de productivité par pays (États-Unis = 100) | | |
|:---:|:---:|:---:|:---:|
| | **Canada** | **États-Unis** | **Japon** |
| 1990 | 85 | 100 | 200 |
| 1991 | 89 | 100 | 190 |
| 1992 | 90 | 100 | 210 |

Si vous avez répondu non en *a*, oui en *b* et non en *c*, vous maîtrisez très bien l'objectif de cette section. En fait, les indices de ce problème permet-

> **COMPARAISON DE DEUX VARIABLES**
>
> Sur une échelle de mesure, ce sont les définitions des bornes minimales et maximales qui détermineront notre étalon de mesure.

tent de comparer la productivité du Japon et du Canada à celle des États-Unis. Peu importe la productivité aux États-Unis, nous lui donnons l'indice 100 à chaque année parce que c'est notre point de comparaison. Pour chacune des trois années, le Japon a connu une meilleure productivité que les États-Unis. Si l'indice du Canada a augmenté, c'est que l'écart de productivité s'est réduit. Cela peut être dû à une baisse de productivité aux États-Unis comme à une hausse au Canada ou à une combinaison de ces deux phénomènes. Ces données ne nous permettent pas de savoir laquelle de ces possibilités s'est effectivement produite. Nous pouvons appliquer le même raisonnement pour le Japon en 1991. Comme vous pouvez le constater, il faut toujours bien faire attention au point de référence : est-ce une année ? un pays ? une autre variable ? Quand vous avez affaire à des indices, cherchez toujours quelle variable a la valeur 100.

### Une échelle de mesure

Finalement, nous pouvons également chercher à évaluer le rapport entre la valeur d'une variable et une valeur étalon dont nous avons défini la valeur minimale et la valeur maximale. Il s'agit en fait de situer cette variable sur une échelle. Prenons comme exemple l'indice de satisfaction par rapport à un gouvernement. Sur une échelle de 1 à 10, 1 correspondant à «totalement insatisfait» et 10 à «totalement satisfait», un gouvernement qui obtiendrait un indice de 2 devrait rapidement revoir ses politiques ou son marketing. Ce genre d'indice permet surtout de mesurer des attitudes à l'égard d'un groupe, d'une situation, etc.

Les indices sont des indicateurs économiques très intéressants, car ils facilitent les comparaisons (1) dans le temps, (2) entre variables et (3) par rapport à une échelle.

# Recherche documentaire

Vous trouverez les indicateurs des comptes nationaux dans une publication mensuelle de Statistique Canada : *L'observateur économique canadien*, catalogue n° 11-010-XPB. Repérez cette revue dans votre bibliothèque et mettez à jour le tableau 3.4. Attention! les données sont en millions de dollars et la virgule ne sert qu'à séparer les milliers des unités. Ainsi, 138,025 signifie cent trente-huit mille vingt-cinq millions de dollars, soit environ 138 milliards de dollars. De même, 2 correspond à 2 millions de dollars. Faites bien attention de choisir le PIB aux prix du marché de l'année en cours et non le PIB réel.

ACTIVITÉS D'APPRENTISSAGE

ACTIVITÉS D'APPRENTISSAGE

# L'économique pour comprendre ce qui se passe

Repérez, dans le texte suivant, les concepts que vous avez appris dans le chapitre 3 ou dans les chapitres antérieurs.

**1.** Quelle est l'information la plus importante de cet article ?

**2.** À l'aide des concepts que vous avez établis, expliquez brièvement la situation économique décrite dans cet article.

# Le chômage au Québec devrait diminuer

### Maurice Jannard

LA PRESSE, Montréal le 30 avril 1997, page D9

Le Québec connaîtra deux bonnes années de croissance économique mais cela ne sera pas suffisant pour faire reculer le taux de chômage de façon majeure.

Selon les économistes du Mouvement des caisses Desjardins, la progression du produit brut réel au Québec atteindra 2,8 % en 1997 et 2,3 % l'an prochain.

«Par contre, le taux de chômage diminuera modestement», a affirmé M. Gilles Soucy, économiste en chef du groupe. Celui-ci prévoit que la création d'emplois se chiffrera à 34 000 personnes en 1997 et 59 000 en 1998.

Cette année, le taux de sans-emploi avoisinera 11 % ; en 1998, il baissera à 10,6 % ; ce n'est qu'en 1999 qu'il sera inférieur à 10 %, selon le Mouvement Desjardins.

L'an passé, le PIB québécois a progressé d'un maigre 1,1 %.

«Le Québec et le Canada bénéficieront d'une conjoncture internationale favorable au cours des deux prochaines années », a ajouté le spécialiste.

En revanche, l'économie québécoise enregistrera une croissance plus faible que celle de son partenaire canadien, ce dernier devant progresser de 3,5 et 3,0 % respectivement en 1997 et 1998.

«La première raison de cette faiblesse vient du fait que la croissance démographique est moins rapide au Québec », a expliqué M. Soucy.

Puis, la province a transféré les compressions du secteur public vers les municipalités et les commissions scolaires. Il y a également le fait que les investissements croissent moins vite ici que dans le reste du Canada.

L'Alberta connaîtra une forte progression des investissements en raison d'importants projets énergétiques.

Dans l'ensemble canadien, la prolongation du cycle économique aux États-Unis et la poursuite des bas taux d'intérêt amèneront l'économie canadienne à connaître une des meilleures performances du monde industrialisé.

«Nous commençons à récolter les bénéfices du virage structurel du début des années 1990 », a précisé M. Soucy.

Le déficit budgétaire du gouvernement fédéral devrait atteindre 11 milliards de dollars pour l'annnée fiscale 1996-97 et 2 milliards en 1997-98, ce qui est nettement plus bas que les cibles visées par le ministre des Finances Paul Martin.

Dans son budget de février dernier, ce dernier a projeté un déficit de 10 milliards pour 1996-97 et 17 milliards cette année.

La performance canadienne dépend essentiellement du cycle américain dont l'expansion va se prolonger jusqu'à la fin du siècle.

Le cycle de croissance est beaucoup plus avancé aux États-Unis alors que la reprise ne fait que s'amorcer en Europe.

Si la Réserve fédérale poursuit une politique monétaire préventive face à l'inflation, le cycle d'expansion actuelle aux États-Unis deviendrait le plus long de l'après-guerre.

# Chapitre 4

# Les fluctuations économiques : le chômage et l'inflation

*E*n étudiant l'histoire économique du Canada, nous constatons une remarquable croissance économique. Il faut préciser qu'historiquement cette croissance économique n'a pas été constante. Les périodes de croissance rapide ont parfois été entachées d'inflation, à savoir qu'elles ont connu l'instabilité des prix, tandis qu'à d'autres moments l'expansion faisait place à la récession ou à la dépression, c'est-à-dire à des niveaux faibles d'emploi et de production. Certes, à quelques occasions plus remarquables comme dans les années 1970 et 1980, un niveau élevé des prix et un taux anormalement élevé de chômage ont coexisté. En bref, cette croissance de l'économie a été régulièrement entravée à la fois par le chômage et par l'inflation.

## UN SURVOL DES CYCLES ÉCONOMIQUES
### Définition

Dans le présent chapitre, nous effectuerons tout d'abord un survol des cycles économiques, en d'autres termes des variations périodiques de la production, de l'emploi et du niveau des prix qui caractérisent notre économie. Ensuite, nous approfondirons le problème du chômage. Quels sont les différents types de chômage ? Comment mesure-t-on ce problème ? Pourquoi le chômage est-il un problème économique ? Finalement, nous étudierons le problème de l'inflation. Quelles sont les causes de l'inflation ? Quelles en sont les conséquences ?

Notre société vise la croissance économique, le plein-emploi et la stabilité des prix, en même temps que d'autres objectifs moins facilement quantifiables (voir le chapitre premier). Les progrès technologiques, l'augmentation rapide de la capacité de production, un niveau de vie classé parmi les plus élevés du monde reflètent le caractère dynamique de notre économie.

### Un survol historique

Comme nous pouvons le voir à la figure 4.1 (page 110), la croissance économique du Canada a été marquée par des périodes d'instabilité.

**FIGURE 4.1**   Les cycles économiques de l'économie canadienne

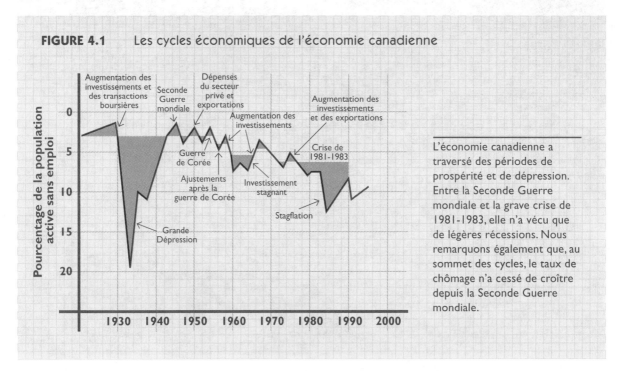

L'économie canadienne a traversé des périodes de prospérité et de dépression. Entre la Seconde Guerre mondiale et la grave crise de 1981-1983, elle n'a vécu que de légères récessions. Nous remarquons également que, au sommet des cycles, le taux de chômage n'a cessé de croître depuis la Seconde Guerre mondiale.

## Les différentes phases du cycle économique

En termes généraux, l'expression **cycle économique** se réfère aux variations à la hausse et à la baisse de l'activité économique qui surviennent périodiquement au cours d'une période de plusieurs années. Ces diverses phases du cycle économique ont chacune leurs caractéristiques. La figure 4.2 schématise les différentes phases d'un cycle économique parfait. Aux chapitres 5 et 6, nous étudierons plus en détail les déterminants du niveau de l'activité économique.

### Le sommet

Nous commencerons l'étude du cycle économique par le **sommet** cyclique où l'économie fonctionne au niveau du plein-emploi et atteint un niveau de production voisin de sa capacité maximale. Il y a de fortes chances pour que le niveau des prix augmente durant cette période, car les entreprises peuvent de moins en moins facilement répondre à la demande (chapitres 2 et 5).

### La récession

Un sommet est généralement suivi d'une **récession** durant laquelle la production, les revenus, l'emploi et le commerce diminuent. Durant cette période, le nombre de faillites augmente considérablement dans tous les secteurs. Cependant, comme le niveau des prix a tendance à être « rigide » ou inflexible à la baisse, il ne baissera que dans la mesure où la récession sera importante et prolongée (dépression) comme au début de 1992.

### Le creux

Le **creux** survient quand la production et l'emploi sont à leur plus bas niveau. Cette phase du cycle peut être brève ou très longue. Après la récession de 1990-1991, il a fallu attendre de longs mois avant de pouvoir parler de reprise ou d'expansion économique et avant que les agents économiques recommencent à investir et à consommer.

### L'expansion

Finalement, la phase d'**expansion** correspond à une remontée de l'économie vers le plein-emploi. Dans les faits, l'emploi peut tarder à augmenter, les entreprises ayant profité de la récession pour procéder à certaines restructurations permanentes.

---

**CYCLE ÉCONOMIQUE**

Hausses et baisses périodiques de l'activité économique. L'économie ne croît pas de façon constante.

**SOMMET**

Moment du cycle où l'économie fonctionne à son niveau maximal.

**RÉCESSION**

Période durant laquelle le PIB chute pendant deux trimestres consécutifs.

**CREUX**

Moment du cycle où l'économie atteint son plus bas niveau.

**EXPANSION**

Phase durant laquelle les niveaux d'emploi et de production remontent.

Au fur et à mesure que l'économie récupère, le niveau des prix tend à augmenter avant que le plein-emploi et la capacité maximale de production ne soient atteints.

Les cycles économiques varient grandement en durée et en intensité. C'est pourquoi certains économistes préfèrent utiliser le terme **fluctuations** plutôt que cycles, ces derniers impliquant une régularité qui ne caractérise pas les fluctuations observées. La Grande Dépression des années 1930 a complètement perturbé le niveau de l'activité économique pour toute une décennie. En comparaison, la récession d'après la Seconde Guerre mondiale fut négligeable tant par rapport à sa durée que par rapport à son intensité (figure 4.1).

## L'explication des cycles économiques

Au fil des ans, les économistes ont avancé plusieurs théories pour expliquer l'existence des fluctuations économiques. Certaines explications se réfèrent à des facteurs exogènes, c'est-à-dire qui sont extérieurs à l'économie. Certaines théories s'appuient sur les innovations. Les progrès majeurs comme l'arrivée du chemin de fer, de l'automobile ou des fibres synthétiques ont eu un effet notable sur l'investissement, la consommation et, par conséquent, sur les niveaux de production, d'emploi et des prix. Ces innova-

> **FLUCTUATIONS ÉCONOMIQUES**
>
> Toutes les variations du niveau de l'activité économique, qu'elles soient dues à des facteurs extérieurs ou qu'elles proviennent du fonctionnement propre à l'économie de marché (cycle économique).

tions majeures apparaissent de façon irrégulière et, dès lors, contribuent aux fluctuations de l'activité économique. D'autres facteurs exogènes peuvent expliquer l'existence des cycles économiques tels que des événements politiques et aléatoires, comme le suggère la figure 4.1. Par exemple, les guerres peuvent perturber grandement l'activité économique. Une demande quasi insatiable de biens militaires durant la période d'hostilités peut entraîner une période de plein-emploi et d'inflation aiguë qui sera suivie d'un recul économique important à la fin du conflit lorsque les dépenses militaires péricliteront. Finalement, certains économistes envisagent les cycles économiques d'un point de vue purement monétaire. Lorsque les gouvernements créent trop de monnaie, ils provoquent l'inflation ; la perte de valeur de la monnaie qui s'ensuit précipitera la baisse de la production et de l'emploi.

Il existe également des variations saisonnières de l'activité économique. Par exemple, la ruée vers les magasins avant Noël et avant Pâques entraîne des fluctuations considérables de l'activité économique chaque année, principalement dans le commerce de détail. L'agriculture, l'industrie automobile, la construction, en fait presque toutes les industries connaissent, jusqu'à un certain point, des variations saisonnières.

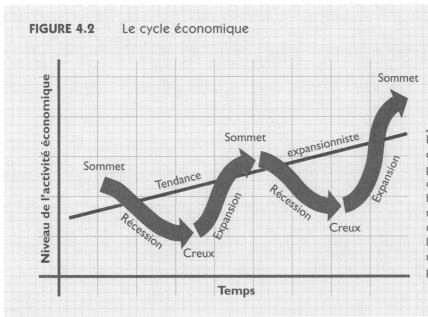

**FIGURE 4.2**    Le cycle économique

Niveau de l'activité économique

Sommet

Sommet — Tendance — Récession — Creux — Expansion — Sommet — expansionniste — Récession — Creux — Expansion — Sommet

**Temps**

Les économistes divisent le cycle économique en quatre phases successives dont la durée et l'intensité sont variables. Par exemple, la récession n'entraîne pas nécessairement un chômage important et prolongé, pas plus qu'un sommet ne correspond toujours au plein-emploi.

Malgré ces diverses opinions, la plupart des économistes admettent que les cycles économiques relèvent de facteurs endogènes, c'est-à-dire qu'ils sont inhérents au fonctionnement même de l'économie de marché. La **demande globale** (dépenses totales) serait le principal déterminant des niveaux de production et d'emploi (chapitre 5). Dans les économies de marché, les entreprises ne produisent des biens et des services que dans la mesure où elles peuvent les vendre avec un profit. En simplifiant, nous pouvons affirmer que, si la demande globale est faible, de nombreuses entreprises ne trouveront pas rentable la production d'un volume important de biens et de services, de sorte que la production, l'emploi et le niveau de revenu se maintiendront à des seuils très faibles. Un niveau plus élevé de dépenses dans l'économie entraînera des possibilités plus grandes de profits et, conséquemment, des niveaux de production, d'emploi et de revenu plus élevés. Plus loin dans le présent chapitre, nous expliciterons la relation qui existe entre la demande globale et le niveau des prix ; cette relation est assez complexe, car l'inflation est liée à d'autres facteurs que les variations des dépenses totales.

> **DEMANDE GLOBALE**
> Somme totale dépensée en biens et en services finals dans l'économie.

L'activité économique est également soumise à des tendances séculaires, c'est-à-dire à des variations cycliques à très long terme comme 25, 50 ou 100 ans. En ce qui concerne l'économie canadienne, nous constatons à long terme une tendance expansionniste remarquable sur laquelle se greffent les fluctuations économiques. Nous pouvons voir, à la figure 4.1 (page 110), que les fluctuations cycliques se traduisent en changements du niveau de l'emploi. Nous remarquons également, à la figure 4.2 (page 111), que les cycles sont dessinés par rapport à une tendance expansionniste.

## Les effets durables et non durables des cycles

Les effets des cycles économiques se ramifient à travers tout le tissu de l'activité économique. Nul n'est à l'abri de la dépression ou de l'inflation. Cependant, chaque secteur de l'économie, chaque individu sera touché de façon différente par les fluctuations économiques.

En ce qui a trait à la production et à l'emploi, les industries fabriquant des biens de production seront particulièrement touchées par les récessions. L'industrie de la construction est parmi les plus vulnérables. Les biens de consommation durables seront également fortement touchés. Les industries qui produisent des biens non durables sont moins sensibles aux effets du cycle économique. Les industries produisant des édifices commerciaux ou à logements, des automobiles, des réfrigérateurs, des fours à micro-ondes et d'autres produits similaires sont extrêmement sensibles aux ralentissements économiques. D'un autre côté, elles profiteront davantage des périodes d'expansion. Deux facteurs peuvent expliquer la sensibilité de ces industries aux cycles économiques.

### La possibilité de retarder les achats

À l'intérieur de certaines limites, nous pouvons retarder l'achat de biens durables. Ainsi, lorsque l'économie traverse une mauvaise période, les producteurs gèlent l'acquisition d'équipements plus modernes et la construction d'établissements. Les perspectives économiques ne justifient plus l'augmentation du stock de capital. Selon toutes probabilités, l'entreprise peut fonctionner avec le capital et le bâtiment qu'elle possède ; elle risque même de se retrouver avec une capacité excédentaire. Quand l'économie se porte bien, les biens d'équipement sont généralement remplacés avant même d'être complètement amortis ; par contre, quand la récession frappe, les entreprises entretiennent l'équipement désuet et s'en contentent. Il s'ensuit un déclin rapide des dépenses d'investissement. Il est fort possible que les entreprises qui font face à une capacité excédentaire ne remplacent même pas tout le capital consommé au cours de la période. L'investissement net de ces entreprises sera alors négatif (chapitre 3).

Nous pouvons appliquer le même raisonnement à la consommation de biens durables. Quand les ménages traversent une période de récession, ils doivent resserrer leurs budgets, et les achats de biens durables seront les premiers à être remis à plus tard. Les gens auront tendance à faire réparer leurs vieilles automobiles plutôt que d'en acheter des neuves.

Les consommateurs ne peuvent remettre à plus tard l'achat de nourriture ou d'habillement, des biens de consommation non durables et semi-durables. Une famille doit manger et se vêtir. Bien sûr, il est possible de diminuer quelque peu la quantité ou la qualité des produits consommés, mais certainement pas dans la même mesure que les biens durables.

### Le pouvoir monopolistique

La plupart des industries produisant des biens de production et des biens durables ont un taux de concentration élevé, c'est-à-dire qu'un faible nombre d'entreprises domine le marché. Ces entreprises ont donc suffisamment de pouvoir pour ne pas abaisser leurs prix à la suite d'une baisse de la demande. En effet, leur petit nombre leur permet de restreindre l'offre, faisant ainsi une pression à la hausse sur les prix. Par conséquent, la baisse de la demande se traduira plutôt par une baisse des niveaux de production et d'emploi. En ce qui concerne les industries de biens semi-durables et non durables ou les industries légères, la situation inverse prévaut. Comme elles œuvrent dans les marchés plus concurrentiels où la concentration est faible, elles ne peuvent guère contrer les baisses de prix ; par conséquent, une baisse de la demande influencera plus les prix que le niveau de production. Lors de la Grande Dépression, le Canada a été particulièrement touché, car il exportait principalement des matières premières, des denrées agricoles dont les prix ont chuté considérablement, tandis que nos importations se composaient en majeure partie de produits manufacturés hautement sophistiqués dont les prix diminuèrent très peu.

Cette étude sommaire des cycles économiques nous permet maintenant d'aborder en profondeur les problèmes du chômage et de l'inflation.

## LE CHÔMAGE

Le **plein-emploi** est une notion difficile à cerner. De prime abord, cette expression peut laisser croire que tous les gens désireux de travailler, c'est-à-dire qui font partie du marché du travail, ont un emploi. Si telle était la définition du plein-emploi,

nous pourrions la considérer, avec raison, comme utopique. En effet, les économistes jugent «normal» ou inévitable un certain niveau de chômage. Cependant, ils considèrent le chômage comme un problème économique aberrant puisque les besoins sont illimités et que les ressources sont bien insuffisantes pour les satisfaire. Il semble donc «anormal» de ne pas utiliser pleinement les ressources dont une économie peut disposer.

### Les mesures du chômage

#### Les mesures

Le niveau de plein-emploi est d'autant plus difficile à évaluer que nos instruments de mesure sont fortement discutables. Commençons par définir les principales variables de l'enquête sur la population active qu'effectue Statistique Canada (figure 4.3, page 114).

La **population active** (voir le complément sur les taux, à la fin du présent chapitre) comprend la population civile, âgée de 15 ans et plus, vivant hors institutions, qui travaille ou qui est en chômage. Elle exclut les habitants du Yukon et des Territoires du Nord-Ouest, les Amérindiens qui vivent dans les réserves ainsi que les membres des forces armées. Les militaires ne font pas partie de la population active, car leurs services ne sont pas offerts sur le marché du travail. Le **taux d'activité** est le rapport entre la population active et la population de 15 ans et plus. En 1996, le taux d'activité pour le Canada était de 64,9 %, tandis qu'il était de 62,1 % au Québec et de 66,0 % en Ontario (tableau 4.1, page 114).

Ces taux baissent lorsque de nombreux travailleurs cessent de chercher du travail, découragés qu'ils sont d'en trouver. Ils quittent alors la population active et sont comptabilisés avec les **inactifs**. Toutefois, Statistique Canada les dénombre, et leur nombre apparaît sous le nom de **travailleurs découragés** ou **désabusés.** Pour faire

**PLEIN-EMPLOI**

On parle de plein-emploi quand l'économie approche d'un sommet. Dans cette situation, de nombreux travailleurs sont malheureusement encore à la recherche d'un emploi.

**POPULATION ACTIVE**

Ensemble des personnes qui font partie du marché du travail, c'est-à-dire celles qui cherchent ou occupent un emploi.

**TAUX D'ACTIVITÉ**

Proportion de la population civile en âge de travailler qui est effectivement sur le marché du travail.

**INACTIFS**

Personnes qui peuvent être fort occupées, mais qui exercent leurs activités en dehors du marché du travail : étudiants, hommes ou femmes au foyer, retraités, invalides, etc.

**TRAVAILLEURS DÉCOURAGÉS**

Personnes qui ont cessé de chercher du travail, car elles étaient persuadées de ne pas en trouver. Comme elles font partie des inactifs, plus l'économie va mal, plus il y a de travailleurs découragés et plus le taux d'activité diminue.

**FIGURE 4.3**  Les composantes de la population active

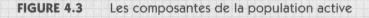

← Population active →

**Personnes occupées**
(ayant un emploi)

**Personnes en chômage**
(se cherchant du travail)

**Personnes inactives**
(étudiant, retraité, travailleur découragé, etc.)

Le grand rectangle représente la population âgée de 15 ans et plus. Parmi ces personnes, certaines sont sur le marché du travail, elles font partie de la population active. Si elles travaillent, elles sont comptabilisées comme personnes occupées. Si elles ne travaillent pas, mais qu'elles cherchent activement un emploi, elles sont comptabilisées comme chômeurs. Les personnes qui ne sont pas sur le marché du travail sont comptabilisées comme inactives.

partie de la population active, il faut soit occuper un emploi, soit en chercher un activement. On compte parmi les inactifs les personnes qui ne travaillent pas et qui ne cherchent pas activement du travail : retraités, parents au foyer, étudiants, invalides, rentiers, personnes en recyclage, etc.

On divise la population active en deux groupes : les personnes occupées et les personnes en chômage. En effet, toutes les personnes comptabilisées dans la population active ont ceci en commun : elles veulent travailler. Certaines ont la chance d'occuper un emploi, on les appelle les « **personnes occupées** ». Les **chômeurs** sont les personnes prêtes à travailler qui étaient sans emploi durant la semaine de référence, qui avaient cherché activement du travail durant les 4 dernières semaines ou qui n'avaient pas activement cherché du travail, mais qui avaient été mises à pied depuis 26 semaines ou moins (devant être rappelées au travail) ou qui devaient commencer à travailler dans 4 semaines

**PERSONNES OCCUPÉES**

Personnes qui travaillent au moment de l'enquête ou sont absentes de leur travail pour des raisons de santé, de vacances, de conflit de travail, de mauvais temps, d'obligations personnelles ou familiales.

**CHÔMEUR**

Personne à la recherche d'un emploi. Parfois, le chômeur a droit à des prestations d'assurance-emploi, parfois, il n'y a pas droit. Il est quand même un chômeur au sens de Statistique Canada s'il ne travaille pas et cherche du travail. Qu'il reçoive ou non des prestations, il sera comptabilisé dans le taux de chômage.

**TAUX DE CHÔMAGE**

Proportion des personnes qui désirent travailler et qui n'ont pu se trouver un emploi.

ou moins. *Les chômeurs font partie de la population active.* Le **taux de chômage** se calcule en divisant le nombre de chômeurs par la population active. En 1996, il s'élevait à 9,4 % au Canada, à 11,8 % au Québec et à 9,1 % en Ontario (tableau 4.1).

*La validité des données*

Statistique Canada recueille les données nécessaires à ces calculs en menant une enquête statistique auprès de la population. Elle évalue les différentes variables d'après un échantillon d'environ 55 000 ménages chaque mois. Les personnes interrogées doivent fournir des renseignements quant à leur participation au marché du travail. Malgré des techniques d'enquête sophistiquées, on décèle quelques failles quant à la validité de ces données.

**LE TRAVAIL À TEMPS PARTIEL** Les statistiques officielles considèrent le travailleur à temps partiel comme s'il travaillait à temps plein. Cependant, de nombreuses personnes travaillent à temps

**TABLEAU 4.1**  Les indicateurs de la population active Canada — Québec — Ontario, en 1996

| Indicateurs par province | Canada | Québec | Ontario |
|---|---|---|---|
| Personnes occupées (en milliers) | 13 666 | 3 236 | 5 285 |
| Taux de chômage | 9,4 % | 11,8 % | 9,1 % |
| Taux d'activité | 64,9 % | 62,1 % | 66,0 % |

**Source** : Données tirées de Statistique Canada, *L'Observateur économique canadien*, mensuel, catalogue 11-010, juin 1997.

partiel faute d'emploi à temps plein. Logiquement, on devrait les traiter comme des « fractions de chômeurs ». En les comptabilisant comme personnes occupées, Statistique Canada sous-estime le taux de chômage.

**LES TRAVAILLEURS DÉCOURAGÉS** Les travailleurs découragés sont considérés comme inactifs par Statistique Canada s'ils n'ont pas été mis à pied depuis 26 semaines ou moins ou s'ils ne doivent pas commencer à travailler durant les 4 prochaines semaines. Cependant, parmi ces « inactifs », de nombreuses personnes désirent vraiment travailler, mais ont cessé de chercher après une certaine période par découragement. Les travailleurs découragés sont plus nombreux en période de récession qu'en période d'expansion, car il est beaucoup plus difficile de trouver un emploi quand l'économie tourne au ralenti. Ce phénomène tend cependant à diminuer. En effet, lors de la récession de 1981-1983, le nombre de travailleurs découragés avait presque doublé, alors que leur nombre n'a que légèrement augmenté entre 1989 et 1992. Différents facteurs sociodémographiques peuvent expliquer ce phénomène : la baisse de la proportion des jeunes (nombreux à être découragés) dans la population active, la hausse du recyclage, la plus grande popularité de la préretraite, etc.

**L'INFORMATION TROMPEUSE** D'autre part, deux phénomènes tendent à surestimer le taux de chômage. Premièrement, le travailleur au noir se déclare généralement en chômage ou inactif, car ses activités sont illégales (prostitution, travailleur de la construction travaillant au noir, etc.). En réalité, souvent les activités ne sont pas nécessairement illégales en elle-mêmes ; c'est le fait de ne pas déclarer les revenus qui en découlent qui est illégal. Deuxièmement, bien qu'elles ne cherchent pas activement du travail, certaines personnes affirmeront le contraire, de crainte de perdre leurs prestations d'assurance-emploi.

**LE NOMBRE DE PERSONNES TOUCHÉES PAR LE CHÔMAGE** Les données mensuelles de Statistique Canada nous révèlent le nombre de personnes en chômage au moment de l'enquête. Elles ne nous révèlent pas si ce sont les mêmes personnes d'un mois à l'autre. Un même taux de chômage peut refléter deux situations dif-

férentes. Il peut y avoir une forte rotation de la main-d'oeuvre, c'est-à-dire beaucoup de gens se trouvent en chômage pour une courte période. Il peut également y avoir peu de gens touchés par le chômage, mais pour une longue période, les mêmes personnes étant en chômage d'un mois à l'autre. Le fardeau du chômage augmente cependant avec la durée.

Ce qu'il faut retenir, cependant, c'est que le taux de chômage est à la base de nombreuses politiques économiques. Il faut donc l'utiliser avec précaution. Il demeure néanmoins l'un des meilleurs indicateurs de l'état de l'économie, bien qu'il n'en reflète pas la santé de façon infaillible.

## Les types de chômage

C'est en définissant les différents types de chômage que nous pourrons le mieux éclaircir le concept de plein-emploi.

### Le chômage frictionnel

En tout temps, dans l'économie, des travailleurs se trouvent entre deux emplois. Certains quitteront volontairement leur emploi dans l'espoir d'améliorer leurs conditions de travail ou dans le cadre d'un plan de carrière. D'autres sont licenciés temporairement, le temps que soit réorientée la production (travailleurs de l'automobile) ou à cause de conditions climatiques défavorables (industrie de la construction, plate-forme de forage). Finalement, certains sont à la recherche de leur premier emploi ou réintègrent le marché du travail après une longue absence. L'expression « **chômage frictionnel** » regroupe les travailleurs qui sont temporairement sans emploi pour ce genre de raisons. On le considère comme inévitable dans une économie de marché, compte tenu d'une certaine liberté pour le travailleur de choisir son emploi. Cependant, ce chômage peut être, à certains égards, souhaitable pour l'économie. Dans de nombreux cas, en effet, on quitte un emploi sous-payé et requérant peu de qualifications pour un emploi mieux rémunéré et plus productif. Ce faisant, on améliore l'affectation des ressources humaines, car les compétences de ces travailleurs sont mieux utilisées. Leurs revenus augmentent et, finalement, c'est toute l'économie qui en profite à travers une plus grande production réelle. Ce

> **CHÔMAGE FRICTIONNEL**
> Chômage dû au fait que des travailleurs changent délibérément d'emploi, qu'ils sont licenciés temporairement ou qu'ils se trouvent entre deux emplois.

type de chômage inclut ce que l'on appelle le « chômage saisonnier ».

### Le chômage structurel

Au fil des ans, des changements majeurs surviennent dans les goûts, les besoins et les préférences des consommateurs, dans les moyens de production et sur le plan démographique, entraînant des modifications quantitatives et qualitatives de la demande de travail. Par exemple, des considérations environnementales ont entraîné des pertes d'emplois importantes dans le domaine de l'amiante. La micro-informatique a modifié considérablement les compétences exigées pour le travail de bureau. Par contre, les caractéristiques de la main-d'œuvre n'évoluent pas toujours assez rapidement et dans la bonne direction. Il en résulte du chômage qu'on appellera « **structurel** ». On trouve des travailleurs dont les compétences sont devenues désuètes ; leurs qualifications (par exemple, les typographes) et leur expérience perdent toute valeur à cause des changements technologiques ou à cause de l'évolution de la consommation. Les personnes handicapées ont également beaucoup de difficulté à se trouver une place sur le marché du travail. Soixante-quinze pour cent d'entre elles chôment. De la même manière, la répartition géographique de l'emploi change constamment. La faible mobilité des travailleurs, que ce soit sur le plan géographique ou au point de vue des qualifications, est la principale explication du chômage structurel. Le recyclage peut cependant permettre au travailleur d'améliorer ses connaissances et ses habiletés, et, ainsi, ses possibilités d'emploi et de rémunération. Cependant, ce n'est pas toujours évident. Le travailleur de la construction en chômage chronique ne pourra devenir programmeur qu'au prix d'un recyclage sérieux qui ne sera pas toujours possible, le problème de l'analphabétisme étant plutôt répandu dans ce secteur.

Le travailleur en chômage frictionnel a des compétences qui répondent à la demande du marché du travail, tandis que le travailleur en chômage structurel devra se recycler ou même

---

**CHÔMAGE STRUCTUREL**

Chômage dû à des changements dans la structure de la demande de biens de consommation et dans la technologie. On y trouve aussi des travailleurs sans emploi parce que leurs qualifications ne sont pas demandées par les employeurs ou parce qu'ils n'ont pas les qualifications suffisantes pour obtenir un emploi.

**CHÔMAGE CONJONCTUREL**

Chômage dû à une baisse des dépenses totales dans l'économie.

**TAUX DE CHÔMAGE NATUREL**

Taux de chômage observé lorsqu'il n'y a pas de chômage conjoncturel. Il correspond à la somme du chômage structurel et du chômage frictionnel.

---

déménager s'il veut retrouver un emploi. Cette dernière situation est beaucoup plus pénible. Pour combattre ce type de chômage, cela prend du temps, une volonté politique, du capital, etc.

### Le chômage conjoncturel

Le **chômage conjoncturel** est lié aux cycles économiques, c'est-à-dire qu'il est causé par une baisse de la demande globale (dépenses totales). Quand l'activité économique ralentit, le nombre d'emplois diminue ; lors de la reprise, le chômage conjoncturel diminue, toutes choses étant égales par ailleurs. Lors de la Grande Dépression, en 1933, le chômage conjoncturel atteignit des sommets historiques : 20 % de la population active.

### La définition du plein-emploi

Les économistes considèrent que le chômage frictionnel et le chômage structurel sont inévitables à court et à moyen terme. Nous pouvons donc parler de plein-emploi sans que 100 % de la main-d'œuvre ait un travail. Plus particulièrement, le taux de chômage de plein-emploi correspond à la somme du taux de chômage frictionnel et du taux de chômage structurel. En d'autres termes, le taux de chômage de plein-emploi correspond au taux de chômage qui existe lorsqu'il n'y a pas de chômage conjoncturel. On l'appelle souvent « **taux de chômage naturel** ». La production potentielle de l'économie correspond au niveau de PIB réel que l'économie peut atteindre quand le taux de chômage naturel prévaut. En fait, la production potentielle est le niveau de production que l'économie pourrait réaliser s'il y avait plein-emploi.

Sous un autre angle, on constate que le taux de chômage naturel prévaut lorsque le marché du travail est en équilibre, c'est-à-dire que le nombre de personnes à la recherche d'un emploi est égal au nombre de postes vacants. Il existe du chômage naturel à cause du temps nécessaire aux gens en chômage frictionnel pour trouver des propositions d'emploi convenables. Les chômeurs structurels ont également besoin de temps pour acquérir les compétences requises par le marché du travail ou pour se relocaliser géographiquement. Si le nombre de personnes à la recherche d'un emploi est supérieur au nombre de postes vacants, le marché du travail est en déséquilibre ; la demande globale (dépenses totales) est insuffisante, on se trouve en présence de chômage conjoncturel (cyclique). D'un autre côté, si la demande est trop forte, il en résultera une pénurie de main-d'œuvre ; le nombre de postes vacants surpasse le nombre de travailleurs à la recherche d'un emploi. Dans ce cas, le taux de chômage observé est inférieur au taux de chômage naturel. Ce genre de situation est généralement associé au phénomène de l'inflation.

Le concept de chômage naturel nécessite quelques explications complémentaires. Cette expression ne signifie pas que l'économie fonctionnera toujours à ce taux ou qu'à ce taux elle atteindra son niveau de production potentielle. Lors de notre brève explication des cycles économiques, nous mentionnions que l'économie fonctionne souvent à un niveau auquel le taux de chômage est supérieur au taux naturel. D'un autre côté, l'économie peut, dans de rares occasions, fonctionner avec un taux de chômage inférieur au taux de chômage naturel. Par exemple, durant la Seconde Guerre mondiale, malgré un taux de chômage naturel de 3 % ou 4 %, la production de guerre créait une demande quasi illimitée de main-d'œuvre. Les heures supplémentaires étaient courantes tout comme le fait d'occuper deux emplois simultanément. De plus, le gouvernement força certains travailleurs à garder leur emploi dans certaines industries stratégiques, réduisant ainsi le chômage frictionnel. Le taux de chômage observé durant la période 1943-1945 était inférieur à 2 % et atteignit même 1,2 % en 1944. L'économie produisait à un niveau supérieur à sa production potentielle et fut soumise à des pressions inflationnistes considérables.

Le taux de chômage naturel n'est pas immuable et nécessite parfois d'être révisé par suite de l'évolution de notre économie : changements institutionnels dans les lois et les habitudes, changements démographiques dans la composition de la force de travail. Au cours des années 1960, on estimait qu'un taux de chômage de 3 % était inévitable et que, par conséquent, le plein-emploi était atteint lorsque 97 % de la population active était au travail. Maintenant, les esti-

mations varient entre 7 % et 8 %. En effet, des changements majeurs sont apparus tant du côté de l'offre de travail que du côté de la demande (voir la section suivante). Les changements de plus en plus fréquents dans les procédés de fabrication et dans les produits fabriqués, le salaire minimum jugé trop élevé par de nombreux employeurs, l'augmentation importante du pourcentage de femmes et de jeunes gens dans la population active, le manque de motivation au travail découlant de l'amélioration du régime d'assurance-emploi et d'aide sociale sont des facteurs qui prolongent la durée moyenne du chômage. De plus, les taux de chômage enregistrés durant la dernière décennie sont croissants, peu importe la conjoncture, ce qui laisse croire que le chômage structurel est en hausse.

## Les caractéristiques et les tendances des marchés du travail canadien et québécois

De nombreux facteurs sociodémographiques comme l'âge, le sexe, la scolarité ou la région conditionnent le marché du travail. Voici un bref aperçu des caractéristiques et des tendances des marchés du travail canadien et québécois.

**L'ÂGE** Le ralentissement de la croissance de la population (moins de jeunes et vieillissement) entraîne des problèmes de relève dans certaines professions, alors que l'adaptation aux nouvelles technologies est parfois difficile pour les plus âgés. Les besoins différents découlant du vieillissement de la population ont entraîné des changements dans les dépenses de consommation qui ont à leur tour provoqué des bouleversements dans la main-d'œuvre : augmentation dans la santé et les services sociaux, fermeture d'école, plus de facilité pour les jeunes à trouver du travail. Cependant, les plus jeunes (15 à 24 ans) connaissent toujours des taux de chômage nettement supérieurs à la moyenne. Au début des années 1990, ce taux avoisinait les 20 %. Cette situation s'explique par le fait que les plus jeunes présents sur le marché du travail ont une faible scolarité et peu de compétences, qu'ils quittent plus souvent leur emploi, qu'ils sont également plus souvent congédiés et qu'ils ont peu de mobilité géographique. De plus, de nombreux jeunes ont fraîchement intégré le marché du travail et cherchent encore leur premier emploi.

**LE SEXE** De 1951 à 1986, le nombre d'hommes sur le marché du travail a augmenté de 66 %, tandis que le nombre de femmes sur le marché du travail augmentait de 297 %. L'augmentation la plus spectaculaire concerne les femmes qui ont des enfants à la maison. De plus, nous constatons une augmentation importante du nombre de femmes cadres. De 1981 à 1986, nous remarquons une augmentation de 78 %. Cependant, tout comme les femmes se trouvaient majoritairement dans les emplois de bureau, les services et la santé, les femmes directrices, gérantes ou administratrices se concentrent également dans ces secteurs. Le taux d'activité des femmes est le plus élevé chez celles qui ont entre 20 et 24 ans. Pour des raisons tant économiques que culturelles, le taux d'activité des femmes au Québec est inférieur à celui de l'Ontario et à la moyenne canadienne. Le taux de féminité (pourcentage de main-d'œuvre de sexe féminin) y est inférieur. Lorsqu'on désire expliquer les différences de chômage entre les hommes et les femmes, ce dernier indicateur est fort utile. Avant 1970, les femmes subissaient un taux de chômage systématiquement plus élevé que celui des hommes. Depuis 1970, ce n'est plus le cas. En 1983, il fut même plus faible chez les femmes. Cette situation s'explique par les taux de chômage élevé dans les secteurs les plus vulnérables au cycle économique comme l'automobile, l'acier ou la construction, secteurs traditionnellement masculins.

**LA SCOLARITÉ** Nous entendons souvent parler de «chômeurs diplômés», mais il n'en demeure pas moins qu'être diplômé est un atout majeur sur le marché du travail. Les diplômés ont un taux de chômage moindre et plus d'emplois à temps plein. Un diplôme d'un cours professionnel long du secondaire améliore déjà énormément les chances de se trouver du travail. C'est chez les universitaires que le taux de chômage est le plus faible. Si nous combinons le sexe et la scolarité, compte tenu du fait qu'en 1997 dans la majorité des facultés universitaires, les femmes sont surreprésentées, on peut anticiper que le taux de chômage des femmes sera en baisse dans quelques années.

**LES RÉGIONS** Le marché du travail est lié aux caractéristiques sociodémographiques et au potentiel de développement des régions. La composition selon l'âge ainsi que la scolarité diffèrent selon les régions. Le Saguenay — Lac-Saint-Jean, la Côte-Nord et le nord du Québec sont des régions où la concentration de jeunes est très forte. Le Bas-Saint-Laurent, la Gaspésie — Îles-de-la-Madeleine, la Mauricie — Bois-Francs, l'Estrie et Montréal regroupent une main-d'œuvre plus âgée. On considère une troisième année d'études secondaires comme le seuil minimal de scolarité en dessous duquel on parle de faible scolarisation. Les régions de Québec et de Laval comptent le plus faible taux de faible scolarisation, tandis que le nord du Québec et la Gaspésie — Îles-de-la-Madeleine, le plus élevé. La faible scolarisation pour une région correspond à une pénurie de main-d'œuvre qualifiée qui nuit à l'implantation d'entreprises et fait diminuer la capacité d'adaptation à de nouvelles technologies. Ces caractéristiques différentes expliquent en partie les grandes différences dans les taux de chômage régionaux (tableau 4.2).

Lorsqu'on désire illustrer la situation économique d'une région, on utilise souvent comme indicateur le rapport emploi/population. En effet, le taux de chômage représente surtout l'offre excédentaire de main-d'œuvre, tandis que le nombre de personnes occupées est directement lié à la demande de main-d'œuvre.

**LE TAUX D'ACTIVITÉ** Le taux d'activité a augmenté au Québec, passant de 58,5 % en 1975 à 62,1 % en 1996, comparé à 60,0 % pour l'Ontario et 64,9 % pour le Canada. L'augmentation du nombre des femmes sur le marché du travail explique en partie cette hausse. La conjoncture et la capacité de se trouver un emploi influencent également le taux d'activité. En effet, lorsque les emplois se font rares, de nombreuses personnes se retirent du marché du travail et quittent ainsi les rangs de la population active. Au contraire, lorsque l'économie se porte bien, les perspectives d'emploi sont plus alléchantes et plusieurs se mettent en quête de travail et font ainsi augmenter le taux d'activité.

**LA DURÉE DU CHÔMAGE** Le processus de restructuration industrielle des années 1980 a bouleversé le marché du travail. Les deux tiers des personnes en chômage sont des travailleurs licenciés dont les compétences sont désuètes ou dont

**TABLEAU 4.2**  Les taux de chômage régionaux au Québec en février 1997

| Régions économiques | Taux de chômage |
|---|---|
| Gaspésie — Îles-de-la-Madeleine | 24,9 % |
| Bas-Saint-Laurent | 21,3 % |
| Saguenay — Lac-Saint-Jean | 17,1 % |
| Québec | 12,7 % |
| Chaudière Appalaches | 8,7 % |
| Mauricie — Bois-Francs | 14,4 % |
| Estrie | 10,5 % |
| Montérégie | 10,5 % |
| Montréal | 14,3 % |
| Laval | 12,0 % |
| Laurentides | 13,4 % |
| Lanaudière | 10,3 % |
| Outaouais | 12,1 % |
| Abitibi — Témiscamingue | 14,7 % |
| Côte-Nord et nord du Québec | 17,2 % |

**Source** : Données tirées du ministère du Travail du Québec et ministère de la Main-d'œuvre, de la Sécurité du revenu et de la Formation professionnelle, *Le Marché du travail*, mensuel, Les publications du Québec, avril 1997, tableau 2, p. 62.

la scolarité est insuffisante. Le chômage de longue durée touche de plus en plus de travailleurs non qualifiés et ceux des tranches d'âge élevé (45 ans et plus). Cependant, le chômage chronique est en hausse chez les gens de 35 ans et plus. Les personnes licenciées après une fermeture ou une rationalisation ou à qui les entreprises n'offrent pas de formation nécessitent une formation institutionnelle. Des mesures de recyclage ainsi qu'une initiation aux méthodes de recherche d'emploi s'imposent.

**UNE COMPARAISON INTERNATIONALE**  Les taux de chômage varient fortement non seulement d'une région à l'autre du Québec et du Canada, mais également d'un pays à l'autre. Ces différences sont dues au moment du cycle que les économies traversent ainsi qu'à leur taux de chômage naturel. Le Canada fait piètre figure à ce chapitre, comme l'indique la figure 4.4 (page 120). On y trouve, pour plusieurs pays industrialisés, des mesures comparables du concept qu'est le chômage.

*Les tendances*

**LA MONDIALISATION DE L'ÉCONOMIE**  Les accords pour libéraliser le commerce international comme le GATT maintenant OMC, la CEE maintenant union européenne, l'accord de libre-échange Canada — États-Unis, l'accord de libre-échange nord-américain (ALENA : Canada — États-Unis — Mexique) ont contribué à la mondialisation de l'économie qui, en entraînant l'ouverture des marchés mondiaux, a fait augmenter la concurrence étrangère. Pour que de nombreux emplois non concurrentiels ne disparaissent pas, le Québec et le Canada se doivent d'améliorer leur productivité, c'est-à-dire leur efficacité. Il est nécessaire de développer les ressources humaines. Nous devons cependant constater l'insuffisance des efforts dans le domaine de l'éducation et de la formation des jeunes travailleurs en cours d'emploi.

Le Québec a fait un effort particulier pour augmenter sa productivité de l'emploi qui s'est nettement accélérée depuis 1985. Pour sa part, le Canada a réussi à diminuer l'écart de productivité avec les États-Unis au cours des deux dernières décennies.

**LA PRÉCARISATION** Les entreprises ont de plus en plus recours au travail à temps partiel que nous pouvons considérer comme une forme de chômage déguisé. Les entreprises invoquent la flexibilité et la souplesse nécessaires pour s'adapter à la conjoncture, au volume de travail ou des affaires ou à l'achalandage. Cependant, les conditions de travail des travailleurs à temps partiel ne sont pas proportionnelles à celles des travailleurs à temps plein et les travailleurs sont moins protégés par les lois. En fait, environ 30 % des travailleurs à temps partiel préféreraient travailler à temps plein s'ils pouvaient trouver ce type de travail[1].

En 1990, le Conseil économique du Canada évaluait que le tiers de tous les postes de travail était hors normes, c'est-à-dire de moins de 38 à 40 heures par semaine. En 1951, 70 % des gens travaillaient à temps plein toute l'année.

Maintenant, la proportion se situe aux alentours de 50 %. La norme a commencé à s'effriter vers les années 1970. Pour Statistique Canada, l'employé à temps partiel travaille 30 heures et moins. Le travailleur à temps partiel devient une caractéristique structurelle des marchés du travail canadien et québécois. Il augmente en particulier dans les services, le commerce, la distribution, les banques, les assurances et les affaires immobilières. La précarité de l'emploi se définit non seulement par la durée de la semaine de travail, mais également par la durée de l'emploi. Par exemple, en 1985, un emploi à temps plein durait environ 8,8 ans, tandis qu'un emploi à temps partiel ne durait qu'environ 4,4 ans. L'employé précaire l'est donc sur deux plans. Le taux de chômage élevé favorise la différenciation des formes d'emploi et des conditions de travail : poste régulier, occasionnel, sur appel, à contrat, à durée déterminée, intérimaire, etc. Il y a donc différenciation sur deux plans : la durée de l'emploi et le statut de salarié.

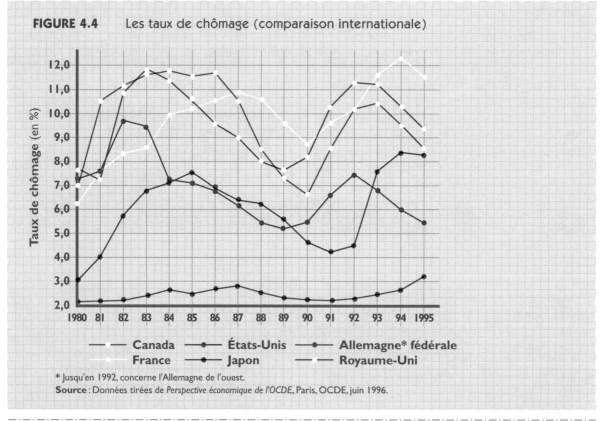

**FIGURE 4.4**     Les taux de chômage (comparaison internationale)

Légende : Canada, États-Unis, Allemagne* fédérale, France, Japon, Royaume-Uni

\* Jusqu'en 1992, concerne l'Allemagne de l'ouest.
**Source :** Données tirées de *Perspective économique de l'OCDE*, Paris, OCDE, juin 1996.

---

1. Ministère du Travail du Québec et ministère de la Main-d'œuvre, de la Sécurité du revenu et de la Formation professionnelle, «Le travail à temps partiel» dans *Le Marché du travail*, mensuel, vol. 13, n° 1, janvier 1992.

Les petites entreprises ont vu leur part de l'emploi total augmenter dans les années 1980. La multiplication des petites et moyennes entreprises (PME) a entraîné une plus grande précarisation de la main-d'œuvre. Cependant, cet effet a été différent selon le secteur d'activité. Dans les services personnels et le commerce, les travailleurs se replacent rapidement. Par contre, dans l'industrie manufacturière, il y a trois fois plus de personnes qui demeurent en chômage que de personnes qui ont retrouvé un emploi. Les PME occupent une place disproportionnée dans les services. Ces entreprises de création plus récente risquent davantage de fermer. Le taux de roulement du personnel y est plus grand. La présence syndicale y est moins forte. Le personnel est plus jeune, moins expérimenté et moins scolarisé. Tous ces facteurs contribuent à maintenir les salaires et les avantages sociaux ainsi que les autres conditions de travail à des niveaux peu élevés.

Le déplacement de la main-d'œuvre vers les petites entreprises a eu lieu essentiellement dans le secteur privé et a été plus considérable dans les secteurs producteurs de biens que dans les secteurs des services. Il y a eu également un transfert de l'activité économique vers des secteurs où la taille des entreprises est plus petite, comme la construction et les services de consommation. La part grandissante de l'emploi dans tout le secteur des services a contribué à l'augmentation des postes offerts dans les petites entreprises, mais généralement de façon moins considérable que les déplacements de l'emploi vers des entreprises plus petites à l'intérieur des principaux secteurs industriels. Il y a également eu une diminution de la taille moyenne des entreprises dans tous les secteurs. L'innovation technologique et les nouvelles relations économiques favorisent des unités plus petites. Les économies d'échelle sont moins importantes à cause de la demande accrue d'une plus grande quantité de produits hétérogènes. Le développement des techniques d'information favorise le recours aux marchés externes. On a pu observer la stratégie des grandes entreprises, qui consiste à rationaliser leur fonctionnement, en extériorisant certaines activités afin d'être plus flexibles. Elles ont ainsi contribué au développement des PME et à la précarisation de l'emploi.

**LES PÉNURIES** Avec les taux de chômage que doivent endurer les Canadiens et les Québécois, nous pourrions nous étonner d'entendre parler de pénuries de main-d'œuvre. En effet, il y a parfois confusion. Les difficultés de recrutement ne correspondent pas nécessairement à une pénurie de main-d'œuvre qualifiée. Par exemple, les mauvaises conditions de travail offertes en matière de salaires, d'horaires, de santé et de sécurité ou d'organisation du travail, les régions éloignées peuvent expliquer les difficultés de recrutement. Malgré tout, au début des années 1990, on enregistrait des pénuries d'ingénieurs et de professionnels en sciences pures et appliquées et en génie informatique.

## Les coûts économiques du chômage

En dépit des difficultés occasionnées par la définition du plein-emploi et par la mesure du taux de chômage, une chose est certaine, le sous-emploi entraîne des coûts économiques et sociaux importants, peu importe comment on le définit ou le mesure.

### La perte de production potentielle

Lorsque l'économie engendre un nombre insuffisant d'emplois pour toutes les personnes qui sont aptes à travailler et qui désirent le faire, il s'ensuit une perte de production potentielle qu'on ne pourra jamais récupérer. L'économie fonctionne en deçà de ses possibilités de production (chapitre 2). Les économistes mesurent cette *production perdue* en soustrayant le PIB observé du PIB potentiel. On estime ce dernier en évaluant la production de biens et de services qu'on aurait pu réaliser si l'on avait été en situation de plein-emploi, en tenant compte d'un taux de croissance « normal » pour l'économie. La figure 4.5 (page 122) illustre cet écart pour les dernières années. Elle fait bien ressortir la relation entre le taux de chômage et la perte de production potentielle. Plus le taux de chômage est élevé, plus la perte de production potentielle (écart) sera grande.

Un économiste bien connu, Arthur Okun, a quantifié cette relation entre le taux de chômage et l'écart entre le PIB observé et le PIB potentiel. Cette relation s'appelle « **loi d'Okun** » et elle nous indique que, pour chaque point de pourcentage (1 %) au-dessus du taux de chômage

> **LOI D'OKUN**
> Loi qui quantifie la relation entre le taux de chômage et la perte de production potentielle.

naturel, l'économie aurait pu réaliser une production supérieure de 2,5 %. Ce ratio nous permet de calculer la perte de production absolue associée à n'importe quel taux de chômage. Par exemple, en 1996, le taux de chômage était de 9,7 %, c'est-à-dire de 2,2 % supérieur au taux de chômage naturel évalué à 7,5 %. En multipliant la valeur de 2,2 % par le rapport 2,5 fourni par la loi d'Okun, nous pouvons affirmer que le PIB observé de 1996 aurait pu être supérieur de 5,5 %. En appliquant cette perte de 5,5 % au PIB réel de 1996 (617,8 milliards de dollars), nous constatons que l'économie a perdu 34 milliards de dollars (617,8 x 5,5 %) de production à cause du chômage excédentaire.

### La répartition inégale des coûts du chômage

Les indicateurs globaux de la population active masquent le partage inégal du fardeau du chômage. Si le chômage touchait également l'ensemble de la population, il serait plus facile d'en assumer le fardeau. En effet, une augmentation du taux de chômage de 8 % à 12 % serait plus facile à supporter si l'on réduisait les salaires et les heures de travail dans la même proportion pour l'ensemble des travailleurs. Cependant, le chômage frappant plus durement certains groupes socio-économiques (voir les caractéristiques du marché du travail, page 117), les coûts du chômage sont donc principalement assumés par ces groupes et le fardeau n'en est que plus

---

**FIGURE 4.5**     Le PIB potentiel et le PIB observé, et le taux de chômage

L'écart entre le PIB potentiel et le PIB observé mesure la perte de production subie par l'économie lorsqu'elle n'utilise pas pleinement ses ressources productives. Nous remarquons qu'un taux de chômage élevé entraîne un écart plus grand.

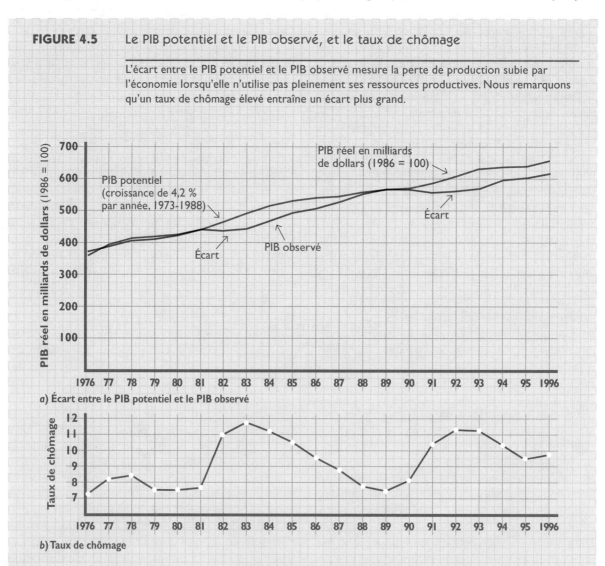

a) Écart entre le PIB potentiel et le PIB observé

b) Taux de chômage

lourd. Le tableau 4.3 résume bien cette inégalité. On y trouve les taux de chômage selon le secteur, l'âge, le sexe ainsi que la durée du chômage pour deux périodes correspondant l'une au sommet de 1989 qui a suivi la longue période d'expansion des années 1980 et l'autre à un creux au sortir de la récession, en 1992. Les écarts entre les taux de chômage des divers groupes pour une même année ainsi qu'entre les deux périodes sont très révélateurs de ces inégalités.

### Les coûts sociaux du chômage

En plus des conséquences monétaires dramatiques qu'il entraîne pour le chômeur et pour l'État (prestations à verser, manques à gagner en ce qui concerne les taxes à la consommation et les impôts sur les revenus, etc.), le chômage se répercute également sur le plan social. L'oisiveté forcée qui en découle provoque souvent la perte d'estime de soi et des autres, le découragement, la perte d'aptitudes, la désintégration de la famille, probablement la délinquance et finalement des désordres sociopolitiques plus ou moins importants. Enfin, de plus en plus, la recherche associe certains problèmes de santé au chômage : suicides, problèmes cardio-vasculaires, dépressions, ulcères, etc.

## L'INFLATION
### La définition et la mesure de l'inflation

Étudions maintenant un autre aspect de l'instabilité économique : l'inflation. Les problèmes découlant de l'inflation sont plus subtils que ceux qu'entraîne le chômage et, par conséquent, plus difficiles à cerner.

### La signification de l'inflation

Qu'est-ce que l'**inflation** ? L'inflation est une hausse soutenue du niveau général des prix. Il va de soi que le niveau des prix peut augmenter sans que tous les prix augmentent. Même en période de forte inflation, les prix de certains produits peuvent demeurer relativement constants et d'autres peuvent aussi diminuer. De plus, les hausses de prix ne sont pas uniformes pour l'ensemble des produits. En fait, l'inflation crée certains problèmes parce que tous les prix n'augmentent pas au même rythme : certains explosent, d'autres augmentent tout doucement, tandis que d'autres ne bougent pas. Par exemple, bien que le Canada ait connu des taux d'inflation fort élevés dans les années 1970 et au début des années 1980, les prix de certains produits comme les magnétoscopes, les fours à micro-ondes ou les micro-ordinateurs ont considérablement diminué.

> ▷ **INFLATION** ◁
> Augmentation du niveau général des prix.

### La mesure de l'inflation

Nous mesurons le taux d'inflation en calculant la variation en pourcentage de l'IPC (voir le complément sur l'IPC, à la fin du présent chapitre). L'IPC reflète les variations du niveau général des prix par rapport à une année de référence. Ainsi, l'IPC (1986 = 100) était de 133,5 en 1995 et de

**TABLEAU 4.3**    Les taux de chômage selon le secteur, l'âge et le sexe et la durée du chômage dans un creux, en 1992, et au sommet, en 1989, d'un cycle

| | | Taux de chômage en 1992 | Taux de chômage en 1989 |
|---|---|---|---|
| **L'ensemble** | | 11,3 % | 7,5 % |
| **Secteur** | manufacturier | 12,7 % | 7,2 % |
| | des services | 9,2 % | 6,8 % |
| **Âge** | 15-24 ans | 17,8 % | 11,2 % |
| | 25 ans et plus | 9,9 % | 6,6 % |
| **Sexe** | Femmes | 10,4 % | 7,8 % |
| | Hommes | 12,1 % | 7,3 % |
| **Durée** | 14 semaines et + | 6,6 % | 3,8 % |

**Source** : Données tirées du ministère du Travail du Québec et du ministère de la Main-d'œuvre, de la Sécurité du revenu et de la Formation professionnelle, *Le Marché du travail*, mars 1996.

135,6 en 1996. Nous calculons donc le taux d'inflation comme suit :

$$\text{Taux d'inflation} = \frac{135,6 - 133,5}{133,5} \times 100 = 1,6\%$$

Un taux d'inflation plus élevé dans une région ou un pays ne signifie pas qu'il en coûte plus cher de vivre dans cette région. Tout ce que ce taux élevé nous révèle, c'est que le niveau général des prix a beaucoup augmenté durant la période considérée. Si cette distinction ne vous semble pas très claire, il serait utile de lire l'exemple des pommes dans le complément sur l'IPC, à la fin du chapitre.

> **DÉFLATION**
>
> Baisse du niveau général des prix.

### Des données historiques

La figure 4.6 nous montre l'évolution de l'inflation depuis la Confédération.

Bien que les périodes de déflation aient été pour ainsi dire inexistantes (sauf quelques mois en 1991), nous constatons que l'inflation, en tant que problème chronique, est un phénomène récent. Les trois dernières décennies du XIXe siècle correspondent à une période de **déflation**, c'est-à-dire à une période durant laquelle le niveau des prix était à la baisse.

L'économie canadienne a subi ce phénomène à un autre moment, soit durant les premières années de la Grande Dépression. Les prix ont bondi entre 1945 et 1948, période suivant la Seconde Guerre mondiale, ainsi qu'en 1950. Cependant, les années 1951 à 1965 se caractérisent par une relative stabilité des prix, ceux-ci augmentant en moyenne de moins de 1,5 % par année. Depuis le milieu des années 1960, une inflation importante s'est installée. Durant les années 1970, les Canadiens ont dû subir des taux d'inflation dans les deux chiffres. En 1981 et 1982, le niveau des prix s'éleva à 11 % et à 12 % annuellement. Mais à partir de 1983, l'inflation est retombée à des niveaux économiquement plus acceptables, autour de 4 % à 5 %. À la suite de la récession de 1989-1991, les taux ont chuté à des niveaux historiquement bas à partir de 1992, à un niveau inférieur à 2 %.

Cependant, l'inflation n'est pas le propre du Canada. Pratiquement tous les pays industrialisés ont déjà connu ce problème. La figure 4.7 nous montre les taux d'inflation des années 1980 du Canada, des États-Unis, du Royaume-Uni, du Japon, de la France et de l'Allemagne.

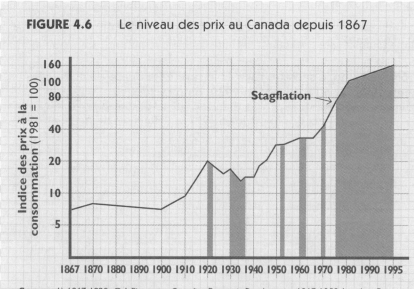

**FIGURE 4.6**     Le niveau des prix au Canada depuis 1867

Indice des prix à la consommation (1981 = 100)

Stagflation

1867 1870 1880 1890 1900 1910 1920 1930 1940 1950 1960 1970 1980 1990 1995

La stabilité des prix de la fin du XIXe siècle et la déflation des années 1920 et 1930 firent place à une inflation aiguë après la Seconde Guerre mondiale. Durant les années 1951-1965, les prix furent relativement stables, mais l'inflation domina la période qui suivit.

**Source :** 1) 1867-1920 : O. J. Firestone, *Canadian Economic Development, 1867-1953*, London, Bowes and Bowes, 1958, p. 178 ; 2) Statistique Canada, *Les Comptes nationaux du revenu et de la dépense*, vol. I, 1926-1974, Ottawa, 1976, et Statistique Canada, *L'Observateur économique canadien*, supplément historique, 1995-1996.

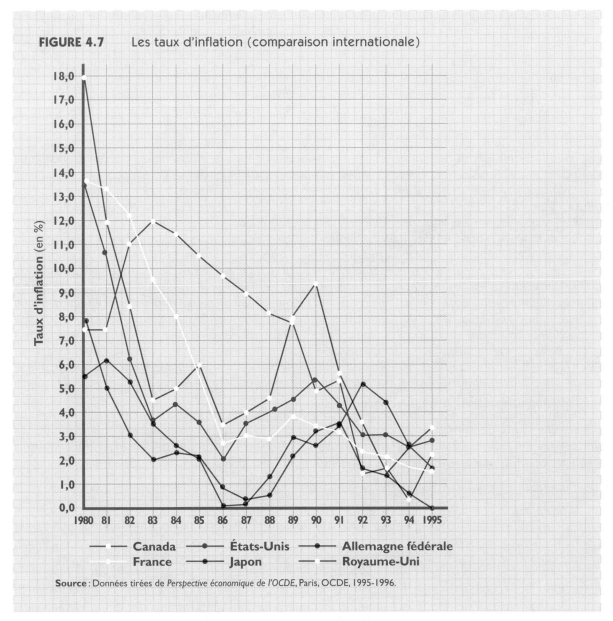

**FIGURE 4.7**     Les taux d'inflation (comparaison internationale)

**Source** : Données tirées de *Perspective économique de l'OCDE*, Paris, OCDE, 1995-1996.

Certains pays ont connu plus récemment des taux d'inflation astronomiques dépassant parfois les trois chiffres. En 1990, par exemple, en Grèce, le taux d'inflation était de 20 % ; en Pologne, 586 % ; en Yougoslavie, 583 %. De nombreux pays d'Amérique latine ont connu pire en 1990 : le Brésil, 2 938 % ; l'Argentine, 2 314 % ; le Pérou, 7 482 % ! La monnaie péruvienne, l'inti, qui valait sept cents lors de son introduction en 1986 ne valait plus que deux millièmes de cent en 1990. De telles situations correspondent à une situation qu'on appelle « hyperinflation » (voir « L'inflation galopante [hyperinflation] et la crise », page 132).

## Les causes théoriques de l'inflation

Les économistes distinguent deux types d'inflation : l'inflation par la demande et l'inflation par l'offre ou par les coûts.

### L'inflation par la demande

Traditionnellement, on expliquait la hausse du niveau des prix par une demande globale excédentaire, c'est-à-dire trop forte par rapport à ce que l'économie offrait. Les intentions d'achats peuvent parfois être supérieures à la capacité de production de l'économie (voir le chapitre premier). Les entreprises ne peuvent répondre à cette demande excédentaire en augmentant la production réelle, car les ressources disponibles sont déjà pleinement utilisées. Par conséquent, cette demande excédentaire créera une pression à la hausse sur le niveau des prix, causant l'**inflation par la demande**. Ce type d'inflation peut se résumer ainsi : trop d'argent en circulation pour trop peu de produits offerts.

> **INFLATION PAR LA DEMANDE**
>
> Inflation qui survient lorsque la demande excède les capacités de production de l'économie.

En fait, la relation qui existe entre, d'une part, la demande globale et la production et, d'autre part, le niveau d'emploi est un peu plus complexe que ce que l'explication précédente peut laisser entrevoir. La figure 4.8 nous aide à éclaircir ces relations.

Lors de la phase 1, la demande globale (consommation, investissement, dépenses gouvernementales et exportations nettes) est si faible que la production nationale se situe bien au-dessous du maximum possible, c'est-à-dire le niveau de plein-emploi. En d'autres termes, il existe un écart important entre le PIB potentiel et le PIB observé. Le taux de chômage est élevé et les entreprises utilisent faiblement leur capacité de production. Supposons maintenant que la

demande globale augmente. La production nationale augmentera et le taux de chômage diminuera sans qu'il y ait d'augmentation importante de prix. Cela s'explique assez facilement. En effet, durant cette phase, l'économie possède de grandes quantités de ressources humaines et physiques non employées qu'elle peut mettre au travail aux prix déjà en vigueur.

Un chômeur n'exigera certainement pas une hausse de salaire lors d'une entrevue s'il est conscient que beaucoup d'autres chômeurs peuvent faire l'affaire. En fonction de l'offre et de la demande, la pression à la hausse sur les prix découlant de la demande excédentaire sera compensée par la pression à la baisse sur les prix qu'entraînera une augmentation de l'offre. Cette hausse de l'offre n'est possible que parce qu'il existe des ressources non utilisées et que la production additionnelle est rentable. Par conséquent, nous assisterons à une hausse de la production sans changement de prix.

Si la demande continue d'augmenter, l'économie entrera dans la phase 2, approchant ainsi du niveau de plein-emploi. Les ressources disponibles se feront de plus en plus rares. Le niveau des prix commencera à augmenter avant même que l'économie n'atteigne le plein-emploi. Pourquoi ? Au fur et à mesure que le

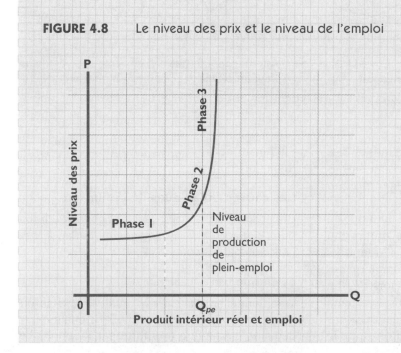

**FIGURE 4.8**  Le niveau des prix et le niveau de l'emploi

Généralement, à mesure que la demande globale (dépenses totales) augmente, le niveau des prix commence à croître avant que l'économie n'atteigne le niveau de plein-emploi. Au niveau de plein-emploi, des dépenses additionnelles auront des effets inflationnistes.

niveau de production croît, l'offre de ressources non utilisées varie d'un secteur à l'autre de l'économie. Certaines industries peuvent atteindre leur capacité maximale de production avant d'autres. Des goulots d'étranglement peuvent se produire. Comme il devient impossible de répondre à l'accroissement de la demande en augmentant l'offre, les prix s'élèvent. À mesure que le marché se resserre, certaines catégories de travailleurs deviennent de plus en plus rares, ce qui fait augmenter la rémunération de ces derniers. Les entreprises craignent de plus en plus les conflits de travail, car les enjeux sont plus importants ; par conséquent, elles se soumettent plus facilement aux demandes syndicales. Les coûts de production augmentent et poussent l'entreprise à majorer ses prix. Ces augmentations de coûts peuvent être facilement transmises aux consommateurs, car la demande globale est en hausse. Finalement, quand on approche du plein-emploi, les entreprises doivent embaucher une main-d'œuvre de moins en moins qualifiée, en d'autres termes, moins productive ; cela contribue à l'augmentation des coûts, donc des prix. Cette inflation qu'on observe souvent dans la phase 2 s'appelle « inflation prématurée » parce qu'elle survient avant que l'économie n'atteigne le plein-emploi.

Finalement, la troisième phase correspond au niveau de plein-emploi pour l'économie. L'ensemble des industries ne peut plus contrer les augmentations de la demande par des augmentations de l'offre. La production nationale atteint son maximum ; toute augmentation supplémentaire de la demande entraînera l'inflation par la demande. La demande surpasse la capacité de production de l'économie et entraîne une hausse du niveau des prix.

Au chapitre 3, nous avons fait la distinction entre PIB nominal et PIB réel. Tant que le niveau des prix est constant (phase 1), les hausses de PIB nominal et de PIB réel sont identiques. Quand apparaît l'inflation prématurée (phase 2), le PIB nominal augmente plus rapidement que le PIB réel, de sorte qu'il faut dégonfler le PIB nominal afin de pouvoir mesurer les variations de la production réelle. En période d'inflation pure (phase 3), le PIB nominal augmente peut-

être rapidement, mais le PIB réel demeure constant, au niveau de plein-emploi.

La relation illustrée à la figure 4.8 n'est pas totalement réversible. En effet, les prix de nombreux produits et de nombreuses ressources augmentent quand l'économie approche du niveau de plein-emploi, mais sont plutôt rigides à la baisse quand les dépenses totales déclinent, faisant diminuer les niveaux de production et d'emploi. Cette rigidité à la baisse provient principalement du pouvoir monopolistique, c'est-à-dire la capacité qu'ont certains agents économiques (syndicats, entreprises) d'influencer les prix ou les salaires. Les syndicats peuvent dans certaines circonstances résister aux réductions de salaires et même obtenir des hausses malgré la baisse de la demande globale ainsi que la baisse des niveaux de production et d'emploi que cette baisse de la demande globale provoque. Les entreprises monopolistiques sont également en mesure d'empêcher la réduction du prix des produits. Donc, les prix qui ont augmenté durant la période de plein-emploi ne redescendent pas, du moins totalement, lorsque la demande globale diminue et que le chômage apparaît. Par conséquent, nous ne devons pas nous surprendre d'observer, à long terme, une tendance à la hausse du niveau des prix pour l'économie canadienne.

### L'inflation par l'offre ou par les coûts

L'inflation peut également provenir de l'autre côté du marché : l'offre ou les coûts. Au cours des années, nous avons pu observer à maintes reprises des hausses du niveau des prix alors que, de façon évidente, la demande globale de l'économie n'était pas supérieure aux capacités de l'économie. Durant certaines périodes, l'emploi et la production déclinaient et, en même temps, nous assistions à une hausse du niveau des prix. Lors de la grave crise économique de 1982, les prix ont continué d'augmenter de façon importante.

La théorie de l'**inflation par les coûts** permet d'expliquer les augmentations de prix qui découlent d'une augmentation des **coûts unitaires de production**. Le coût unitaire de production est le coût moyen correspondant à un

---

> **INFLATION PAR LES COÛTS**
>
> Inflation qui survient lorsque l'augmentation des coûts unitaires fait augmenter les prix.
>
> **COÛT UNITAIRE DE PRODUCTION**
>
> Coût des intrants par unité produite.

niveau de production. Nous obtenons le coût moyen en divisant le coût total des intrants par la quantité produite. C'est-à-dire,

$$\begin{array}{l} \text{Coût unitaire} \\ \text{de production} \end{array} = \frac{\text{coût total de production}}{\text{quantité produite}}$$

Lorsque les coûts unitaires de production augmentent dans l'économie, ils restreignent la marge de profit et réduisent les quantités que désirent offrir les entreprises au niveau des prix en vigueur. Il en découle une baisse de l'offre de biens et de services qui fera augmenter le niveau des prix (chapitre 2). Ainsi, dans ce scénario, ce sont les coûts qui poussent le niveau des prix vers le haut plutôt que la demande qui les tirerait vers le haut comme dans le scénario de l'inflation par la demande.

Les deux principales sources d'inflation par les coûts sont les augmentations des salaires nominaux et les augmentations du prix des autres ressources comme les matières premières et l'énergie. La théorie de l'inflation par les salaires stipule que, dans certains cas, les organisations syndicales peuvent être une source d'inflation, c'est-à-dire que les syndicats peuvent exercer un certain contrôle sur les taux de salaires nominaux au moyen de la négociation collective. Supposons que les plus grosses organisations syndicales demandent et obtiennent des augmentations de salaires imposantes. Supposons également que ces gains salariaux servent de norme pour les augmentations de salaires payés aux non-syndiqués. Si ces hausses ne sont pas contrebalancées par d'autres facteurs comme une augmentation de la production par heure de travail, alors les coûts de production unitaires augmenteront. Les producteurs réduiront alors leur offre de biens et de services. Toutes choses étant égales par ailleurs, en supposant que la demande n'ait pas changé, cette diminution de l'offre entraînera une hausse du niveau des prix. Parce que le facteur déterminant est une hausse excessive des salaires nominaux, ce type d'inflation est appelé « **inflation par les salaires** ». Une deuxième variante importante de l'inflation par les coûts, appelée « **inflation par les intrants** », explique la hausse des prix par la hausse des coûts de production qui

---

> **INFLATION PAR LES SALAIRES**
>
> Inflation qui survient lorsque les hausses de salaires sont supérieures aux hausses de productivité. Elles entraînent alors une hausse des coûts unitaires de production qui fait augmenter les prix.
>
> **INFLATION PAR LES INTRANTS**
>
> Inflation qui découle de l'augmentation du prix des matières premières ou de l'énergie.

---

découle d'augmentations imprévues souvent importantes des coûts des matières premières ou de l'énergie. Les chocs pétroliers de 1973-1974 et de 1979-1980 illustrent bien ce type d'inflation. La hausse des coûts de l'énergie, durant cette période, a fait augmenter les coûts de production et de transport de presque tous les produits dans l'économie. Il s'ensuivit rapidement une période d'inflation par les coûts.

### En pratique

La réalité est beaucoup plus complexe que la simple distinction entre l'inflation par la demande et l'inflation par l'offre que nous avons présentée. En pratique, il est difficile de distinguer les deux types d'inflation. Par exemple, supposons qu'un accroissement des dépenses militaires se produise, ce qui fait augmenter les dépenses totales et entraîne de l'inflation par la demande. À mesure que la pression de la demande s'exerce sur les prix des produits et des ressources, les entreprises individuelles constatent l'augmentation de leurs coûts en salaires, en matières premières et en énergie. De leur point de vue, elles doivent augmenter leurs prix parce que les coûts de production ont augmenté. Bien que dans ce cas l'inflation soit sans aucun doute causée par la demande, elle peut sembler provenir des coûts pour de nombreuses entreprises. Il n'est pas si facile d'étiqueter l'inflation sans connaître la source originale de l'augmentation des salaires et des prix.

L'inflation par la demande et l'inflation par les coûts se distinguent également sur un autre plan. L'inflation par la demande se maintient aussi longtemps que les dépenses totales sont trop élevées. Par contre, l'inflation par les coûts se résorbe automatiquement : elle disparaît ou s'élimine. La réduction de l'offre entraîne une baisse de la production et de l'emploi, et ces baisses empêchent les coûts de poursuivre leur ascension. L'inflation par les coûts ralentit l'économie et ce ralentissement empêche des hausses de coûts additionnelles.

## Les effets « redistributifs » de l'inflation

Si l'inflation est un sujet si préoccupant, c'est que ses conséquences ne sont pas toujours positives. Nous verrons d'abord comment l'inflation peut influer sur la répartition des revenus. Ensuite, nous examinerons ses effets possibles sur la production intérieure. La relation qui existe entre le niveau des prix et celui du produit intérieur est ambiguë. Traditionnellement, le niveau des prix et celui de la production augmentaient et diminuaient en même temps. Cependant, lors des 20 dernières années, on a pu observer à maintes reprises des baisses de la production réelle accompagnées de hausses du niveau des prix. Nous supposerons, pour l'instant, que le niveau de production réel est stable et se situe au niveau de plein-emploi. Nous pourrons ainsi mieux isoler les effets de l'inflation sur la répartition des revenus. En supposant un certain niveau de revenu intérieur, comment l'inflation influencera-t-elle la part de ce revenu qui ira à chacun ?

Pour répondre à cette question, il est fondamental de bien comprendre la différence entre le revenu nominal et le revenu réel. La distinction que nous avons faite au chapitre 3 entre le PIB nominal et le PIB réel s'applique également au revenu. Il serait utile de revoir les notions de « gonflement » et de « dégonflement » utilisées pour transformer le PIB nominal en PIB réel. Le **revenu nominal** ou monétaire correspond au nombre de dollars effectivement reçus en tant que salaire, rente, intérêts ou profits. Le **revenu réel**, quant à lui, mesure le pouvoir d'achat, c'est-à-dire la quantité de biens et de services que le revenu nominal permet d'acheter. Nous comprendrons aisément que si le revenu nominal augmente plus vite que le niveau des prix, le revenu réel augmentera. Inversement, si le niveau des prix augmente plus vite que le revenu nominal, alors le revenu réel chutera. Nous pouvons connaître approximativement le changement du revenu réel par cette formule :

> Pourcentage de variation du revenu réel =
> pourcentage de variation du revenu nominal –
> pourcentage de variation du revenu
> du niveau des prix

Ainsi, si le revenu nominal augmente de 10 % lors d'une année donnée et que le niveau des prix augmente de 5 % durant la même période, le revenu réel augmentera d'environ 5 %. À l'opposé, une augmentation de 5 % du revenu nomi-

nal accompagnée d'une augmentation de 10 % du niveau des prix provoquera une baisse d'environ 5 % du revenu réel. Afin d'obtenir la réponse exacte, il faut utiliser la formule étudiée au chapitre 3 pour transformer le PIB nominal en PIB réel.

Finalement, les effets « redistributifs » de l'inflation varient de façon importante selon qu'ils sont anticipés ou non. Si nous prévoyons l'inflation, nous pourrons agir de façon à en minimiser les effets sur le revenu réel. Dans un premier temps, nous tenterons d'expliquer les conséquences de l'inflation en supposant qu'elle n'ait pas été anticipée. Dans un deuxième temps, nous intégrerons les anticipations à nos explications.

### Les personnes à revenu fixe

La différence entre revenu nominal et revenu réel permet d'expliquer pourquoi *les personnes à revenu fixe sont les premières pénalisées par l'inflation*. Par exemple, un couple de personnes âgées qui dépend, pour vivre, d'un régime de pension non indexé verra le pouvoir d'achat de son revenu diminuer à mesure que les prix augmenteront. Une hausse de prix annuelle de 10 % réduira leur revenu réel d'environ 10 % par année. À la limite, certains cols blancs, certains employés du secteur public et les ménages dépendant de l'aide sociale ou d'autres revenus de transfert qui sont presque fixes dans le temps seront victimes de l'inflation. C'est pourquoi on a indexé, durant les dernières années, plusieurs paiements de transfert : prestations de sécurité de la vieillesse, allocations familiales, etc. En 1985, le gouvernement conservateur a voulu cesser l'indexation des prestations de sécurité de la vieillesse et a dû reculer devant le tollé général que cette décision a soulevé. Les personnes âgées, considérées comme les plus démunies, auraient subi une dégradation encore plus importante de leurs conditions de vie à mesure que les prix auraient continué d'augmenter.

### Les personnes à revenus flexibles

Les personnes dont les revenus sont flexibles à la hausse peuvent profiter de l'inflation. Les revenus de tels ménages peuvent augmenter plus rapidement que les prix, de sorte que leur niveau de vie peut s'en trouver amélioré. Les

**REVENU NOMINAL**
Sommes effectivement reçues.

**REVENU RÉEL**
Mesure du pouvoir d'achat du revenu nominal.

travailleurs d'industries en expansion, regroupés dans des syndicats puissants, peuvent négocier des hausses salariales pour combattre la hausse des prix et même la devancer. Par contre, les travailleurs des industries en déclin ou non syndiqués verront leur revenu réel diminuer, car ils n'obtiendront pas les augmentations de salaires nécessaires au maintien de leur niveau de vie. Pour leur part, les administrateurs et les autres personnes qui se partagent les bénéfices de l'entreprise pourront profiter de l'inflation. Si le prix de leur produit augmente plus vite que celui des ressources, les recettes de l'entreprise croîtront à un rythme supérieur à celui des coûts ; par conséquent, les profits augmenteront à un rythme supérieur à celui de l'inflation.

### Les épargnants

Les épargnants sont d'éternels perdants devant l'inflation. *Lorsque les prix augmentent, la valeur réelle de l'épargne ou le pouvoir d'achat se détériore.* Les comptes d'épargne, les polices d'assurance, les redevances et autres papiers à valeur nominale qui étaient suffisants à une certaine époque pour faire face aux mauvais jours ou pour garantir une retraite confortable perdront une partie de leur valeur réelle durant les périodes d'inflation. Par exemple, un individu qui aurait caché 1 000 $ sous son matelas en 1971 aurait vu la valeur réelle de son magot diminuer de moitié en 1981. Bien sûr, la plupart des modes d'épargne rapportent des intérêts, mais ces derniers ne sont généralement pas suffisants pour contrer la dépréciation qui découle de l'inflation. En effet, les taux d'intérêt sont très souvent inférieurs au taux d'inflation. Par exemple, un ménage possède 1 000 $ dans un compte d'épargne d'une caisse populaire et touche 6 % d'intérêt. Si l'inflation atteint 12,5 % comme en 1981, la valeur réelle ou le pouvoir d'achat de son épargne sera inférieur à la fin de l'année. Il aura en main 1 060 $ (1 000 $ + 60 $ d'intérêt), mais il aurait eu besoin de 1 125 $ (1 000 $ + 125 $ pour couvrir la hausse des prix) pour maintenir son pouvoir d'achat. Toute consommation reportée à plus tard par les ménages (épargne) perd de la valeur à mesure que les prix augmentent.

> **INDEXATION**
>
> Augmentation de salaire proportionnelle à l'augmentation des prix que les travailleurs reçoivent automatiquement quand l'inflation sévit dans l'économie et qui leur est garantie par une clause du contrat de travail qu'ils ont passé avec leur employeur.
> Le taux d'intérêt réel correspond à la différence entre le taux d'intérêt nominal et le taux d'inflation.

### Les débiteurs et les créanciers

L'inflation redistribue également la richesse entre les débiteurs et les créanciers. *L'inflation tend à profiter aux emprunteurs (débiteurs) aux dépens des prêteurs (créanciers).* Supposons que vous empruntiez 1 000 $ à une banque, somme que vous devez rembourser dans 2 ans. Si, durant cette période, le niveau général des prix double, les 1 000 $ que vous rembourserez auront perdu la moitié de leur pouvoir d'achat original. Si nous omettons les versements d'intérêts, vous rembourserez le même nombre de dollars que celui que vous aurez reçu, mais chacun de ces dollars ne pourra acheter que la moitié de ce qu'il pouvait vous procurer lorsque vous l'avez emprunté. À mesure que les prix augmentent, la valeur du dollar diminue. Ainsi, grâce à l'inflation, l'emprunteur reçoit des dollars ayant une grande valeur et rembourse des dollars ayant une valeur moindre.

### L'inflation anticipée

Les effets de l'inflation seront moins importants si les agents économiques : (1) l'anticipent ; (2) ont la possibilité d'ajuster leur revenu nominal en fonction des hausses de prix prévues. Par exemple, la période prolongée d'inflation qu'a connue l'économie canadienne entre la fin des années 1960 et le début des années 1980 a amené les syndicats à négocier des clauses d'**indexation** à l'intérieur des conventions collectives de manière à protéger le pouvoir d'achat des travailleurs syndiqués. Ces clauses permettent d'ajuster automatiquement les salaires aux augmentations de prix. De la même manière, le prêteur peut se protéger de l'inflation s'il parvient à l'anticiper. Supposons qu'il considère que 5 % est un taux d'intérêt raisonnable pour la somme prêtée et qu'il anticipe une inflation de 6 % ; pour s'assurer d'un rendement réel de 5 %, il n'aura qu'à exiger 11 % d'intérêt à l'emprunteur. Notons, en passant, que cet exemple suggère que les taux d'intérêt élevés sont une conséquence de l'inflation plutôt qu'une cause.

Notre exemple fait également ressortir la différence entre le *taux d'intérêt nominal* et le *taux d'intérêt réel*. Le taux d'intérêt réel est le pourcentage d'augmentation du pouvoir d'achat qu'obtiendra le prêteur. Dans notre exemple, il est de 5 %. Le taux d'intérêt nominal est le pourcentage d'augmentation du montant que recevra le prêteur, soit 11 % dans notre exemple. La différence entre ces deux taux tient dans le fait que l'un est dégonflé pour tenir compte de l'inflation tandis que l'autre ne l'est pas.

### Une récapitulation et un complément d'information

En résumé, l'inflation « taxe » ceux qui ont des revenus relativement fixes et « subventionne » ceux qui ont des revenus nominaux flexibles. Quand elle n'est pas anticipée, l'inflation pénalise les épargnants. Dans le même contexte, elle profite aux débiteurs aux dépens des créanciers. Nous pouvons également affirmer que, lorsque le niveau des prix baisse, la situation se renverse. *En supposant que le niveau de production totale demeure constant*, les gens à revenu fixe verront leur revenu réel augmenter, les créanciers profiteront de la déflation aux dépens des débiteurs et les épargnants s'enrichiront.

Il faut préciser deux points complémentaires pour terminer cette analyse. Premièrement, tout ménage peut à la fois recevoir des revenus, détenir des actifs financiers et être propriétaire d'actifs immobiliers. Par conséquent, les effets négatifs et positifs de l'inflation sur la richesse d'un ménage peuvent se contrebalancer. Par exemple, une famille détenant des actifs sous forme d'obligations, de compte d'épargne ou de polices d'assurance perdra de la richesse à cause de l'inflation. Par contre, l'inflation peut faire augmenter la valeur de la maison ou du terrain que cette famille possède. Bref, plusieurs familles sont à la fois appauvries et enrichies par l'inflation. Nous devons étudier tous ces aspects de la question avant de conclure que la position d'une famille s'est améliorée ou détériorée à cause de l'inflation.

Deuxièmement, il convient de souligner l'aspect arbitraire des effets « redistributifs » de l'inflation. En effet, ceux-ci sont totalement indépendants des objectifs et des valeurs de la société. L'inflation n'a pas de conscience sociale, elle prend à l'un pour donner à l'autre sans égard au sexe, à l'âge ou à la classe de revenu.

## Les effets de l'inflation sur la production

Jusqu'à présent, nous avons supposé que la production réelle de l'économie correspondait au niveau de plein-emploi. Par conséquent, les effets « redistributifs » de l'inflation et de la déflation se sont traduits en gains absolus pour certains groupes aux dépens d'autres groupes. Si la taille du gâteau est fixe et que l'inflation donne à certains des portions plus grandes, il en découle nécessairement que d'autres obtiendront des portions réduites. En fait, le niveau du production nationale peut varier en même temps que le niveau des prix.

L'inflation peut accompagner une économie en croissance (augmentation de production réelle) comme une économie en déclin (diminution de production réelle). Nous allons donc examiner trois scénarios. Le premier étudie la situation où l'inflation est associée à une économie en croissance, les deux autres concernent une économie dont la production réelle diminue.

### L'inflation par la demande : un stimulant

Plusieurs économistes affirment qu'une légère inflation par la demande tend à stimuler la production intérieure et l'emploi. Imaginons une augmentation de la demande globale qui entraîne l'économie dans une phase d'expansion (figure 4.2, page 111) et crée une légère inflation par la demande. Le prix des produits aura alors tendance à augmenter plus vite que les salaires et que le prix des autres ressources, faisant ainsi augmenter les profits des entreprises. Cette hausse des profits incitera les entreprises à accroître la production ; cela augmentera la production intérieure et diminuera le chômage. Ce scénario implique que les effets « redistributifs » de l'inflation seront plus que compensés par les gains associés à l'augmentation de la production ou de l'emploi. Une hausse de prix de 2 % ou 3 % ne perturbera guère un travailleur en chômage qui trouve un nouvel emploi. Le coût est faible par rapport au gain.

### L'inflation par les coûts et le chômage

Détaillons maintenant un ensemble de circonstances tout aussi plausibles qui peuvent entraîner à la fois de l'inflation et du chômage. Supposons une situation de départ caractérisée par la stabilité des prix et le plein-emploi. S'il advenait une inflation par les coûts, la production réelle que pourrait acheter la demande globale serait moindre. En d'autres termes, un niveau donné de demande globale ne pourrait enlever du marché qu'une production réelle plus faible, car les prix seraient gonflés par l'inflation. Il s'ensuivrait une baisse de la production réelle et une augmentation du chômage.

Les événements des années 1970 corroborent ce scénario. À la fin de 1973, l'Organisation des pays exportateurs de pétrole (OPEP) entre en scène et profite de son pouvoir vis-à-vis du marché pour quadrupler le prix du pétrole. Il en résulte une importante inflation par les coûts qui augmente rapidement le niveau des prix durant les années 1974-1975. Simultanément, le taux de chômage grimpe de 5,3 % en 1974 à 6,9 % en 1975. La situation fut encore pire en 1981 et en 1982: les prix grimpèrent de plus de 11 % annuellement, tandis que le chômage passait de 7,5 % à 8,2 % et finalement à 11 %.

### L'inflation galopante (hyperinflation) et la crise

Certains économistes ne voient pas de façon aussi positive le premier scénario. Ils craignent que l'inflation légère qui accompagne la phase d'expansion du cycle économique ne se transforme en inflation galopante, c'est-à-dire une inflation très importante, une **hyperinflation**. Cette dernière aurait un effet désastreux sur la production et l'emploi. Leur crainte s'appuie sur le raisonnement suivant: si les prix poursuivent leur lente ascension, les ménages et les entreprises anticiperont des hausses futures. Alors, plutôt que de laisser leur épargne dormir et leur revenu se déprécier, les gens auront tendance à dépenser immédiatement pour combattre la hausse de prix anticipée. Les entreprises agiront de même en ce qui concerne le capital. Cette psychose inflationniste intensifie la pression sur les prix et nourrit l'inflation.

De plus, à mesure que le coût de la vie augmente, les travailleurs demandent et obtiennent une rémunération plus grande, sans compter que les syndicats peuvent viser des augmentations supérieures à la hausse des prix en prévi-

> **HYPERINFLATION**
>
> Augmentation très importante du niveau des prix, qui fait diminuer dramatiquement le pouvoir d'achat de la monnaie.
>
> **SPIRALE INFLATIONNISTE**
>
> Processus par lequel des augmentations de salaires entraînent des hausses de prix, lesquelles entraînent de nouvelles augmentations de salaires et de prix.

sion de l'inflation future. Les périodes de prospérité incitent les entreprises à céder, car les grèves peuvent être très coûteuses, les carnets de commandes étant bien remplis. Les entreprises transmettent aux consommateurs leurs hausses de coûts en augmentant leurs prix. En outre, elles ont tendance à augmenter leurs prix d'un peu plus que le taux de l'inflation afin de préserver le rendement réel de leurs actionnaires. Consécutivement à cette nouvelle hausse de prix, les travailleurs demandent à nouveau des augmentations de salaires, ce qui entraînera une nouvelle hausse de prix. On appelle cette situation «**spirale inflationniste**». Les hausses de prix provoquent des hausses de salaires, qui amènent à leur tour des hausses de prix, et l'inflation rampante se transforme en inflation galopante.

En plus des effets «redistributifs» négatifs qu'elle apporte, l'inflation galopante peut précipiter l'économie dans une grave crise. Une inflation importante encourage les activités à caractère spéculatif plutôt que productif. Les entreprises trouvent de plus en plus profitable de stocker les matières premières et les produits finis en prévision de nouvelles hausses de prix. Un tel comportement engendre de nouvelles pressions inflationnistes en créant une rareté relative des matières premières et des produits. Plutôt que d'investir dans des biens productifs, les entreprises et les individus ont alors tendance à placer leur avoir sous des formes non productives: bijoux, or et autres métaux précieux, immobilier, etc.

À la limite, comme les prix augmentent considérablement et de façon irrégulière, les relations économiques normales sont perturbées. Les entrepreneurs ont de la difficulté à fixer leurs prix; pour leur part, les consommateurs ne savent plus quel prix payer. Les offreurs de ressources préfèrent être payés en nature plutôt qu'avec une monnaie qui se déprécie sans cesse. Les créanciers hésiteront à prêter. La monnaie perd sa valeur d'étalon et de moyen d'échange; l'énonomie peut même retourner au troc. La production et les échanges stagnent et il en résulte presque inévitablement un chaos social, économique et politique. L'hyperinflation aura entraîné l'effondrement monétaire, la dépression et les désordres sociopolitiques.

Malheureusement, l'histoire contient plusieurs exemples où un tel scénario s'est confirmé. C'est le cas des périodes d'inflation associée à la guerre. L'inflation rampante est devenue galopante et les résultats ont été désastreux.

En Hongrie, l'inflation a battu tous les records passés. En août 1946, $828 \times 10^{27}$ pengös équivalaient à un pengö d'avant la guerre. Le prix d'un dollar américain atteignit $3 \times 10^{22}$ pengös.

En 1947, les pêcheurs et les fermiers japonais utilisèrent des balances pour peser les devises plutôt que de les compter. Les prix furent multipliés par 116, entre 1938 et 1948[2].

En 1920, l'inflation allemande fut également catastrophique.

Le 27 avril 1921, le gouvernement allemand reçut une facture de 132 milliards de marks-or. Cette somme dépassait de beaucoup ce que la République pouvait espérer collecter sous forme de taxes. Devant le déficit énorme des finances publiques, le gouvernement fit tout simplement imprimer de la monnaie pour payer son dû.

En 1922, le niveau des prix augmenta de 5 470 %. En 1923, la situation empira ; le niveau des prix fut multiplié par 1 300 000 000 000. En octobre 1923, il en coûtait 200 000 marks pour poster la lettre la plus légère de l'Allemagne aux États-Unis. Le beurre coûtait 1,5 million de marks la livre ; la viande, 2 millions de marks ; une miche de pain, 200 000 marks ; un œuf, 60 000 marks. Les prix augmentaient si vite que les serveurs devaient changer les prix du menu plusieurs fois durant le même repas. Parfois, les clients devaient payer le double du prix inscrit sur le menu au moment de la commande.

Des photographies de cette période montrent une ménagère allemande allumant le feu de sa cuisinière à bois avec du papier–monnaie et des enfants jouant aux cubes avec des liasses de papier-monnaie[3].

Que pouvons-nous conclure quant aux effets de l'inflation ? Seulement que la relation entre chômage et inflation est indéterminée ; elle dépend des causes et du rythme du processus inflationniste.

---

2. Theodore Morgan, *Income and Employment*, 2e édition, Englewood Cliffs, NJ, Prentice-Hall, Inc, 1952, p. 361, traduction libre.
3. Raburn M. Williams, *Inflation : Money, Jobs and Politicians*, Arlington Heights, Ill., AHM Publishing Corporation, 1980, p. 2, traduction libre.

# Activités d'apprentissage

## Résumé

*Si vous ne pouvez répondre à la question qui accompagne le résumé d'une section, vous devriez relire attentivement cette section et essayer de nouveau.*

**De quelles informations a-t-on besoin pour savoir dans quelle phase du cycle, se situe l'économie?**

**Donnez des exemples d'événements pouvant provoquer des fluctuations économiques.**

**Expliquez pourquoi les fluctuations sont moins prononcées dans les industries monopolistiques et dans les industries de biens non durables.**

**Quelle est la différence entre un inactif et un chômeur?**

### DÉFINITION

■   Notre économie se caractérise par des fluctuations de la production intérieure, de l'emploi et du niveau des prix. Bien que nous puissions établir des phases communes aux cycles économiques — sommet, récession, creux et expansion —, ils varient grandement quant à leur durée et à leur intensité.

### L'EXPLICATION DES CYCLES ÉCONOMIQUES

■   Même si l'on peut expliquer les cycles économiques en fonction d'innovations, d'événements politiques ou de création de monnaie, on s'entend en général pour considérer que la demande globale est le déterminant principal du niveau de production et d'emploi.

### LES EFFETS DURABLES ET NON DURABLES DES CYCLES

■   Tous les secteurs de l'économie sont touchés par les cycles économiques, mais à des degrés divers et de façon différente. Les cycles ont une amplitude plus grande dans les industries de biens de production et les industries de biens durables que dans les industries de biens non durables. Tout au long du cycle, les fluctuations de prix sont moins prononcées dans les industries monopolistiques que dans les industries où règne une vive concurrence.

### LES MESURES DU CHÔMAGE

■   La population active regroupe toutes les personnes qui se trouvent sur le marché du travail, c'est-à-dire celles qui ont un emploi (personnes occupées) et celles qui en cherchent un activement (chômeurs).  Les inactifs ne sont pas sur le marché du travail: étudiants, retraités, invalides, etc.

## LES TYPES DE CHÔMAGE

■ Les économistes établissent trois types de chômage : conjoncturel, structurel et frictionnel. Le taux de chômage de plein-emploi ou taux de chômage naturel correspond à la somme des taux de chômage structurel et frictionnel. Au Canada, on l'estime à 7,5 %. Il est difficile de mesurer exactement le taux de chômage à cause du phénomène des travailleurs découragés et du travail à temps partiel.

## LES CARACTÉRISTIQUES ET LES TENDANCES DES MARCHÉS DU TRAVAIL CANADIEN ET QUÉBÉCOIS

■ Les marchés du travail québécois et canadien se caractérisent par une précarisation grandissante, la diminution de la taille des entreprises, un taux de féminité en hausse et un vieillissement de la population active.

## LES COÛTS ÉCONOMIQUES DU CHÔMAGE

■ Les coûts économiques du chômage mesurés selon l'écart entre le PIB observé et le PIB potentiel représentent l'ensemble des biens et des services que la société ne peut se procurer à cause de l'inactivité forcée de ses ressources. Le chômage amène également une détérioration du moral national et des troubles sociopolitiques. Le fardeau du chômage varie en fonction de sa durée et du nombre de travailleurs touchés. Certains groupes socio-économiques sont plus vulnérables que d'autres : les travailleurs âgés de plus de 45 ans, les non-diplômés, les jeunes peu scolarisés et sans expérience, etc.

## LA DÉFINITION ET LA MESURE DE L'INFLATION

■ L'inflation correspond à une hausse soutenue du niveau des prix. On l'estime en calculant la variation en pourcentage de l'indice des prix à la consommation (IPC). Les périodes soutenues d'inflation sont des phénomènes plutôt récents dans l'histoire économique canadienne.

## LES CAUSES THÉORIQUES DE L'INFLATION

■ L'inflation a plusieurs causes. Il existe donc diverses théories pour expliquer son origine : l'inflation par la demande, qui survient lorsque les entreprises ne peuvent répondre à une demande trop forte de la part des consommateurs et l'inflation par les coûts, qui découle de l'augmentation des coûts unitaires de production.

## LES EFFETS «REDISTRIBUTIFS» DE L'INFLATION

■ Quand elle n'est pas anticipée, l'inflation tend à redistribuer les revenus de façon arbitraire aux dépens des personnes à revenu fixe, des créanciers et des épargnants. La déflation aura les effets contraires. Les économistes ne s'entendent pas sur les effets de l'inflation sur le niveau de la production intérieure. Certains pensent qu'une légère inflation par la demande stimule la production et l'emploi. D'autres font remarquer que l'inflation par les coûts peut faire baisser la production intérieure et augmenter le chômage. Finalement, certains craignent l'hyperinflation, laquelle peut miner le système monétaire et précipiter l'effondrement de l'économie.

---

*Illustrez par un exemple chacun des trois types de chômage. Expliquez également le phénomène des travailleurs découragés.*

*Qu'entend-on par la précarisation du marché du travail ?*

*Comment peut-on estimer le PIB potentiel ?*

*Si l'inflation passe de 6 % à 3 %, peut-on dire que les prix ont diminué ? Pourquoi ?*

*Qu'est-ce qui peut faire augmenter les coûts unitaires de production ?*

*Dans les années 1990, quels types de pays ont connu une situation d'hyperinflation et pourquoi ?*

ACTIVITÉS D'APPRENTISSAGE

# Mots-clés

Assurance-emploi
Chômage
Chômage conjoncturel
Chômage saisonnier
Chômage structurel
Chômage technologique
Coûts unitaires de production
Creux, sommet, récession, expan-
　sion
Crises économiques
Croissance économique
Cycle économique
Déflation
Dépression économique
Emploi

Fluctuations économiques
Indexation
Indice des prix à la
　consommation
Inflation
Inflation anticipée
Inflation galopante
Inflation par la demande
Inflation par les coûts
Loi d'Okun
Marché du travail
PIB potentiel
Plein-emploi
Politique économique
Population active

Population civile
Population inactive
Précarisation
Sous-emploi
Stagflation
Surproduction
Taux d'activité
Taux de chômage
Taux de chômage naturel ou de
　plein-emploi
Tendance séculaire
Travail
Travailleurs découragés
Travailleurs occasionnels

ACTIVITÉS D'APPRENTISSAGE

# Réseau de concepts

Complétez le réseau de concepts suivant :

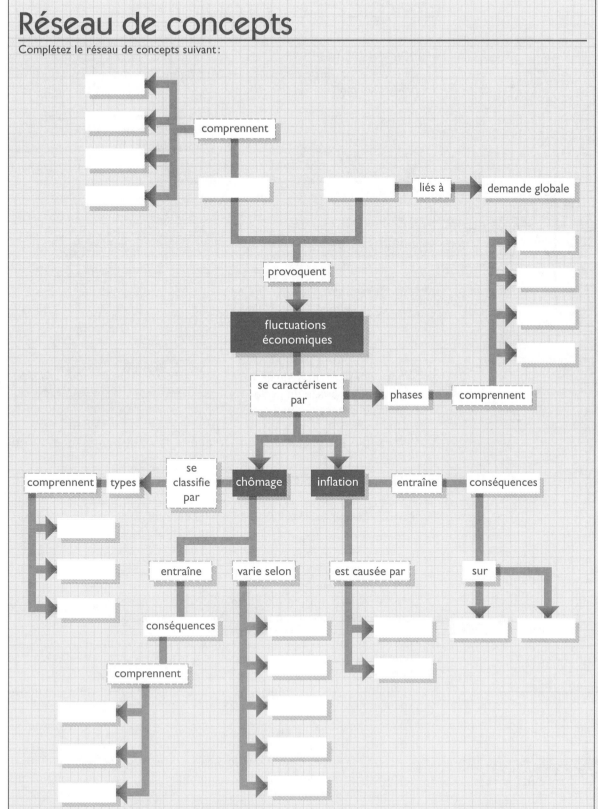

# Exercices et problèmes

**Complétez les énoncés.**

1. Le cycle économique représenté à la figure qui suit est composé des phases suivantes :

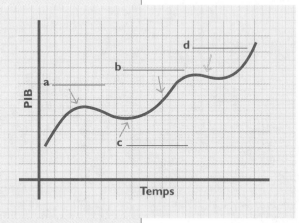

| Pourcentage de croissance du PIB | Période |
|:---:|:---:|
| 2 | 1 |
| 3 | 2 |
| 3 | 3 |
| 2 | 4 |
| 0 | 5 |
| − 4 | 6 |
| − 2 | 7 |
| 3 | 8 |
| 5 | 9 |
| 5 | 10 |

2. Soit les données du tableau. Dites à quelle phase du cycle économique appartiennent les périodes 3 : _____ , 5 : _____ , 6 : _____ , 7 : _____ et 10 : _____ .

3. L'économie est en expansion lorsque le taux de croissance du PIB est _____ .

4. Le déterminant fondamental des niveaux d'emploi et de production dans une économie est le niveau des _____ totales ou de la _____ globale dans l'économie.

5. La production et l'emploi dans les industries de biens _____ (durables, non durables) et de _____ (production, consommation) sont davantage influencés par l'expansion et la contraction de l'activité économique qu'ils ne le sont dans les industries de _____ ; de plus, les prix varient davantage dans les industries à _____ (faible, forte) concentration.

6. Le taux de chômage de plein-emploi est parfois appelé le « taux de chômage _____ ». Il est égal à la somme des taux de chômage _____ et _____ prévalant dans l'économie. Il est atteint lorsque le chômage _____ est égal à zéro et lorsque la production _____ est égale à sa production _____ .

7. Quand l'économie atteint un taux de chômage équivalant au chômage naturel, le nombre de personnes à la recherche d'un emploi est _____ (plus grand que le, égal au, moins grand que le) nombre d'emplois disponibles et le niveau des prix _____ (augmente, diminue, demeure constant).

8. On calcule le taux d'activité en divisant _____ par_____ et le taux de chômage en divisant _____ par _____ .

9. Statistique Canada comptabilise les travailleurs découragés dans _____ , ce qui (sous-estime, surestime) le chômage véritable, surtout en période de _____ .

10. Certains groupes socio-économiques, comme_____ , _____ , _____ , sont plus vulnérables au chômage.

11. On appelle « _____ » les variations de la croissance économique.

12. Une économie est en récession quand son taux de croissance est _____ . Elle est en expansion lorsque le taux de croissance est _____ .

13. On appelle « _____ » ou « _____ » les phases du cycle économique où le taux de croissance du PIB est nul.

14. Soit les données suivantes :    Inactifs                  20 000
                                         Population active    100 000
                                         Emplois                 90 000
   Le taux de chômage est de _____ , c'est-à-dire _____ divisé par _____ et multiplié par _____ . Le taux d'activité est de _____ , c'est-à-dire _____ divisé par _____ et multiplié par _____ .

## Vrai ou faux ? Justifiez vos réponses.

15. On parle d'inflation par la demande quand les demandes d'augmentation de salaires sont trop élevées et qu'elles font augmenter les prix.

16. Statistique Canada comptabilise les travailleurs découragés comme des inactifs.

17. Le taux de chômage naturel est maintenant plus élevé au Québec que dans les années 1960.

18. Le taux d'activité au Québec est plus élevé qu'en Ontario.

19. Lorsque l'indice des prix à la consommation est plus élevé à Montréal qu'à Toronto, les prix sont plus élevés à Montréal.

20. L'inflation galopante favorise le recours au troc comme moyen d'échange.

21. L'inflation fait perdre de la valeur à la monnaie, ce qui pénalise les emprunteurs.

22. Les prix ont tendance à augmenter plus rapidement en période d'expansion qu'en période de récession.

23. L'inflation par les coûts signifie qu'il en coûte plus cher de produire lorsqu'il y a de l'inflation.

24. La loi d'Okun est une loi américaine contre la discrimination à l'embauche.

25. L'hyperinflation peut provoquer une dépression.

ACTIVITÉS D'APPRENTISSAGE

**Suivez les directives et répondez aux questions.**

26. Quelles sont les principales phases du cycle économique ? Combien de temps durent les cycles économiques ? Comment les variations saisonnières et les tendances séculaires peuvent-elles compliquer la mesure du cycle économique ? Pourquoi les cycles économiques affectent-ils plus gravement les industries de biens durables que les industries de biens non durables ?

27. Commentez l'énoncé suivant : « Peu importe la phase du cycle économique dans laquelle se trouve une économie, il y aura des groupes sociodémographiques plus touchés par le chômage. »

28. Pourquoi est-ce si difficile de déterminer le taux de chômage de plein-emploi ? Pourquoi est-ce si difficile de faire la distinction entre le chômage structurel, le chômage frictionnel et le chômage conjoncturel ? Pourquoi le chômage est-il un problème économique ? Quelles sont les conséquences de l'écart entre le PIB potentiel et le PIB observé ? Quelles sont les conséquences non économiques du chômage ? Comment calcule-t-on le taux de chômage ?

29. Compte tenu du programme d'assurance-emploi qui assure un revenu minimal aux sans-emploi qui ont travaillé un certain nombre d'heures, pourquoi s'en fait-on avec le chômage ?

30. Expliquez pourquoi on peut subir simultanément une hausse de son revenu nominal et une baisse de son revenu réel. Si vous aviez à choisir entre, d'une part, le plein-emploi et un taux d'inflation annuel de 6 % et, d'autre part, la stabilité des prix et un taux de chômage de 10 %, que feriez-vous ? Pourquoi ?

31. Décrivez avec précision la relation entre les dépenses totales, le niveau des prix et le chômage. Expliquez la relation entre le niveau des prix et l'augmentation de la demande globale dans l'économie quand l'économie connaît un chômage élevé, traverse une période de chômage modéré et, finalement, atteint le plein-emploi.

32. Évaluez de façon aussi précise que possible la manière dont les individus suivants seront touchés par une inflation assez rapide :
    a) un plombier à la retraite ;
    b) un commis dans un magasin à rayons ;
    c) un travailleur syndiqué dans l'automobile ;
    d) un fermier très endetté ;
    e) un homme d'affaires à la retraite dont le revenu provient entièrement d'obligations du gouvernement ;
    f) le propriétaire indépendant d'un magasin général d'une petite ville ;
    g) un couple à la retraite qui possède un immeuble à usage locatif.

33. Expliquez deux facteurs structurels importants qui provoquent du chômage tant au Canada qu'au Québec.

34. On a dit que l'inflation des années 1970 était de l'inflation par les coûts. Expliquez un facteur responsable de cette inflation qui a trait aux anticipations.

**35.** Si on anticipe un taux d'inflation de 3 % et si on place ses épargnes dans un dépôt à terme rapportant 5 %, quel sera le taux d'intérêt réel réalisé sur ce placement ?

**36.** Si le salaire d'un caissier est passé de 12,50 $ l'heure à 13,75 $ l'heure et si le taux d'inflation est de 5 %, le pouvoir d'achat du caissier a-t-il augmenté, diminué ou est-il resté le même ?

# Complément

## LES TAUX ET LES RATIOS

Il n'existe pas de différence mathématique véritable entre un **taux** et un **ratio**. Nous appelons « ratio » la proportion dans laquelle interviennent un ou deux éléments variables. Par conséquent, si les deux variables en question sont préétablies et que nous nous référons à une définition connue, nous parlerons de taux. Par exemple, nous parlerons de taux de chômage parce que, par définition, nous cherchons la proportion que représente le nombre de chômeurs dans la population active, c'est-à-dire qui travaille ou cherche du travail : 5 %, 10 %, etc. Comme vous l'avez vu dans le présent chapitre, pour être considéré comme chômeur par Statistique Canada, il faut répondre à certains critères précis, et le taux de chômage est défini officiellement comme le rapport entre le nombre de chômeurs et la population active. C'est pourquoi nous parlerons de taux de chômage.

Mais nous pouvons aussi mettre en rapport n'importe quelle variable et obtenir un ratio qui ne correspond pas nécessairement à une définition officielle. Par exemple, nous pouvons souhaiter connaître la part des dépenses de publicité dans les coûts totaux de production. Nous obtenons alors un ratio. Nous pouvons aussi souhaiter connaître la proportion des dépenses gouvernementales totales qui va à la défense. C'est également un ratio. Par contre, le taux de mortalité infantile est une statistique officielle définie comme suit : le nombre d'enfants qui décèdent avant l'âge de un an par 1 000 naissances vivantes. C'est pourquoi nous l'appelons un taux. Ce n'est pas une question de logique, c'est uniquement une convention. Dans le fond, un taux ou un ratio correspond à une simple division.

> **TAUX ET RATIO**
>
> Rapport entre deux variables ou entre deux valeurs d'une même variable à des moments différents.

1. Soit : Frais de transport = 50 000 $
   Frais de publicité = 25 000 $
   Frais totaux = 1 500 000 $

   Calculez les ratios suivants :
   a) Frais de transport/Frais totaux = _____.
   b) Frais de publicité/Frais totaux = _____.

Si vous n'avez pas obtenu 0,033 3 ou 3,33 % pour $a$ et 0,016 7 ou 1,67 % pour $b$, rappelez-vous qu'il ne s'agit que d'une division dont le résultat, pour être exprimé en pourcentage, doit être multiplié par 100.

Maintenant, supposons que nous voulions comparer le taux d'activité des femmes à celui des hommes. Il nous faudra d'abord trouver la définition officielle du taux d'activité. Comme nous l'avons vu dans ce chapitre, selon Statistique Canada (catalogue 71-001, mensuel, *La Population active*), la population active comprend la population civile, hors institution, âgée de 15 ans et plus, qui a un emploi ou est en chômage. Le taux d'activité représente la population active en pourcentage de la population de 15 ans et plus. Le taux d'activité d'un groupe particulier (âge, sexe, état matrimonial, etc.) est la population active de ce groupe exprimée en pourcentage de la population du même groupe. Ainsi, le taux d'activité des femmes (ou des hommes) se calcule comme suit :

$$\frac{\text{Population active féminine (ou masculine)}}{\text{Population de 15 ans et plus féminine (ou masculine)}} \times 100$$

Une fois que nous avons calculé les taux d'activité pour une période et une population données, nous pouvons alors procéder à la comparaison qui ne sera valable que pour cette période et cette population.

2. Soit les données suivantes pour le Québec, en mai 1993 :
   Population active masculine          = 1 898 000
   Population active féminine           = 1 526 000
   Population de 15 ans et plus féminine   = 2 810 313
   Population de 15 ans et plus masculine  = 2 654 545
   Comparez les taux d'activité des femmes et des hommes au Québec, en mai 1993.

   En mai 1993, au Québec, 71,5 % des hommes en âge de travailler étaient sur le marché du travail. Chez les femmes, la proportion était moindre, soit 54,3 %. Si vous n'êtes pas parvenu à cette réponse, relisez bien le paragraphe précédent.

### L'indice des prix à la consommation[4]

Nous profiterons de cette section pour approfondir notre connaissance d'un indice très utilisé : l'**indice des prix à la consommation (IPC)**. De nombreuses conventions collectives contiennent des clauses qui permettent d'ajuster les revenus aux augmentations de prix, c'est-à-dire les indexer. On utilise alors l'IPC comme mesure de la variation des prix. Il sert également à indexer les allocations familiales, les pensions de sécurité de la vieillesse, le supplément de revenu garanti, d'autres prestations d'aide sociale, etc. Beaucoup d'autres contrats (assurances, pensions alimentaires, etc.) sont reliés d'une certaine manière à l'augmentation des prix : ils dépendent donc de sa mesure, l'IPC. De façon moins officielle, toutes les personnes qui gagnent ou dépensent de l'argent peuvent utiliser l'IPC pour mesurer l'évolution de leur pouvoir d'achat, c'est-à-dire l'ensemble des biens et des services auxquels leurs revenus leur donnent accès.

Comme nous le mentionnions précédemment, l'IPC est un indice qui nous renseigne sur l'évolution des prix. Il ne permet pas de comparer le coût de la vie d'une région à une autre, car le point de comparaison est le temps. Il nous permet uniquement de connaître, pour une région donnée, l'évolution des prix (augmentation ou diminution).

Les données du tableau 4.4 ne nous permettent pas de conclure que les prix sont plus élevés en Ontario ou qu'il sont moins élevés à Terre-Neuve. En effet, pour toutes les provinces, peu importe le niveau des prix, on a donné à l'indice une valeur de 100 en 1986. Tout ce que nous pouvons conclure à la lecture du tableau 4.4, c'est que les prix ont augmenté plus rapidement depuis 1986 en Ontario qu'au Québec et qu'à Terre-Neuve. Pour démontrer cette affirmation, nous utiliserons un exemple fictif portant sur le prix d'un seul produit (tableau 4.5).

> **INDICE DES PRIX À LA CONSOMMATION**
>
> Indice qui nous renseigne sur l'évolution du niveau général des prix (augmentation ou diminution) par rapport à une année de référence.

-----

4. La plupart des informations sur l'IPC proviennent d'une brochure publiée par Statistique Canada et intitulée : *Votre guide d'utilisation de l'indice des prix à la consommation*.

ACTIVITÉS D'APPRENTISSAGE

**TABLEAU 4.4**    L'indice des prix à la consommation (1986 = 100)

| Année | Terre-Neuve | Québec | Ontario |
|---|---|---|---|
| 1995 | 127,5 | 131,0 | 134,5 |
| 1996 | 131,1 | 133,1 | 136.6 |

**Source** : Données tirées de Statistique Canada, *L'Observateur économique canadien*, mensuel, catalogue 11-010, juin 1997, tableau 43.

**TABLEAU 4.5**    L'évolution du prix des pommes (données fictives)

| Année | Terre-Neuve | Québec | Terre-Neuve | Québec |
|---|---|---|---|---|
| | (Prix unitaire) | | (Indice de prix) | |
| 1995 | 0,30 $ | 0,10 $ | 100 | 100 |
| 1996 | 0,45 $ | 0,20 $ | 150 | 200 |

Si nous considérons les indices de prix, en 1990, ils sont égaux à 100 pour les deux provinces. Cela ne veut pas dire que les prix sont les mêmes. En effet, dans notre exemple, les pommes se vendent 3 fois plus cher à Terre-Neuve qu'au Québec, soit respectivement 0,30 $ et 0,10 $. Comme nous voulons comparer l'évolution des prix dans le temps et que nous avons choisi 1990 comme année de référence, nous donnons 100 comme valeur à nos indices de prix en 1990. L'indice de prix doit refléter la variation des prix. C'est pourquoi, en 1996, comme le prix des pommes a augmenté de 50 % à Terre-Neuve, l'indice des prix est de 150. Au Québec, les prix ont doublé, c'est pourquoi, en 1996, l'indice est de 200. Le fait que l'indice soit plus élevé au Québec qu'à Terre-Neuve signifie uniquement que les prix ont augmenté dans une plus grande proportion au Québec qu'à Terre-Neuve et non pas qu'ils sont plus élevés. Nous en avons la preuve en regardant le prix des pommes en 1996 dans les deux provinces : 0,45 $ à Terre-Neuve et 0,20 $ au Québec. Cet exemple nous montre bien les limites d'un indice de prix. Il ne nous renseigne pas sur le coût de la vie. Il ne nous permet pas de comparer le niveau des prix d'une région à l'autre. Il nous renseigne uniquement sur la variation des prix dans le temps.

On obtient le **taux d'inflation** pour une année en calculant le taux de variation de l'IPC d'une année à l'autre.

> **TAUX D'INFLATION**
> Taux de variation de l'IPC d'une année à l'autre.

3. Calculez le taux d'inflation pour les provinces de Terre-Neuve, de Québec et d'Ontario, en 1991, en utilisant les données du tableau 4.4 .

Vous devriez obtenir 6,2 % pour Terre-Neuve, 7,4 % pour le Québec et 4,6 % pour l'Ontario. Si vous n'arrivez pas à ces résultats, relisez la formule qui permet de calculer un taux de variation.

Pour mieux comprendre ce qui fait varier l'IPC, nous allons nous attarder à la façon dont Statistique Canada a bâti cet indicateur. Comment est-il possible d'arriver à refléter les variations de milliers de prix avec un simple indice ? La première chose à faire est de déterminer un panier de biens et de services le plus représentatif de l'ensemble des biens et des services consommés par les Canadiens. La qualité et la quantité des biens contenus dans ce panier ne devra pas changer d'un relevé à l'autre si nous voulons pouvoir faire des comparaisons dans le temps et l'espace. Cependant, de nouveaux produits apparaissent continuellement et les habitudes des consommateurs se modifient dans le temps. Si nous voulons que notre indice reflète l'évolution des prix des produits réellement consommés par le consommateur canadien, il faut mettre à jour la composition du panier de l'IPC tous les quatre ans. Nous dirons que ce panier est fixe durant la période de quatre ans. Ensuite, il nous faut définir les consommateurs dont nous considérons les achats. Statistique Cananda a choisi les consommateurs demeurant dans les villes de 30 000 habitants ou plus.

L'IPC est une mesure générale des variations de prix auxquelles font face les consommateurs moyens. Il ne peut pas refléter la situation de chaque **ménage** en particulier. Certains ménages ne mangent pas de viande, d'autres ne mangent qu'au restaurant, certains peuvent se chauffer au gaz, d'autres à l'électricité, etc. Dans la composition du panier de biens et de services, Statistique Canada essaie de considérer les éléments qui représentent une part importante des dépenses de l'ensemble des consommateurs urbains du Canada. Le choix judicieux d'un échantillon de produits représentatifs (plus de 300 biens et services) permet de refléter les variations de prix d'un ensemble de produits beaucoup plus vaste, car plusieurs articles subissent des variations de prix semblables.

On structure les produits en groupes pour lesquels des indices sont élaborés. L'« IPC d'ensemble » est l'indice qui représente la variation des prix de tous les biens et les services du panier. L'IPC d'ensemble comporte huit composantes principales : aliments, logement, dépenses et équipement du ménage, habillement et chaussures, transports, santé et soins personnels, loisirs et formation, tabac et alcool. À chacune de ces composantes on alloue un poids qui correspond à sa part dans les dépenses totales des familles urbaines (tableau 4.6).

> **MÉNAGE**
>
> Unité économique qui vit avec le même budget. La famille est un type de ménage encore très répandu.

**TABLEAU 4.6**   La pondération des composantes de l'IPC

|  | **Pondérations** (en pourcentage) |
|---|---|
| Aliments | 18,0 |
| Logement | 27,6 |
| Dépenses et équipement du ménage | 10,4 |
| Habillement et chaussures | 6,8 |
| Transports | 17,2 |
| Santé et soins personnels | 4,3 |
| Loisirs et formation | 10,2 |
| Tabac et alcool | 5,5 |
| Dépenses totales | 100,0 |

**Source** : Données tirées de Statistique Canada, *L'Observateur économique canadien*, mensuel, juin 1997, tableau 12.

Ce poids s'appelle la pondération. Il est nécessaire de pondérer l'importance des différents groupes, car la hausse du prix de l'alimentation va influencer beaucoup plus le budget du consommateur que la hausse du prix des loisirs, parce que les consommateurs y consacrent beaucoup plus d'argent.

On relève plus de 110 000 prix chaque mois dans des supermarchés, des boutiques spécialisées, des grands magasins, des garages, des bureaux de dentiste, des salons de coiffure, etc., dans 80 villes du Canada. Pour certains produits dont les prix changent souvent, comme les aliments, il y a deux relevés par mois. Pour d'autres produits dont les prix sont plus stables, comme le nettoyage à sec, le relevé s'effectue aux trois mois. Mais pour la plupart des produits, le relevé est mensuel. Le prix relevé inclut les taxes sur les ventes, tout comme il tient compte des rabais. On veut savoir ce que le consommateur a vraiment payé. On relève les prix des marques les plus vendues pour mieux refléter la réalité.

Pour obtenir l'IPC d'ensemble, on commence par calculer des indices pour chaque produit dans chaque ville. Pour ce faire, on compare le prix moyen qu'on observe avec celui du relevé précédent, par exemple si le prix observé en juillet est de 58,99 $ et qu'il était de 55,48 $ en juin, et on calcule le rapport des deux prix. En multipliant l'indice de juin, supposons 110,0 (1986 = 100) par ce rapport, on obtiendra l'indice de juillet (1986 = 100) :

$$\text{Prix de juillet/Prix de juin} = 58{,}99/55{,}48 = 1{,}063$$
$$\text{Indice de juin} \times 1{,}063 = \text{indice de juillet} = 110 \times 1{,}063 = 116{,}9$$

Cette opération est effectuée pour l'ensemble des produits. On regroupe ensuite les indices ainsi obtenus afin d'avoir des indices canadiens pour chaque produit et chaque groupe de produits en utilisant les pondérations qui correspondent aux habitudes de consommation des consommateurs urbains et à l'importance des centres urbains. Finalement, on calcule l'indice d'ensemble en faisant la moyenne pondérée des indices des huit principales composantes tel qu'il est illustré au tableau 4.7.

On multiplie chaque indice par sa pondération et on additionne tous ces produits pour obtenir l'indice d'ensemble.

**TABLEAU 4.7**    Le calcul de l'IPC d'ensemble pour le Canada

| | (1) Dépenses (en pourcentage) | (2) Indice des prix de 1996 (1986 = 100) | (1) x (2) |
|---|---|---|---|
| Aliments | 18,0 | 128,0 | 23,0 |
| Logement | 27,6 | 134,2 | 37,0 |
| Dépenses et équipement du ménage | 10,4 | 124,1 | 47,8 |
| Habillement et chaussures | 6,8 | 131,3 | 8,9 |
| Transports | 17,2 | 143,5 | 24,7 |
| Santé et soins personnels | 4,3 | 136,6 | 5,9 |
| Loisirs et formation | 10,2 | 146,3 | 14,9 |
| Tabac et alcool | 5,5 | 146,3 | 8,0 |
| Dépenses totales | | 100,0 | 135,6 |

**Source** : Données tirées de Statistique Canada, *L'Observateur économique canadien*, mensuel, catalogue 11-01,0, octobre 1997.

ACTIVITÉS D'APPRENTISSAGE

4. À partir des indices de prix suivants (1986 = 100),

|  | 1995 | 1996 |
|---|---|---|
| Aliments | 126,3 | 128,0 |
| Logement | 134,0 | 134,2 |
| Dépenses et équipement du ménage | 121,6 | 124,1 |
| Habillement et chaussures | 131,8 | 131,3 |
| Transports | 138,1 | 143,5 |
| Santé et soins personnels | 135,9 | 136,6 |
| Loisirs et formation | 142,9 | 146,3 |
| Tabac et alcool | 143,5 | 146,3 |

et en utilisant les pondérations du tableau 4.7 (page 145) :
a) calculez l'IPC d'ensemble pour 1995 et 1996,
b) calculez le taux d'inflation en 1996.

Vous devriez obtenir 133,5 et 135,6 pour *a*, et 1,6 % pour *b*. Si vos résultats diffèrent, vérifiez vos calculs ou relisez la section.

Outre l'IPC d'ensemble pour le Canada, Statistique Canada publie l'IPC pour 18 grandes villes et pour chacune des provinces. Il existe également d'autres indices de prix à part l'IPC. Mentionnons les indices des prix des produits industriels, les indices des prix des matières premières, les indices des prix de la construction domiciliaire, etc. Mais tous ces indices obéissent aux mêmes règles de fabrication et d'interprétation.

De façon générale, nous utilisons l'IPC pour connaître l'inflation (voir « La mesure de l'inflation », page 123), comme déflateur (chapitre 3) ou comme outil d'indexation. Par exemple, supposons qu'une **convention collective** contienne une clause d'indexation des salaires selon le taux d'augmentation de l'IPC canadien de décembre à décembre. Pour connaître le nouveau salaire, il suffit de multiplier l'ancien salaire par la variation de l'IPC + 1 et nous connaîtrons ainsi le nouveau salaire en vigueur :

$$\text{Ancien salaire} \quad \times \left[ \frac{IPC_2 - IPC_1}{IPC_1} + 1 \right] = \text{nouveau salaire}$$

> **CONVENTION COLLECTIVE**
>
> Contrat liant un groupe de travailleurs et un employeur. Ce contrat contient des clauses qui précisent les droits et les responsabilités de chacun, comme le salaire ou le nombre d'heures de travail.

5. En utilisant les IPC d'ensemble que vous avez calculés pour 1995 et 1996 dans le problème précédent, indexez les salaires suivants selon le taux de variation de l'IPC :
a) un salaire annuel de 22 000 $ ;
b) un taux horaire de 11,50 $.

Si les travailleurs n'avaient pas cette clause d'indexation, qu'arriverait-il à leur pouvoir d'achat ?

Vous devriez obtenir 23 252 $ pour *a* et 11,68 $/heure pour *b*. Ces augmentations de salaire n'enrichissent pas les travailleurs, elles leur permettent seulement de conserver leur pouvoir d'achat. Comme les produits coûtent plus cher, il leur faut un revenu plus élevé pour pouvoir acheter autant. Si le salaire des travailleurs n'était pas indexé, ces derniers perdraient du pouvoir d'achat, c'est-à-dire qu'ils ne pourraient plus acheter les mêmes biens et les mêmes services.

L'IPC d'ensemble permet également de mesurer le pouvoir d'achat de un dollar à un moment donné comparé à une période de référence. Supposons que nous voulions connaître ce qu'auraient valu, en dollars de 1996, les 1 000 $ que possédaient nos parents en 1961. Ils valaient certainement plus que les dollars de 1991 puisque, à l'époque, on obtenait beaucoup plus de produits pour 1 000 $ que maintenant, les prix ayant augmenté. Nous obtiendrons la valeur exacte de ces 1 000 $ en posant la règle de 3 suivante : posséder 1 000 $ en 1961 équivaut à posséder quelle somme en 1996, sachant que l'IPC (1986 = 100) est passé de 23,9 à 135,6 ?

| Année | Montant | IPC |
|-------|---------|------|
| 1961 | 1000 $ | 23,9 |
| 1996 | $x$ | 135,6 |

En effectuant le produit croisé, nous obtiendrons :

$$x = 1\ 000\ \$ \times \left[ \frac{IPC_{96}}{IPC_{61}} \right] = 5\ 673,64\ \$$$

Nous pourrions également vouloir savoir combien 1 000 $ de 1996 auraient valu en 1961. Cette somme aurait valu beaucoup moins, car nous pouvons acheter moins de produits de nos jours avec 1 000 $ qu'en 1961. Nous poserons la règle de 3 suivante :

| Année | Montant | IPC |
|-------|---------|------|
| 1961 | $x$ | 23,9 |
| 1996 | 1 000 $ | 135,6 |

En effectuant le produit croisé, nous obtiendrons :

$$x = 1\ 000\ \$ \times \left[ \frac{IPC_{61}}{IPC_{96}} \right] = 176,25\ \$$$

6. Si vous aviez un million de dollars en 2035 (à votre retraite), combien cette somme vaudrait-elle en dollars de 1996 en supposant que l'IPC (1996 = 100) en l'an 2035 sera de 550 ?

Vous pourrez donc dire qu'être millionnaire dans ces conditions n'équivaudrait qu'à posséder 181 818,18 $ en 1996.

## La désaisonnalisation

En général, le climat, la culture et les habitudes influencent l'activité économique, et ce, de façon différente d'une région à l'autre. Alors, lorsque nous comparons deux séries de données mensuelles ou les performances de deux régions pour un même mois, nous trouvons probablement des différences ou des variations qui n'existeraient pas si nous comparions des moyennes annuelles. Prenons comme exemple l'industrie de la construction au Québec. En hiver, le climat ralentit considérablement cette activité. Les indicateurs du mois de février (emplois, mises en chantier, etc.), par exemple, affichent tous une baisse importante. Nous ne devons pas en conclure pour autant que l'industrie est en train de péricliter. Si les ventes des grands magasins augmentent juste avant Noël, ce n'est pas parce que l'économie connaît une période de croissance fulgurante. Si nous comparons deux régions ou deux pays dont le climat ou les habitudes de consommation font que l'activité économique atteint ses sommets et ses creux à des moments différents de l'année, comme l'industrie touristique au Québec et en Floride, nous aurons des comparaisons mensuelles faussées. Si nous voulons vraiment comparer la santé économique de ces deux industries touristiques ou si nous voulons connaître comment se porte l'industrie de la construction au Québec, nous devons comparer des données qui font abstraction des variations saisonnières.

**DÉSAISONNALISER**

Enlever les variations qui ne sont que saisonnières.

**FACTEUR SAISONNIER**

Proportion équivalant à la moyenne mensuelle établie avec des données de sept années.

C'est pour ces raisons que l'on a créé des séries **désaisonnalisées**, c'est-à-dire dont on a éliminé les variations saisonnières. Pour ce faire, on a calculé pour chaque mois une pondération qui représente le pourcentage d'une moyenne mensuelle établie sur sept ans. On appelle ce pourcentage « **facteur saisonnier** ». On le calcule à partir de séries portant sur un minimum de sept années. Par exemple, nous pouvons calculer par rapport à la moyenne des ventes des grands magasins ce que représentent les ventes du mois de décembre. Si elles correspondent, en moyenne depuis 7 ans, à 175 % des ventes mensuelles moyennes, le facteur saisonnier est de 175 %. Si, en janvier, elles correspondent à 75 % des ventes mensuelles moyennes depuis 7 ans, le facteur saisonnier est de 75 %. Une fois connus les facteurs saisonniers, il suffit de diviser les données de la série par leur facteur saisonnier respectif et de multiplier les résultats par 100, ce qui enlève de la donnée la variation qui est uniquement liée au moment de l'année : le ralentissement de l'industrie de la construction lié au climat en hiver, l'augmentation des ventes en décembre liée au temps des fêtes, etc. On peut désaisonnaliser ainsi toutes les séries qui comportent des variations saisonnières et pour lesquelles on possède des données sur une période d'au moins sept ans : le taux de chômage, le taux d'activité, le crédit, la production, les ventes, etc.

7. Quelle courbe correspond à la série désaisonnalisée ?

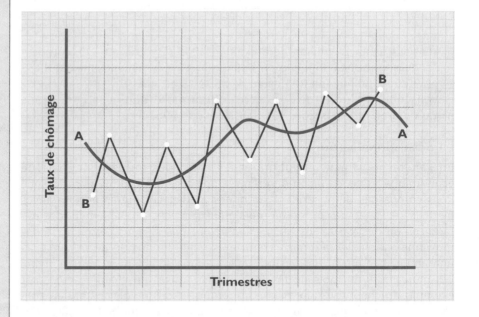

# Recherche documentaire

Vous voulez approfondir les théories concernant l'inflation.

a) Dans quel(s) type(s) de documents chercheriez-vous l'information qui vous manque ?

b) Quelles questions spécifiques formuleriez-vous ?

c) Quels mots-clés (une dizaine) pourraient vous être utiles ?

d) Quel(s) index consulteriez-vous ?

---

THÈME : _____

SOUS-THÈME : _____

AUTEUR, *titre de l'ouvrage*, année de parution, maison d'édition, nombre de pages.

Résumez, en cinq lignes, l'intérêt de l'ouvrage par rapport au thème et au sous-thème.

---

THÈME : _____

SOUS-THÈME : _____

AUTEUR, « titre de l'article », *titre du périodique*, date de parution, page.

Résumez, en cinq lignes, l'intérêt de l'ouvrage par rapport au thème et au sous-thème.

---

## Activité

**Faites cinq fiches bibliographiques selon l'un ou l'autre des modèles proposés :**

# L'économie pour comprendre ce qui se passe

**1.** Repérez les indicateurs du marché du travail contenus dans cet article.

**2.** Quelles informations contenues dans cet article tempèrent le caractère enthousiaste du titre ? Appuyez vos affirmations en utilisant les indicateurs pertinents.

# Le marché de l'emploi connaît un très bon début d'année à Montréal

### Martin Vallières

LA PRESSE, Montréal le 28 juillet 1997

La région métropolitaine de Montréal a réalisé la meilleure création d'emplois parmi les principales régions urbaines au Québec au cours des trois derniers mois.

Quelque 37 000 emplois additionnels sont recensés dans l'agglomération montréalaise pour le trimestre d'avril, de mai et de juin derniers par rapport à la même période, un an plus tôt.

Cette création d'emplois a compté pour les trois quarts des 49 000 emplois additionnels dans l'ensemble du Québec au cours de ce

*ACTIVITÉS D'APPRENTISSAGE*

même deuxième trimestre par rapport à l'an dernier, selon les plus récents chiffres de l'emploi par région que publie la Société québécoise de développement de la main-d'œuvre (SQDM) dans son bulletin mensuel.

« La reprise de l'emploi est en cours dans la grande région de Montréal, après avoir traîné de l'arrière », constate l'analyste André Grenier, de la SQDM.

« Le marché de l'emploi a un très bon début d'année dans le Montréal métropolitain, meilleur en fait que le reste du Québec », observe pour sa part Dominique Vachon, économiste en chef de la Banque Nationale.

« Il faudra voir cependant si cette amélioration de l'emploi aura un effet d'entraînement sur les dépenses des ménages, dont le fardeau fiscal s'est alourdi considérablement. »

La SQDM publie des chiffres d'emploi par région à partir des informations recensées par Statistique Canada lors de son enquête mensuelle sur l'emploi, qui sert entre autres à évaluer le taux de chômage. La SQDM publie des moyennes des trois derniers mois afin de réduire les fluctuations provoquées d'un mois à l'autre par le faible échantillonnage de Statistique Canada au niveau régional.

Ainsi, les 37 700 emplois additionnels qui sont recensés dans la région métropolitaine au deuxième trimestre représentent une hausse de 2,4 % par rapport à la même période l'année dernière. Cela surclasse ainsi le taux d'ajout d'emplois de 1,5 % recensés pour l'ensemble du Québec entre ces deux mêmes trimestres.

Parmi les six principales régions urbanisées au Québec, celle de Montréal s'est inscrite au premier rang au second trimestre avec un taux de croissance de l'emploi de 2,4 %. En comparaison, la grande région de Québec accuse un recul de 5 % de l'emploi au deuxième trimestre 1997, soit quelque 16 000 postes de moins par rapport à la même période l'an dernier. Mais pour l'économiste Maurice Marchon, de l'École des Hautes Études Commerciales, la relance de l'emploi à Montréal, évidemment bienvenue, ne reflète en fait que « le réveil de l'emploi depuis quelques mois dans l'ensemble de l'économie canadienne ».

**Quelque 37 000 emplois additionnels sont recensés dans l'agglomération montréalaise au dernier trimestre.**

« Il n'y a encore rien à pavoiser dans la région de Montréal, même si les deux prochaines années s'annoncent bien meilleures que les deux dernières. Le taux de chômage de la région demeure nettement plus élevé que la plupart des centres urbains comparables en Amérique du Nord. »

En effet, malgré la relance de l'emploi, elle demeure encore insuffisante par rapport à la croissance de la population active. Il s'agit de tous ceux qui travaillent ou qui se déclarent à la recherche d'un emploi.

La population active de l'agglomération montréalaise, qui comprend l'île, Laval et la banlieue de la Rive-Sud et de la couronne Nord, était estimée à 1,8 million d'individus au deuxième trimestre. Il s'agit d'une augmentation de 39 000 personnes par rapport au même trimestre un an plus tôt, selon les chiffres de la SQDM.

Au même moment, l'emploi s'est accru de 37 700 postes. Par conséquent, le taux de chômage dans la région au deuxième trimestre s'inscrivait encore au niveau élevé de 11,4 %, inchangé par rapport à la même période un an plus tôt.

Il est aussi encore un cran supérieur à la moyenne québécoise pour le trimestre, soit 11 %. Il est aussi le plus élevé parmi les principales régions urbaines au Québec, à l'exception de Chicoutimi — Jonquière (14,2 %).

# Chapitre 5

# Les théories macro-économiques

L'analyse du chapitre 4 nous a permis de faire ressortir l'instabilité importante et coûteuse qui caractérise notre économie. Historiquement, le PIB, l'emploi et le niveau des prix ont varié grandement. À une certaine époque, un niveau élevé de production et d'emploi s'opposait à la stabilité des prix et vice versa. Durant les années de plein-emploi, l'inflation sévissait, tandis que, durant les années où la production chutait et, par conséquent, faisait augmenter le chômage, les prix demeuraient relativement stables.

Cependant, ce dilemme chômage-inflation n'a pas toujours existé. Dans les années 1970 et au début des années 1980, malgré un taux d'inflation élevé, l'économie tournait au ralenti avec un faible niveau de production et un taux de chômage très important. On a appelé cette situation « stagflation », car la production et l'emploi étaient stagnants, tandis que l'inflation ne lâchait pas prise.

Dans cette partie, nous nous donnerons des outils analytiques afin de pouvoir réfléchir sur les condi-

tions macroéconomiques très hétérogènes auxquelles sont confrontées notre société et les autres économies de marché avancées. À cette fin, nous introduirons les outils de la théorie keynésienne de l'emploi, le modèle keynésien de la demande globale (dépenses totales ou agrégées) ainsi que les notions de « demande agrégée » et d'« offre agrégée ».

## LES THÉORIES MACRO-ÉCONOMIQUES

### Un peu d'histoire

Le capitalisme peut-il engendrer et maintenir une production intérieure de plein-emploi?

À travers l'histoire, les réponses à cette question ont été très variées. Jusqu'à la Grande Dépression des années 1930, plusieurs économistes remarquables, appelés maintenant « économistes classiques[1] », croyaient que le système de prix pouvait amener le plein-emploi des ressources de l'économie. On reconnaissait que certaines circonstances exceptionnelles (guerres,

---

1. Citons, entre autres, David Ricardo, John Stuart Mill, F. Y. Edgeworth, Alfred Marshall et A. C. Pigou.

bouleversements politiques, crises spéculatives, ruées vers l'or) pouvaient entraîner l'économie loin du plein-emploi. Mais il était convenu que, lorsque ces déviations se produisaient, les ajustements automatiques du système de prix ramèneraient l'économie au niveau de production de plein-emploi.

Malgré tout, des périodes prolongées de chômage et d'inflation viennent contredire régulièrement la théorie classique de l'emploi. Bien qu'il soit possible d'expliquer des récessions mineures comme celles des années 1924 et 1927 par les guerres ou d'autres phénomènes exogènes, les dépressions profondes et persistantes comme la Grande Dépression ne s'expliquent pas si aisément. Il y a contradiction patente entre une théorie qui affirme que le chômage est impossible et l'existence de 10 années de chômage dramatique. C'est pourquoi de nombreux économistes remirent en question l'argumentation et les postulats sous-jacents à la théorie classique de l'emploi. Ils tentèrent d'expliquer de façon plus réaliste la détermination du niveau d'emploi.

Finalement, en 1936, le célèbre économiste anglais John Maynard Keynes publia une nouvelle explication de la détermination du niveau de l'emploi en économie capitaliste. Dans sa *Théorie générale de l'emploi, de l'intérêt et de la monnaie*[2], Keynes attaque les fondements mêmes de la théorie classique et révolutionne ainsi la pensée macroéconomique. Bien que Keynes soit indéniablement le père de la théorie moderne de l'emploi, d'autres économistes ont, depuis, raffiné et complété son ouvrage. Nous étudierons dans le présent chapitre un premier modèle, la théorie moderne de l'emploi appelée « théorie keynésienne ».

La théorie keynésienne de l'emploi se démarque nettement de la théorie classique. Contrairement à cette dernière, elle soutient que le capitalisme ne possède aucun ajustement qui permette de garantir le plein-emploi. Selon elle, l'économie peut atteindre un niveau d'équilibre compatible avec un chômage important ou avec un taux d'inflation élevé. Le capitalisme n'est pas un système autorégulateur assurant une prospérité perpétuelle. De plus, les fluctuations économiques ne sauraient être associées exclu-

sivement à des chocs exogènes comme les guerres ou les sécheresses. Les causes du chômage et de l'inflation reposeraient plutôt sur le manque de synchronisation de certaines décisions économiques fondamentales, relatives à l'épargne et à l'investissement, au sein des économies capitalistes. Ces causes internes contribueraient à l'instabilité économique.

Les économistes keynésiens appuyèrent cette affirmation en rejetant les arguments sur lesquels est fondée la théorie classique, à savoir les ajustements de taux d'intérêt, de prix et de salaires.

### La désynchronisation des intentions d'épargner et d'investir

Malgré le système monétaire très important et l'impressionnante diversité des institutions financières dont il est doté, le capitalisme moderne ne peut assurer que le taux d'intérêt suffira à relier le drain de l'épargne au robinet de l'investissement. Après tout, une hausse de l'épargne n'équivaut-elle pas à une baisse de la consommation ? Pouvons-nous réellement nous attendre à ce que les entreprises augmentent leur capacité de production quand leur marché rétrécit ? De façon plus générale, la théorie moderne considère que les épargnants et les investisseurs sont deux groupes distincts dont les décisions d'épargner et d'investir reposent sur des motifs différents.

Des entreprises de toutes sortes, plus particulièrement les grandes sociétés, prennent la majorité des décisions relatives à l'investissement. En ce qui concerne l'épargne, les décisions relèvent à la fois des ménages et des entreprises. Les entreprises incorporées réalisent également une épargne substantielle en matière de bénéfices non répartis des sociétés.

On décide d'épargner pour diverses raisons. Certains individus épargnent pour pouvoir effectuer des achats importants que leur chèque de paye ne peut pas couvrir : le capital de base pour une maison, l'achat d'une automobile ou d'un téléviseur, etc. D'autres épargnent pour pouvoir disposer de liquidités qui leur permettent de profiter des aubaines. On épargne également en prévision de l'avenir : retraite, éducation supérieure des enfants, etc. On peut

---

2. Titre original : *General Theory of Employment, Interest and Money*, New York, Harcourt, Brace & World, Inc., 1936.

vouloir se protéger des aléas : maladie prolongée, invalidité, chômage. Ici, il est important de retenir que ces divers motifs d'épargne ne sont pas reliés au taux d'intérêt, ou le sont peu.

Les keynésiens considèrent que le niveau du revenu national est le premier déterminant de l'épargne et de la consommation.

Pourquoi les entreprises achètent-elles des biens de production ? Comme nous le verrons dans les pages suivantes, les motifs d'investissement sont multiples. Le taux d'intérêt, c'est-à-dire ce qu'il en coûte pour se procurer le capital financier nécessaire à l'investissement, joue un rôle indéniable dans les projets d'investissement, mais il n'est pas le facteur le plus important. Le taux de profit que les entreprises anticipent d'un investissement est en réalité le déterminant principal des sommes que celles-ci désirent investir.

Pour résumer la position keynésienne, nous dirons que les intentions d'épargne et d'investissement sont souvent aléatoires et peuvent, par conséquent, provoquer des fluctuations de la production totale, du revenu total et du niveau des prix. L'égalité entre les sommes que les ménages et les entreprises ont l'intention d'épargner et d'investir relève en grande partie du hasard.

### La rigidité des prix et des salaires

Les keynésiens modernes reconnaissent que certains prix et certains salaires sont flexibles à la baisse alors que Keynes supposait la rigidité à la baisse des prix et des salaires. Au début des années 1980, certains prix ont diminué, et de nombreux travailleurs ont dû accepter des gels ou des coupures de salaires et d'avantages sociaux. Ces baisses sont dues à la crise de 1982, à l'augmentation de la concurrence étrangère et à la déréglementation de certains secteurs industriels. Cependant, les keynésiens affirment que les prix et les salaires ne peuvent baisser suffisamment pour maintenir le plein-emploi lorsque la demande diminue.

De plus, il n'est pas démontré qu'une baisse des prix et des salaires, jumelée à une baisse de la demande globale, aidera à réduire le chômage. Pourquoi ? Des prix et des salaires inférieurs impliquent nécessairement des revenus monétaires plus faibles, et ces baisses

de revenus monétaires entraînent une diminution supplémentaire des dépenses globales. Nous pouvons donc nous attendre à ce qu'il y ait peu de changements, ou qu'il n'y en aura pas du tout, quant aux faibles niveaux de production et d'emploi. En conséquence, les employeurs embaucheront peu de travailleurs, ou n'en embaucheront pas du tout, après la baisse de salaires.

En résumé, les keynésiens affirment, en premier lieu, que les prix et les salaires ne sont pas en réalité suffisamment flexibles à la baisse et, en deuxième lieu, que même s'ils l'étaient il est peu probable que les baisses de prix et de salaires puissent enrayer le chômage généralisé. Nous reparlerons de la rigidité à la baisse des prix et des salaires lors de l'étude du modèle de la demande et de l'offre agrégées.

La théorie keynésienne a traversé une dure période durant les années 1970, et ce, pour deux raisons principales. La première se situe sur le plan des idées, quand la théorie monétaire attaqua la théorie keynésienne. Le monétarisme, comme son nom l'indique, prête un rôle primordial à la monnaie et estime que l'offre de monnaie est le déterminant principal des performances macroéconomiques de notre économie. Le point de vue monétariste juge la théorie keynésienne erronée lorsqu'elle explique la détermination de la production et de l'emploi ; elle mènerait à des politiques incorrectes.

La deuxième raison critique à l'égard de la théorie keynésienne est qu'elle n'a pas su expliquer adéquatement les réalités économiques des années 1970 et 1980. Plus précisément, la stagflation installée depuis le début des années 1970 ne pouvait être bien comprise à l'intérieur du modèle keynésien. Nous vous présenterons un deuxième modèle, le modèle de la demande et de l'offre agrégées, qui suppose des niveaux de prix variables. Ce modèle a donné naissance aux *théories économiques axées sur l'offre*. C'est un ensemble d'idées formulées plutôt librement et expliquant la stagflation à partir du déplacement vers la gauche de la courbe d'offre agrégée (figure 5.10, page 179). Elles donnèrent naissance à plusieurs politiques visant à déplacer la courbe d'offre agrégée vers la droite. Nous traiterons ces politiques ainsi que d'autres politiques axées sur la demande au chapitre 6.

## Deux modèles macro-économiques

Le modèle keynésien (offre et demande globales) montre la relation entre la dépense totale et le PIB réel; le modèle de l'offre et de la demande agrégées indique la relation entre le niveau des prix et le PIB réel. Le modèle keynésien, élaboré durant la période de chômage massif des années 1930, suppose un niveau de prix constant. Selon ce modèle, une variation des dépenses totales (demande globale) entraînera une variation de la production intérieure au niveau des prix en vigueur. D'un point de vue différent, le modèle de l'offre et de la demande agrégées indique que le niveau des prix augmentera si la demande agrégée augmente dans les segments intermédiaire et classique de la courbe d'offre agrégée. Pour l'un, le niveau des prix est constant; pour l'autre, il est variable.

Ces deux modèles sont utiles, mais leur applicabilité varie selon l'état de l'économie. Le modèle keynésien convient mieux quand l'économie connaît un taux de chômage élevé et un niveau de prix relativement constant. En d'autres termes, l'analyse keynésienne est plus utile lorsque l'économie se trouve sur le segment horizontal de la courbe d'offre agrégée. Dans ce segment, les deux modèles sont fort compatibles. Si l'économie évolue dans les deux autres segments de la courbe d'offre, le niveau des prix varie et les deux modèles ne sont plus compatibles. Par exemple, dans le segment classique, l'économie fonctionnant au niveau du plein-emploi, toute augmentation de la demande provoquera une hausse du niveau des prix; dans le segment intermédiaire, la rareté de certaines ressources limite la production et amène une augmentation des prix. Le modèle keynésien ne peut expliquer directement ces variations du niveau des prix. Le modèle de l'offre et de la demande agrégées est plus adéquat dans ces circonstances.

## LE MODÈLE KEYNÉSIEN

Le but premier de l'analyse macro-économique est de tenter d'expliquer les niveaux d'équilibre de la production, de l'emploi et du revenu pour pouvoir élaborer des politiques permettant d'améliorer la situation économique. La **production d'équilibre** correspond au niveau de pro-

duction intérieure qui, une fois atteint, se maintient dans l'économie. Ce niveau est atteint lorsque le flux de revenus découlant de la production engendre un niveau de dépenses totales suffisant pour acheter toute la production. Ce niveau de production n'est cependant pas équivalent au niveau de plein-emploi. Nous tenterons d'expliquer le niveau de la courbe de demande globale en étudiant ses composantes.

### Simplifications

Nous formulerons certains postulats simplificateurs qui permettent d'atteindre beaucoup plus facilement les objectifs que nous nous sommes fixés.

1. Nous supposerons d'abord que notre économie est fermée, c'est-à-dire que nous étudierons une économie sur le plan intérieur tout en réservant pour la fin les modifications qui découlent des transactions internationales en biens et en services.

2. Nous ignorerons le rôle du gouvernement, de manière à déterminer si une économie de «laissez-faire» peut atteindre le plein-emploi.

3. Bien que l'épargne provienne à la fois des ménages et des entreprises, nous ne parlerons que de l'épargne personnelle.

Il faut souligner deux conséquences de ces postulats. Premièrement, les postulats 1 et 2 signifient que nous omettons les exportations nettes ainsi que les dépenses gouvernementales de l'équation de la demande globale (dépenses agrégées) du chapitre 3. Par conséquent, pour l'instant, la demande globale ne comprend que la consommation, C, et l'investissement, I. Deuxièmement, les postulats 2 et 3 font en sorte que le PIB, le RI, le RP et le RD sont égaux. En effet, les différences entre chaque composante proviennent de l'intervention gouvernementale (taxes et paiements de transfert) et de l'épargne des entreprises. Cela signifie que si l'économie produit une valeur de 500 milliards de dollars de biens et de services, les ménages recevront exactement 500 milliards de dollars de revenu disponible (RD) pour consommer ou épargner.

> **PRODUCTION D'ÉQUILIBRE**
>
> Niveau de production qui se maintient dans une économie. Les agents économiques tirent alors suffisamment de revenus de la production pour avoir un niveau de dépenses équivalent à la valeur de toute cette production.

La **demande globale** correspond à la relation entre le niveau de dépenses dans l'économie et le niveau de production. L'**offre globale** correspond à divers niveaux de production possibles. Les producteurs sont prêts à offrir ces niveaux de production s'ils s'attendent à recevoir une somme identique provenant de la vente de cette production.

## Les outils de la théorie keynésienne de l'emploi

Dans une économie capitaliste, qu'est-ce qui détermine les niveaux de production et d'emploi?

L'élément capital de toute réponse sensée est le suivant : *la quantité de biens et de services produits, et par conséquent le niveau d'emploi, dépend directement du niveau de la demande globale.* Les entreprises produiront la quantité qu'elles peuvent écouler de façon rentable, compte tenu du potentiel productif de l'économie déterminé par les ressources rares disponibles. Les travailleurs et la machinerie demeurent inemployés lorsqu'il n'existe pas de marché pour les biens et les services qu'ils peuvent produire. La production totale et l'emploi varient en fonction de la demande globale. Par conséquent, pour expliquer les niveaux de production et d'emploi de l'économie, nous devons commencer par étudier les composantes de la demande globale, c'est-à-dire la consommation et l'investissement.

### La consommation et l'épargne

Les dépenses de consommation sont la principale composante de la demande globale (chapitre 3). Il apparaît donc important de comprendre les principaux déterminants de la consommation. Rappelons-nous (chapitre 3) que les économistes définissent l'épargne personnelle comme une «non-consommation» ou la partie du RD qui n'est pas consommée ; en d'autres termes, le revenu disponible est égal à la consommation plus l'épargne, de sorte qu'en étudiant les facteurs caractérisant la consommation nous étudions également les déterminants de l'épargne.

Les dépenses de consommation dépendent de nombreux facteurs ou variables. Cependant,

le bon sens et les statistiques disponibles suggèrent que le revenu en est le déterminant principal, plus particulièrement le revenu disponible. Comme l'épargne est la partie du revenu disponible qui n'est pas consommée, le revenu disponible est également le déterminant principal de l'épargne personnelle. De façon empirique, nous constatons également que les ménages consomment la majeure partie de leur revenu disponible, et que la consommation et l'épargne sont directement reliées au niveau de revenu.

### LA FONCTION DE CONSOMMATION

Pour des fins d'analyse, nous utiliserons une **fonction de consommation** qui rend explicite la relation entre la consommation et le revenu. Cette fonction nous renseigne sur les sommes que les ménages prévoient consommer selon les différents niveaux de revenu disponible qu'ils sont susceptibles de toucher à un moment particulier. Nous trouvons, dans les colonnes 1 et 2 du tableau 5.1 (page 156), des données fictives nécessaires pour tracer une telle fonction. La courbe de la figure 5.1*a* (page 157) est tracée à partir de ces données.

Cette courbe est conforme à de nombreuses études portant sur des budgets familiaux. C'est une relation directe et nous remarquons que les ménages consomment une proportion plus élevée d'un revenu faible que d'un revenu élevé.

### LA FONCTION D'ÉPARGNE

La fonction d'épargne s'obtient facilement. Comme le revenu disponible est égal à la somme de la consommation et de l'épargne (RD = C + É), il suffit de soustraire la consommation (colonne 2) du revenu disponible (colonne 1) pour trouver les sommes épargnées (colonne 3) à chaque niveau de revenu disponible (RD – C = É). Ainsi, avec les colonnes 1 et 3 du tableau 5.1, nous pouvons tracer la fonction d'épargne (figure 5.1*b*). Nous remarquons qu'il existe une relation directe entre l'épargne et le revenu disponible, et que l'épargne représente une fraction moindre pour les revenus disponibles faibles que pour les revenus disponibles élevés. Si les ménages consomment une fraction de

> **DEMANDE GLOBALE**
> Niveau de dépenses correspondant à chaque niveau de production dans l'économie.
>
> **OFFRE GLOBALE**
> Différents niveaux de production possibles que les producteurs mettront sur le marché s'ils s'attendent à recevoir un revenu identique provenant de la vente de cette production.
>
> **FONCTION DE CONSOMMATION**
> Fonction qui illustre la relation entre la consommation et le revenu.

**TABLEAU 5.1** Les courbes de consommation et d'épargne (données fictives)

| (1) Niveau de production et de revenu (PIB = RD) (en milliards de dollars) | (2) Consom- mation (en milliards de dollars) | (3) Épargne (1) – (2) (en milliards de dollars) | (4) Propension moyenne à consommer (PMC) (2)/(1) | (5) Propension moyenne à épargner (PMÉ) (3)/(1) | (6) Propension marginale à consommer (PmC) Δ (2)/Δ (1) | (7) Propension marginale à épargner (PmÉ) Δ (3)/Δ (1) |
|---|---|---|---|---|---|---|
| 370 | 375 | – 5 | 1,01 | – 0,01 | | |
| 390 | 390 | 0 | 1,00 | 0,00 | 0,75 | 0,25 |
| 410 | 405 | 5 | 0,99 | 0,01 | 0,75 | 0,25 |
| 430 | 420 | 10 | 0,98 | 0,02 | 0,75 | 0,25 |
| 450 | 435 | 15 | 0,97 | 0,03 | 0,75 | 0,25 |
| 470 | 450 | 20 | 0,96 | 0,04 | 0,75 | 0,25 |
| 490 | 465 | 25 | 0,95 | 0,05 | 0,75 | 0,25 |
| 510 | 480 | 30 | 0,94 | 0,06 | 0,75 | 0,25 |
| 530 | 495 | 35 | 0,93 | 0,07 | 0,75 | 0,25 |
| 550 | 510 | 40 | 0,93 | 0,07 | 0,75 | 0,25 |

plus en plus petite de leur revenu disponible à mesure que celui-ci augmente, ils doivent en épargner une proportion plus grande.

Chaque point sur la droite à 45° implique l'égalité de la consommation et du revenu disponible. Par conséquent, pour un revenu disponible aussi bas que 370 milliards de dollars, nous observons une «désépargne», c'est-à-dire que les ménages consomment plus que leur revenu courant en puisant dans leur épargne accumulée ou en empruntant. Lorsque le revenu disponible atteint 390 milliards de dollars, les ménages consomment la totalité de leur revenu. Pour tout revenu supérieur, les ménages ont l'intention d'épargner une partie de leur revenu disponible (figure 5.1a et b).

### LA PROPENSION MOYENNE (PM)
### ET LA PROPENSION MARGINALE (Pm)

Les colonnes 4 et 7 du tableau 5.1 nous permettront de cerner certaines autres caractéristiques de l'épargne et de la consommation.

**LES PROPENSIONS MOYENNES À CONSOMMER ET À ÉPARGNER** La fraction ou le pourcentage de n'importe quel revenu total qui va à la consommation

---

**PROPENSION MOYENNE À CONSOMMER**

Fraction du revenu disponible consacrée par les ménages à l'achat de biens et de services de consommation; elle est égale à la consommation divisée par le revenu disponible.

**PROPENSION MOYENNE À ÉPARGNER**

Fraction du revenu disponible épargnée par les ménages; elle est égale à l'épargne divisée par le revenu disponible.

---

s'appelle «**propension moyenne à consommer**» (PMC) et la fraction de n'importe quel revenu total qui va à l'épargne s'appelle «**propension moyenne à épargner**» (PMÉ):

$$PMC = \frac{consommation}{revenu}$$

et

$$PMÉ = \frac{épargne}{revenu}$$

Par exemple, pour un niveau de revenu de 470 milliards de dollars (tableau 5.1), la PMC est de 45 divisé par 47, c'est-à-dire 96 % environ, tandis que la PMÉ est de 2 divisé par 47, c'est-à-dire 4 % environ. En calculant la PMC et la PMÉ pour chaque niveau de revenu disponible, nous constatons que la fraction du revenu disponible qui est consommée diminue à mesure que le RD augmente; cela implique que la fraction épargnée augmente en même temps que le revenu disponible. Comme le revenu disponible ne peut être qu'épargné ou consommé, il va de soi que la somme des deux propensions ne peut être qu'égale à 1.

**LES PROPENSIONS MARGINALES À CONSOMMER ET À ÉPARGNER** Les ménages consomment une certaine fraction de leur revenu, mais cette fraction ne sera pas nécessairement la même pour tout changement du revenu. Par exemple, 45/47 s'applique à 470 milliards de dollars, mais pas nécessairement à un autre revenu. La fraction de tout changement de revenu qui est consommée s'appelle «**propension marginale à consommer**» (P*m*C). En d'autres termes, la propension marginale à consommer est le rapport entre le changement de la consommation qui découle du changement du revenu et cette variation de revenu:

> **PROPENSION MARGINALE À CONSOMMER**
>
> Fraction de toute variation du revenu disponible dépensée en biens de consommation; elle est égale au rapport entre la variation de la consommation et la variation du revenu disponible.
>
> **PROPENSION MARGINALE À ÉPARGNER**
>
> Fraction de toute variation du revenu disponible épargnée par les ménages; elle est égale au rapport entre la variation de l'épargne et la variation du revenu disponible.

$$P m C = \frac{\text{changement de la consommation}}{\text{changement du revenu}} = \frac{\Delta C}{\Delta RD}$$

De la même manière, la fraction de tout changement du revenu qui est consacrée à l'épargne s'appelle «**propension marginale à épargner**» (P*m*É). Cela signifie que le rapport entre le changement de l'épargne et le changement du revenu qui l'a entraîné donne la P*m*É:

$$P m \acute{E} = \frac{\begin{array}{c}\text{changement}\\ \text{de l'épargne}\\ \hline \text{changement}\\ \text{du revenu}\end{array}}{} = \frac{\Delta \acute{E}}{\Delta RD}$$

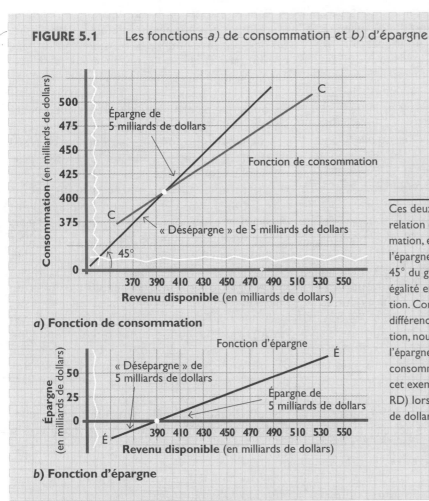

**FIGURE 5.1**     Les fonctions *a)* de consommation et *b)* d'épargne

*a)* **Fonction de consommation**

*b)* **Fonction d'épargne**

Ces deux graphiques représentent la relation entre le revenu et la consommation, et la relation entre le revenu et l'épargne. Chaque point de la droite à 45° du graphique *a* correspond à une égalité entre le RD et la consommation. Comme l'épargne est égale à la différence entre le RD et la consommation, nous obtenons la courbe de l'épargne *b* en soustrayant la courbe de consommation de la droite à 45°. Dans cet exemple, l'épargne est nulle (C = RD) lorsque le RD atteint 390 milliards de dollars.

Ainsi, si le revenu disponible est de 470 milliards de dollars et que les revenus des ménages s'accroissent de 20 milliards de dollars, ils consommeront 15/20 ou 3/4 de cette augmentation et épargneront 5/20 ou 1/4 de cette augmentation de revenu (colonnes 6 et 7 du tableau 5.1, page 156). En d'autres termes, la PmC est de 0,75 et la PmÉ est de 0,25. La somme de la PmC et de la PmÉ pour n'importe quel changement de revenu doit toujours égaler 1. Par définition, la fraction de tout changement de revenu qui n'est pas dépensée sera épargnée. Dans notre exemple, 0,75 plus 0,25 est égal à 1 ou 100 %.

Les données empiriques ont amené plusieurs économistes à croire que la PmÉ et la PmC pour l'économie dans son ensemble sont plutôt constantes. Nous supposerons que la PmC et la PmÉ sont constantes non seulement à cause de cette évidence empirique, mais aussi parce qu'en les maintenant constantes notre analyse en sera grandement simplifiée. Nous remarquons qu'à chaque augmentation de revenu de 20 milliards de dollars correspond une augmentation de consommation de 15 milliards de dollars (tableau 5.1), soit 0,75 de la hausse de revenu. L'épargne augmente donc de 5 milliards de dollars, soit du quart de la hausse de revenu. Nous supposons donc que la PmC et la PmÉ sont respectivement de 3/4 et de 1/4 et qu'elles sont constantes.

### D'AUTRES FACTEURS DÉTERMINANT LA CONSOMMATION ET L'ÉPARGNE

Le niveau de revenu disponible est le facteur principal qui détermine les sommes que les ménages vont consommer et épargner, de même que le prix est le principal déterminant de la quantité demandée de tout produit. Nous nous rappellerons que lorsque des déterminants autres que le prix changent, comme les goûts des consommateurs et les revenus, la courbe de demande d'un produit donné se déplace. De la même manière, d'autres déterminants que le revenu disponible influenceront la consommation et l'épargne des ménages pour un certain niveau disponible et pourront amener les fonctions de consommation et d'épargne à se déplacer.

**LA RICHESSE DES CONSOMMATEURS** De façon générale, plus les actifs financiers des consommateurs sont élevés (monnaie, compte d'épargne, obligations publiques ou privées, actions, polices d'assurance, etc.), plus les consommateurs seront disposés à consommer à chaque niveau de revenu disponible possible.

**LE NIVEAU DES PRIX** Une augmentation du niveau des prix entraînera la fonction de consommation vers le bas, toutes choses étant égales par ailleurs, tandis qu'une baisse du niveau des prix aura l'effet contraire. Un changement du niveau des prix influe sur la valeur réelle ou le pouvoir d'achat des actifs financiers. Plus précisément, la valeur réelle des actifs financiers déterminée en dollars varie en sens contraire du niveau des prix. Comme votre richesse financière est réduite, vous serez moins disposé à consommer. Inversement, une diminution du niveau des prix augmentera votre richesse financière réelle et vous poussera à consommer une fraction plus grande de votre revenu courant.

Cette constatation a une incidence majeure : toute fonction de consommation ou d'épargne suppose un niveau de prix constant. Ainsi, l'axe horizontal représente le revenu disponible réel par opposition au revenu nominal.

**LA QUANTITÉ DE BIENS DURABLES DÉTENUE PAR LES MÉNAGES** Si l'économie a traversé une période de prospérité prolongée, les consommateurs détiendront davantage de biens durables comme des téléviseurs, des automobiles ou des réfrigérateurs. Ces biens récemment acquis n'ont pas besoin d'être renouvelés avant plusieurs années. Ainsi, de nombreux ménages consacreront une plus grande portion de leur revenu à l'épargne.

**LES ANTICIPATIONS** Les anticipations des ménages en ce qui concerne les prix, les revenus et la disponibilité des produits influencent de façon importante la consommation et l'épargne courantes. Les anticipations de hausses de prix ou de pénurie entraînent une hausse des dépenses et une baisse de l'épargne courante. Si les consommateurs prévoient des hausses de revenu, ils auront également tendance à consommer davantage maintenant. Au contraire, si les consommateurs prévoient des baisses de prix ou de revenu et une abondance de produits, ils réduiront leur consommation et augmenteront leur épargne.

**L'ENDETTEMENT DES CONSOMMATEURS** Le niveau d'endettement des consommateurs influencera leur désir de consommer ou d'épargner. Le pourcentage de leur revenu courant qu'ils doivent consacrer au remboursement de leurs emprunts influera sur leur consommation courante pour diminuer leur endettement. Inversement, si le niveau d'endettement des consommateurs est relativement faible, les ménages peuvent consommer davantage en ayant recours au crédit.

**LE FARDEAU FISCAL DES CONSOMMATEURS** Les impôts influencent négativement la consommation et l'épargne. Ainsi, une augmentation des impôts déplacera les fonctions de consommation et d'épargne vers le bas et une réduction d'impôts aura l'effet contraire.

**LES DÉPLACEMENTS DE LA COURBE DE CONSOMMATION ET D'ÉPARGNE** Les cinq premiers facteurs déterminant la consommation, outre le RD, influencent les fonctions de consommation et d'épargne de façon contraire. Si les ménages décident de consommer davantage à chaque niveau de revenu disponible possible, ils devront épargner moins et vice versa. La seule exception à cette règle vient du sixième facteur, c'est-à-dire la taxation. Ainsi, une hausse d'impôts déplacera vers le bas à la fois les fonctions de consommation et d'épargne, tandis qu'une réduction d'impôts aura l'effet contraire.

**LA STABILITÉ** Selon la majorité des économistes, les fonctions de consommation et d'épargne sont plutôt stables en dehors d'interventions spécifiques des gouvernements dans le but de les déplacer. Cette stabilité peut s'expliquer par les habitudes de consommation et d'épargne et par le fait que les facteurs qui influencent la consommation et l'épargne sont très divers et s'annulent souvent en jouant dans des directions différentes.

### L'investissement

Nous étudierons maintenant l'investissement, la deuxième composante des dépenses privées. Comme nous l'avons vu précédemment, l'investissement comprend les dépenses effectuées pour la construction des établissements, pour l'achat d'équipement, de machinerie, etc. Qu'est-ce qui détermine le niveau d'investissement? Deux facteurs jouent un rôle déterminant: (1) le taux de profit net anticipé que l'entreprise souhaite retirer de ses dépenses d'investissement; (2) le taux d'intérêt.

**LE TAUX DE PROFIT NET ANTICIPÉ**
Les entreprises investissent dans le but de faire des profits; elles achètent des biens de production seulement si ces achats sont considérés comme rentables. Prenons un exemple simple. Supposons que le propriétaire d'une petite usine de fabrication d'armoires étudie la possibilité d'acheter une nouvelle sableuse coûtant 1 000 $ et ayant une durée d'une seule année. Cette machine devrait augmenter la production de l'entreprise et ses recettes. Supposons que le revenu net anticipé (c'est-à-dire net de tous les coûts de production comme l'énergie, le bois de construction, le travail, certaines taxes, etc.) soit de 1 100 $. En d'autres termes, après avoir tenu compte des coûts de production, le revenu net anticipé est suffisant pour couvrir le coût de 1 000 $ de la machine et laisse un profit de 100 $. En comparant ces 100 $ de profit au coût de 1 000 $, nous trouvons un taux de profit net anticipé pour cet investissement de 10 %, c'est-à-dire (100 $/1 000 $) x 100.

**LE TAUX D'INTÉRÊT**
Il y a un coût important découlant de l'investissement dont notre exemple ne tient pas compte. C'est, bien sûr, le taux d'intérêt, le coût financier que l'entreprise doit payer pour emprunter le capital monétaire nécessaire à l'achat du capital physique (la sableuse)[3]. Nous disons donc qu'en général, si le taux de profit net (10 %) est supérieur au taux d'intérêt (par exemple 7 %), l'investissement est profitable. Mais si le taux d'intérêt (par exemple 12 %) est supérieur au taux de profit net anticipé (10 %), l'investissement n'est pas profitable.

**LA COURBE DE DEMANDE D'INVESTISSEMENT**
Nous passerons maintenant de la micro-économique à la macro-économique, c'est-à-dire de la décision d'investir d'une entreprise unique à la

---

3. Le rôle du taux d'intérêt comme coût de l'investissement dans du capital physique est maintenu même si la firme n'emprunte pas, mais finance plutôt l'investissement à partir de réserves constituées de profits antérieurs. En utilisant cette monnaie pour acheter la sableuse, la firme paie un coût d'option (chapitre 2), en ce sens qu'elle perd les revenus d'intérêt qu'elle aurait pu réaliser en prêtant cette somme à quelqu'un d'autre.

compréhension de la demande de biens d'investissement de toutes les entreprises. Nous supposerons que chaque entreprise a procédé à l'évaluation des divers projets d'investissement et a estimé un taux de profit net anticipé. Il est possible de compiler ces données en posant la question suivante : quelle est la valeur monétaire globale des projets d'investissement promettant un taux de profit de 16 % et plus ? de 14 % et plus ? de 12 % et plus ? etc.

Supposons que nous ne trouvions aucun projet offrant un taux de profit de 16 % et plus. Par con-

tre, il y a des projets totalisant une valeur de 5 milliards de dollars dont le taux de profit net anticipé se situe entre 14 % et 16 %. Une autre série de projets d'investissement d'une valeur de 5 milliards de dollars rapporterait de 12 % à 14 %. Un autre groupe de 5 milliards de dollars engendrerait des profits de 10 % à 12 %, et ainsi de suite, 5 milliards de dollars pour chaque tranche de 2 % incluant les rendements situés entre 0 % et 2 %. Ces données sont rassemblées au tableau 5.2 qui nous permet de tracer la courbe de demande d'investissement de la figure 5.2.

**TABLEAU 5.2** Les profits anticipés et l'investissement (données fictives)

| Taux de profit net anticipé (en pourcentage) | Projets d'investissement (en milliards de dollars par année) |
|:---:|:---:|
| 16 | 0 |
| 14 | 5 |
| 12 | 10 |
| 10 | 15 |
| 8 | 20 |
| 6 | 25 |
| 4 | 30 |
| 2 | 35 |
| 0 | 40 |

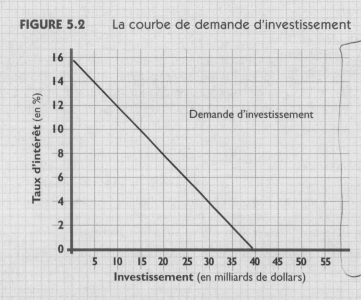

**FIGURE 5.2** La courbe de demande d'investissement

On obtient la courbe de demande d'investissement de l'économie en classant les projets d'investissement par ordre décroissant de leur taux de profit net anticipé et en appliquant la règle voulant que l'investissement soit effectué si le taux de profit net anticipé est égal ou supérieur au taux d'intérêt. La courbe de demande d'investissement a une pente négative, reflétant la relation inverse entre le taux d'intérêt (prix financier de l'investissement) et la quantité demandée globale de biens de production de l'ensemble des entreprises.

Le tableau 5.2 nous montre qu'il existe une valeur de 10 milliards de dollars de projets d'investissement dont le taux anticipé est de 12 % ou plus : 5 milliards de dollars engendrant des profits de 14 % et plus, et 5 milliards de dollars devant entraîner des profits de 12 % à 14 %.

Compte tenu de ces informations accumulées sur les taux de profit net anticipés, considérons de nouveau le taux d'intérêt ou le coût financier de l'investissement. L'exemple de la sableuse nous a appris qu'un projet d'investissement sera effectué dans la mesure où le taux de profit net anticipé est supérieur au taux d'intérêt. Appliquons ce raisonnement à la figure 5.2. Si nous supposons un taux d'intérêt de 12 %, 10 milliards de dollars de dépenses d'investissement pourraient être rentables, c'est-à-dire que des projets d'investissement d'une valeur de 10 milliards de dollars engendreraient un taux de profit net anticipé supérieur à 12 %. D'un autre point de vue, à un prix financier de 12 %, la quantité demandée de biens d'investissement sera de 10 milliards de dollars. De la même manière, si le taux d'intérêt était plus bas, prenons 10 %, des projets d'investissement d'une valeur additionnelle de 5 milliards de dollars deviendraient profitables et la somme totale de biens d'investissement demandés serait de 15 milliards de dollars (= 10 milliards + 5 milliards), et ainsi de suite. Si nous appliquons la règle voulant que tout projet d'investissement soit effectué jusqu'à ce que le taux de profit net anticipé soit égal au taux d'intérêt, nous découvrirons que la courbe de la figure 5.2 est la courbe de demande d'investissement.

Divers prix financiers possibles de l'investissement (divers taux d'intérêt) sont représentés sur l'ordonnée et les quantités demandées correspondantes de biens d'investissement se trouvent sur l'abscisse. Par définition, toute ligne ou courbe contenant ces données est une courbe de demande d'investissement. En conformité avec les courbes de demande de produits et de ressources, nous pouvons observer la relation inverse entre le taux d'intérêt (prix) et le montant des dépenses en biens d'investissement (quantité demandée).

### LES DÉPLACEMENTS DE LA COURBE DE DEMANDE D'INVESTISSEMENT

Compte tenu des taux de profit net anticipés de divers projets possibles, la figure 5.2 représente

le taux d'intérêt comme déterminant principal de l'investissement. Mais d'autres facteurs ou variables influencent le niveau de la courbe de demande d'investissement. À première vue, tout facteur qui augmente le taux de profit net anticipé déplacera la courbe de demande d'investissement vers la droite. Au contraire, tout ce qui fait diminuer le taux de profit net anticipé d'un investissement déplacera la courbe de demande d'investissement vers la gauche.

**LES RENDEMENTS ANTICIPÉS DES PROJETS D'INVESTISSEMENT** L'exemple de la sableuse nous a appris que les coûts initiaux des biens de capital ainsi que les coûts estimés d'exploitation et d'entretien de ces biens sont des facteurs déterminants du taux de profit net anticipé d'un investissement. Si ces coûts augmentent, le taux de profit net anticipé pour un projet d'investissement chutera, déplaçant ainsi la courbe de demande d'investissement vers la gauche. Au contraire, si ces coûts déclinent, le taux de profit net anticipé augmentera et la courbe de demande d'investissement se déplacera vers la droite. Nous remarquons que les demandes salariales des syndicats peuvent agir sur la courbe de demande d'investissement, car les taux de salaires constituent un coût d'exploitation important pour la plupart des entreprises.

**LE FARDEAU FISCAL DES ENTREPRISES** Les décisions d'investissement des propriétaires d'entreprises dépendent des profits anticipés après impôts. Alors, une augmentation de l'imposition des entreprises diminuera la rentabilité et pourra déplacer la courbe de demande d'investissement vers la gauche ; une réduction de l'imposition aura l'effet contraire.

**LES CHANGEMENTS TECHNOLOGIQUES** Les changements technologiques comme la création de nouveaux produits, l'amélioration de produits déjà existants, la mise au point de machinerie ou de procédés de fabrication stimulent l'investissement. Un rythme élevé de changements technologiques déplacera la courbe de demande d'investissement vers la droite et vice versa.

**LE TAUX D'UTILISATION DES CAPACITÉS DE PRODUCTION** De même que la quantité de biens de consommation que détiennent les ménages agit sur leur consommation et sur leur intention d'épargner, de même le stock de biens d'équipement que possèdent les entreprises influence le taux de profit net anticipé pour un nouvel investissement d'une industrie donnée. Une capacité de production excédentaire déplace la courbe de demande d'investissement vers la gauche, tandis que la rareté relative des biens d'équipement la déplacera vers la droite.

**LES ANTICIPATIONS** Comme les investissements des entreprises se fondent sur les profits anticipés et que la durée de vie de la plupart des biens d'équipement dépasse 10 ans ou 20 ans, la rentabilité de l'investissement en capital dépendra grandement des anticipations des entreprises quant aux ventes futures et à la rentabilité future du produit que l'équipement doit produire.

**L'INVESTISSEMENT ET LE REVENU**
Pour être en mesure d'additionner les décisions d'investissement des entreprises aux intentions d'achats des consommateurs, nous devons établir une relation entre les prévisions d'investissement et le revenu disponible ou le produit intérieur brut. Il s'agit donc de spécifier une fonction d'investissement qui met en relation les sommes que les entreprises dans leur ensemble projettent d'investir à chaque niveau de revenu ou de production possible. Une telle relation décrit les projets d'investissement des entreprises de la même façon que les fonctions de

consommation et d'épargne décrivent les intentions d'achats ou d'épargne des ménages.

Nous supposerons que l'investissement des entreprises est indépendant du niveau de revenu courant. Nous dirons que l'investissement est exogène. Plus spécifiquement, nous supposerons que la fonction d'investissement a l'allure de celle qui est représentée à la figure 5.3 et que le taux d'intérêt en vigueur est de 8 %. Cela signifie que les entreprises considèrent comme rentables des projets d'investissement totalisant 20 milliards de dollars. Au tableau 5.3, colonnes 1 et 2, nous supposons que ce niveau est valable pour tous les niveaux de revenu. La courbe $I_b$ représente graphiquement cette hypothèse (figure 5.3).

Il faut admettre que l'indépendance de l'investissement et du revenu est une simplification de la réalité. En effet, sur le plan pratique, un niveau d'activité économique supérieur peut engendrer des dépenses d'investissement supplémentaires (colonnes 1 et 3 du tableau 5.3 et la courbe $I'_b$ (I endogène) à la figure 5.3), car l'investissement est lié aux profits : une grande proportion de ces dépenses est financée à même les profits de l'entreprise et le niveau de revenu et de production influence la capacité excédentaire de production des entreprises. Cependant, notre simplification, bien qu'elle ne reflète pas correctement la réalité, facilite

**TABLEAU 5.3**    La fonction d'investissement (données fictives)

| (1)<br>**Niveaux de production<br>et de revenu**<br>(en milliards de dollars) | (2)<br>**Investissement $I_b$**<br>(en milliards de dollars) | (3)<br>**Investissement $I'_b$**<br>(en milliards de dollars) |
|:---:|:---:|:---:|
| 370 | 20 | 10 |
| 390 | 20 | 12 |
| 410 | 20 | 14 |
| 430 | 20 | 16 |
| 450 | 20 | 18 |
| 470 | 20 | 20 |
| 490 | 20 | 22 |
| 510 | 20 | 24 |
| 530 | 20 | 26 |
| 550 | 20 | 28 |

**FIGURE 5.3** La fonction d'investissement: deux possibilités

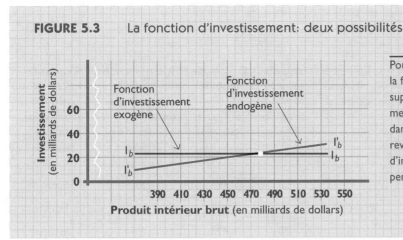

Pour faciliter l'analyse, nous utiliserons la fonction d'investissement $I_b$ qui suppose que les projets d'investissement des entreprises sont indépendants, ou exogènes, du niveau de revenu courant. En fait, la fonction d'investissement peut avoir une légère pente ascendante comme l'illustre $I'_b$.

grandement l'analyse. C'est pourquoi nous la retiendrons.

### L'INSTABILITÉ DE L'INVESTISSEMENT

Contrairement à la fonction de consommation, la fonction d'investissement est instable. L'investissement est, en effet, la composante la plus changeante des dépenses privées. Cette instabilité dépend de plusieurs facteurs, dont les plus importants sont: la durée de vie de l'équipement, l'irrégularité de l'innovation, la variabilité des profits et la variabilité des anticipations.

Pour toutes les raisons mentionnées jusqu'à maintenant dans le présent chapitre, nous pouvons donc associer la plupart des fluctuations de la production et de l'emploi aux variations de l'investissement. Cette volatilité apparaîtrait à la figure 5.3 sous forme de déplacements fréquents et importants de la fonction d'investissement.

### Les niveaux d'équilibre de la production et de l'emploi du modèle keynésien

Nous avons maintenant en main tous les outils d'analyse nécessaires pour expliquer les niveaux d'équilibre de la production, de l'emploi et du revenu. La *production d'équilibre* correspond au niveau de production intérieure qui, une fois atteint, se maintient dans l'économie. Ce niveau est atteint lorsque le flux de revenus découlant de la production engendre un niveau de dépenses totales suffisant pour acheter toute la production.

Nous adopterons deux approches étroitement liées entre elles pour déterminer et expliquer le niveau de production d'équilibre: l'approche par l'offre et la demande globales (C + $I_b$ = PIB) et celle de l'épargne et de l'investissement (É = $I_b$).

### *L'approche par l'offre et la demande globales*

Nous étudierons cette approche à partir de données arithmétiques et à l'aide de graphiques.

### L'ANALYSE DESCRIPTIVE

Au tableau 5.4 (page 164), nous reprenons les données sur la consommation et l'épargne du tableau 5.1 (page 156) et nous les ajoutons aux données sur l'investissement des colonnes 1 et 2 du tableau 5.3.

### L'OFFRE GLOBALE (LA PRODUCTION INTÉRIEURE)

La colonne 2 du tableau 5.4, nous donne les divers niveaux de production (c'est-à-dire les PIB possibles) que l'économie peut atteindre. *Les producteurs sont prêts à offrir ces 10 niveaux de production s'ils s'attendent à recevoir une somme identique provenant de la vente de cette production.* Par exemple, les entreprises produiront pour une valeur de 370 milliards de dollars, engendrant des revenus de 370 milliards de dollars en salaires, en rentes, en intérêts et en profits (chapitre 3), seulement si elles croient pouvoir toucher des recettes de 370 milliards de dollars provenant de la vente de cette production. Une production de 390 milliards de dollars sera offerte si les entreprises pensent pouvoir la vendre 390 milliards de dollars. Le même raisonnement s'applique à tous les autres niveaux de production.

### LA DEMANDE GLOBALE (LES DÉPENSES TOTALES)

La colonne 6 du tableau 5.4 représente les dépenses totales à chaque niveau de revenu ou de

**TABLEAU 5.4**   La détermination des niveaux d'équilibre de l'emploi, de la production et du revenu : le secteur privé (données fictives)

| (1) Niveau possibles d'emploi (en millions) | (2) Production et revenu (PIB = RD) (en milliards de dollars) | (3) Consom- mation (en milliards de dollars) | (4) Épargne (en milliards de dollars) | (5) Investis- sement (en milliards de dollars) | (6) Demande globale (C + I$_b$) (en milliards de dollars) | (7) Investissement non planifié (+) ou désinves- tissement (−) dans les stocks (en milliards de dollars) | (8) Tendance de l'emploi, de la production et des revenus |
|---|---|---|---|---|---|---|---|
| 6 | 370 | 375 | − 5 | 20 | 395 | − 25 | Hausse |
| 7 | 390 | 390 | 0 | 20 | 410 | − 20 | Hausse |
| 8 | 410 | 405 | 5 | 20 | 425 | − 15 | Hausse |
| 9 | 430 | 420 | 10 | 20 | 440 | − 10 | Hausse |
| 10 | 450 | 435 | 15 | 20 | 455 | − 5 | Hausse |
| 11 | 470 | 450 | 20 | 20 | 470 | 0 | Équilibre |
| 12 | 490 | 465 | 25 | 20 | 485 | + 5 | Baisse |
| 13 | 510 | 480 | 30 | 20 | 500 | +10 | Baisse |
| 14 | 530 | 495 | 35 | 20 | 515 | +15 | Baisse |
| 15 | 550 | 510 | 40 | 20 | 530 | +20 | Baisse |

production, c'est-à-dire la demande globale. Si nous omettons l'intervention gouvernementale, la demande globale correspond à la somme des dépenses de consommation et d'investissement (C + I$_b$) effectuées à chaque niveau de production et de revenu.

**LE PIB D'ÉQUILIBRE** Parmi les 10 niveaux de PIB possibles indiqués au tableau 5.4, lequel est le niveau d'équilibre ? Quel est le niveau de production totale que l'économie peut soutenir ? Le niveau de production d'équilibre est celui pour lequel la production créera une dépense totale suffisante pour acheter cette production. Le niveau d'équilibre du PIB est atteint lorsque la quantité totale de biens et de services produite (PIB) est égale à la quantité totale de biens et de services achetée (C + I$_b$). En comparant les colonnes 2 et 6 du tableau 5.4, nous remarquons que cette égalité se produit lorsque le niveau du PIB est de 470 milliards de dollars. C'est à ce niveau seulement que l'économie est prête à dépenser précisément la somme néces-saire à l'achat de toute la production. À ce niveau, les rythmes annuels de production et de

dépense s'équilibrent. Il n'existe aucune surpro-duction se traduisant par une accumulation de biens invendus et par un ralentissement de la production. On ne trouve non plus aucune dépense excédentaire entraînant une baisse des stocks et une augmentation du rythme de production.

**LES DÉSÉQUILIBRES** Pour mieux comprendre la signification du niveau d'équilibre du PIB, exa-minons d'autres niveaux de production possibles. Si la production était de 410 milliards de dollars, les entreprises comprendraient que, en pro-duisant à ce niveau, les revenus qui seraient alors obtenus entraîneraient 405 milliards de dollars en dépenses de consommation. En ajoutant les dépenses d'investissement de 20 milliards, les dépenses totales (C + I$_b$) atteindraient 425 mil-liards (tableau 5.4, colonne 6). À ce niveau, les dépenses (425 milliards de dollars) sont supérieures à la production (410 milliards). Comme les entreprises produisent à un rythme inférieur à celui des achats, les stocks chuteront de 15 milliards (colonne 7) si la situation se main-tient. Les entreprises réagiront en accélérant le rythme de production, créant ainsi des emplois et un niveau de revenu total plus élevé. Bref, si les dépenses globales sont supérieures au niveau de la production intérieure, la production augmentera. En comparant les colonnes 2 (PIB) et 6 ($C + I_b$) pour tous les autres niveaux de production inférieurs à 470 milliards de dollars, nous constatons que les dépenses qu'on entend faire dans l'économie seront supérieures au niveau auquel les entreprises désirent produire. Ces dépenses excédentaires entraîneront des hausses du niveau de production.

Le niveau d'équilibre ne peut pas non plus être supérieur à 470 milliards de dollars. Sinon, les entreprises se rendront compte que ces niveaux de production n'engendrent pas suffisamment de dépenses pour que soit achetée toute la production. Ne pouvant couvrir leurs coûts de production, les entreprises réduiront le rythme de production. Par exemple, si le niveau de production est de 510 milliards de dollars, les administrateurs constateront que les dépenses sont insuffisantes pour vendre toute la production. Les revenus de 510 milliards engendrés par cette production n'entraîneront que 480 milliards de dépenses de consommation. Même en y ajoutant des dépenses d'investissement de l'ordre de 20 milliards, les dépenses totales se chiffreront à 500 milliards, c'est-à-dire qu'elles seront de 10 milliards de dollars inférieures à la valeur des quantités produites. Si ce déséquilibre persiste, les stocks augmenteront de 10 milliards (colonne 7). Les entreprises réagiront alors en diminuant le rythme de production. Cette baisse du PIB signifie moins d'emplois et un déclin du revenu total. Vérifiez si cette situation se reproduit à d'autres niveaux de PIB supérieurs à 470 milliards de dollars.

Le niveau de production d'équilibre est atteint lorsque l'offre globale, qui constitue la production totale (PIB), est égale à la demande globale, c'est-à-dire aux dépenses totales ($C + I_b$). Toute dépense excédentaire provoquera une diminution de la production totale. Toute insuffisance des dépenses totales occasionnera une augmentation de la production totale.

### L'ANALYSE GRAPHIQUE

Tout point situé sur une droite à 45° a des coordonnées d'égale valeur. Par conséquent, dans le cas présent, tout point sur cette droite correspond à une égalité du PIB et de la demande globale ($C + I_b$), ce qui est la condition de l'équilibre intérieur (figure 5.4, page 168).

Nous avons tracé la courbe de demande globale en additionnant une constante de 20 milliards de dollars à la fonction de consommation, ce qui suppose que les entreprises sont prêtes à investir cette somme à tous les niveaux de PIB possibles. Plus directement, il suffit de tracer la courbe ($C + I_b$) à partir des données de la colonne 6 du tableau 5.4.

Quel sera le **niveau d'équilibre** du PIB ? Compte tenu de la nature même de la bissectrice, l'intersection détermine le seul point auquel les dépenses totales (sur l'ordonnée) sont égales au PIB (sur l'abscisse), et cette égalité est la condition de l'équilibre. Comme notre graphique est basé sur les données du tableau 5.4, le niveau d'équilibre ainsi obtenu ne peut être que de 470 milliards de dollars.

### L'approche par l'épargne et l'investissement ($É = I_b$)

L'approche par la demande (dépenses) et l'offre (production) globales fait ressortir l'importance des dépenses comme déterminant des niveaux de production, d'emploi et de revenu. L'approche par l'investissement et l'épargne est plus indirecte, mais elle permet d'expliquer pourquoi $C + I_b$ et le PIB ne sont pas égaux à tous les niveaux de production autres que celui de l'équilibre. Nous pouvons facilement démontrer l'équivalence de ces deux approches. Notre première condition de l'équilibre est :

$$PIB = C + I_b$$

donc $$PIB - C = I_b.$$

Par hypothèse, $$PIB = RI = RP = RD$$

donc $$RD - C = I_b.$$

Comme $$RD - C = É, \text{ alors}$$

$$É = I_b.$$

Essentiellement, cette approche se résume de la façon suivante : compte tenu de notre hypothèse simplificatrice, nous savons que tous les niveaux de production engendrent des revenus équivalents. Mais nous savons également qu'une partie de ces revenus sera épargnée, c'est-à-dire ne sera pas consommée par les ménages. L'épargne représente alors une **fuite** par rapport

---

**NIVEAU D'ÉQUILIBRE**

Point qui se situe à l'intersection de la courbe de demande globale et de la droite à 45°.

**FUITE**

Toute utilisation du revenu autre que pour les dépenses faites pour acquérir la production intérieure.

au circuit des revenus et des dépenses. Par conséquent, la consommation sera inférieure à la production totale ou au PIB; ainsi, la consommation ne peut, à elle seule, écouler toute la production du marché. Toutefois, la production n'est pas destinée entièrement aux ménages. Les entreprises désirent, en effet, acquérir une partie de la production intérieure, soit le capital ou les biens de production. Nous pouvons donc considérer que l'investissement est une **injection** de dépenses dans le circuit des revenus et des dépenses. Cette injection s'ajoute à la consommation et peut compenser les fuites causées par l'épargne.

Si l'épargne excède l'investissement, $C + I_b$ tombera sous le PIB, et ce niveau de production ne pourra être maintenu. Chaque fois que l'épargne sera supérieure à l'investissement, le PIB ainsi engendré sera supérieur au PIB d'équilibre. Par contre, si l'investissement (injection) est supérieur à l'épargne (fuite), $C + I_b$ excédera le PIB et ce dernier aura tendance à augmenter. Ainsi, lorsque l'investissement est supérieur à l'épargne, le PIB se situe au-dessous du niveau d'équilibre. Le niveau d'équilibre du PIB ne sera atteint que lorsque l'épargne sera égale à l'investissement ($É = I_b$).

Comme nous étudions un modèle simplifié de la réalité économique, c'est-à-dire sans gouvernement et fermée, la seule fuite possible est l'épargne et la seule injection, l'investissement. Lorsque nous intégrerons les échanges extérieurs et l'intervention gouvernementale, nous étudierons d'autres fuites possibles, à savoir les importations et les taxes, et d'autres injections comme les dépenses gouvernementales et les exportations.

### L'ANALYSE GRAPHIQUE

Nous pouvons représenter cette approche graphiquement en combinant la fonction d'épargne de la figure 5.1 (page 157) à la fonction d'investissement simplifiée de la figure 5.3 représentée à la page 163 (figure 5.4, page 168). Nous trouvons les données numériques à la base de ces fonctions aux colonnes 2, 4 et 5 du tableau 5.4 (page 164). Il est clair que le niveau d'équilibre du PIB se situe à 470 milliards de dollars, point correspondant à l'intersection des fonctions d'épargne et d'investissement. C'est à ce seul point que les entreprises et les ménages

investissent et épargnent au même rythme. Par conséquent, c'est là seulement que $C + I_b$ égale le PIB.

### L'épargne et l'investissement réalisés par rapport à l'épargne et à l'investissement planifiés

Les investisseurs et les épargnants étant des groupes fondamentalement différents, leurs motivations ne sont pas les mêmes. Par conséquent, il peut exister un écart entre l'épargne et l'investissement, qui amènera un changement du niveau d'équilibre du PIB. D'un autre côté, il faut admettre que l'épargne et l'investissement doivent nécessairement être égaux. Cette contradiction n'est qu'apparente, car il faut distinguer les projets d'investissement et d'épargne de leur réalisation. L'investissement et l'épargne planifiés peuvent être différents de l'investissement et de l'épargne réalisés. Ces derniers doivent être égaux par définition, alors que les projets peuvent être différents. La différence entre l'investissement planifié au début d'une période et l'investissement effectivement réalisé à la fin de la même période est comblée par les changements non planifiés des stocks comptabilisés comme investissement non planifié.

La distinction que nous venons de faire est importante, car elle permet de constater que *c'est l'égalité de l'investissement et de l'épargne planifiés qui détermine le niveau d'équilibre du PIB.* L'équilibre serait donc atteint de la façon suivante :

1. Un écart entre l'épargne et l'investissement planifiés amène une différence entre la valeur de la production et les intentions de dépenses de l'économie tout entière.

2. Cette différence entre l'offre globale (production totale) et les dépenses planifiées entraîne un investissement ou un désinvestissement non planifié à même les stocks.

3. Tant que durera l'investissement non planifié dans les stocks, les entreprises réviseront leurs niveaux de production à la baisse et, par conséquent, réduiront le PIB. Inversement, tant que le désinvestissement non planifié diminuera les stocks, les entreprises réviseront à la hausse leurs niveaux de production et augmenteront le PIB. Ces deux types

---

**INJECTION**

Toute dépense faite pour acquérir la production intérieure, laquelle s'ajoute aux dépenses faites par les consommateurs.

de déplacements entraîneront le PIB vers le niveau d'équilibre, car ils créeront l'égalité de l'investissement et de l'épargne planifiés.

4. Le niveau du PIB ne sera stable ou en équilibre que lorsque l'investissement et l'épargne planifiés seront égaux, car ce n'est qu'à ce moment que les variations non planifiées de stocks cesseront de faire varier le PIB à la hausse ou à la baisse. À la colonne 7 du tableau 5.4 (page 164), seul un PIB de 470 milliards de dollars n'entraîne aucune variation non planifiée des stocks.

## Les changements du PIB d'équilibre et le multiplicateur

Jusqu'à présent, nous avons tenté d'expliquer les niveaux d'équilibre de la production totale et du revenu. Cependant, nous avons vu, au chapitre 3, que le PIB de l'économie canadienne variait constamment, qu'il était caractérisé par une croissance à long terme et des fluctuations cycliques. Nous chercherons maintenant à savoir pourquoi et comment le niveau d'équilibre du PIB varie.

Le niveau d'équilibre du PIB change selon les variations de la fonction d'investissement ou des fonctions d'épargne et de consommation. Comme la fonction d'investissement est généralement moins stable que les fonctions de consommation et d'épargne, nous supposerons que la variation se produit pour la fonction d'investissement. La figure 5.4 (page 168) nous permet de visualiser facilement l'effet de ce changement.

Supposons que le taux de profit net anticipé augmente, déplaçant la courbe de demande d'investissement de la figure 5.2 (page 160) vers la droite, ou que le taux d'intérêt diminue, déplaçant la courbe vers le bas : les dépenses d'investissement augmentent, par exemple, de 5 milliards de dollars. Ce résultat apparaît à la figure 5.4a. La courbe de demande globale se déplace vers le haut de $(C + I_b)_0$ à $(C + I_b)_1$. À la figure 5.4b, nous notons le déplacement vers le haut de la fonction d'investissement, de $I_{b0}$ à $I_{b1}$. Dans chaque cas, le niveau d'équilibre du PIB passe de 470 milliards à 490 milliards de dollars.

Par contre, si le taux de profit net anticipé diminue ou que le taux d'intérêt augmente, les investissements diminueront, par exemple de

5 milliards de dollars. Cette baisse est représentée à la figure 5.4b par un déplacement vers le bas de la fonction d'investissement, de $I_{b0}$ à $I_{b2}$, et à la figure 5.4a par un déplacement vers le bas de la courbe de demande globale, de $(C + I_b)_0$ à $(C + I_b)_2$. Dans chaque cas, ces déplacements diminuent le niveau d'équilibre du PIB de 470 milliards à 450 milliards de dollars.

Des effets similaires se produisent lorsque les fonctions de consommation et d'épargne se déplacent. Si les ménages souhaitent consommer davantage (ou épargner moins) à chaque niveau de PIB, la courbe de demande globale se déplacera vers le haut et celle de l'épargne vers le bas (figure 5.4a et b). Dans ces deux situations, le niveau d'équilibre du PIB augmentera. Si les ménages souhaitent consommer moins (ou épargner davantage) à chaque niveau possible de PIB, la chute de la fonction de consommation et la hausse de la fonction d'épargne qui en résulteront entraîneront une baisse du PIB d'équilibre.

> **EFFET MULTIPLICATEUR OU MULTIPLICATEUR**
> Nombre par lequel une variation de n'importe quelle composante du barème de la dépense globale doit être multipliée pour donner la variation consécutive du PIB d'équilibre.

### L'effet multiplicateur

Ces exemples nous ont permis de détecter un phénomène curieux : une variation des dépenses d'investissement de 5 milliards de dollars a engendré une variation de 20 milliards de dollars du niveau de la production et du revenu. Ce résultat surprenant s'appelle « **effet multiplicateur** » ou « **multiplicateur** ». En fait, le multiplicateur est le rapport entre la variation du PIB et la variation initiale des dépenses qui l'a provoquée. C'est-à-dire :

$$\text{Multiplicateur} = \frac{\text{variation du PIB}}{\text{variation de l'investissement}}$$

L'effet multiplicateur repose sur deux facteurs principaux. Premièrement, l'économie se caractérise par un flux continu et répétitif de dépenses et de revenus au cours duquel les dollars dépensés par monsieur Gagnon sont touchés sous forme de revenus par madame Tremblay. Deuxièmement, tout changement de revenu entraînera des variations de la consommation et de l'épargne correspondant à une fraction positive du changement du revenu initial. Il s'ensuit que toute variation initiale du rythme des dépenses entraînera une réaction en chaîne dont l'importance diminue à chaque tour, mais dont l'effet total sur le PIB s'additionne.

### ILLUSTRATION

L'effet multiplicateur d'une augmentation des dépenses d'investissement de 5 milliards de dollars est illustré au tableau 5.5. Nous supposons toujours que la PmC est de 0,75 et que la PmÉ est par conséquent de 0,25. Nous supposons également que le niveau d'équilibre initial est de 470 milliards de dollars.

L'augmentation initiale de l'investissement engendre des revenus en salaires, en rentes, en intérêts et en profits, car les dépenses et les revenus ne sont que deux aspects d'une même transaction. Si le revenu des ménages augmente de 5 milliards de dollars, quelle sera la hausse de consommation qui en découlera ? Pour trouver la réponse à cette question, il suffit de multiplier la variation de revenu par la PmC, soit 0,75 pour obtenir la hausse de demande globale. On obtient ainsi 3,75 milliards de dollars (= 5 milliards x 0,75). Cette variation de la demande va entraîner un effet multiplicateur égal à 3,75 x 0,75, soit une variation du PIB de 2,81 milliards.

**FIGURE 5.4**   Les variations du PIB d'équilibre provoquées par *a)* un déplacement de la courbe de demande globale et *b)* un déplacement de la fonction d'investissement

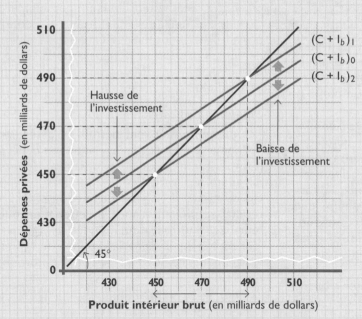

*a)* **Les déplacements de la courbe de demande globale**

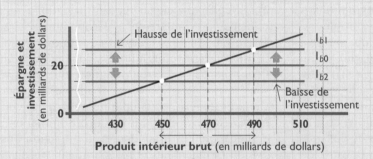

*b)* **Les déplacements de la fonction d'investissement**

Les variations de stocks assurent l'égalité de l'épargne et de l'investissement réalisés. Un déplacement vers le haut de la courbe de demande globale de $(C + I_b)_0$ à $(C + I_b)_1$ augmentera le PIB d'équilibre. Inversement, un déplacement vers le bas de la courbe de demande globale de $(C + I_b)_0$ à $(C + I_b)_2$ diminuera le PIB d'équilibre. Un déplacement vers le haut de la fonction d'investissement ($I_{b0}$ à $I_{b1}$) augmentera le PIB d'équilibre et un déplacement vers le bas ($I_{b0}$ à $I_{b2}$) le fera diminuer.

**TABLEAU 5.5** Le multiplicateur: une illustration du processus (données fictives)

| | Variation du revenu (en milliards de dollars) | Variation de la consommation PmC = 0,75 (en milliards de dollars) | Variation de l'épargne PmÉ = 0,25 (en milliards de dollars) |
|---|---|---|---|
| Augmentation initiale de l'investissement | 5,00 | 3,75 | 1,25 |
| Deuxième étape | 3,75 | 2,81 | 0,94 |
| Troisième étape | 2,81 | 2,11 | 0,70 |
| Quatrième étape | 2,11 | 1,58 | 0,53 |
| Cinquième étape | 1,58 | 1,19 | 0,39 |
| Toutes les autres étapes | 4,75 | 3,56 | 1,19 |
| Total | 20,00 | 15,00 | 5,00 |

L'augmentation des dépenses de 2,81 milliards accroîtra d'autant les revenus des ménages, qui en consommeront les trois quarts. Même si, à chaque étape, l'augmentation des dépenses décroît, l'effet cumulatif augmentera la production et le revenu de 20 milliards de dollars à la fin du processus. Par conséquent, la variation initiale de 5 milliards de dollars aura engendré une hausse du PIB d'équilibre de 20 milliards, le faisant passer de 470 milliards à 490 milliards de dollars. Dans cet exemple, le multiplicateur est de 4.

Il est important de noter que tout changement des autres composantes de la demande globale (dépenses de consommation, exportations, dépenses gouvernementales) engendrera également un effet multiplicateur. Il faut aussi se rappeler que l'effet multiplicateur fonctionne dans les deux directions. Il amplifie autant une baisse initiale des dépenses qu'une hausse de ces dernières.

#### LE MULTIPLICATEUR ET LES PROPENSIONS MARGINALES

En observant le tableau 5.5, nous devinons qu'il existe un lien entre le multiplicateur et la propension marginale à épargner. En effet, la fraction de toute augmentation de revenu qui est épargnée, c'est-à-dire la PmÉ, détermine l'impact total de tout changement initial de $I_b$, X, G ou C et, par conséquent, de l'effet multiplicateur. Plus précisément, le multiplicateur est inversement proportionnel à la PmÉ. Plus la fraction épargnée de la variation de revenu sera petite, plus la fraction consommée sera grande à chaque étape et plus le multiplicateur sera élevé.

Le multiplicateur est égal à la réciproque de la PmÉ. La réciproque de tout nombre est le quotient que nous obtenons en divisant 1 par ce nombre. En bref :

$$\text{Multiplicateur} = \frac{1}{\text{PmÉ}}$$

Cette formule permet de calculer rapidement le multiplicateur. Il suffit de connaître la PmÉ pour trouver le multiplicateur. Nous nous rappellerons également que, puisque PmC + PmÉ = 1, PmÉ = 1 − PmC. Par conséquent, nous pouvons également écrire :

$$\text{Multiplicateur} = \frac{1}{1 - \text{PmC}}$$

#### LA SIGNIFICATION DU MULTIPLICATEUR

La signification du multiplicateur est assez évidente. Un changement relativement faible des projets d'investissement des entreprises ou de la consommation et de l'épargne des ménages peut entraîner des effets beaucoup plus importants quant au niveau d'équilibre du PIB. Le multiplicateur amplifie les fluctuations économiques déclenchées par les variations des dépenses.

#### LA GÉNÉRALISATION DU MULTIPLICATEUR

On appelle généralement le concept de multiplicateur que nous avons étudié jusqu'à présent «multiplicateur simple», car il est basé sur un modèle très simplifié de la réalité économique.

La formulation 1/P*m*É ne tient compte que de la fuite résultant de l'épargne. Cependant, en réalité, d'autres fuites proviennent de la taxation et des importations. Cela signifie que, à chaque étape, une partie du revenu sera utilisée pour acheter des marchandises provenant d'autres pays et une autre partie disparaîtra du circuit sous forme de taxes. Pour tenir compte de ces autres fuites, il faut généraliser le concept du multiplicateur. Nous modifierons alors le dénominateur de notre formule pour considérer «la fraction de tout changement de revenu non utilisée pour acheter la production intérieure» ou «la fraction de tout changement de revenu qui sort du circuit revenu-dépense». Ce multiplicateur plus réaliste s'appelle «**multiplicateur complexe**». Au Canada, on l'estime à 1,2 : les Canadiens épargnent beaucoup, sont très taxés et ont une propension élevée à importer.

> **MULTIPLICATEUR COMPLEXE**
>
> Multiplicateur utilisé lorsqu'on introduit l'intervention gouvernementale ou l'ouverture de l'économie.

## Les exportations nettes et les dépenses gouvernementales

Nous allons maintenant délaisser les deux premiers postulats simplificateurs et introduire les exportations nettes et les dépenses gouvernementales afin de rapprocher notre modèle de la réalité.

### LES EXPORTATIONS NETTES

Nous mettrons maintenant de côté le postulat d'une économie fermée et compliquerons quelque peu le modèle initial en y incluant le commerce international. Ce dernier influence la demande globale et, par conséquent, les niveaux de production, de revenu, d'emploi et de prix. Si le commerce international augmente la demande globale de l'économie, son influence est nécessairement expansionniste. Les niveaux d'emploi, de production, de revenu et de prix auront tendance à augmenter. Si le commerce international diminue la demande globale, nous observerons l'effet contraire.

### LES EXPORTATIONS NETTES ET LA DEMANDE GLOBALE

Étudions d'abord les exportations. Même si les marchandises produites pour répondre à la demande des marchés extérieurs quittent le pays, les dépenses qu'effectuent les non-résidants pour se procurer la production canadienne font augmenter la production et créent des emplois et des revenus au Canada. Nous devons donc ajouter une nouvelle composante à la demande globale, soit les exportations. De la même manière, lorsqu'une économie est ouverte, il faut reconnaître qu'une partie de ses dépenses de consommation et d'investissement ainsi que de ses dépenses gouvernementales sera consacrée à des importations, c'est-à-dire à des biens et à des services produits à l'étranger. Pour ne pas surestimer la valeur de la production intérieure, il faut retrancher la partie de la consommation, de l'investissement et des dépenses gouvernementales qui a été dépensée pour des importations.

En bref, pour une économie fermée, la demande globale est égale à C + $I_b$ + G. Mais pour une économie ouverte, elle sera égale à C + $I_b$ + G + (X – M). Comme les exportations nettes sont égales à (X – M), la demande globale pour une économie ouverte est donc égale à C + $I_b$ + G + $X_n$.

Un déclin des exportations nettes, c'est-à-dire une baisse des exportations ou une augmentation des importations, diminuera la demande globale et aura un effet dépressif sur le PIB intérieur. Inversement, une augmentation des exportations nettes résultant d'une hausse des exportations ou d'une diminution des importations augmentera la demande globale et stimulera le PIB du pays.

Comme le commerce international correspond à une nouvelle fuite (importations) dans le circuit revenu-dépense, il tend à réduire la taille du multiplicateur. Si nous définissons la propension marginale à importer (P*m*M) comme la fraction de toute variation de revenu servant à acheter des importations, nous pouvons additionner la P*m*M à la P*m*É au dénominateur de la formule du multiplicateur. Le multiplicateur d'une économie ouverte prend donc la forme suivante :

$$\text{Multiplicateur} = \frac{1}{P\textit{m}M + P\textit{m}É}$$

### LES DÉPENSES GOUVERNEMENTALES ET LE **PIB** D'ÉQUILIBRE

Supposons que le gouvernement décide d'acheter des biens et des services d'une valeur de 20 milliards de dollars sans tenir compte du niveau du PIB. Le tableau 5.6 illustre l'effet de cette dépense sur le PIB d'équilibre en termes arithmétiques.

Les colonnes 1 à 4 proviennent du tableau 5.4 (page 164). Le PIB d'équilibre d'une économie privée et fermée était alors de 470 milliards de dollars. Les seuls changements sont l'ajout des exportations nettes (exportations moins importations), à la colonne 5, et des dépenses gouvernementales, à la colonne 6. En ajoutant celles-ci aux dépenses privées ($C + I_b + X_n$), nous obtenons un nouveau niveau de demande globale supérieur (colonne 7). En comparant les colonnes 1 et 7, nous remarquons que l'égalité de la demande globale et de la production intérieure se réalise à un niveau supérieur du PIB; plus précisément, le PIB d'équilibre est passé de 470 à 550 milliards de dollars. *Une augmentation des dépenses publiques, tout comme une hausse des dépenses privées, stimulera la demande globale.* Nous remarquons également que les dépenses gouvernementales provoquent un effet multiplicateur. Une augmentation initiale des dépenses gouvernementales de 20 milliards de dollars augmentera le PIB d'équilibre de 80 milliards de dollars.

Selon l'approche de l'épargne et de l'investissement, les dépenses gouvernementales, comme l'investissement et les exportations, correspondent à une injection de dépenses. Rappelons-nous que la fuite provoquée par l'épargne rend la consommation inférieure au RD, entraînant un écart potentiel dans les dépenses. Cet écart peut être comblé par des injections provenant soit de l'investissement, soit des exportations ou des dépenses gouvernementales. En observant le tableau 5.6, nous remarquons que le PIB d'équilibre est atteint au moment où $É = I_b + G + X_n$. En explicitant les $X_n$, $(X - M)$, nous obtenons:

$$É + M = I_b + X + G$$

Comme l'investissement et les exportations, les dépenses gouvernementales compensent les fuites qui proviennent de l'épargne et des importations. Ainsi, par l'ajout des dépenses gouvernementales à notre analyse, le niveau d'équilibre du PIB se situe maintenant au point où l'épargne des ménages et les importations sont égales aux exportations et aux investissements planifiés des entreprises plus le montant que le gouvernement désire dépenser en biens et en services.

**TABLEAU 5.6**  L'effet des dépenses gouvernementales sur le PIB d'équilibre (données fictives)

| (1) Production intérieure réelle et revenu (PIB = RD) (en milliards de dollars) | (2) Consommation (C) (en milliards de dollars) | (3) Épargne (É) (en milliards de dollars) | (4) Investissement ($I_b$) (en milliards de dollars) | (5) Exportations nettes ($X_n$) (en milliards de dollars) | | (6) Dépenses gouvernementales (en milliards de dollars) | (7) Demande globale ($C+I_b+X_n+G$) (en milliards de dollars) ou (2)+(4)+(5)+(6) |
|---|---|---|---|---|---|---|---|
| | | | | X | M | | |
| (1) 370 | 375 | −5 | 20 | 10 | 10 | 20 | 415 |
| (2) 390 | 390 | 0 | 20 | 10 | 10 | 20 | 430 |
| (3) 410 | 405 | 5 | 20 | 10 | 10 | 20 | 445 |
| (4) 430 | 420 | 10 | 20 | 10 | 10 | 20 | 460 |
| (5) 450 | 435 | 15 | 20 | 10 | 10 | 20 | 475 |
| (6) 470 | 450 | 20 | 20 | 10 | 10 | 20 | 490 |
| (7) 490 | 465 | 25 | 20 | 10 | 10 | 20 | 505 |
| (8) 510 | 480 | 30 | 20 | 10 | 10 | 20 | 520 |
| (9) 530 | 495 | 35 | 20 | 10 | 10 | 20 | 535 |
| (10) 550 | 510 | 40 | 20 | 10 | 10 | 20 | 550 |

Qu'arrivera-t-il si les dépenses gouvernementales diminuent ? Il est clair qu'une baisse des dépenses gouvernementales déplacera vers le bas la courbe de demande globale et cela entraînera des baisses cumulatives du PIB d'équilibre.

### Le PIB d'équilibre et le PIB de plein-emploi

Le PIB d'équilibre n'assure pas nécessairement le plein-emploi. La théorie keynésienne repose sur cette constatation : le capitalisme n'est pas une mécanique capable de créer automatiquement le niveau de demande globale qui amène les entreprises à produire à un niveau de plein-emploi non inflationniste. On appelle « **écart déflationniste** » l'écart entre la demande globale actuelle et celle qui correspond au niveau de plein-emploi, parce que cet écart a un effet dépressif sur l'économie. Il correspond à l'augmentation requise des dépenses privées pour atteindre le PIB de plein-emploi. Lorsque la différence est positive entre la demande globale et le PIB de plein-emploi, on l'appelle « **écart inflationniste** ». L'écart inflationniste consiste en la baisse des dépenses nécessaires pour que l'économie fonctionne à un niveau de PIB de plein-emploi non inflationniste. L'écart inflationniste aura comme effet de faire monter les prix, car l'économie ne peut répondre à la demande excédentaire puisqu'elle fonctionne déjà au niveau de plein-emploi. Les entreprises ne peuvent fournir la production nécessaire pour répondre à la demande, ce qui créera de l'inflation.

Il faut reconnaître que l'approche keynésienne des dépenses appliquée à l'écart inflationniste pose quelques problèmes parce que l'analyse keynésienne suppose un niveau de prix constant. Le niveau des prix augmentant, la courbe de demande globale pourrait se déplacer à nouveau. Nous avons vu également que le niveau des prix ainsi que les anticipations à son sujet pouvaient modifier la consommation. Alors, d'un côté, un niveau de prix plus élevé peut appauvrir le consommateur à mesure que l'inflation diminue la valeur réelle de sa richesse financière. Il consommerait moins et l'écart inflationniste s'éliminerait de lui-même. D'un autre côté, l'inflation engendrée par l'écart

inflationniste peut accentuer les anticipations des consommateurs quant aux hausses de prix, les faisant devancer leurs achats. L'inflation se nourrirait d'elle-même (psychose inflationniste).

## LE MODÈLE DE DEMANDE ET D'OFFRE AGRÉGÉES
### La demande agrégée

#### L'allure de la courbe

La courbe de demande agrégée montre la quantité de biens et de services, c'est-à-dire la production intérieure réelle, qui sera achetée à chaque niveau de prix possible. Comme le montre la figure 5.5, la courbe de demande agrégée a une pente négative, tout comme la courbe de demande pour un produit unique. Toutes choses étant égales par ailleurs, plus le niveau des prix sera bas, plus la production intérieure réelle achetée sera élevée.

La courbe de demande agrégée implique que les revenus globaux varient. Quand nous nous déplacerons vers le haut de la courbe, nous atteindrons des niveaux de prix plus élevés. Si nous nous rappelons le modèle des flux circulaires, des prix plus élevés payés pour des biens et des services se transformeront pour les fournisseurs de ressources en salaires, en rentes, en intérêts et en profits plus élevés. Par conséquent, une augmentation du niveau des prix ne signifie pas nécessairement une baisse du pouvoir d'achat de l'économie. En simplifiant beaucoup, une augmentation de 5 % du niveau des prix accroîtra les revenus monétaires de 5 % et, si ce revenu supérieur est dépensé, la même production intérieure réelle pourra être achetée.

> **ÉCART DÉFLATIONNISTE**
> Augmentation nécessaire de la demande globale pour que le PIB s'accroisse jusqu'au niveau de plein-emploi non inflationniste.
>
> **ÉCART INFLATIONNISTE**
> Différence positive entre le PIB nominal et le niveau de plein-emploi non inflationniste.

Les facteurs pouvant expliquer la pente négative de la courbe de demande agrégée sont les suivants : (1) l'effet des taux d'intérêt ; (2) l'effet de richesse réelle ; (3) l'effet du prix relatif des biens importés et exportés dans une économie ouverte.

#### L'EFFET DES TAUX D'INTÉRÊT

L'effet des taux d'intérêt permet d'expliquer la pente négative de la courbe de demande agrégée. Le raisonnement repose sur l'influence du changement du niveau des prix sur les taux d'intérêt et, par conséquent, sur les dépenses de consommation et d'investissement. Plus précisément, la hausse du niveau des prix fera augmenter la demande de monnaie donc les taux d'intérêt qui, à leur tour, entraîneront la réduction de certaines dépenses de consommation et d'investissement.

### L'EFFET DE RICHESSE RÉELLE

Il y a une autre explication de la pente négative de la courbe de demande agrégée. On l'appelle «effet de richesse réelle». Lorsque le niveau des prix est plus élevé, la valeur réelle du pouvoir d'achat des actifs financiers accumulés que détient le public diminue. C'est le cas, en particulier, des actifs dont la valeur monétaire est fixe comme les comptes d'épargne et les obligations. L'érosion de cette valeur réelle appauvrit la population ; par conséquent, il faut s'attendre à une baisse des dépenses.

### L'EFFET DU PRIX RELATIF DES BIENS
### EXPORTÉS ET IMPORTÉS

Comme nous l'avons vu au chapitre 3 portant sur la comptabilité nationale, les importations (achat de produits étrangers par les Canadiens) et les exportations (achat de produits canadiens par les étrangers) sont des composantes importantes des dépenses totales. Le volume de nos importations et de nos exportations dépend, entre autres choses, des niveaux de prix relatifs à l'intérieur et à l'étranger. Si le niveau des prix augmente plus rapidement au Canada que dans les autres pays, les consommateurs canadiens achèteront donc plus de produits canadiens, réduisant ainsi les exportations canadiennes. En bref, toutes choses étant égales par ailleurs, une hausse de notre niveau des prix fera augmenter nos importations et diminuer nos exportations, réduisant ainsi nos exportations nettes (exportations moins importations) dans la demande globale canadienne (dépenses totales).

### Les déterminants de la demande agrégée

Jusqu'à présent, nous avons démontré que les variations du niveau des prix modifient le niveau des dépenses des consommateurs, des entreprises, du gouvernement et des acheteurs étrangers de manière à pouvoir prédire les variations de la production intérieure réelle. En d'autres termes, une hausse du niveau des prix, toutes choses étant égales par ailleurs, fera diminuer le volume de production demandé. Inversement, une baisse du niveau des prix fera augmenter le volume de production désiré. Cette relation correspond à un déplacement d'un point à l'autre sur une courbe fixe de

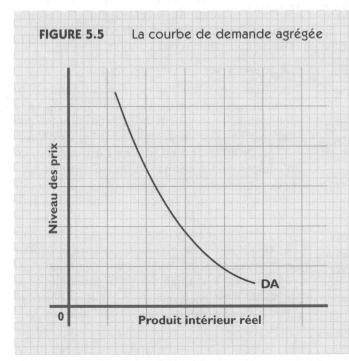

**FIGURE 5.5** La courbe de demande agrégée

Niveau des prix

DA

0 **Produit intérieur réel**

La courbe de demande agrégée nous informe sur la façon dont le niveau des prix influence le niveau de production réelle que désirent acheter les consommateurs. La pente négative de la courbe de demande nous indique que plus le niveau général des prix est bas, plus la production intérieure réelle que les agents économiques désirent acheter sera grande.

**FIGURE 5.6**  Les changements de la demande agrégée

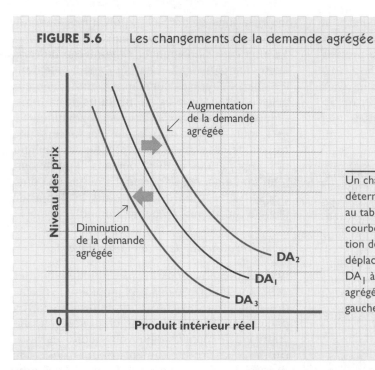

Un changement de l'un ou de plusieurs des déterminants de la demande agrégée énumérés au tableau 5.7 entraînera un déplacement de la courbe de demande agrégée. Une augmentation de la demande agrégée correspond à un déplacement vers la droite de la courbe, de $DA_1$ à $DA_2$; une diminution de la demande agrégée correspond à un déplacement vers la gauche de $DA_1$ à $DA_3$.

---

demande agrégée. Cependant, si un ou plusieurs facteurs influençant la demande agrégée changent, la courbe tout entière se déplacera. Nous appelons ces facteurs «**déterminants de la demande agrégée**»; ils déterminent l'emplacement de la courbe de demande agrégée.

Comme nous pouvons le voir à la figure 5.6, une augmentation de la demande agrégée correspond à un déplacement vers la droite de la courbe, de $DA_1$ à $DA_2$. Ce déplacement signifie qu'à chaque niveau des prix la quantité désirée de biens et de services est plus importante qu'avant. De la même manière, une diminution de la demande agrégée correspond à un déplacement vers la gauche de la courbe, de $DA_1$ à $DA_3$. Ce déplacement signifie que les gens désirent acheter moins de produits qu'avant à chaque niveau de prix.

Ces changements de la demande qui apparaissent à la figure 5.6 se produisent lorsqu'un ou plusieurs facteurs considérés comme constants auparavant se modifient. Une liste de ces déterminants de la demande se trouve au tableau 5.7.

## L'offre agrégée

L'offre agrégée indique le niveau de production intérieure réelle qui prévaudrait à chaque niveau

> **DÉTERMINANTS DE LA DEMANDE AGRÉGÉE**
>
> Certains facteurs qui, en se modifiant, font varier la demande agrégée. Ils provoquent un déplacement de la courbe de demande agrégée. (Voir le tableau 5.7)

de prix possible. À la figure 5.7, nous pouvons observer que la courbe d'offre agrégée, bien qu'ayant en général une pente positive, se divise en trois segments distincts : (1) le segment horizontal ou keynésien ; (2) le segment intermédiaire ; (3) le segment vertical ou classique. Nous étudierons ces trois segments et nous expliquerons l'allure de chacun d'eux.

### Le segment keynésien (horizontal)

Le niveau de production correspondant au plein-emploi est représenté par les lettres $Q_{pe}$ à la figure 5.7. Le segment horizontal indique que l'économie est en grave récession ou en dépression. De grandes quantités de machinerie, d'équipement et de main-d'œuvre sont par conséquent disponibles. Ces ressources humaines et physiques inutilisées pourront donc être employées sans qu'elles exercent pour autant de la pression sur le niveau des prix. À l'intérieur de ce segment, le niveau de production peut augmenter sans que surviennent les pénuries ou les goulots d'étranglement qui élèveraient les prix. Le modèle keynésien explique le fonctionnement de l'économie lorsqu'elle se situe dans ce segment.

## Le segment classique (vertical)

À l'autre extrémité de la courbe, nous remarquons que l'économie atteint le niveau de production de plein-emploi, soit $Q_{pe}$. L'économie se situe sur la courbe des possibilités de production du chapitre 2 et, à court terme, le niveau de production réelle ne peut augmenter. Toute augmentation de prix ne pourra entraîner de production additionnelle, car l'économie fonctionne déjà à sa capacité maximale.

Ce segment correspond à la théorie classique. Cette théorie affirme qu'il existe des forces à l'intérieur d'une économie de marché qui amènent inévitablement celle-ci au niveau de plein-emploi. C'est pourquoi on appelle ce segment «segment classique» de la courbe d'offre agrégée.

## Le segment intermédiaire

Finalement, dans le segment intermédiaire entre Q et $Q_{pe}$, nous constatons qu'une augmentation de la production s'accompagne d'une hausse des prix. Pourquoi? Ce phénomène s'explique par le fait que les prix de l'ensemble des biens et des services produits dans une économie ne varient pas tous en même temps et de la même manière, de sorte que les différentes industries n'atteignent pas le plein-emploi simultanément. À mesure que l'économie se déplace le long du segment $QQ_{pe}$, les industries de haute technologie peuvent subir une importante pénurie de

**TABLEAU 5.7**  Les déterminants de la demande agrégée: les facteurs entraînant le déplacement de la courbe de demande agrégée

1. Les variations des dépenses de consommation
   a) La richesse des consommateurs
   b) Les anticipations des consommateurs
   c) L'endettement des consommateurs
   d) Le fardeau fiscal des consommateurs
   e) La quantité de biens durables détenue par les ménages

2. Les variations des dépenses d'investissement
   a) Les taux d'intérêt
   b) Les rendements anticipés des projets d'investissement
   c) Les impôts sur les bénéfices des entreprises
   d) Les changements technologiques
   e) Le taux d'utilisation des capacités de production

3. La variation des dépenses gouvernementales

4. La variation des dépenses d'exportations nettes
   a) Le revenu intérieur des autres pays
   b) Le taux de change

**FIGURE 5.7**  La courbe d'offre agrégée

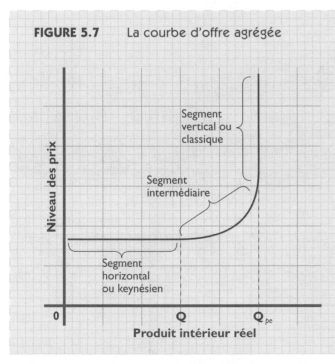

La courbe d'offre agrégée nous informe sur la façon dont le niveau des prix influence le niveau de production réelle disponible. La courbe d'offre agrégée montre le niveau de production réelle qui prévaudrait à différents niveaux de prix. Elle se divise en trois segments: (1) le segment horizontal ou keynésien, où le niveau des prix demeure constant quand la production varie; (2) le segment vertical ou classique, où la production se situe au niveau de plein-emploi et demeure constante, alors que le niveau des prix peut varier; (3) le segment intermédiaire, où les niveaux de production et des prix peuvent varier.

main-d'œuvre qualifiée, tandis que l'industrie de l'automobile peut connaître encore un niveau de chômage élevé. De la même manière, certaines industries peuvent connaître des pénuries de matières premières ou d'autres goulots d'étranglement. L'expansion implique également que certaines entreprises doivent utiliser une machinerie désuète et moins efficace à mesure qu'elles approchent de leur capacité maximale de production. De plus, on embauche des travailleurs moins qualifiés. Pour toutes ces raisons, les coûts de production s'accroissent et les entreprises doivent augmenter les prix des produits pour maintenir leur taux de profit. Ainsi, les prix augmenteront le long du segment intermédiaire.

### Les déterminants de l'offre agrégée

Nous consacrerons le reste de cette section à l'analyse du segment intermédiaire pour bien comprendre à court terme comment le niveau de production réagit aux variations du niveau des prix.

L'étude de la forme de la courbe d'offre agrégée nous révèle que la production intérieure réelle augmente à mesure que l'économie se déplace de la gauche vers la droite le long du segment intermédiaire de l'offre agrégée. Ces changements de la production proviennent des déplacements le long de la courbe d'offre agrégée et ne doivent pas être confondus avec les déplacements de la courbe d'offre agrégée. Une courbe d'offre agrégée donnée représente la relation entre le niveau des prix et la production intérieure réelle, toutes choses étant égales par ailleurs. Mais lorsqu'une ou plusieurs de ces «autres choses» changent, c'est la courbe d'offre agrégée qui se déplace.

Le déplacement de la courbe de $OA_1$ à $OA_2$ (figure 5.8) représente une augmentation de l'offre agrégée. À l'intérieur du segment intermédiaire, le déplacement se produit vers la droite, indiquant que l'ensemble des entreprises produiront plus qu'avant à n'importe quel niveau de prix. Inversement, le déplacement de la courbe de $OA_1$ à $OA_3$ correspond à un déplacement de la courbe d'offre agrégée vers la gauche, indiquant une diminution de l'offre agrégée, c'est-à-dire que les entreprises produiront maintenant moins qu'avant à chaque niveau de prix (ou demanderont des prix plus élevés à chaque niveau de production).

La liste des facteurs dont le changement peut déplacer la courbe d'offre agrégée se trouve au

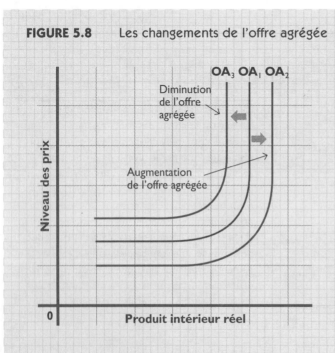

**FIGURE 5.8**    Les changements de l'offre agrégée

$OA_3$ $OA_1$ $OA_2$

Diminution de l'offre agrégée

Augmentation de l'offre agrégée

Niveau des prix

0    **Produit intérieur réel**

Un changement de l'un ou de plusieurs des déterminants de l'offre agrégée énumérés au tableau 5.8 entraînera un changement de l'offre agrégée. Une augmentation de l'offre agrégée correspond à un déplacement vers la droite de la courbe, de $OA_1$ à $OA_2$; une diminution de l'offre agrégée correspond à un déplacement vers la gauche de $OA_1$ à $OA_3$.

tableau 5.8. On appelle ces facteurs **« déterminants de l'offre agrégée »** parce qu'ils « déterminent » l'offre agrégée, en ce sens que l'emplacement de la courbe d'offre agrégée repose sur eux. Ces déterminants ont une chose en commun : lorsqu'ils changent, les coûts unitaires de production changent également. Nous savons que les décisions concernant les quantités à produire dépendent des coûts de production et des revenus des entreprises. Les entreprises recherchent les profits et ces derniers proviennent de la différence entre les prix des produits et les coûts de production unitaires. Les producteurs réagissent à des prix plus élevés pour leurs produits, c'est-à-dire à des niveaux de prix plus élevés, en augmentant leur production. Plus ils peuvent vendre leurs produits à des prix élevés, plus ils sont intéressés à produire. D'un autre côté, des goulots d'étranglement dans la production peuvent survenir lorsque les entreprises approchent de leur capacité maximale de production. En d'autres termes, les coûts de production unitaires augmentent lorsque le niveau de production s'approche du plein-emploi. C'est pourquoi la courbe d'offre agrégée a une pente positive (elle grimpe) dans le segment intermédiaire.

En fait, outre les changements de la production intérieure réelle, il existe d'autres facteurs qui agissent sur les coûts de production unitaires (tableau 5.8). Quand un ou plusieurs de ces facteurs changent, les coûts de production unitaires changent à chacun des niveaux de prix et la courbe d'offre agrégée se déplace. Plus spécifiquement, une baisse des coûts unitaires de production de ce type provoque un déplacement de la courbe d'offre agrégée vers la droite. Inversement, une augmentation des coûts unitaires de production provoque un déplacement de la courbe d'offre agrégée vers la gauche. Lorsque les coûts unitaires changent pour des raisons autres que la variation de la production intérieure, les entreprises, dans leur ensemble, modifient les quantités produites à chaque niveau de prix.

### LE PRIX DES INTRANTS

Le prix des intrants ou des ressources est un déterminant important de l'offre agrégée. Toutes choses étant égales par ailleurs, lorsque les prix

---

> **DÉTERMINANTS DE L'OFFRE AGRÉGÉE**
>
> Certains facteurs qui, en se modifiant, font varier l'offre agrégée. Ils provoquent un déplacement de la courbe d'offre agrégée. (Voir le tableau 5.8).
>
> **PRODUCTIVITÉ**
>
> Production par unité de facteur de production pendant une période donnée (généralement par heure ou par an). Le concept de productivité est une notion d'efficacité.

---

des intrants augmentent, les coûts de production unitaires augmentent également, provoquant ainsi une diminution de l'offre agrégée. Si le prix des intrants est plus faible, le résultat sera exactement le contraire. De nombreux facteurs influencent le prix des intrants. Mentionnons la disponibilité des ressources intérieures, le prix des ressources importées et le pouvoir monopolistique.

À part le prix des intrants, deux autres facteurs peuvent modifier l'offre agrégée : la productivité et l'environnement légal et institutionnel.

### LA PRODUCTIVITÉ

Une augmentation de la **productivité** signifie qu'il est possible d'obtenir un niveau de production réelle plus grand avec la même quantité de ressources ou d'intrants habituellement disponibles.

En réduisant les coûts unitaires de production, la productivité augmente et déplace la courbe d'offre agrégée vers la droite ; inversement, une diminution de la productivité fera augmenter les coûts unitaires de production, provoquant un déplacement de la courbe d'offre agrégée vers la gauche.

**TABLEAU 5.8** Les déterminants de l'offre agrégée : les facteurs entraînant le déplacement de la courbe d'offre agrégée

| |
|---|
| **1.** La variation des intrants |
|    *a)* La disponibilité des ressources intérieures |
|      • le sol |
|      • le travail |
|      • le capital |
|      • l'esprit d'entreprise |
|    *b)* Le prix des ressources importées |
|    *c)* Le pouvoir monopolistique |
| **2.** Les variations de la productivité |
| **3.** Les variations de l'environnement légal et institutionnel |
|    *a)* Le fardeau fiscal des sociétés et les subventions |
|    *b)* La réglementation gouvernementale |

**L'ENVIRONNEMENT LÉGAL ET INSTITUTIONNEL**

Les variations du contexte légal et institutionnel dans lequel les entreprises fonctionnent peuvent modifier les coûts de production unitaires et déplacer la courbe d'offre agrégée. Il existe deux catégories de changements de cette nature : (1) les modifications du fardeau fiscal et des subventions ; (2) les modifications à la réglementation.

**LE FARDEAU FISCAL DES SOCIÉTÉS ET LES SUBVENTIONS** Des taxes plus élevées comme la taxe sur les ventes, les droits d'accise et les prélèvements pour la sécurité sociale font augmenter les coûts de production unitaires et réduisent l'offre agrégée à peu près de la même manière que les augmentations de salaires.

**LA RÉGLEMENTATION GOUVERNEMENTALE** Les réglementations gouvernementales (par exemple, les normes environnementales à respecter) entraînent souvent des coûts pour les entreprises qui les observent. C'est pourquoi l'accroissement de la réglementation fait augmenter les coûts de production unitaires et déplace la courbe d'offre agrégée vers la gauche. Les partisans des théories axées sur l'offre qui défendent la déréglementation de l'économie utilisent souvent l'argument que, en réduisant la bureaucratie et l'inefficacité liées à la réglementation, la déréglementation réduirait les coûts unitaires de pro-

duction. De cette manière, la courbe d'offre agrégée se déplacerait vers la droite. Inversement, une augmentation de la réglementation hausserait les coûts de production et réduirait l'offre agrégée.

## L'équilibre : le produit intérieur réel et le niveau des prix

Nous avons vu, au chapitre 2, que l'intersection de la courbe d'offre et de la courbe de demande déterminait le prix et le niveau de production d'équilibre du produit. De façon similaire, l'intersection des courbes d'offre et de demande agrégées correspond au niveau de production intérieure réelle d'équilibre et au niveau des prix d'équilibre (figure 5.9).

À la figure 5.9, la courbe de demande agrégée coupe la courbe d'offre agrégée dans le segment intermédiaire. Les niveaux de prix et de production d'équilibre sont respectivement $P_é$ et $Q_é$. Pour illustrer pourquoi $P_é$ est le prix d'équilibre et $Q_é$ la production d'équilibre, supposons que le niveau des prix d'équilibre soit $P_1$ plutôt que $P_é$. La courbe d'offre agrégée nous indique que le niveau des prix $P_1$ amènera les entreprises à produire à un niveau de production au plus de $Q_1$. Quel niveau de production réelle les consommateurs, les entreprises, le gouvernement et

**FIGURE 5.9**    Le niveau d'équilibre des prix et le niveau d'équilibre du produit intérieur réel

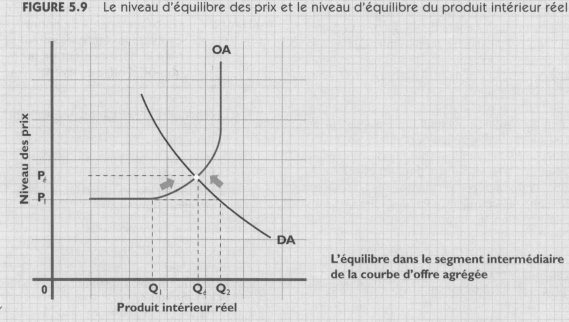

L'équilibre dans le segment intermédiaire de la courbe d'offre agrégée

les acheteurs étrangers souhaiteraient-ils acheter à $P_1$ ? La courbe de demande agrégée nous donne comme réponse $Q_2$. La concurrence entre les acheteurs pour acheter la production réelle disponible, $Q_1$, fera augmenter le niveau des prix à $P_é$. Comme les flèches de la figure 5.9 l'indiquent, la hausse du niveau des prix de $P_1$ à $P_é$ encouragera les producteurs à augmenter leur production réelle de $Q_1$ à $Q_é$ et réduira en même temps la quantité que désirent acheter les consommateurs de $Q_1$ à $Q_é$. Lorsque se réalisera l'égalité entre la production intérieure réelle achetée et produite, comme en $P_é$, l'économie aura finalement atteint l'équilibre.

Nous allons maintenant étudier comment les déplacements des courbes d'offre et de demande agrégées peuvent influencer l'équilibre, c'est-à-dire la production réelle (et par conséquent l'emploi) et le niveau des prix. De plus, nous examinerons les facteurs qui peuvent engendrer de tels déplacements des courbes d'offre et de demande.

### Les déplacements de la demande agrégée

Supposons que les entreprises et les ménages désirent augmenter leurs dépenses. Ils seront alors disposés à acheter une production plus grande à chaque niveau de prix possible,

déplaçant ainsi la courbe de demande agrégée vers la droite.

Sur le segment intermédiaire de la figure 5.10, une hausse de la demande agrégée ($DA_3$ à $DA_4$) entraînera des augmentations de la production intérieure réelle ($Q_3$ à $Q_4$) et du niveau des prix ($P_3$ à $P_4$). Les majorations du niveau des prix, consécutives aux augmentations de la demande agrégée sur le segment intermédiaire de l'offre agrégée, correspondent à de l'inflation par la demande, comme nous l'avons expliqué au chapitre précédent lors de l'étude des différentes théories de l'inflation. Ce sont les déplacements de la demande agrégée qui entraînent les prix à la hausse, la stabilité de la courbe d'offre agrégée laissant supposer que les coûts de production n'ont pas changé.

### La rigidité à la baisse des prix et des salaires

Qu'arrivera-t-il si la demande agrégée diminue ? Sur le segment intermédiaire, notre modèle suggère que les niveaux de production et des prix baisseront.

Cependant, un facteur important nous amène à douter sérieusement de ces effets que prédit notre modèle sur le segment intermédiaire. Le déplacement inverse de la demande agrégée (figure 5.10, peut ne pas restaurer l'équilibre

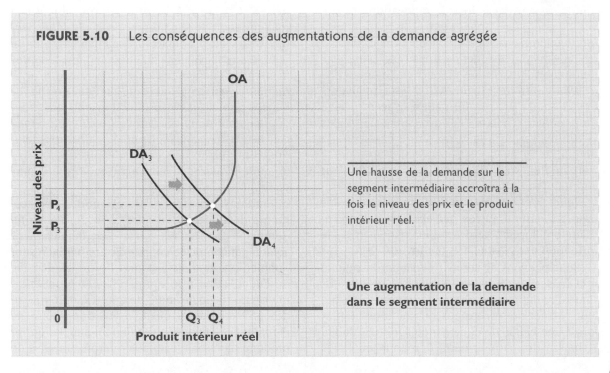

**FIGURE 5.10** Les conséquences des augmentations de la demande agrégée

Une hausse de la demande sur le segment intermédiaire accroîtra à la fois le niveau des prix et le produit intérieur réel.

**Une augmentation de la demande dans le segment intermédiaire**

initial, du moins à court terme. Le problème vient de la *rigidité à la baisse des prix* des produits et des ressources.

Bien que les prix augmentent facilement, ils ne redescendent pas nécessairement de la même manière, du moins à court terme. Par conséquent, si la demande agrégée redescend de $DA_2$ à $DA_1$, l'économie ne retrouvera pas sa position d'équilibre originale. Le niveau des prix plus élevé, $P_2$, persistera plutôt et la baisse de la demande agrégée entraînera l'économie vers un nouvel équilibre. Le niveau des prix demeurera plus élevé et la production intérieure réelle chutera.

À quoi pouvons-nous attribuer cette inflexibilité des prix? La réponse est assez complexe. Les salaires, qui représentent 70 % et plus des coûts totaux de l'entreprise, sont inflexibles à la baisse. Compte tenu de cette rigidité, les entreprises peuvent difficilement réduire leurs prix et demeurer rentables. Tout d'abord, une partie appréciable des travailleurs sont protégés par des conventions collectives qui empêchent des baisses de salaires pour la durée du contrat. Ces conventions sont souvent en vigueur pour une durée de deux ou trois ans.

Cette rigidité est ensuite amplifiée par les employeurs qui ne désirent pas toujours diminuer les taux de salaires. D'une part, des salaires inférieurs peuvent nuire à la motivation des travailleurs et par conséquent à la productivité (production par heure-personne). De bas salaires diminueraient les coûts du travail par unité produite, mais la baisse de productivité agirait dans le sens contraire. D'autre part, les employeurs ont « investi » dans la formation et le recyclage de leur main-d'œuvre. S'ils décidaient de couper la rémunération à la suite d'une baisse de la demande agrégée, ils pourraient s'attendre à perdre des travailleurs expérimentés tout comme des employés moins qualifiés. Les travailleurs hautement qualifiés trouveraient des emplois dans d'autres entreprises et les premiers employeurs perdraient les bénéfices de la formation dans laquelle ils ont investi.

Nous pouvons également expliquer la rigidité à la baisse des prix par le pouvoir monopolistique que détiennent plusieurs entreprises et qui leur permet de résister aux diminutions de prix lors d'une baisse de la demande agrégée. Malgré la baisse dramatique de la demande entre les années 1929 et 1933, les entreprises œuvrant dans les industries de matériel agricole, des véhicules moteurs, du ciment, du fer et de l'acier et dans d'autres domaines semblables ont préféré des baisses de production et d'emplois importantes aux réductions de prix.

Tous les économistes ne sont pas persuadés que la rigidité des prix à la baisse joue toujours un rôle déterminant de nos jours. Certains mentionnent la perte de puissance des syndicats et les coupures de salaires dans de nombreuses industries stratégiques par suite de la récession de 1982 comme des facteurs illustrant la plus grande flexibilité des salaires à la baisse. Ils notent également que la croissance de la concurrence étrangère a affaibli le pouvoir monopolistique des entreprises et leur capacité d'empêcher la chute des prix consécutive à une baisse de la demande. Par contre, d'autres ne sont pas prêts à affirmer que ces changements institutionnels ont modifié la tendance historique. Depuis 1950, le niveau des prix n'a chuté que deux fois, en 1955 et en 1991. Entre temps, l'économie a subi huit récessions.

### Les déplacements de la courbe d'offre agrégée

Notre étude de l'allure de la courbe d'offre agrégée nous a permis de constater que les coûts de production déterminaient l'offre des entreprises. Ces dernières ont comme objectif la maximisation de leurs profits, lesquels dépendent des coûts de production. Il s'ensuit que toute hausse de ces coûts nécessite une majoration des prix afin d'encourager les entreprises à offrir le même niveau de production intérieure réelle. La hausse des coûts de production entraînera un déplacement de la courbe d'offre agrégée vers la gauche, de $OA_1$ à $OA_2$ (figure 5.11). Inversement, une diminution des coûts de production entraînera la courbe d'offre agrégée vers la droite, de $OA_1$ à $OA_3$ (figure 5.11).

Étudions maintenant les effets des déplacements de la courbe d'offre agrégée. Pour une demande donnée, les effets d'un déplacement vers la gauche de la courbe d'offre agrégée sont doublement négatifs. Quand l'offre se déplace de $OA_1$ à $OA_2$, à la figure 5.11, la production intérieure réelle diminue de $Q_1$ à $Q_2$ et le niveau des prix augmente de $P_1$ à $P_2$. Une baisse de l'emploi accompagnée d'inflation (stagflation) se produira alors. Si nous nous référons une fois de

**FIGURE 5.11** Les effets des changements de l'offre agrégée

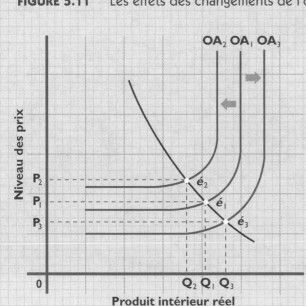

Dans une économie, ce qui monte ne descend pas nécessairement jusqu'à son point d'origine. C'est pourquoi on parle de « rigidité à la baisse des prix ». Une baisse de l'offre agrégée de $OA_1$ à $OA_2$ amènera la stagflation, en ce sens que la production intérieure réelle passera de $Q_1$ à $Q_2$, tandis que le niveau des prix augmentera simultanément de $P_1$ à $P_2$. Une hausse de l'offre agrégée de $OA_1$ à $OA_3$ augmentera le produit intérieur réel de $Q_1$ à $Q_3$ et aura tendance à réduire le niveau des prix de $P_1$ à $P_3$.

plus aux explications du chapitre 4, l'augmentation du niveau des prix dans le cas présent est attribuable à l'inflation par les coûts. Au contraire, un déplacement vers la droite de la courbe d'offre agrégée amènera des résultats doublement positifs. Le déplacement de l'offre agrégée de $OA_1$ à $OA_3$ implique une augmentation de la production réelle de $Q_1$ à $Q_3$ et un déclin simultané du niveau des prix de $P_1$ à $P_3$.

Les deux modèles étudiés dans ce chapitre ont servi d'assise à diverses politiques axées sur l'offre ou la demande. Elles feront l'objet d'étude du prochain chapitre.

# Activités d'apprentissage

*Quelles sont les motivations des épargnants et des investisseurs ? D'un point de vue pratique, comment pourrait-on vérifier si les keynésiens ont tort ou raison concernant la flexibilité à la baisse des prix et des salaires ?*

*Ces deux modèles sont-ils contradictoires ?*

*Ces simplifications nuisent-elles à la compréhension du fonctionnement de l'économie de marché ? Pourquoi ?*

## Résumé

*Si vous ne pouvez répondre aux questions qui accompagnent le résumé d'une section, vous devriez relire attentivement cette section et essayer de nouveau.*

### UN PEU D'HISTOIRE

■ Pour rejeter l'hypothèse classique selon laquelle le taux d'intérêt permettrait d'équilibrer l'épargne et l'investissement, la théorie keynésienne de l'emploi fait valoir que les épargnants et les investisseurs appartiennent à des groupes fondamentalement distincts dont les motivations sont fort différentes. Les keynésiens écartent l'hypothèse de la flexibilité à la baisse des prix et des salaires, tant du point de vue pratique que du point de vue théorique. La principale critique à l'égard de la théorie keynésienne tient au fait qu'elle n'a pas su expliquer adéquatement la stagflation. Les théories axées sur l'offre tentent d'expliquer la stagflation par les déplacements de l'offre agrégée.

### DEUX MODÈLES MACROÉCONOMIQUES

■ Le modèle keynésien montre la relation entre les dépenses totales et le niveau de production réel, tandis que le modèle de la demande et de l'offre agrégées montre la relation entre les dépenses et le niveau des prix selon le segment de la courbe d'offre agrégée dans lequel l'économie se situe.

### SIMPLIFICATIONS

■ Une première approche simplifiée étudie le niveau de production d'équilibre en faisant abstraction du commerce international et de l'intervention de l'État. Elle suppose également que seuls les ménages épargnent. En second lieu, on introduira le commerce international et l'intervention de l'État.

## LES OUTILS DE LA THÉORIE KEYNÉSIENNE DE L'EMPLOI

■ La théorie keynésienne de l'emploi utilise principalement les fonctions de consommation, d'épargne et d'investissement, qui illustrent les montants que les ménages ont l'intention de consommer et d'épargner et que les entreprises projettent d'investir selon les divers niveaux de revenu et de production possibles.

Le niveau des fonctions de consommation et d'épargne dépend de facteurs tels que la richesse des consommateurs, le niveau des prix, la quantité de biens durables détenue par les ménages, les anticipations, l'endettement des consommateurs et leur fardeau fiscal. Les courbes de consommation et d'épargne sont relativement stables.

■ Les propensions moyennes à consommer et à épargner indiquent la fraction du revenu total qui sera consommée ou épargnée. Les propensions marginales à consommer et à épargner indiquent la fraction de tout changement du revenu total qui sera consommée ou épargnée.

■ Les principaux déterminants de l'investissement sont le taux de profit net anticipé et le taux d'intérêt. Nous obtenons la courbe de demande d'investissement de l'économie en rangeant les projets d'investissement par ordre décroissant des profits nets anticipés et en appliquant la règle suivante : l'investissement sera profitable jusqu'à ce que le taux de profit net anticipé soit égal au taux d'intérêt. La courbe de demande d'investissement démontre une relation inverse entre le taux d'intérêt et le niveau d'investissement global.

Les déplacements de la courbe de demande d'investissement sont provoqués par les changements des rendements anticipés des projets d'investissement, des impôts sur les bénéfices des entreprises, de la technologie, du taux d'utilisation des capacités de production et des anticipations.

■ Notre analyse repose sur la simplification suivante : le niveau d'investissement déterminé par la courbe de demande d'investissement pour un taux d'intérêt donné n'est pas modifié par le niveau de revenu total. La fonction d'investissement est particulièrement instable.

## LES NIVEAUX D'ÉQUILIBRE DE LA PRODUCTION ET DE L'EMPLOI DU MODÈLE KEYNÉSIEN

■ Le niveau d'équilibre du PIB est celui auquel la demande globale est égale à l'offre globale. Pour tout PIB plus élevé que le PIB d'équilibre, la production intérieure excédera la demande globale, entraînant des investissements non planifiés dans les stocks, des baisses de profits et, éventuellement, un déclin de la production, de l'emploi et du revenu. Pour tout PIB inférieur au niveau d'équilibre, la demande globale sera supérieure à la production intérieure, provoquant ainsi un « désinvestissement » non planifié des stocks, des profits élevés et, éventuellement, une augmentation du PIB.

Par l'approche de l'investissement et de l'épargne, le niveau d'équilibre du PIB correspond au point où l'épargne des ménages égale les sommes que les entreprises comptent investir. Ce point correspond à l'intersection des

*Indiquez comment chacun de ces facteurs va influencer la consommation et l'épargne.*

*Quel lien peut-on faire entre la propension marginale à consommer et la propension marginale à épargner ? Justifiez votre réponse.*

*Indiquez comment chacun de ces facteurs va influencer l'investissement.*

*Pourquoi l'investissement est-il si instable ?*

*Quelle est la différence entre l'investissement planifié et l'investissement réalisé ? Comment les ménages et les entreprises peuvent-ils acheter plus que ce qui est produit ?*

ACTIVITÉS D'APPRENTISSAGE

*Expliquez le lien entre la propension marginale à consommer et le multiplicateur.*

*Qu'entend-on par «effets expansionniste et dépressif sur l'économie»?*

*Expliquez ces trois effets.*

*Quels facteurs peuvent faire varier les dépenses des consommateurs, des entreprises, des gouvernements et des marchés étrangers?*

fonctions d'épargne et d'investissement. Si l'épargne est supérieure à l'investissement planifié, les dépenses totales seront insuffisantes et le PIB chutera. À l'opposé, si l'investissement planifié est supérieur à l'épargne, les dépenses seront excédentaires et augmenteront le PIB. Ces variations du PIB rétabliront dans les deux cas l'égalité de l'épargne et de l'investissement planifiés.

## LES CHANGEMENTS DU PIB D'ÉQUILIBRE ET LE MULTIPLICATEUR

■  Les déplacements des fonctions d'épargne et de consommation ainsi que de la fonction d'investissement entraîneront un changement du niveau d'équilibre de production et de revenu supérieur à la variation initiale des dépenses. Ce phénomène qui accompagne à la fois les hausses et les baisses de dépenses s'appelle «effet multiplicateur». Le multiplicateur simple est égal à la réciproque de la propension marginale à épargner.

## LES EXPORTATIONS NETTES ET LES DÉPENSES GOUVERNEMENTALES

■  Une hausse des exportations d'un pays ou une baisse des importations auront un effet expansionniste sur le PIB. Inversement, une baisse des exportations ou une hausse des importations auront un effet dépressif sur le PIB. Comme les importations sont une fuite dans le circuit revenu-dépense, le multiplicateur d'une économie ouverte est égal à la réciproque de la somme des propensions marginales à épargner et à importer.

Une augmentation ou une réduction des dépenses gouvernementales hausse ou diminue le PIB d'équilibre. Le multiplicateur du budget équilibré révèle que l'égalité des dépenses gouvernementales et des recettes fiscales augmente le PIB d'équilibre.

Le niveau d'équilibre du PIB et le PIB de plein-emploi non inflationniste ne coïncident pas nécessairement. La différence négative entre les dépenses globales et le PIB de plein-emploi s'appelle «écart déflationniste»; cet écart engendre des baisses successives du PIB réel. La différence positive entre la demande globale et le PIB de plein-emploi s'appelle «écart inflationniste» et entraîne une inflation par la demande.

## LA DEMANDE AGRÉGÉE

■  La courbe de demande agrégée indique la production intérieure réelle que l'économie est disposée à acheter à chaque niveau de prix possible. Nous pouvons expliquer la pente négative de la courbe de demande agrégée à partir de l'effet des taux d'intérêt, de l'effet de richesse réelle et de l'effet du prix relatif des importations et des exportations.

■  Les déterminants de la demande agrégée comprennent les dépenses des consommateurs, des entreprises et des gouvernements du pays ainsi que les dépenses effectuées par les marchés étrangers. Les variations des dépenses de ces groupes provoquent un déplacement de la courbe de demande agrégée.

## L'OFFRE AGRÉGÉE

■ La courbe d'offre agrégée nous montre les niveaux de production intérieure réelle que les entreprises peuvent consentir à chaque niveau de prix possible. L'allure de la courbe d'offre agrégée dépend de l'évolution des coûts de production, et donc du prix que les entreprises obtiendront pour couvrir leurs coûts et réaliser des profits, à mesure que la production intérieure réelle croît. Le segment keynésien de la courbe est horizontal parce que la production peut être augmentée sans hausse de coûts ou de prix quand le chômage est important. Sur le segment intermédiaire, les coûts augmentent, car des goulots d'étranglement apparaissent. Les prix augmenteront donc si la production s'accroît sur ce segment. Le segment classique correspond au plein-emploi; la production intérieure réelle plafonne et ne peut être augmentée.

■ Les déterminants de l'offre agrégée comprennent le prix des ressources et leur disponibilité, la productivité et l'environnement institutionnel et légal. Toutes choses étant égales par ailleurs, un changement d'un ou de plusieurs de ces facteurs entraînera une variation des coûts de production unitaires pour chaque niveau de production et, par conséquent, modifiera l'emplacement de la courbe d'offre agrégée.

## L'ÉQUILIBRE : LE PRODUIT INTÉRIEUR RÉEL ET LE NIVEAU DES PRIX

■ L'intersection de la courbe d'offre et de la courbe de demande agrégées détermine le niveau des prix et de la production intérieure réelle d'équilibre. Pour une offre agrégée donnée, un déplacement vers la droite de la courbe de demande agrégée haussera la production intérieure réelle et le niveau des prix sur le segment intermédiaire.

Les prix sont flexibles à la hausse, mais relativement rigides à la baisse. Par conséquent, une augmentation de la demande agrégée accroîtra les prix, mais, à court terme, il ne faut pas s'attendre à ce qu'ils baissent par suite d'une diminution de la demande agrégée.

*Expliquez et donnez un exemple de goulot d'étranglement.*

*Qu'est-ce qui peut faire varier le prix des ressources?*

*Que se passera-t-il sur les segments classique et keynésien?*

# Mots-clés

| | | |
|---|---|---|
| Demande et offre agrégées | Multiplicateurs simple et complexe | Segments keynésien, classique et intermédiaire |
| Demande et offre globales | Niveau des prix | Théorie classique |
| Écarts inflationniste et déflationniste | PIB d'équilibre | Théorie keynésienne |
| Effet de richesse réelle | Propensions marginale et moyenne à consommer et à épargner | Théories axées sur l'offre |
| Effet des taux d'intérêt | | Taux d'utilisation des capacités de production |
| Effet multiplicateur | Rigidité à la baisse des prix et des salaires | Taux de profit anticipé |
| Fonction d'épargne | | |
| Fonction d'investissement | | |
| Fonction de consommation | | |

ACTIVITÉS D'APPRENTISSAGE

ACTIVITÉS D'APPRENTISSAGE

# Réseau de concepts

Utilisez les mots-clés du chapitre pour construire un réseau de concepts faisant ressortir les déterminants du niveau de production d'équilibre. (Inspirez-vous des réseaux de concepts des chapitres précédents.)

# Exercices et problèmes

### Choisissez la bonne réponse.

1. Lequel des énoncés suivants est inexact ?
   a) Pour une PmÉ donnée, une réduction des dépenses gouvernementales de 15 milliards de dollars entraînera une baisse du PIB d'équilibre d'un montant supérieur à ce qu'une augmentation de 15 milliards de dollars des impôts aurait entraîné.
   b) Toutes choses étant égales par ailleurs, une réduction de 10 milliards de dollars des impôts fera augmenter le PIB d'équilibre de 25 milliards de dollars si la PmÉ est de 0,4.
   c) Si la PmC est de 0,8 et que le PIB diminue de 40 milliards de dollars, cette baisse a été provoquée par une diminution de la demande globale de 8 milliards de dollars.
   d) Un surplus gouvernemental est anti-inflationniste ; un déficit gouvernemental est expansionniste.
   e) Si la PmC est de 2/3 et que les impôts et les dépenses gouvernementales augmentent chacun de 25 milliards de dollars, le PIB d'équilibre augmentera de 25 milliards de dollars.

2. L'effet d'un surplus gouvernemental sur le niveau d'équilibre du PIB est sensiblement le même que :
   a) une diminution de l'épargne ;
   b) une augmentation de l'épargne ;
   c) une augmentation de la consommation ;
   d) une augmentation de l'investissement.

3. Supposons que l'économie fonctionne à un niveau de plein-emploi non inflationniste et que la PmC soit de 0,75. Le gouvernement fédéral considère qu'il peut réduire ses dépenses militaires de 2,1 milliards de dollars compte tenu de la détente Est-Ouest. Pour maintenir le PIB à son niveau de plein-emploi non inflationniste, le gouvernement doit :
   a) augmenter les impôts de 2,8 milliards de dollars ;
   b) augmenter les paiements de transfert de 2,1 milliards de dollars ;
   c) réduire les impôts de 2,1 milliards de dollars ;
   d) réduire les impôts de 2,8 milliards de dollars ;
   e) augmenter les impôts de 2,1 milliards de dollars.

4. L'élément fondamental sur lequel repose le multiplicateur du budget équilibré est que :
   a) les hausses d'impôts ont un effet multiplicateur plus important que les augmentations des dépenses gouvernementales ;

b) de nombreux impôts servent à des programmes de transfert;

c) les diminutions des dépenses gouvernementales entraînent toujours des hausses des dépenses privées d'investissement;

d) les individus et les entreprises réduisent leurs dépenses d'un montant moindre que la hausse de leurs impôts;

e) le caractère anticyclique du budget fédéral fait plus que compenser le caractère procyclique des administrations provinciales et municipales.

5. Supposons une économie privée dont le PIB d'équilibre est de 380 milliards de dollars et la P$m$C de 0,25. Supposons également que le gouvernement perçoive des impôts de 50 milliards de dollars et dépense toute cette somme. En conséquence:

a) les niveaux d'équilibre du PIB et des prix demeureront inchangés;

b) le niveau d'équilibre du PIB augmentera à 420 milliards de dollars;

c) le niveau d'équilibre du PIB augmentera à 430 milliards de dollars;

d) le niveau des prix diminuera.

6. Une augmentation des impôts aura un effet plus faible sur le PIB d'équilibre qu'une diminution des dépenses gouvernementales de même taille parce que:

a) la P$m$C du secteur privé est plus faible que celle du secteur public;

b) une baisse des dépenses gouvernementales tend toujours à stimuler l'investissement privé;

c) le revenu disponible diminuera d'un montant moindre que l'augmentation des impôts;

d) une partie des hausses d'impôts sera payée à même des revenus qui, sans cette hausse d'impôts, auraient été épargnés.

7. Si la PMC est de 0,6 et la P$m$C de 0,5, une augmentation simultanée des impôts et des dépenses gouvernementales de 20 milliards de dollars aura pour conséquence:

a) une diminution du PIB de 20 milliards de dollars;

b) une diminution du PIB de 40 milliards de dollars;

c) une augmentation du PIB de 20 milliards de dollars;

d) une augmentation du PIB de 40 milliards de dollars;

e) aucune variation du PIB.

## Vrai ou faux? Justifiez votre réponse.

8. Si une loi obligeait le gouvernement à équilibrer annuellement son budget, il serait alors forcé d'augmenter ses dépenses durant une récession.

## Suivez les directives et répondez aux questions.

9. Utilisez les données du tableau fourni à la question 17, page 190, des exercices. Ajoutez à ces données des dépenses gouvernementales et des impôts de 100 milliards de dollars à chaque niveau de PIB possible. Supposez que tous les impôts soient personnels et que les dépenses gouvernementales n'entraînent aucun déplacement des fonctions de consommation et d'investissement. Expliquez les modifications survenant au PIB d'équilibre lorsqu'on inclut le gouvernement dans ce modèle.

10. Expliquez graphiquement comment est déterminé le PIB d'équilibre du secteur privé selon l'approche de l'investissement et de l'épargne et

selon celle de l'offre et de la demande globales. Intégrez les dépenses gouvernementales et les impôts et démontrez leur portée sur le PIB d'équilibre.

11. Qu'est-ce que le multiplicateur du budget équilibré? Expliquez l'énoncé suivant : «Si l'on augmente les dépenses gouvernementales et les impôts d'un montant identique de *n* dollars, le PIB d'équilibre augmentera de *n* dollars.» Cette affirmation est-elle vraie peu importe la taille respective de la P*m*C et de la P*m*É?

12. Complétez le tableau suivant :

| Niveau de production et de revenu (PIB = RD) (en milliards de dollars) | Consom-mation (en milliards de dollars) | Épargne (en milliards de dollars) | (PMC) | (PMÉ) | (P*m*C) | (P*m*É) |
|---|---|---|---|---|---|---|
| 240 | ≈44 | – 4 | | | | |
| 260 | | 0 | | | | |
| 280 | | 4 | | | | |
| 300 | | 8 | | | | |
| 320 | | 12 | | | | |
| 340 | | 16 | | | | |
| 360 | | 20 | | | | |
| 380 | | 24 | | | | |
| 400 | | 28 | | | | |

a) Tracez les fonctions de consommation et d'épargne.
b) Calculez la PMC et la PMÉ pour chaque niveau de revenu.
c) Calculez la P*m*C et la P*m*É pour chaque variation du niveau de revenu.
d) Quel niveau sera entièrement consommé?
e) Sachant que la proportion du revenu total qui est consommée diminue et que la proportion épargnée augmente à mesure que le revenu s'accroît, expliquez comment la P*m*C et la P*m*É peuvent demeurer constantes à tous les niveaux de revenus. Illustrez graphiquement votre réponse.

13. Expliquez comment chacun des événements suivants influencera les fonctions de consommation et d'épargne :
a) une diminution des obligations d'épargne détenues par les ménages ;
b) la crainte d'une guerre conventionnelle entraînant une pénurie de biens de consommation durables ;
c) une baisse des taux d'intérêt ;
d) une chute du marché boursier ;
e) une augmentation du taux de croissance de la population ;
f) la mise au point d'un procédé de fabrication de l'acier sensiblement moins coûteux ;

g) une réduction importante de l'accessibilité au programme d'assurance-emploi ;

h) la crainte d'une augmentation de la TPS et de la TVQ.

14. Supposons qu'il n'existe aucun projet d'investissement dans l'économie
qui puisse engendrer un taux de profit net de 25 % et plus. Supposons
également l'existence de projets d'investissement d'une valeur de 10 millions de dollars dont le taux de profit net anticipé se situe entre 20 % et
25 % ; une autre tranche de 10 millions de dollars de projets engendrant
un profit net anticipé entre 15 % et 20 % ; une autre encore de 10 millions de dollars donnant entre 10 % et 15 % de profit net anticipé, etc.
Compilez ces données et illustrez graphiquement l'axe vertical qui
représente le taux de profit net anticipé et l'axe horizontal qui représente
le montant d'investissement. Quel sera le niveau d'investissement
d'équilibre si le taux d'intérêt est de : a) 15 %, b) 10 %, c) 5 % ? Expliquez
pourquoi cette courbe représente la demande d'investissement.

15. Supposons que le niveau d'investissement soit de 16 milliards de dollars et qu'il soit indépendant du niveau de production totale. Complétez
le tableau et déterminez les niveaux d'équilibre de la production et du
revenu que le secteur privé d'une économie fermée engendrera.

| Niveaux possibles d'emploi ($10^6$) | Production intérieure (PIB = RD) (en milliards de dollars) | Consommation (en milliards de dollars) | Épargne (en milliards de dollars) |
|:---:|:---:|:---:|:---:|
| 13 | 240 | 244 | |
| 14 | 260 | 260 | |
| 15 | 280 | 276 | |
| 16 | 300 | 292 | |
| 17 | 320 | 308 | |
| 18 | 340 | 324 | |
| 19 | 360 | 340 | |
| 20 | 380 | 356 | |
| 21 | 400 | 372 | |

16. En utilisant les données de la question 15 pour la consommation et
l'épargne et en supposant un niveau d'investissement de 16 milliards
de dollars, quels seront les niveaux d'épargne et d'investissement
planifiés pour un niveau de production intérieure de 380 milliards de
dollars ? Quels seront les niveaux d'épargne et d'investissement
réalisés ? Quels seront l'épargne et l'investissement planifiés pour un
niveau de production intérieure de 300 milliards de dollars ? Quels
seront les niveaux d'épargne et d'investissement réalisés ? Utilisez le
concept de l'investissement non planifié pour expliquer le déplacement
vers l'équilibre à partir des niveaux de production intérieure de
380 milliards et de 300 milliards de dollars.

ACTIVITÉS D'APPRENTISSAGE

**17.** Les données des colonnes 1 à 5 sont celles d'une économie fermée.

| (1)<br>Production<br>intérieure<br>(PIB = RD)<br>(en milliards de dollars) | (2)<br>Consom-<br>mation<br>(C)<br>(en milliards<br>de dollars) | (3)<br>Épargne<br>(É)<br>(en milliards<br>de dollars) | (4)<br>Investis-<br>sement<br>($I_b$)<br>(en milliards<br>de dollars) | (5)<br>Demande<br>globale -<br>Économie<br>privée<br>fermée<br>($C+I_b$)<br>(en milliards de dollars) | (6)<br>Expor-<br>tations<br>(X)<br>(en milliards<br>de dollars) | (7)<br>Impor-<br>tations<br>(M)<br>(en milliards<br>de dollars) | (8)<br>Expor-<br>tations<br>nettes<br>($X_n$)<br>(en milliards<br>de dollars) | (9)<br>Demande<br>globale -<br>Économie<br>privée ouverte<br>($C+I_b+X_n$)<br>(en milliards de dollars) |
|---|---|---|---|---|---|---|---|---|
| 200 | 210 | – 10 | 30 | 240 | 50 | 30 | | |
| 250 | 250 | 0 | 30 | 280 | 50 | 40 | | |
| 300 | 290 | 10 | 30 | 320 | 50 | 50 | | |
| 350 | 330 | 20 | 30 | 360 | 50 | 60 | | |
| 400 | 370 | 30 | 30 | 400 | 50 | 70 | | |
| 450 | 410 | 40 | 30 | 440 | 50 | 80 | | |
| 500 | 450 | 50 | 30 | 480 | 50 | 90 | | |
| 550 | 490 | 60 | 30 | 520 | 50 | 100 | | |

a) Utilisez les colonnes 1 à 5 pour déterminer le PIB d'équilibre et le multiplicateur pour l'économie fermée.

b) Ouvrons l'économie au commerce international en y introduisant les exportations et les importations des colonnes 6 et 7. Déterminez le PIB d'équilibre et le multiplicateur pour l'économie ouverte. Expliquez la différence avec l'économie fermée.

c) Étant donné les importations de la colonne 7, quel serait le niveau d'équilibre du PIB si les exportations étaient de 90 milliards de dollars? de 30 milliards? À partir de ces exemples, quelle relation pouvez-vous établir entre le niveau des exportations et le PIB d'équilibre?

d) Étant donné le niveau original des exportations (50 milliards de dollars), quel serait le niveau d'équilibre du PIB si les importations étaient supérieures de 20 milliards de dollars? Quelle relation pouvez-vous faire entre le niveau des importations et le PIB d'équilibre?

**18.** Critiquez l'affirmation suivante: «On peut éviter le chômage dans la mesure où les entreprises acceptent d'abaisser le prix de leurs produits, et les travailleurs leurs taux de salaires.»

**19.** Quelle est la différence entre la PMC et la PmC? Pourquoi la somme de la PmC et de la PmÉ est-elle égale à 1?

**20.** Quels sont les principaux facteurs déterminant l'investissement? Expliquez la relation entre le taux d'intérêt et le niveau d'investissement. Pourquoi la fonction d'investissement est-elle moins stable que les fonctions de consommation et d'épargne?

**21.** Expliquez la détermination du PIB d'équilibre:
a) par l'approche de l'offre et de la demande globales;
b) par l'approche de l'investissement et de l'épargne du secteur privé. Pourquoi ces deux approches engendrent-elles le même PIB d'équilibre?

**22.** Évaluez les énoncés suivants de façon critique :

   a) « Il serait bon que les ménages tentent d'augmenter leur épargne au moment où une récession commence. De cette façon, les ménages pourraient accumuler des ressources financières qui leur permettraient de traverser cette mauvaise période. »

   b) « Le fait que les ménages puissent épargner plus que ce que les entreprises sont prêtes à investir n'est pas grave, car les événements forceront les ménages et les entreprises à épargner et à investir au même rythme. »

**23.** Qu'est-ce que l'effet multiplicateur ? Quelle est la relation entre la taille du multiplicateur et la P*m*C ? et la P*m*É ? Quel sera le multiplicateur si la P*m*É est de 0, de 0,4, de 0,6 et de 1 ? si la P*m*C est de 1, de 0,90, de 0,67, de 0,50, de 0 ? Si les entreprises augmentent leur niveau d'investissement de 8 milliards de dollars et que la P*m*C soit de 0,80, de combien variera le PIB ? si la P*m*C est de 0,67 ?

**24.** Expliquez la différence entre le multiplicateur simple et le multiplicateur complexe.

**25.** Pour une offre agrégée donnée, un déplacement vers la droite de la courbe de demande agrégée

   a) entraînera une augmentation de la production intérieure réelle et de l'emploi, mais ne modifiera pas le niveau des prix sur le segment keynésien ;

   b) haussera la production intérieure réelle et le niveau des prix sur le segment intermédiaire ;

   c) élèvera le niveau des prix sans changement de la production intérieure réelle sur le segment classique.

**26.** Supposons les barèmes d'offre et de demande agrégées suivants pour une économie fictive :

   a) Tracez les courbes d'offre et de demande agrégées à partir de ces données. Quel sera le niveau de prix d'équilibre et le niveau de production intérieure réelle d'équilibre dans cette économie fictive ? Le niveau d'équilibre de la production intérieure réelle correspond-il au niveau de plein-emploi de la production intérieure réelle ? Expliquez votre réponse.

| Production intérieure réelle demandée (en milliards de dollars) | Niveau des prix (indice) | Production intérieure de bœuf haché réelle offerte |
|---|---|---|
| 100 | 300 | 400 |
| 200 | 250 | 400 |
| 300 | 200 | 300 |
| 400 | 150 | 200 |
| 500 | 150 | 100 |

   b) Pourquoi un niveau de prix de 150 n'est-il pas un niveau d'équilibre dans cette économie ? Pourquoi 250 ne l'est-il pas non plus ?

   c) Supposons que les acheteurs désirent acquérir une valeur de 200 milliards de dollars supplémentaires de production intérieure réelle à chaque niveau de prix. Quels facteurs peuvent provoquer un tel changement en ce qui concerne la demande agrégée ? Quel sera le nouveau niveau de prix d'équilibre et le nouveau niveau d'équilibre de production intérieure réelle ? Dans quel segment de la courbe d'offre agrégée (keynésien, intermédiaire ou classique) l'équilibre s'est-il déplacé ? Direz-vous que ce nouvel équilibre correspond au niveau de plein-emploi ?

**27.** Quels effets aura chacun des événements suivants sur les courbes d'offre et de demande agrégées?

  a) L'endettement considérable des consommateurs.

  b) La hausse des ventes de blé à la Russie.

  c) L'augmentation de la TPS.

  d) Des coupures de dépenses du gouvernement fédéral dans l'éducation supérieure.

  e) Une baisse des taux d'intérêt.

  f) La suppression des pensions de vieillesse aux personnes à revenus élevés.

  g) La complète désintégration de l'OPEP, amenant une chute très importante du prix du pétrole brut.

  h) Un déclin prononcé dans les revenus de nos partenaires commerciaux d'Europe centrale et de l'Est.

  i) Les coupures de prestations d'assurance-emploi aux personnes qui quittent volontairement leur emploi sans motif valable ou qui sont congédiés.

**28.** Toutes choses étant égales par ailleurs, quel effet chacun des éléments suivants aura-t-il sur le niveau des prix d'équilibre et le niveau de production intérieure réelle?

  a) Une augmentation de la demande agrégée dans le segment classique de la courbe d'offre agrégée.

  b) Une hausse de l'offre agrégée (en supposant que les salaires et les prix sont flexibles).

  c) Une augmentation équivalente de la demande et de l'offre agrégées.

  d) Une diminution de la demande agrégée dans le segment keynésien de la courbe d'offre agrégée.

  e) Un accroissement de la demande agrégée et une baisse de l'offre agrégée.

  f) Une réduction de la demande agrégée dans le segment intermédiaire de la courbe d'offre agrégée (en supposant que les prix et les salaires sont inflexibles à la baisse).

**29.** Expliquez en détail pourquoi la courbe de demande agrégée a une pente négative. Précisez en quoi ce raisonnement diffère de celui qui explique la pente négative de la courbe de demande d'un produit.

**30.** Expliquez l'allure de la courbe d'offre agrégée en précisant la différence entre les segments keynésien, intermédiaire et classique de la courbe.

**31.** Une augmentation du niveau des prix au Canada par rapport aux niveaux des prix des autres pays déplacera-t-elle notre courbe de demande agrégée? Si oui, dans quelle direction? Expliquez votre réponse.

**32.** Une majoration du prix du dollar canadien par rapport aux autres monnaies déplacera-t-elle la courbe d'offre agrégée canadienne vers la droite ou déplacera-t-elle simplement l'économie le long de la courbe d'offre agrégée déjà existante? Expliquez votre réponse.

**33.** «Un déplacement vers la gauche de la courbe de demande agrégée ainsi qu'un déplacement vers la gauche de la courbe d'offre agrégée peuvent entraîner du chômage.» Êtes-vous d'accord avec cette affirmation? Expliquez votre réponse.

ACTIVITÉS D'APPRENTISSAGE

# Complément

## LA FISCALITÉ ET LE PIB D'ÉQUILIBRE

Les gouvernements interviennent également dans l'économie par la fiscalité. Comment celle-ci influence-t-elle le niveau d'équilibre du PIB? Pour répondre à cette question, nous supposerons que le gouvernement impose un impôt de 20 milliards de dollars sur le PIB. En d'autre termes, il prélève 20 milliards de dollars d'impôt à chaque niveau de PIB possible. En passant de 0 à 20 milliards de dollars, de quelle manière l'imposition influe-t-elle sur les différents niveaux de PIB?

**TABLEAU 5.9**    La détermination des niveaux d'emploi, de production et de revenu d'équilibre: secteurs privé et public (données fictives)

| (1) Production intérieure réelle et revenu (PIB = RD) (en milliards de dollars) | (2) Impôt (T) (en milliards de dollars) | (3) Niveaux possibles de revenu disponible (en milliards de dollars) | (4) Consommation (C) (en milliards de dollars) | (5) Épargne après impôts (en milliards de dollars) (3) − (4) | (6) Investissement ($I_b$) (en milliards de dollars) | (7) Exportations nettes (en milliards de dollars) | | (8) Dépenses gouvernementales (G) (en milliards de dollars) | (9) Demande globale ($C+I_b+X_n+G$) (en milliards de dollars) ou (4)+(6)+(7)+(8) |
|---|---|---|---|---|---|---|---|---|---|
| | | | | | | X | M | | |
| (1) 370 | 20 | 350 | 360 | − 10 | 20 | 10 | 10 | 20 | 400 |
| (2) 390 | 20 | 370 | 375 | − 5 | 20 | 10 | 10 | 20 | 415 |
| (3) 410 | 20 | 390 | 390 | 0 | 20 | 10 | 10 | 20 | 430 |
| (4) 430 | 20 | 410 | 405 | 5 | 20 | 10 | 10 | 20 | 445 |
| (5) 450 | 20 | 430 | 420 | 10 | 20 | 10 | 10 | 20 | 460 |
| (6) 470 | 20 | 450 | 435 | 15 | 20 | 10 | 10 | 20 | 475 |
| (7) 490 | 20 | 470 | 450 | 20 | 20 | 10 | 10 | 20 | 490 |
| (8) 510 | 20 | 490 | 465 | 25 | 20 | 10 | 10 | 20 | 505 |
| (9) 530 | 20 | 510 | 480 | 30 | 20 | 10 | 10 | 20 | 520 |
| (10) 550 | 20 | 530 | 495 | 35 | 20 | 10 | 10 | 20 | 535 |

Le tableau 5.9 est très révélateur à ce sujet. Nous avons introduit les impôts à la colonne 2, de sorte qu'à la colonne 3 le RD (revenu après impôts) est inférieur au PIB d'un montant égal à l'imposition. Le RD a chuté de 20 milliards de dollars, soit le montant de l'imposition à chaque niveau de PIB possible. Comme le RD se divise entre la consommation et l'épargne, nous pouvons nous attendre qu'une baisse de celui-ci fera diminuer à la fois la consommation et l'épargne. De quel ordre sera ce déclin? Tout dépend de la P*m*C et de la P*m*É: la P*m*C nous donne la fraction de la baisse du RD qui se traduit en baisse de consommation et la P*m*É nous indique la fraction qui touche l'épargne. Comme la P*m*C est de 3/4 et que la P*m*É égale 1/4, nous pouvons conclure que, si le gouvernement prélève 20 milliards de dollars en impôts, la consommation diminuera de 15 milliards (3/4 de 20 milliards) et l'épargne de 5 milliards (1/4 de 20 milliards) à chaque niveau de PIB.

Nous remarquons, aux colonnes 4 et 5 du tableau 5.9, page 193, que la consommation et l'épargne sont respectivement plus faibles de 15 et 5 milliards de dollars *à chaque niveau* de PIB qu'elles ne l'étaient au tableau 5.6 (page 171). Avant l'imposition, alors que le PIB était égal au RD, la consommation était, par exemple, de 420 milliards de dollars et l'épargne de 10 milliards, pour un PIB de 430 milliards (tableau 5.6). Après impôts, le RD est de 410 milliards de dollars, soit de 20 milliards de dollars inférieur au PIB de 430 milliards de dollars. La consommation n'est plus que de 405 milliards de dollars et l'épargne de 5 milliards (tableau 5.9).

En résumé, quand nous introduisons la fiscalité dans notre modèle, le RD est inférieur au PIB d'un montant égal à l'imposition. Cette baisse du RD entraîne un déclin de la consommation et de l'épargne à chaque niveau de PIB. La P$m$C et la P$m$É déterminent l'ampleur de ces diminutions. Plus précisément, nous calculons la baisse de consommation (15 milliards) en multipliant l'augmentation de l'imposition (20 milliards) par la P$m$C (3/4). De la même manière, nous obtenons la variation de l'épargne (5 milliards) en multipliant l'augmentation de l'imposition (20 milliards) par la P$m$É (1/4).

Quel sera l'effet sur le PIB d'équilibre? Nous calculons d'abord la demande globale (colonne 9, tableau 5.9). Nous remarquons que la demande globale est inférieure de 15 milliards de dollars à chaque niveau de production intérieure par rapport à ce qu'elle était au tableau 5.6. En effet, la consommation après impôts est inférieure de 15 milliards de dollars à chaque niveau de PIB. En comparant la production intérieure à la demande globale, colonnes 1 et 9, il est clair que la valeur de la production n'est égale à celle des achats que pour un PIB de 490 milliards de dollars. L'imposition de 20 milliards a provoqué une chute du PIB d'équilibre de 60 milliards, soit de 550 milliards de dollars (tableau 5.6) à 490 milliards.

L'approche par l'investissement et l'épargne confirme ce résultat. Tout comme l'épargne et les importations, les impôts peuvent être considérés comme une fuite du circuit revenu-dépense. Quand nous épargnons, que nous importions ou que nous payions des impôts, nous utilisons notre revenu à d'autres fins qu'à la consommation. Celle-ci n'est donc plus égale à la production intérieure. La différence représente l'épargne après impôts plus les impôts. Cet écart pourrait être comblé par les investissements planifiés, les dépenses gouvernementales et les exportations. Ainsi, notre nouvelle condition d'équilibre pour cette approche sera : $É_a + M + T = I_b + X + G$. Nous pouvons constater, au tableau 5.9, que cette égalité ne se réalise que pour un PIB de 490 milliards de dollars.

La figure 5.12 *a* et *b* montre l'effet d'une imposition de 20 milliards de dollars. À la figure 5.12*a*, la hausse d'impôts de 20 milliards apparaît comme une baisse de 15 milliards (et non de 20) de la demande globale ($C_a + I_b + X_n + G$). Compte tenu de notre postulat simplificateur à l'effet que tous les impôts sont personnels, cette baisse des dépenses provient uniquement de la baisse des dépenses de consommation. Le PIB d'équilibre se déplace de 550 milliards de dollars à 490 milliards de dollars. En général, *une augmentation d'impôts déplacera vers le bas la courbe de demande globale par rapport à la droite à 45° et entraînera une baisse du PIB d'équilibre.*

Considérons maintenant l'approche par l'investissement et l'épargne. L'analyse se complique, car une imposition de 20 milliards de dollars suscite deux effets (figure 5.12*b*). Premièrement, l'impôt entraîne une baisse du RD de 20 milliards de dollars et la P$m$É de 1/4 fait chuter l'épargne de 5 milliards à chaque niveau de PIB. À la figure 5.12$b$, nous observons un déplacement de É + M (épargne avant impôts plus importations) à $\acute{E}_a$ + M (épargne après impôts plus importations). Deuxièmement, les 20 milliards de dollars d'imposition correspondent à une fuite additionnelle de 20 milliards de dollars à chaque niveau de PIB. Cette fuite doit être ajoutée à $\acute{E}_a$ + M. Nous obtenons donc $\acute{E}_a$ + M + T. Le PIB d'équilibre est maintenant de 490 milliards de dollars. À ce niveau, la somme de l'épargne des ménages, des importations et des impôts égale la somme des investissements, des exportations et des dépenses gouvernementales. En conséquence, la condition d'équilibre pour l'approche par l'investissement et l'épargne devient maintenant : $\acute{E}_a$ + M + T = $I_b$ + X + G. Graphiquement, elle correspond à l'intersection des courbes $\acute{E}_a$ + M + T et $I_b$ + X + G.

---

**FIGURE 5.12**   L'impôt et le PIB d'équilibre

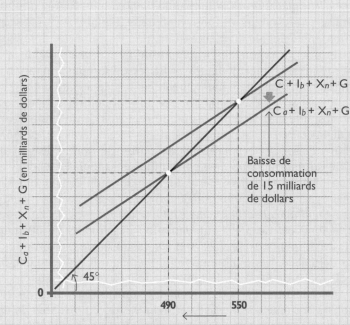

**Produit intérieur réel, PIB** (en milliards de dollars)

*a)* **L'approche par la demande et l'offre globales**

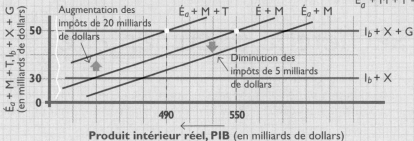

**Produit intérieur réel, PIB** (en milliards de dollars)

*b)* **L'approche par les fuites et les injections (épargne et investissement)**

*a)* L'approche par la demande et l'offre globales. Si la PmC est de 3/4, des impôts de 20 milliards de dollars abaisseront la courbe de demande globale d'une valeur de 15 milliards de dollars et entraîneront par conséquent un déclin du PIB d'équilibre. *b)* L'approche par les fuites et les injections (épargne et investissement). Ici, les impôts agissent de deux manières. Premièrement, si la PmÉ est de 1/4, des impôts de 20 milliards de dollars réduiront le revenu disponible de 20 milliards de dollars et l'épargne de 5 milliards de dollars à chaque niveau de PIB. Graphiquement, É + M (épargne avant impôts plus importations) se déplacera vers $\acute{E}_a$ + M (épargne après impôts plus importations). Deuxièmement, cet impôt de 20 milliards de dollars représente une fuite supplémentaire à chaque niveau de PIB, ce qui donne $\acute{E}_a$ + M + T. En intégrant le gouvernement, la condition d'équilibre se modifie : É + M = $I_b$ + X devient $\acute{E}_a$ + M + T = $I_b$ + X + G.

Une diminution de l'impôt existant déplacera vers le haut la courbe de demande globale $C_a + I_b + X_n + G$ (figure 5.12a) par suite d'un déplacement similaire de la fonction de consommation ou bien elle entraînera un déclin de la courbe $É_a + M + T$ (figure 5.12b).

## LE MULTIPLICATEUR D'UN BUDGET ÉQUILIBRÉ

Il est surprenant de constater, à la suite de notre analyse, qu'*une augmentation identique des dépenses gouvernementales et des impôts entraîne une hausse du PIB d'équilibre*. L'augmentation de 20 milliards de dollars des dépenses gouvernementales et des impôts a accru le PIB de 470 à 490 milliards de dollars.

Nous pouvons expliquer cet **effet multiplicateur du budget équilibré** à l'aide de notre exemple. Une variation des dépenses gouvernementales a une plus grande influence sur la demande globale qu'une variation d'impôts de la même taille. Les dépenses gouvernementales ont un effet direct et non atténué sur la demande globale. Comme les dépenses gouvernementales sont une composante de la demande globale, une hausse de 20 milliards de dollars des achats du gouvernement déplacera vers le haut la courbe de demande globale du même montant.

Par contre, une variation des impôts n'influence la demande globale qu'indirectement par l'intermédiaire du RD et de la consommation. Plus précisément, la courbe de demande globale ne se déplacera vers le bas que d'un montant égal au produit de la P*m*C et du montant de l'imposition. En d'autres termes, une hausse d'impôts de 20 milliards de dollars provoquera une baisse de la courbe de demande globale de 15 milliards (= 20 x 3/4).

Le résultat net sera une hausse de la courbe de demande globale de 5 milliards de dollars qui, amplifiée par un multiplicateur de 4, augmentera le PIB de 20 milliards de dollars. Cette augmentation du PIB de 20 milliards de dollars est égale à la variation initiale des dépenses gouvernementales et des impôts. *Le multiplicateur de budget équilibré est 1.*

Comme la P*m*C est de 3/4, l'augmentation des impôts de 20 milliards réduit le RD de 20 milliards de dollars et les dépenses de consommation de 15 milliards de dollars. Cette diminution de 15 milliards entraîne une baisse du PIB de 60 milliards (= 15 x le multiplicateur 4). Par conséquent, l'augmentation égale des impôts et des dépenses gouvernementales de 20 milliards de dollars entraîne une hausse nette du PIB de 20 milliards de dollars (= 80 − 60). *Des augmentations égales de G et T font croître le PIB d'un montant égal à l'augmentation de G et T.* Vous devriez tenter de vérifier si le multiplicateur du budget équilibré est indépendant de la taille des propensions marginales à consommer et à épargner.

---

**EFFET MULTIPLICATEUR DU BUDGET ÉQUILIBRÉ**

L'effet des augmentations (ou des diminutions) égales des dépenses gouvernementales en biens et en services et des impôts est d'augmenter (ou de diminuer) le PIB d'équilibre.

---

# Recherche documentaire

À la bibliothèque, trouvez un livre d'histoire économique récent et résumez l'évolution des principales théories économiques en mentionnant l'époque, les auteurs et leurs écoles. Votre texte ne devrait pas dépasser une page.

# L'économique pour comprendre ce qui se passe

Dans le texte qui suit :

1. Repérez les concepts économiques que vous connaissez.

2. Repérez les facteurs pouvant expliquer la croissance très modérée de l'économie.

Après cette lecture :

3. Selon vous, quel modèle est le plus approprié pour expliquer la situation économique : le modèle keynésien ou celui de la demande et de l'offre agrégées ? Justifiez et nuancez votre réponse.

## Qu'en penserait Keynes ? Croissance, récession, ou « croissance récessionniste » ?

### Jean Pichette
LE DEVOIR, Montréal le 13 novembre 1996, page B1

Avec des taux d'intérêt qui baissent depuis un an et demi et une croissance qui continue malgré tout à traîner la patte, le Canada serait-il en train de donner raison au père Keynes et à sa célèbre trappe de liquidités ? Pendant que des économistes américains commencent à parler de « croissance récessionniste », certains de leurs collègues canadiens se posent sérieusement la question. Mais la solution keynésienne classique n'est peut-être plus la voie appropriée, ou en tout cas suffisante, pour sortir du marasme actuel.

La réduction du taux d'escompte à son plus bas niveau depuis une quarantaine d'années, à 3,25 %, suffira-t-elle à secouer l'économie canadienne ? Si le passé récent est garant de l'avenir, rien n'est moins sûr. Malgré les baisses successives des taux d'intérêt, le taux de croissance de l'économie canadienne plafonne pour l'instant

à 1,4 %. Aux États-Unis, Geoffrey H. Moore, directeur new-yorkais de l'Economic Cycle Research Institute, estime qu'en deçà d'un taux de croissance de 2,5 %, le chômage peut augmenter de façon significative, croissance ou pas. Aussi bien dire qu'avec un maigre 1,4 %, le Canada est carrément en récession, le mot en moins.

Une idée que n'achètent cependant pas tous les économistes, loin s'en faut. « À mon avis, il faudrait plutôt parler de croissance modérée, note François Dupuis, économiste principal au Mouvement Desjardins. Pour parler de récession, il faut qu'il y ait une baisse du PIB [produit intérieur brut] pendant deux trimestres de suite. »

Simple querelle sémantique ? Pas sûr. Derrière les mots, une certaine vision des maux se laisse deviner, qui remet profondément en question les politiques économiques actuelles. « Quand la crois-

sance de la productivité est supérieure à celle de la croissance de l'économie, celle-ci produit davantage de biens et services avec moins de main-d'œuvre, note Pierre-Yves Cremieux, professeur de sciences économiques à l'UQAM. Entre 1974 et 1993, le taux de croissance annuel moyen a ainsi été de 2,1 % au Québec, contre une croissance annuelle moyenne de la productivité de 1,1 %. Il en a donc résulté une croissance négative du taux d'emploi, ce qui n'est pas de nature à rassurer l'opinion publique.

Économiste à la CIBC, Ed Heese se montre également réticent à parler de « croissance récessionniste », bien qu'il reconnaisse que l'idée d'une croissance sans emploi décrive assez bien la situation canadienne. « Au Canada, les compressions gouvernementales, qui ont été relativement plus élevées qu'aux États-Unis, expliquent en bonne partie un taux de croissance plus faible. Le taux de chômage est beaucoup moins élevé aux États-Unis, où le marché du travail est beaucoup plus faible, mais il y a aussi pas mal de gens qui occupent des emplois leur permettant seulement de vivre presque au seuil de la pauvreté. »

Au Canada, François Dupuis note que pour les neuf premiers mois de l'année 1996, 153 000 emplois ont été créés dans le secteur privé, pendant que 45 000 étaient perdus dans le secteur public, pour un solde positif de 108 000 emplois. Dans le numéro d'octobre-novembre 1996 de la revue économique de la CIBC, on note toutefois que « l'impact positif de la création nette d'emplois au cours des deux dernières années a été largement compensé par un déclin de la qualité de l'emploi ». En termes clairs, des emplois mal rémunérés, peu stables et souvent à temps partiel ne suffisent pas à ramener la confiance chez les consommateurs, qui hésitent encore à délier les cordons de leur bourse.

### La « trappe des liquidités »

Avec un taux de croissance aussi faible que celui que l'on connaît au Canada, il est évident que certains secteurs d'activité se por-tent mal, particulièrement ceux qui s'appuient sur la demande intérieure. La confiance des consommateurs n'y est pas, peu importent les taux d'intérêt.

« C'est pourquoi certains économistes évoquent la trappe de liquidités dont parlait Keynes, note M. Dupuis. On a les taux d'intérêt les plus faibles depuis une quarantaine d'années, mais cela n'empêche pas la diminution des mises en chantier. »

Échec des politiques monétaristes ? En tout cas, on se retrouve dans la situation tant crainte par Keynes : les consommateurs ne répondent plus à la baisse des taux d'intérêt. « Il ne faut pas compromettre la lutte au déficit, ajoute l'économiste du Mouvement Desjardins, mais comme la baisse des taux d'intérêt permet d'atteindre plus facilement cette cible, cela permet de dégager une marge de manœuvre pour stimuler l'économie, par une politique fiscale moins restrictive. Avec la diminution des taux d'intérêt, le gouvernement fédéral pourrait ainsi profiter d'un surplus de trois à cinq milliards de dollars qui pourraient être réinvestis dans l'économie afin de la stimuler. »

Une opinion que ne partage pas M. Cremieux, qui redoute même la déflation, quoi qu'en disent pour l'instant les indices de prix, qui sous-estiment selon lui les prix d'environ 0,5 % en ne tenant par exemple pas compte des achats croissants effectués dans des grandes surfaces comme le Club Price.

« Pourquoi réduire le déficit à moins de 3 % ? Il suffit de s'assurer que le poids de la dette n'augmente pas. Et il n'est pas certain qu'une politique d'inflation nulle soit une bonne chose. Elle enlève toute flexibilité dans la gestion des salaires par les entreprises, et on ne sait pas quel effet ça aura. Quand l'inflation est à zéro, les entreprises sont coincées puisqu'elles rencontrent une réaction très forte des employés confrontés à une baisse de salaire. Quand il y a au contraire un faible taux d'inflation, les entreprises peuvent plus facilement diminuer dans la même proportion le salaire réel [le salaire nominal moins l'inflation]. »

Tombé, peut-être, dans la trappe de liquidités, après plus d'une décennie de politiques monétaristes, le Canada semble condamné à renouer — du moins en partie — avec la pensée de l'économiste honni. Reste à savoir si les leçons de l'histoire seront entendues.

# Chapitre 6

# La politique fiscale et la dette publique

**D**epuis la Grande Dépression des années 1930, l'État joue un rôle actif dans l'économie. Cependant, le genre d'interventions que fait l'État ainsi que l'importance de ce dernier ne font pas l'unanimité.

*Dans ce chapitre, nous tenterons de mieux cerner cette controverse en explicitant les possibilités d'interventions et leur impact sur l'économie selon la conjoncture.*

## LA POLITIQUE FISCALE
### Les objectifs budgétaires

Les décisions des ménages et des entreprises concernant la consommation, l'investissement, l'importation et l'exportation sont fondées sur des intérêts privés et ces décisions peuvent entraîner soit une récession, soit de l'inflation par la demande. À l'opposé, le gouvernement veut défendre les intérêts de la société dans son ensemble, de sorte que, à l'intérieur de certaines limites, ses décisions quant à ses dépenses et à la taxation peuvent être aménagées pour influencer le PIB d'équilibre de manière à produire un mieux-être collectif. Plus particulièrement, une des fonctions primordiales du secteur public est de stabiliser l'économie. Cette stabilisation peut se faire à partir de la **politique fiscale**, c'est-à-dire en établissant le budget de l'État (dépenses et taxation) de façon à réduire les fluctuations économiques.

> **POLITIQUE FISCALE**
> Modifications de la fiscalité dans le but d'atteindre un PIB de plein-emploi et non inflationniste.

Dans le présent chapitre, nous étudierons : (1) les problèmes de base inhérents à l'application de la politique fiscale ; (2) la manière dont notre système de taxation engendre une certaine stabilité économique ; (3) les différentes philosophies budgétaires ; (4) les différents aspects qualitatifs de la dette publique.

Pendant longtemps, on a estimé que l'État devait être neutre vis-à-vis de l'économie. Ce n'est que lors de la Grande Dépression des années 1930 que l'on commença à envisager un rôle différent pour le gouvernement. La politique fiscale pouvait avoir un effet stabilisateur non négligeable pour l'économie. La théorie keynésienne de l'emploi accorde une importance majeure aux mesures fiscales. Le gouvernement fédéral introduisit l'assurance-chômage durant la Seconde Guerre mondiale et, en 1945, Mackenzie King remporta ses dernières élections en promettant le plein-emploi et la sécurité sociale. Depuis, les partis d'opposition n'ont cessé de blâmer le pouvoir pour le chômage existant. De leur côté, les gouvernements n'ont cessé de se justifier en déplorant des facteurs externes. Ils promettent que leurs politiques déjà en place ou devant être annoncées amèneront le plein-emploi ou, à tout le moins, nous en rapprocheront. « *Notre objectif, c'est un pays meilleur. C'est une société plus juste. C'est une économie qui, avant toute chose, soit capable de produire les emplois et la croissance qui permettront aux Canadiens de croire en eux et d'avoir confiance en l'avenir.*

*Pour y arriver, nous pensons que le gouvernement doit agir sur deux fronts — simultanément et résolument.*

*Le premier front, c'est la situation macroéconomique fondamentale.*

*Il nous faut pour cela maintenir avec fermeté notre politique de faible inflation. Et il nous faut pour cela maintenir notre stratégie d'assainissement des finances de la nation.*

*Le deuxième front, c'est la restructuration de l'économie. Et pour cela, nous devons aussi restructurer le gouvernement. Il nous faut un gouvernement qui sache où son intervention compte vraiment, et où il peut faire une véritable différence. Un gouvernement qui se préoccupe comme jamais auparavant des grandes priorités nationales[1]. »*

---

**POLITIQUE FISCALE DISCRÉTIONNAIRE**

Modifications délibérées des impôts ou des dépenses publiques qu'effectue le Parlement dans le but d'obtenir un PIB de plein-emploi et sans inflation, et de favoriser la croissance économique.

**POLITIQUE FISCALE EXPANSIONNISTE**

Augmentation de la demande globale due à un accroissement des dépenses publiques en biens et en services, à une diminution des impôts nets ou à une combinaison des deux mesures.

**DÉFICIT BUDGÉTAIRE**

Montant dont les dépenses de l'État excèdent ses recettes au cours d'une année déterminée.

**POLITIQUE FISCALE RESTRICTIVE**

Diminution de la demande globale due à une baisse des dépenses gouvernementales en biens et en services, à une augmentation des impôts nets ou à une combinaison des deux mesures.

**SURPLUS BUDGÉTAIRE**

Montant dont les recettes de l'État excèdent ses dépenses au cours d'une année déterminée.

---

## Les politiques fiscales discrétionnaires

Il existe des politiques fiscales discrétionnaires et des politiques non discrétionnaires. Nous étudierons tout d'abord la **politique fiscale discrétionnaire**. Une politique fiscale discrétionnaire consiste à modifier délibérément la taxation et les dépenses gouvernementales dans le but d'atténuer les fluctuations économiques dans la production et l'emploi, et de stimuler la croissance économique.

L'objectif fondamental de la politique fiscale est d'éliminer le chômage conjoncturel ou l'inflation par la demande. Lorsque l'économie est en récession, le gouvernement doit mettre en place une **politique fiscale expansionniste**. La politique fiscale devrait entraîner un **déficit budgétaire** en période de récession ou de dépression. En période de forte expansion, pour éliminer l'inflation par la demande, le gouvernement doit mettre en place une **politique fiscale restrictive**, c'est-à-dire diminuer ses dépenses ou augmenter les impôts ou utiliser une combinaison des deux politiques.

Retenons, cependant, que la taille du budget influence le PIB, tout comme la différence entre les dépenses gouvernementales et les impôts (taille d'un déficit ou d'un **surplus**).

### Le financement des déficits et l'utilisation des surplus

Compte tenu de la taille du déficit, son effet expansionniste sur l'économie dépendra de la façon dont il est financé. De la même manière, l'effet restrictif d'un surplus donné dépendra de la façon dont le gouvernement disposera de ce surplus.

#### LES EMPRUNTS OU LA CRÉATION DE MONNAIE?

Il existe différentes façons pour le gouvernement fédéral de financer son déficit. Il peut emprunter du public (c'est-à-dire lui vendre des

---

1. « *La mise à jour économique et financière* », exposé de l'honorable Paul Martin, c.p., député au Comité permanent des finances de la Chambre des communes, 6 décembre 1995.

obligations) ou émettre de la nouvelle monnaie pour payer ses créanciers. L'effet sur la demande globale variera selon le cas.

**LES EMPRUNTS** Si le gouvernement s'adresse au marché monétaire pour emprunter, il sera en concurrence avec le secteur privé. La demande accrue de fonds augmentera le taux d'intérêt d'équilibre. Nous avons vu, au chapitre 5, que les dépenses d'investissement sont reliées de façon inverse au taux d'intérêt. Alors, en empruntant, le gouvernement créera un effet d'évincement.

**LA CRÉATION DE MONNAIE** Si le gouvernement finance son déficit par l'émission de monnaie, il peut éviter l'effet d'évincement. Les dépenses gouvernementales peuvent augmenter sans avoir d'effets néfastes sur l'investissement. En conclusion, nous pouvons affirmer que *la création de monnaie est un moyen plus expansionniste que les emprunts de financer le déficit gouvernemental.*

### LA RÉDUCTION DE LA DETTE OU UN SURPLUS INUTILISÉ?

Lorsque l'économie subit une inflation par la demande, le gouvernement doit appliquer une politique fiscale restrictive qui engendrera un surplus budgétaire. Cependant, les effets anti-inflationnistes de ce surplus dépendent de l'utilisation que le gouvernement fait de ce surplus.

**LA RÉDUCTION DE LA DETTE** Comme la dette publique fédérale s'élevait à environ 636 milliards de dollars en 1996, il serait impérieux que le gouvernement utilise un surplus pour réduire sa dette. Cependant, l'effet anti-inflationniste de ce surplus en serait atténué. En remboursant sa dette auprès du public, le gouvernement transfère ses surplus aux mains des ménages et des entreprises qui peuvent, en retour, en disposer à des fins de consommation et d'investissement. Cette hausse potentielle des dépenses privées ne doit cependant pas être exagérée. En pratique, une portion considérable de ces fonds servira à acheter d'autres valeurs sûres plutôt que des biens ou des services.

**LE SURPLUS INUTILISÉ** D'un autre côté, si nous oublions les difficultés liées au problème de surendettement du gouvernement fédéral, le surplus budgétaire peut avoir un effet plus anti-inflationniste si le gouvernement s'en sert pour rembourser une partie de sa dette envers la Banque du Canada ou tout simplement le dépose dans ses comptes à la Banque du Canada.

Ce surplus inutilisé signifie qu'un certain montant potentiel de dépenses est retiré du circuit de revenu-dépense de l'économie. Si les surplus d'impôts ne sont pas réinjectés dans l'économie, ils ne pourront être dépensés. Il n'y a donc aucune possibilité que ces fonds créent des pressions inflationnistes qui affaibliraient l'effet restrictif du surplus lui-même. Comme le fait de rembourser sa dette auprès de la Banque du Canada ou de déposer passivement son surplus chez cette dernière amène le même effet, à savoir que de l'argent est retiré de l'économie, nous pouvons conclure que *ces méthodes sont plus restrictives que l'utilisation du surplus pour rembourser la dette publique.*

### *Deux options: dépenses gouvernementales ou impôts?*

Est-il préférable d'utiliser les dépenses gouvernementales (G) ou les impôts (T) pour éliminer les problèmes de chômage ou d'inflation? La réponse à cette question dépendra de l'importance qu'on accorde au secteur public. Ainsi, les économistes «libéraux» estiment que le secteur public devrait s'accroître pour combler les différentes faiblesses de l'économie de marché. Ils recommandent donc d'augmenter la demande globale durant les récessions, en augmentant G, et d'abaisser celle-ci en période d'inflation, en augmentant T.

À l'opposé, les économistes «conservateurs» trouvent le secteur public trop important et inefficace, de sorte qu'ils recommandent d'augmenter la demande globale en période de récession, en diminuant T, et de réduire celle-ci en période d'inflation, en coupant G. Ainsi, une politique fiscale mise en place pour stabiliser l'économie peut être associée à une concentration ou à une expansion du secteur public. Cependant, en pratique, ces questions se posent uniquement lorsque le gouvernement a suffisamment de marge de manœuvre pour utiliser la politique fiscale. Comme nous le verrons dans la section portant sur la dette publique, le gouvernement est présentement si endetté qu'il ne peut plus se permettre d'augmenter son déficit.

## La politique fiscale non discrétionnaire et les stabilisateurs automatiques

De nombreux obstacles nuisent au succès de la politique fiscale discrétionnaire. Il est cependant rassurant d'observer que des mesures fiscales appropriées surviennent automatiquement. Nous n'avons pas inclus cette **stabilisation automatique** dans notre modèle parce que nous supposions que le même montant d'impôt était prélevé à tous les niveaux de PIB. La stabilisation automatique existe en réalité parce que notre système d'impôts nets (impôts moins transferts et subventions) engendre des revenus qui varient directement selon le PIB.

La fiscalité est telle que les revenus d'imposition augmentent avec le PIB. Spécialement, l'impôt sur le revenu des particuliers et des sociétés est progressif et augmente les recettes fiscales à un rythme plus rapide que le PIB. De plus, à mesure que le PIB s'accroît et qu'un plus grand nombre de biens et de services sont achetés, les revenus provenant des taxes sur les ventes et des droits d'accise augmentent également. De la même manière, plus il y a d'emplois, plus l'impôt sur le revenu engendre des sommes élevées. Évidemment, lorsque le PIB diminue, l'inverse se produit. Les paiements de transfert (impôts négatifs) se comportent de façon inverse. Les prestations d'assurance-emploi, l'aide sociale et les subventions aux agriculteurs diminuent durant les périodes d'expansion et augmentent durant les récessions.

> **STABILISATION AUTOMATIQUE**
>
> Effet d'une politique budgétaire non discrétionnaire sur l'économie ; quand les impôts nets varient dans le même sens que le produit intérieur brut, une baisse (une hausse) des impôts nets pendant une récession (inflation par la demande) contribue à éliminer le chômage (pressions inflationnistes).

### Les stabilisateurs automatiques

La figure 6.1 nous aide à comprendre comment la fiscalité entraîne une certaine stabilisation automatique. Supposons que les dépenses gouvernementales (G) soient indépendantes du niveau de PIB ; les dépenses sont fixées à un certain niveau par le Parlement. Par contre, ce dernier ne peut déterminer les recettes fiscales ; il ne fait que fixer les taux d'imposition. Les recettes fiscales varient donc de façon directe selon le niveau de PIB auquel l'économie fonctionne. La fonction d'impôt (T) illustre la relation directe entre les recettes fiscales et le PIB.

Deux phénomènes font ressortir l'importance de cette relation directe. Premièrement, l'impôt est de nature à diminuer le potentiel de dépenses de l'économie. Deuxièmement, il est important, dans une optique de stabilisation, de réduire le potentiel de dépenses lorsque l'économie se dirige vers une période d'inflation par la demande et de l'augmenter quand l'économie se dirige vers une récession. En d'autres termes, le type de fiscalité décrit à la figure 6.1 amène une certaine stabilisation dans l'économie en apportant automatiquement des variations dans les recettes fiscales qui contrent à la fois l'inflation et le chômage. En règle générale, on appelle « *stabilisateur automatique* »

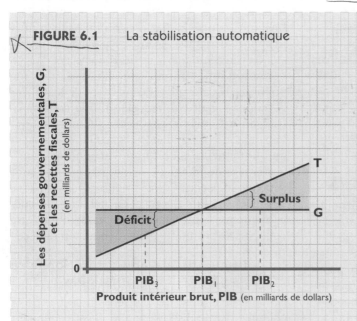

**FIGURE 6.1**     La stabilisation automatique

Si l'impôt varie proportionnellement au PIB, les déficits qui risqueront de se produire automatiquement en période de récession aideront à atténuer cette dernière. À l'opposé, les surplus obtenus automatiquement durant une période d'expansion contribueront à enrayer l'inflation susceptible de se manifester.

tout mécanisme qui tend à augmenter le déficit gouvernemental, ou à réduire le surplus, en période de récession et qui tend à augmenter le surplus budgétaire, ou à diminuer le déficit, en période d'expansion, sans qu'une action particulière du gouvernement soit requise. La figure 6.1 nous montre clairement que c'est exactement ce que fait notre système fiscal.

À mesure que le PIB s'accroît en période de prospérité, les recettes fiscales augmentent automatiquement et, en tant que fuites, ralentissent l'expansion économique. En d'autres termes, lorsque l'économie produit un PIB plus élevé, les recettes fiscales augmentent automatiquement et font varier le solde budgétaire du gouvernement, d'un déficit vers un surplus. À l'opposé, quand le PIB diminue lors d'une récession, les recettes fiscales déclinent automatiquement et cette réduction atténue la récession. En effet, quand le PIB chute, les recettes fiscales diminuent et modifient le solde budgétaire du gouvernement, d'un surplus vers un déficit. D'après la figure 6.1, un niveau de revenu faible comme $PIB_3$ entraînera automatiquement un budget déficitaire expansionniste. Par contre, un niveau de revenu élevé et probablement inflationniste comme $PIB_2$ engendrera automatiquement un surplus budgétaire restrictif.

Le gouvernement peut recourir à des mesures fiscales discrétionnaires pour modifier la capacité de stabilisation automatique de l'économie. Par exemple, si le gouvernement modifiait la fiscalité pour la rendre plus progressive, il augmenterait le degré de dépendance entre les recettes fiscales et le niveau de PIB. Graphiquement, la fonction T serait plus abrupte et la stabilisation automatique plus élevée. En fait, en indexant les tables d'impôt, les gouvernements ont affaibli la stabilisation automatique engendrée par le système fiscal. Ainsi, durant les périodes d'inflation, les recettes fiscales n'ont pas augmenté autant qu'elles l'auraient fait auparavant.

### L'importance des stabilisateurs automatiques : quelques réserves

Il ne fait aucun doute que les stabilisateurs automatiques sont fort utiles dans notre système fiscal. Cependant, certains effets méritent d'être nuancés.

### L'AMÉLIORATION ET NON LA CORRECTION

Les stabilisateurs automatiques ne peuvent enrayer les changements non souhaités du niveau du PIB. Tout ce qu'ils peuvent faire, c'est atténuer l'ampleur des fluctuations économiques. Le gouvernement devra donc employer des mesures fiscales discrétionnaires (changer les taux d'imposition, la structure de taxation ou ses dépenses) pour corriger les récessions ou les périodes d'inflation d'une certaine gravité.

### LES EFFETS NON SOUHAITÉS

Notre système fiscal, dans lequel les recettes fiscales varient selon le PIB, entraîne certains effets désagréables pour l'économie. Par exemple, il peut provoquer des surplus qui rendent difficiles l'atteinte et le maintien du plein-emploi.

La stabilisation automatique est souhaitable lorsque l'économie évolue près du plein-emploi, mais si l'économie traverse une récession, elle rend alors plus difficile l'atteinte du plein-emploi. Regardons à nouveau la figure 6.1 . Si le $PIB_1$ est le niveau de plein-emploi, la stabilisation automatique provenant de la fonction T est nettement souhaitable, car elle empêche l'économie de quitter ce niveau. Mais si la production actuelle se situe à un niveau inférieur, comme $PIB_3$, l'effet expansionniste d'une augmentation de C, I, X ou G sera atténué par les stabilisateurs automatiques. Une partie de la stimulation disparaîtra sous forme de hausses d'impôts. En bref, la stabilisation automatique aide à maintenir le plein-emploi une fois qu'il est atteint, mais contribue à maintenir le chômage au niveau où il existe.

Il faut également considérer cette question à plus long terme. Supposons que $PIB_1$ soit le niveau de plein-emploi et que l'économie fonctionne présentement à ce niveau. Il est à noter que le budget est alors équilibré. Cependant, notre économie est en croissance et, à plus ou moins long terme, le PIB de plein-emploi se déplacera vers $PIB_2$. Cette croissance produit automatiquement un surplus budgétaire dont l'effet restrictif étouffe la croissance qui l'a engendré. En bref, quand nous ajoutons la dimension temps pour tenir compte de la croissance, la stabilisation automatique rend difficile le maintien du plein-temps. Durant les périodes de croissance importante, des surplus budgétaires considérables apparaissent avec leurs effets restrictifs. Quel serait le remède à cette situation? Le gouvernement fédéral doit utiliser des mesures fiscales discrétionnaires pour réduire les impôts, augmenter ses dépenses ou peut-être augmenter les transferts aux provinces de manière à éliminer cet effet fiscal non souhaitable.

Malheureusement, depuis le milieu des années 1960, le gouvernement fédéral a trop bien appris sa leçon et a augmenté ses dépenses à un rythme inflationniste engendrant de plus un déficit structurel, c'est-à-dire qui ne découle pas d'une récession. Il est maintenant aux prises avec un endettement tellement élevé qu'il se doit de réduire considérablement ses dépenses pour assainir les finances, au risque de ralentir l'économie du pays.

### LE BUDGET DE PLEIN-EMPLOI

La stabilisation automatique, c'est-à-dire le fait que les recettes fiscales varient directement selon le PIB, empêche d'utiliser les surplus ou les déficits budgétaires comme un indicateur de la qualité des interventions fiscales du gouvernement. Par exemple, supposons que l'économie fonctionne au niveau de plein-emploi, $PIB_1$ (figure 6.1, page 202), et que le budget soit équilibré. Maintenant, supposons que, durant l'année, C ou $I_b$ diminue, entraînant une récession à $PIB_3$, les recettes fiscales chutent et, comme les dépenses gouvernementales demeurent inchangées, il se produit un déficit budgétaire. Cependant, ce déficit cyclique n'est pas le résultat d'une politique gouvernementale contracyclique; c'est plutôt le sous-produit de l'inaction fiscale lors d'une récession.

Nous ne pouvons pas vraiment juger l'action fiscale du gouvernement, à savoir s'il contrôle adéquatement les impôts et ses dépenses, en regardant les soldes budgétaires. Les déficits actuels ne reflètent pas que les politiques discrétionnaires des gouvernements (niveau des fonctions G et T de la figure 6.1), mais également le niveau de PIB auquel l'économie évolue (abscisse de la figure 6.1). Comme les recettes fiscales varient selon le PIB, le problème fondamental que nous rencontrons en comparant les déficits ou les surplus de deux années est que le niveau de PIB peut être différent pour ces deux années.

Les économistes ont résolu ce problème en établissant la notion de «budget de plein-emploi» qui révèle ce que serait le solde budgétaire pour tout le secteur public (y compris les régimes de retraite fédéral et provinciaux) si l'économie fonctionnait à un niveau d'activité moyen ou de plein-emploi. Lorsque ce solde est négatif, nous parlons de déficit structurel et non de déficit cyclique. Comme nous le verrons plus loin dans le présent chapitre, le gouvernement fédéral n'a pas réalisé de surplus budgétaire depuis 1974. Comme l'économie a connu plusieurs longues périodes d'expansion depuis (par exemple, 1983-1989), il est clair que les déficits fédéraux ont été en grande partie structurels durant cette période.

## Les problèmes et les critiques

Malheureusement, il existe un monde entre les mesures fiscales sur papier et la pratique. Il devient donc indispensable de relever et d'examiner certains problèmes rencontrés lors de l'introduction et de l'application de la politique fiscale.

### *Les problèmes de synchronisation*

La politique fiscale fait face à plusieurs problèmes de synchronisation.

### LES DÉLAIS D'INTERPRÉTATION

Il est particulièrement difficile de prédire avec précision l'évolution de l'activité économique. On appelle «délai d'interprétation» le temps qui s'écoule entre le début d'une récession ou d'une période d'expansion et le moment où l'on détermine effectivement la phase du cycle. Il peut s'écouler de quatre à six mois avant que les statistiques pertinentes confirment que l'économie traverse une période de récession ou d'expansion.

### LES DÉLAIS ADMINISTRATIFS

Les rouages d'un gouvernement démocratique tournent parfois au ralenti. Il s'écoule souvent un délai important entre le moment où une politique fiscale se révèle nécessaire et celui où elle est établie. Il s'est écoulé de nombreux mois entre le moment où la TPS fut amenée devant le Parlement et son entrée en vigueur.

### LES DÉLAIS D'IMPACT

Lorsqu'une politique fiscale est adoptée par le Parlement, il peut y avoir un délai plus ou moins long avant que son effet se fasse sentir sur la production, l'emploi ou le niveau des prix. Les variations des taux d'imposition agissent assez rapidement, mais les dépenses gouvernementales pour des travaux publics comme la construction de barrages ou d'autoroutes demandent de longues périodes de planification et un temps encore plus long pour leur réalisation. Ce genre de mesures devient alors douteux pour enrayer les récessions de courte durée, c'est-à-dire de 6 à 18 mois.

### Les problèmes politiques

Comme la politique fiscale est issue des milieux politiques, son utilisation à des fins stabilisatrices s'en trouve grandement compliquée.

#### LES AUTRES OBJECTIFS

Il faut se rappeler que la stabilité économique n'est pas le seul objectif du gouvernement en ce qui concerne les dépenses et les mesures fiscales. Le gouvernement doit également pourvoir la population en biens et en services publics et s'occuper de la redistribution des revenus. Durant la Seconde Guerre mondiale, les dépenses militaires augmentèrent dramatiquement, provoquant de fortes pressions inflationnistes au début des années 1940. La stabilité des prix devenait un objectif secondaire en regard de la défaite de l'Allemagne nazie et du Japon. Cependant, la performance du gouvernement en matière de stabilité des prix fut quand même remarquable: durant la période 1939-1945 (six ans), l'indice des prix à la consommation augmenta de 23 %. Aussi, lorsque nous étudierons l'état des finances publiques, nous verrons que la réduction du déficit est devenue un objectif prioritaire du gouvernement fédéral, ce qui diminue grandement la marge de manœuvre du gouvernement en matière de politique fiscale.

Il faut également souligner que les politiques fiscales des administrations provinciales et locales accentuent souvent le cycle. En effet, comme les ménages et les entreprises privées, ces gouvernements ont tendance à augmenter leurs dépenses en période de prospérité et à les réduire en période de récession. Durant la Grande Dépression des années 1930, certaines augmentations de dépenses du gouvernement fédéral étaient rendues inefficaces par les réductions des dépenses provinciales et locales. En outre, les disparités régionales amènent certaines contradictions entre les politiques fiscales fédérale et provinciales. Il arrive, par exemple, que le Québec ne soit pas encore sorti d'une récession au moment où l'Ontario subit des pressions inflationnistes. Si le gouvernement fédéral pratique une politique restrictive, le gouvernement provincial ne peut en faire autant.

#### LA POSSIBILITÉ D'UN BIAIS EXPANSIONNISTE

Bien que depuis quelques années les mentalités commencent à changer, politiquement, les déficits ont toujours été plus rentables que les surplus. En d'autres termes, les politiques fiscales peuvent engendrer un biais expansionniste-inflationniste. Pourquoi en est-il ainsi? Les réductions d'impôts sont généralement plus populaires que les hausses. De même, l'augmentation des dépenses gouvernementales satisfait plus d'électeurs que leur réduction. Par exemple, malgré la guerre ouverte au déficit entreprise par le gouvernement canadien, celui-ci n'a pu faire accepter certaines coupures de dépenses comme la désindexation partielle des prestations de la sécurité de la vieillesse dans les années 1980. Plus récemment, en 1993, la réduction de l'accessibilité à l'assurance-emploi et des prestations versées, dans une période de marasme économique, a soulevé un grand mécontentement dans la population. Des coupures touchant suffisamment d'électeurs pour être économiquement valables sont souvent politiquement suicidaires, comme les coupures dans la santé et l'éducation.

## La politique fiscale dans une économie ouverte

De nouvelles complications surviennent lorsque nous tenons compte du fait que notre économie n'est qu'une composante de l'économie mondiale dont la taille est beaucoup plus importante.

### Les chocs provenant de l'étranger

Les événements et les politiques à l'étranger qui influencent nos exportations nettes ont un impact sur notre économie. Nous pouvons être surpris par des mouvements brusques de la demande agrégée qui peuvent faire varier notre PIB et rendre inadéquates nos politiques fiscales.

Supposons que nous soyons en récession et que nous ayons modifié les niveaux des dépenses gouvernementales et des impôts pour stimuler la demande agrégée et le PIB sans provoquer d'inflation. Maintenant, supposons que les économies de nos principaux partenaires commerciaux traversent une période d'expansion rapide et soudaine. Le niveau d'emploi plus élevé ainsi que la hausse des revenus dans ces pays entraînent des achats plus nombreux de produits canadiens. Nos exportations nettes augmentent, la demande agrégée s'accroît trop rapidement et l'économie subit une inflation par la demande. Si nous avions pu prévoir que nos exportations nettes allaient augmenter de façon aussi importante, nous aurions instauré une politique fiscale moins expansionniste. Ce qu'il faut bien comprendre, c'est que notre participation de plus en plus grande à l'économie mondiale entraîne les problèmes liés à l'interdépendance au même titre que les bienfaits qui découlent de la spécialisation et de l'échange.

> **EFFET DES EXPORTATIONS NETTES**
>
> Effet qu'une hausse des taux d'intérêt peut avoir sur le niveau de nos exportations nettes.

### L'effet des exportations nettes

Le commerce international peut réduire l'efficacité de la politique fiscale. Nous appellerons cette influence «**effet des exportations nettes**». Nous avons terminé l'étude de l'effet d'évincement en constatant qu'une politique fiscale expansionniste pouvait faire augmenter les taux d'intérêt et, par conséquent, réduire les investissements et affaiblir ainsi la politique fiscale. Maintenant, il faut préciser quel effet une telle augmentation des taux d'intérêt pourrait avoir sur nos exportations nettes (exportations moins importations).

Supposons une politique fiscale expansionniste qui entraîne une hausse des taux d'intérêt. Ces taux d'intérêt plus élevés attireront le capital financier de l'étranger où nous supposons que les taux d'intérêt sont demeurés stables. Mais les investisseurs étrangers doivent se procurer des dollars canadiens pour pouvoir acheter les titres canadiens. Nous savons qu'une augmentation de la demande d'un produit, en l'occurrence le dollar canadien, en majorera le prix. C'est pourquoi le prix du dollar canadien en devises augmentera; en d'autres termes, le dollar prendra de la valeur.

Quelle sera la conséquence de cette appréciation du dollar sur nos exportations nettes? Comme il faut plus de devises pour acheter nos produits, leur prix en sera augmenté pour les étrangers et nos exportations diminueront. De la même manière, les Canadiens obtiendront maintenant plus de devises pour leur dollar et, par conséquent, achèteront plus de produits importés. En conséquence, nos exportations nettes diminueront et notre politique fiscale expansionniste sera en partie contrée.

Le tableau 6.1 résume l'effet des exportations nettes qui découle de la politique fiscale. Plus

**TABLEAU 6.1**    La politique fiscale et l'effet des exportations nettes

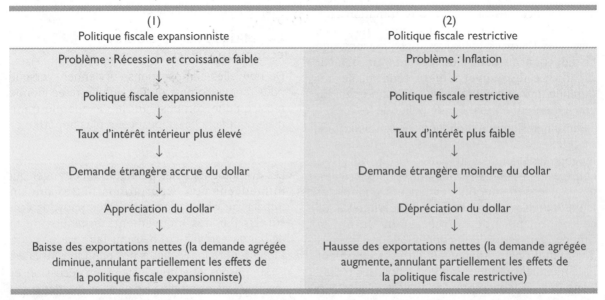

| (1)<br>Politique fiscale expansionniste | (2)<br>Politique fiscale restrictive |
|---|---|
| Problème : Récession et croissance faible | Problème : Inflation |
| ↓ | ↓ |
| Politique fiscale expansionniste | Politique fiscale restrictive |
| ↓ | ↓ |
| Taux d'intérêt intérieur plus élevé | Taux d'intérêt plus faible |
| ↓ | ↓ |
| Demande étrangère accrue du dollar | Demande étrangère moindre du dollar |
| ↓ | ↓ |
| Appréciation du dollar | Dépréciation du dollar |
| ↓ | ↓ |
| Baisse des exportations nettes (la demande agrégée diminue, annulant partiellement les effets de la politique fiscale expansionniste) | Hausse des exportations nettes (la demande agrégée augmente, annulant partiellement les effets de la politique fiscale restrictive) |

précisément, la colonne 1 résume l'analyse que nous venons de faire. Notons, cependant, que l'effet des exportations nettes fonctionne dans les deux sens. En réduisant les taux d'intérêt intérieurs, une politique fiscale restrictive fera augmenter les exportations nettes.

## Les théories budgétaires

L'essence de la politique fiscale contracyclique repose sur un **déficit budgétaire** en période de récession et sur un surplus durant les périodes d'expansion. Par conséquent, nous ne pouvons nous attendre à avoir un budget équilibré chaque année. Devons-nous alors nous en préoccuper? Nous pourrons répondre à cette question en étudiant les conséquences des différentes théories budgétaires.

### Le budget équilibré annuellement

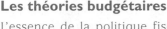

Jusqu'à la Grande Dépression, la théorie budgétaire voulait qu'un bon gouvernement équilibre son budget chaque année. Cependant, il devient évident qu'un **budget équilibré annuellement** annule les efforts fiscaux du gouvernement pour stabiliser l'économie. Plus grave encore, un budget équilibré annuellement intensifie le cycle économique. Par exemple, supposons que l'économie traverse une période de chômage et de chute des revenus. Les recettes fiscales diminuent dans de telles circonstances. Lorsqu'il cherche à équilibrer son budget, le gouvernement doit (1) soit augmenter les taux d'imposition, (2) soit réduire ses dépenses, (3) soit utiliser une combinaison de ces deux politiques. Il est clair que toutes ces actions sont restrictives; chacune a pour effet de diminuer la demande globale plutôt que de la stimuler.

De la même manière, un budget équilibré annuellement aggrave l'inflation. À mesure que les revenus monétaires augmentent durant la période d'expansion, les recettes fiscales s'accroissent automatiquement. Pour éviter un surplus budgétaire, le gouvernement devra (1) soit réduire les taux d'imposition, (2) soit augmenter ses dépenses, (3) soit recourir à ces deux politiques. Il est clair que ces trois politiques gonfleront les pressions inflationnistes.

> **DÉFICIT BUDGÉTAIRE**
>
> Montant dont les dépenses de l'État excèdent ses recettes au cours d'une année déterminée.
>
> **BUDGET ÉQUILIBRÉ ANNUELLEMENT**
>
> Égalité des dépenses publiques et des recettes fiscales sur une année.
>
> **BUDGET ÉQUILIBRÉ DE FAÇON CYCLIQUE**
>
> Égalité des dépenses publiques en biens et en services et des recettes fiscales nettes durant un cycle économique en entier; les déficits enregistrés pendant les périodes de récession sont compensés par les excédents obtenus pendant les périodes de prospérité (ou alors d'inflation).

La conclusion devient alors évidente: *un budget équilibré annuellement n'est pas neutre pour l'économie; cet objectif accentue les cycles au lieu de les atténuer.*

### Le budget équilibré de façon cyclique

La notion de **budget équilibré de façon cyclique** combine deux objectifs gouvernementaux, à savoir la stabilisation de l'économie et l'équilibre budgétaire. Dans ce cas, cependant, le budget ne sera pas équilibré annuellement, mais plutôt selon un cycle économique. Le raisonnement sous-jacent à cette théorie budgétaire est simple, plausible et intéressant. Pour enrayer la récession, le gouvernement doit abaisser les impôts et augmenter ses dépenses. Il crée ainsi un déficit. Durant la période d'expansion, les impôts augmenteront et les dépenses gouvernementales diminueront. Le surplus qui en résulte peut ensuite être utilisé pour effacer la dette fédérale contractée pour enrayer la récession. De cette manière, l'action gouvernementale devient une force contracyclique positive et le gouvernement peut quand même équilibrer son budget, non plus annuellement, mais sur une période de quelques années.

Il existe cependant un problème de mise en pratique. En effet, les cycles économiques ne sont pas réguliers, et les périodes d'expansion et de récession peuvent varier en amplitude et en durée (figure 4.1, page 110). Alors, l'objectif de stabilisation peut entrer en conflit avec l'équilibre budgétaire cyclique. Par exemple, une grave récession prolongée peut être suivie d'une brève période de faible expansion. Le déficit important subi lors de la période de récession ne pourra être compensé totalement par le léger surplus réalisé lors de la brève période de prospérité; par conséquent, il subsistera un déficit budgétaire à la fin du cycle.

## LES POLITIQUES À L'ÉGARD DE LA STAGFLATION

Compte tenu de l'expérience acquise au cours des dernières décennies en matière d'inflation par les coûts et des difficultés d'utiliser les politiques axées sur la demande pour résoudre ce problème, il n'est pas étonnant que les gouvernements aient cherché d'autres politiques pour faire face à la situation. Ces politiques devraient empêcher les déplacements de la courbe d'offre agrégée vers la gauche. Ou bien, si l'économie traverse une période de stagflation, l'objectif serait de déplacer la courbe d'offre agrégée vers la droite.

De façon générale, on proposa trois types de politiques : (1) les politiques de marché ; (2) des politiques de revenus, de prix ou de salaires ; (3) une série de mesures regroupées sous l'expression « politiques axées sur l'offre ». Nous étudierons ces propositions dans cet ordre.

## Les politiques de marché

Nous trouvons deux types de politiques de marché ; les **politiques de main-d'œuvre**, destinées à réduire ou à éliminer les déséquilibres et les goulots d'étranglement des marchés du travail, et des **politiques favorisant la concurrence**, destinées à réduire le pouvoir monopolistique des syndicats et des grandes entreprises. Rappelons-nous que la courbe de Phillips repose sur les déséquilibres du marché du travail et sur le pouvoir monopolistique.

### Les politiques de main-d'œuvre

Une politique de main-d'œuvre vise à améliorer l'efficacité des marchés du travail de manière à abaisser le taux de chômage pour tout niveau de demande agrégée donné. En d'autres termes, l'objectif d'une politique de main-d'œuvre est de favoriser l'adéquation entre les emplois et les travailleurs, et ainsi de réduire les déséquilibres des marchés du travail. Divers types de programmes servent cet objectif.

#### LA FORMATION PROFESSIONNELLE

Les programmes de formation professionnelle permettent aux travailleurs marginaux ou déplacés de se trouver plus facilement un nouvel emploi.

#### L'INFORMATION

Un autre aspect de la politique de main-d'œuvre consiste à améliorer l'information nécessaire aux chômeurs et aux employeurs potentiels et à

> **POLITIQUES DE MAIN-D'ŒUVRE**
> Politiques qui s'attaquent au chômage structurel.
>
> **POLITIQUES FAVORISANT LA CONCURRENCE**
> Politiques qui veulent réduire le pouvoir monopolistique des syndicats et des grandes entreprises.

favoriser la mobilité géographique des travailleurs. Pour cela, la première responsabilité des conseillers des centres de main-d'œuvre du Canada (maintenant appelés « centres d'emploi ») est de faciliter la recherche d'emplois et, là où la formation ou un autre type d'aide permettra aux travailleurs de trouver plus facilement du travail, de leur fournir des possibilités de formation allant de pair avec leurs objectifs professionnels. Cependant, la plupart des employeurs préfèrent embaucher leur personnel sans avoir recours aux services des centres d'emploi, ne s'adressant à eux que lorsqu'ils cherchent des ouvriers peu qualifiés ou non qualifiés.

#### LA LUTTE CONTRE LA DISCRIMINATION

Une autre facette de la politique de main-d'œuvre concerne la réduction ou l'élimination d'obstacles artificiels à l'emploi. Le taux de chômage anormalement élevé (50 % et plus) chez les autochtones est grandement lié à la discrimination qui s'exerce à leur endroit. Des lois sur l'égalité des chances, adoptées par toutes les provinces, visent à combattre la discrimination dans l'embauche, dans la promotion et dans les conditions de travail.

### La politique de concurrence

Une autre façon de lutter simultanément contre l'inflation et le chômage consiste à réduire le pouvoir monopolistique des syndicats et des entreprises. Cette politique vise à réduire le pouvoir monopolistique des syndicats, de sorte qu'ils soient moins en mesure d'obtenir des augmentations de salaires supérieures à celles de la productivité. Parallèlement, une plus grande concurrence sur le marché des produits réduirait le pouvoir discrétionnaire des grandes sociétés sur le prix de leurs produits.

Comment peut-on rendre l'économie plus concurrentielle ? Au départ, il faut appliquer les lois antitrust de façon plus stricte à l'égard des grandes entreprises et réduire les barrières à l'entrée qui existent pour certaines industries réglementées comme les communications et les transports. De la même manière, l'élimination des tarifs douaniers et des autres restrictions sur les importations étrangères devrait aider à augmenter la compétitivité des marchés canadiens.

C'est le principal argument en faveur de l'Association de libre-échange nord-américain (ALENA). Sur le marché du travail, nous entendons régulièrement dire que les lois antitrust devraient être appliquées aux syndicats ou que la négociation collective devrait être moins centralisée.

Nous pouvons cependant nous poser de sérieuses questions sur de telles propositions. La loi antitrust existe depuis près d'un siècle et il n'est pas du tout sûr qu'elle ait retardé de façon importante la croissance des monopoles, ou encore moins accru la concurrence. En fait, certains économistes croient que les grandes sociétés monopolistiques sont nécessaires pour que l'économie puisse profiter des économies d'échelle de la production de masse ou d'un taux de progrès technologique élevé. Il n'est pas clair non plus que les politiques antitrust puissent être appliquées aux syndicats sans les détruire en même temps que le principe de la négociation collective. Les syndicats et la négociation collective remplissent des fonctions hautement profitables aux travailleurs qui seraient lourdement pénalisés par une campagne qui réduirait le pouvoir de négociation des syndicats.

Une autre proposition est de lier une certaine proportion des salaires aux profits des entreprises pour rendre les salaires plus flexibles à la baisse.

## Les politiques de revenus (rémunération et prix)

Une autre approche générale considère l'existence du pouvoir monopolistique et des déséquilibres du marché du travail comme des éléments plus ou moins inévitables de la vie économique et vise à modifier les comportements sur les marchés monopolistiques de manière que les décisions qui sont prises quant aux salaires et aux prix soient davantage compatibles avec des objectifs de plein-emploi et de stabilité des prix. Il importe de faire la distinction entre les directives et les contrôles de prix et de salaires. Fondamentalement, les contrôles diffèrent des directives par leur caractère obligatoire ayant force de loi, alors que les directives reposent sur une coopération volontaire de la main-d'œuvre et des entreprises.

> **POLITIQUES DE REVENUS**
>
> Politiques gouvernementales qui influent sur les revenus monétaires que reçoivent les individus (salariés) et sur les prix qu'ils payent pour acquérir les biens et les services. Elles influent donc sur leurs revenus réels.

### Les directives concernant les salaires

*La règle de base stipulait que les salaires de toutes les industries devraient augmenter au même rythme que la productivité du travail pour l'ensemble du pays.* Les augmentations de salaires ne sont pas inflationnistes lorsqu'elles sont égales à l'augmentation de la productivité.

Bien sûr, les hausses de productivité de certaines industries seront supérieures à la moyenne nationale, tandis que dans d'autres industries elles seront inférieures. Ainsi, pour une industrie dont les hausses de productivité sont en deçà de la moyenne nationale, les coûts unitaires de main-d'œuvre augmenteront. Par exemple, si la productivité intérieure a augmenté de 3 %, tandis qu'elle n'a augmenté que de 1 % dans l'industrie X, alors des augmentations de salaires de 3 % feront augmenter les coûts unitaires de main-d'œuvre de 2 %. Au contraire, si la productivité de l'industrie Y a augmenté de 5 %, alors des augmentations de salaires de 3 % feront diminuer les coûts unitaires de main-d'œuvre de 2 %.

### Les directives concernant les prix

*La règle à suivre suggérait que les prix devraient varier en fonction des changements des coûts unitaires de main-d'œuvre.* Cela voulait dire qu'une industrie dont le taux d'augmentation de la productivité était égal à la moyenne nationale devrait garder ses prix constants. Dans les industries où la productivité avait augmenté à un rythme inférieur à la moyenne nationale, les prix pouvaient augmenter de manière à couvrir les hausses de coûts unitaires de main-d'œuvre.

### Les contrôles des prix et des salaires

Le Canada décida d'imposer des contrôles de revenus le 13 octobre 1975; le contexte économique était alors bien pire que celui qui prévalait aux États-Unis quatre années plus tôt. L'indice canadien des prix à la consommation augmentait de plus de 10 % par année et les accords salariaux incluaient des augmentations de 10 % par année. Ces deux taux étaient nettement supérieurs à ceux qui avaient cours aux États-Unis. Bien que le Canada connût également un taux de chômage élevé, à 7,1 % en 1975, le gouvernement n'adopta pas de politique fiscale expansionniste comme la baisse d'impôts américaine de 1971. En 1975, le déficit fédéral se chiffrait à plus de 4 milliards de dollars, mais ce déficit était passif (chapitre 10), c'est-à-dire qu'il ne découlait pas d'une politique discrétionnaire du gouvernement.

### Le débat sur les politiques de revenus

Les politiques de revenus ont fait l'objet d'un débat intense et prolongé tant au Canada qu'aux États-Unis. Leur efficacité et leur pertinence constituent le point central de ce débat.

#### L'ACCEPTATION ET LE RESPECT DES CONTRÔLES VOLONTAIRES

Les critiques affirment que les contrôles volontaires sont voués à l'échec parce qu'ils exigent des entreprises et des dirigeants syndicaux qu'ils renoncent à leurs principaux objectifs : obtenir de meilleurs salaires et des profits maximaux. Un dirigeant syndical ne gagnera pas l'estime de ses troupes s'il ne réclame pas de bonnes hausses de salaires ; de même, un administrateur déplaira aux actionnaires s'il laisse tomber des hausses de prix potentiellement rentables. Pour ces raisons, il est impossible d'attendre beaucoup de coopération volontaire de la part de la main-d'œuvre et des directions. Pourtant, des changements de mentalité se profilent au tournant de la décennie 1990. De plus en plus de «contrats sociaux» de plusieurs années sont signés en vue de garantir une certaine stabilité de l'emploi et des conditions de travail.

Les contrôles de prix et de salaires ayant force de loi, la main-d'œuvre et les entreprises doivent coopérer. Cependant, il peut surgir de sérieux problèmes d'application et de respect de la loi, surtout si les contrôles de prix et de salaires sont assez détaillés et sont maintenus en place durant une longue période. Par exemple, violer les contrôles peut être très profitable quand il s'agit de ressources et de produits très rares. En effet, pour être efficace, le prix contrôlé doit être inférieur au prix du marché ; par conséquent, il sera rentable de violer les règles du jeu. Il n'est donc pas surprenant que des marchés noirs sur lesquels les prix sont nettement supérieurs aux limites légales se multiplient dans ces circonstances. De plus, les entreprises peuvent contourner efficacement les contrôles de prix en réduisant la qualité ou le format de leur produit. Si le prix d'une tablette de chocolat est gelé à 0,40 $, il peut effectivement doubler si la taille de celle-ci est coupée de moitié.

Les tenants de la politique des revenus soulignent que l'inflation est souvent nourrie par les anticipations inflationnistes. Les travailleurs demandent habituellement des hausses importantes de salaires parce qu'ils s'attendent à voir leurs salaires réels grugés par l'inflation. Les employeurs acceptent ces demandes parce qu'ils anticipent également un contexte inflationniste qui leur permettra de reporter leurs hausses de coûts sur les consommateurs en augmentant leurs prix. Certains affirment donc qu'il est possible de vaincre les anticipations inflationnistes grâce à un contrôle strict des prix et des salaires. Les travailleurs et les employeurs seraient ainsi convaincus que le gouvernement ne laissera pas l'inflation se prolonger. Alors, les travailleurs n'ont pas besoin d'augmentations de salaires préventives et les entreprises savent qu'elles ne pourront pas transmettre leurs augmentations de coûts aux consommateurs au moyen des augmentations de prix. Les anticipations inflationnistes peuvent engendrer de l'inflation ; les contrôles de prix et de salaires peuvent atténuer ces anticipations.

#### L'EFFICACITÉ DE L'AFFECTATION DES RESSOURCES ET LA RÉPARTITION DE LA RICHESSE

Les opposants aux politiques de revenus soutiennent que les contrôles volontaires ou imposés nuisent à la fonction d'affectation de l'économie de marché. Les contrôles de prix empêchent l'économie de marché de faire les ajustements nécessaires pour éviter les surplus et les pénuries. Par exemple, s'il survient une hausse de la demande d'un certain produit, le prix de ce dernier ne pourrait pas augmenter, avertissant ainsi les producteurs que la société désire une plus grande production et, par conséquent, ceux-ci n'affecteraient pas plus de ressources à ce secteur de production.

Dans le même domaine, les contrôles empêchent le marché de jouer efficacement son rôle de rationnement, c'est-à-dire de rendre égales les quantités offertes et demandées ; des pénuries peuvent alors surgir. Quels acheteurs obtiendront le produit et lesquels devront s'en passer? Une première possibilité voudrait que ce choix se fasse sur la base du premier arrivé premier servi ou que le favoritisme décide. Mais ce genre de solution engendre l'arbitraire et l'injustice. Seules les personnes qui peuvent arriver tôt pour faire la file ou qui ont des relations obtiendraient les quantités désirées du produit. Par esprit de justice, le gouvernement peut devoir prendre en charge le rationnement du produit auprès des consommateurs.

Les défenseurs des politiques de revenus répondent comme suit : si des contrôles volontaires ou imposés surviennent dans une économie de marché, il ne fait pas de doute que les rigidités qui en découlent nuiront à l'affectation efficace des ressources. Mais est-il juste de prétendre que l'affectation des ressources est nécessairement efficace en l'absence de tels contrôles? Après tout, l'inflation par les coûts vient du pouvoir monopolistique des gros syndicats et des grandes entreprises qui ont la capacité de dérégler l'affectation des ressources.

## Les politiques axées sur l'offre

Durant la dernière décennie, plusieurs économistes ont attiré notre attention sur une série de changements subtils et fondamentaux dans la structure de notre économie, changements qui auraient contribué à la stagflation et à la piètre performance générale de notre économie dans les années 1970.

Les économistes de l'offre croient que les variations de l'offre agrégée jouent un rôle actif dans la détermination des taux d'inflation et de chômage. Des perturbations économiques peuvent provenir tant du côté de l'offre que de celui de la demande. Et ce qui est plus important encore dans la présente analyse, c'est que le courant de pensée plus traditionnel, en mettant l'accent sur la demande, a négligé certaines politiques axées sur l'offre qui auraient pu résoudre le problème de la stagflation.

### La dissuasion

Les économistes de l'offre affirment que la croissance spectaculaire de la taxation et des transferts gouvernementaux a des effets encore plus dommageables pour l'économie. La croissance spectaculaire de notre système fiscal lors des deux dernières décennies a nui considérable-

ment à l'incitation au travail, à l'investissement, à l'innovation et à l'esprit d'entreprise. Ce système a érodé la productivité de notre économie, et cette baisse d'efficacité s'est traduite par des coûts de production plus élevés et par la stagflation. L'argument est simple : des impôts plus élevés réduisent nécessairement la rémunération après impôts des travailleurs et des producteurs et rendent ainsi le travail, l'innovation, l'investissement et le goût du risque moins intéressants financièrement. Les économistes de l'offre attribuent plus d'importance aux taux marginaux de taxation, car ces derniers jouent un rôle déterminant dans les décisions concernant le travail, l'épargne et l'investissement supplémentaires.

### L'incitation au travail

Les économistes de l'offre soutiennent que l'ardeur au travail ainsi que le temps que les individus y consacrent dépendent des revenus supplémentaires nets qui découleront de ce travail. Pour inciter les gens à travailler, les taux marginaux d'impôts sur le revenu doivent être réduits. En d'autres termes, des taux marginaux inférieurs augmentent l'intérêt pour le travail ainsi que le coût d'option du loisir. Les individus choisiront alors de substituer le travail au loisir. On peut obtenir cette augmentation de l'effort productif de diverses façons : en augmentant le nombre d'heures travaillées par jour ou par semaine ; en encourageant les travailleurs à retarder le moment de leur retraite; en incitant plus de gens à intégrer le marché du travail; en suscitant plus d'ardeur au travail ; en décourageant les périodes de chômage prolongées; etc.

### La dissuasion découlant des paiements de transfert

Les économistes de l'offre croient également que l'existence d'un grand éventail de programmes de transferts publics a nui à l'incitation au travail. Par exemple, l'existence de prestations d'assurance-emploi et d'autres programmes d'aide sociale a rendu la perte d'un emploi moins dramatique qu'auparavant. En fait, la plupart des programmes de transferts enlèvent la motivation au travail en ce sens que les paiements sont réduits considérablement ou sont même totalement éliminés si l'individu gagne un revenu. Ces programmes encouragent tout simplement les bénéficiaires à ne pas être productifs. Pourquoi? Parce qu'ils imposent aux personnes qui en bénéficient et qui travaillent une taxe au travail sous forme de baisse des prestations.

### L'incitation à épargner et à investir

L'intérêt pour l'épargne et pour l'investissement a également été réduit par les taux marginaux élevés d'imposition. Nous nous rappellerons que l'épargne est le préalable de l'investissement. Les économistes de l'offre recommandent qu'on abaisse les taux marginaux d'imposition sur l'épargne. Ils réclament également des taux inférieurs sur les revenus d'investissement de façon qu'il y ait suffisamment de projets d'investissement pour utiliser toute l'épargne disponible. En bref, des taux marginaux d'imposition plus faibles encouragent l'épargne et l'investissement, de sorte que les travailleurs pourront utiliser plus de machinerie et d'équipement d'un niveau technologique plus avancé. Par conséquent, la productivité du travail s'accroîtra et les prix seront contenus.

### La courbe de Laffer

Selon les économistes de l'offre, des réductions du taux marginal d'imposition déplaceront la courbe d'offre agrégée de $OA_2$ à $OA_1$ (figure 5.11 p.181) réduisant l'inflation, augmentant la pro-

duction réelle et diminuant le taux de chômage. De plus, Arthur Laffer prétend que des taux d'imposition plus faibles n'entraînent pas nécessairement une baisse des revenus fiscaux ni, par conséquent, des déficits inflationnistes. Son argumentation repose sur la courbe de Laffer qui décrit la relation entre les taux d'imposition et les revenus fiscaux (figure 6.2).

À mesure que les taux d'imposition varient de 0 % à 100 %, les revenus fiscaux augmentent de 0 à un certain niveau maximal, M, et diminuent par la suite vers 0. Les revenus fiscaux diminuent à partir d'un certain seuil parce que les taux d'imposition élevés découragent prétendument l'activité économique et que l'assiette fiscale (production intérieure et revenu) est réduite. Cette hypothèse se vérifie aisément pour des taux d'imposition de 100 %. Les revenus fiscaux sont alors nuls parce que, avec un taux d'imposition de 100 %, la production s'arrête. Cent pour cent de zéro n'engendre aucun revenu! Laffer pense que l'économie se situe présentement à un point N de la courbe où les taux d'imposition sont si élevés que la production intérieure est ralentie, de sorte que les revenus fiscaux sont inférieurs à ce qu'ils seraient au point maximal, M. Si l'économie se trouve en N, il est clair que des taux d'imposition plus faibles peuvent

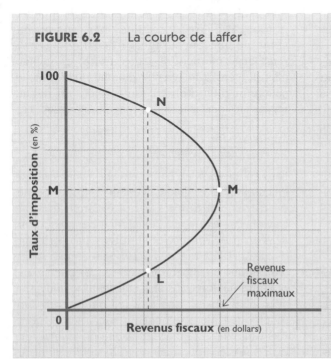

**FIGURE 6.2**　　La courbe de Laffer

La courbe de Laffer suggère que, jusqu'au point M, des taux d'imposition plus élevés feront augmenter les revenus fiscaux. Mais ces taux auront un effet négatif sur l'incitation à produire, réduisant l'assiette fiscale au point où les revenus fiscaux commenceront à diminuer. Alors, si les taux d'imposition sont au-dessus de 0 M, des réductions d'impôts auront pour effet d'augmenter les revenus fiscaux. Il s'agit donc de trouver empiriquement à partir de quel taux d'imposition les revenus fiscaux commenceront à diminuer.

Arthur Laffer, de l'Université de la Caroline du Sud, est un économiste renommé qui soutient la théorie axée sur l'offre.

engendrer des revenus fiscaux identiques. À la figure 6.2, nous avons simplement abaissé le taux d'imposition, de N à L, et le gouvernement perçoit la même somme en impôts. Laffer croit que les taux d'imposition inférieurs amélioreront l'incitation au travail, à l'épargne et à l'investissement et augmenteront le goût du risque; la production intérieure et les revenus devraient alors s'accroître. L'assiette fiscale étant plus grande, les revenus fiscaux pourront se maintenir malgré des taux d'imposition inférieurs.

Deux autres éléments viendront empêcher l'accroissement du déficit. Premièrement, l'évasion fiscale et le recours aux échappatoires fiscales devraient diminuer. Des taux marginaux d'imposition élevés encouragent les contribuables à recourir aux échappatoires fiscales (par exemple, l'achat de propriétés locatives de manière à pouvoir déduire du revenu imposable les paiements hypothécaires, les taxes, les assurances, etc.) et à cacher certains revenus au ministère du Revenu. Des taux d'imposition moins élevés réduiraient de telles pratiques. Deuxièmement, la stimulation de la production et de l'emploi qui en résultera abaissera les paiements de transfert gouvernementaux. Par exemple, un plus grand nombre d'emplois signifie des prestations d'assurance-emploi moins élevées et, par conséquent, une baisse du déficit budgétaire.

### Les critiques

La courbe de Laffer et ses conséquences en matière de politiques axées sur l'offre ont été fort critiquées.

#### LES IMPÔTS : LEUR CARACTÈRE INCITATIF ET LES DÉLAIS

Selon la principale critique, le caractère incitatif des variations du taux d'imposition est douteux. D'aucuns font remarquer que l'évidence empirique révèle que les répercussions d'une diminution d'impôts sont plutôt faibles, allant dans une direction incertaine; de plus, elles sont plutôt lentes à se faire sentir.

D'un autre côté, peu importe l'effet qu'ont les baisses d'impôts sur la production réelle, il peut prendre du temps à se faire sentir.

#### L'AGGRAVATION DE L'INFLATION

La plupart des économistes croient que les effets des baisses d'impôts sur la demande sont supé-

rieurs à ceux des baisses d'impôts sur l'offre. Alors, ils prédisent que les baisses d'impôts entraîneront de fortes augmentations de la demande agrégée, des déficits budgétaires importants et une accélération de l'inflation.

#### L'EMPLACEMENT SUR LA COURBE

Les critiques soutiennent que la courbe de Laffer n'est qu'un énoncé logique supposant que doit exister un niveau de taux d'imposition, situé entre 0 % et 100 %, auquel les revenus fiscaux seront maximaux. Tous les économistes, peu importe à quelle école ils appartiennent, peuvent être d'accord avec une telle affirmation. Mais la question de savoir l'emplacement d'une économie en particulier sur la courbe de Laffer relève de considérations empiriques. Supposons, comme Laffer le fit dans les années 1980, que nous nous situions au point N de la figure 6.2, alors les coupures d'impôts feront augmenter les recettes fiscales. Mais les critiques soutiennent que l'emplacement d'une économie sur la courbe de Laffer n'est appuyé d'aucune donnée empirique. Si l'économie se situe présentement à n'importe quel point au sud-ouest de M, alors les réductions d'impôts feront diminuer les revenus fiscaux et occasionneront un déficit budgétaire.

### D'autres idées axées sur l'offre

Bien que la courbe de Laffer constitue le noyau des théories économiques axées sur l'offre, il existe deux autres opinions intéressantes.

#### LE FARDEAU FISCAL

Les économistes de l'offre nous font d'abord remarquer que la croissance du secteur public a fait augmenter le fardeau fiscal de la nation tant en valeur absolue qu'en pourcentage du revenu intérieur. Du point de vue keynésien, des impôts plus élevés représentent une diminution du pouvoir d'achat de l'économie et ont donc un effet déflationniste ou restrictif. Les économistes de l'offre soutiennent le contraire : ils croient que, tôt ou tard, la plupart des impôts sont inclus dans les coûts de production des entreprises et transmis aux consommateurs au moyen de prix plus élevés. En bref, les impôts peuvent influencer les coûts.

Les économistes de l'offre font remarquer que, dans les années 1970 et au début des années

1980, les gouvernements provinciaux et les administrations municipales ont augmenté les taxes sur les ventes et les droits d'accise, et le gouvernement fédéral a fait de même avec les contributions d'assurance sociale. C'est exactement le genre d'impôt qui est compris dans les coûts de production et que reflètent des hausses de prix. En fait, la plupart des impôts constituent un ajout au coût des ressources dans la détermination du prix d'un produit. Comme la taille du gouvernement s'est accrue, cet ajout est de plus en plus important, et la courbe d'offre agrégée se serait déplacée vers la gauche.

### LA RÉGLEMENTATION

Les économistes de l'offre affirment également que les interventions gouvernementales en matière de réglementation nuisent à la productivité et influent sur les coûts de production. Deux points méritent d'être soulignés.

Premièrement, d'aucuns soutiennent que la réglementation directe, celle qui vise certaines industries en particulier, comme les transports ou les communications, a souvent pour effet de donner aux entreprises des industries concernées une sorte de monopole ou de cartel légal. La réglementation gouvernementale protège en fait ces entreprises de la concurrence, ce qui tend à diminuer leur efficacité et entraîne des coûts de production plus élevés.

> **DETTE PUBLIQUE**
>
> Somme que doit le gouvernement aux détenteurs de ses titres d'emprunt. Elle est égale à la somme des déficits budgétaires gouvernementaux, desquels on a retranché les excédents budgétaires.

Deuxièmement, la réglementation sociale s'est accrue considérablement depuis une décennie. Pour répondre aux problèmes de pollution, de sécurité des produits, de santé et de sécurité au travail et d'égalité des chances sur le marché du travail, le gouvernement a déployé toute une nouvelle série de réglementations. Les économistes de l'offre signalent que la réglementation sociale a fait augmenter considérablement les coûts de production. L'effet global de ces deux types de réglementations se traduit par des coûts et des prix plus élevés et par une tendance à la stagflation.

# LA DETTE PUBLIQUE : LES FAITS ET LES CHIFFRES

## Les causes de la dette

Comme la politique fiscale moderne accepte des déséquilibres budgétaires pour stabiliser l'économie, son application peut entraîner une croissance importante de la **dette publique**.

Nous examinerons maintenant les causes de la dette des administrations publiques, de même que ses caractéristiques, sa taille, ses avantages et ses inconvénients.

À quoi sont dus ces déficits? Nous pouvons voir, au tableau 6.2, qu'une partie importante de la dette publique a été contractée lors de la Seconde Guerre mondiale.

Certains déficits résultent de politiques fiscales discrétionnaires mises en place pour enrayer des récessions et stimuler la croissance. D'autres déficits découlent des stabilisateurs automatiques. Par exemple, lors de la Grande Dépression ou des graves récessions de 1982 et de 1990-1991, la faible croissance économique ainsi que le taux anormalement élevé de chômage ont ralenti automatiquement le taux d'augmentation des recettes fiscales et entraîné des déficits massifs.

Cependant, les fluctuations économiques ne peuvent, à elles seules, expliquer l'évolution de la dette des gouvernements fédéral et provinciaux. En effet, nous observons que, depuis 1974, les recettes fiscales sont systématiquement inférieures aux dépenses des gouvernements, même en période de croissance soutenue comme celle de 1983 à 1990 (tableau 6.3, page 216). On parle alors de déficit structurel. On ne peut régler le problème de déficit structurel qu'en modifiant la structure des dépenses ou de la fiscalité.

## La taille de la dette

Depuis 1926, la dette publique du gouvernement du Canada s'est accrue considérablement (tableau 6.2). On la définit comme étant la valeur des déficits accumulés moins les surplus budgétaires du gouvernement. Nous nous rappellerons qu'un déficit est la différence négative entre les revenus et les dépenses du gouvernement d'une année particulière. Comme les gouvernements fédéral et québécois n'ont pas fait de surplus budgétaires pour compenser leurs déficits depuis 1974, la dette s'est donc accrue continuellement. Au Canada elle avoisine les 500 milliards de dollars. Aux États-Unis, la dette de l'administration centrale avoisine les 3 000 milliards de dollars. Ce nombre peut paraître astronomique. La situation est-elle catastrophique ? Pouvons-nous en conclure que la situation est plus grave aux États-Unis et négligeable au Canada ? Pour avoir une idée plus juste de la taille de la dette publique, nous mesurerons la taille de la dette publique dans une perspective plus relative : en relation avec le PIB, avec les autres pays, en tenant compte des frais d'intérêts qu'elle engendre, en considérant les créanciers et l'inflation.

### La dette et le PIB

La richesse et la capacité productive de notre économie se sont accrues considérablement durant les dernières années. Nous pouvons ajouter qu'une nation riche peut supporter une dette publique beaucoup plus importante qu'une nation pauvre. En d'autres termes, il semble plus réaliste de mesurer les variations de la dette publique par rapport aux variations du PIB. Nous trouvons ces données à la colonne 8 du

**TABLEAU 6.2**     L'importance quantitative de la dette publique du gouvernement fédéral : la dette publique et les paiements d'intérêts en pourcentage du PIB, années choisies, 1926-1992

| (1) Année | (2) Dette publique détenue par la Banque du Canada (en milliards de dollars courants) | (3) Dette publique détenue par les banques canadiennes et le public en général (en milliards de dollars courants) | (4) Dette publique détenue par des non-résidents (en milliards de dollars courants) | (5) Dette publique fédérale* (en milliards de dollars courants) (2) + (3) + (4) | (6) PIB (en milliards de dollars courants) | (7) Paiements d'intérêts | (8) Dette publique en pourcentage du PIB (5)/(6) | (9) Paiements d'intérêts en pourcentage du PIB (7)/(6) | (10) Dette publique *per capita* (en milliards de dollars) |
|---|---|---|---|---|---|---|---|---|---|
| 1926 | - | - | - | 2,481 | 5,354 | 0,130 | 46 | 2,4 | 263 |
| 1929 | - | - | - | 2,284 | 6,400 | 0,122 | 36 | 1,9 | 228 |
| 1940 | 0,572 | 3,302 | 1,276 | 5,150 | 6,987 | 0,137 | 74 | 2,0 | 453 |
| 1946 | 1,909 | 12,999 | 1,091 | 15,998 | 12,167 | 0,444 | 131 | 3,7 | 1,301 |
| 1954 | 2,267 | 11,203 | 0,792 | 14,262 | 26,531 | 0,482 | 54 | 1,8 | 933 |
| 1958 | 2,670 | 11,857 | 0,632 | 15,159 | 35,689 | 0,568 | 42 | 1,6 | 888 |
| 1960 | 2,744 | 13,329 | 0,808 | 16,881 | 39,448 | 0,753 | 43 | 1,9 | 945 |
| 1966 | 3,473 | 15,980 | 0,810 | 20,263 | 64,388 | 1,151 | 31 | 1,8 | 1,012 |
| 1969 | 4,112 | 17,798 | 0,959 | 22,869 | 83,026 | 1,589 | 28 | 1,9 | 1,089 |
| 1973 | 6,025 | 22,971 | 0,741 | 29,737 | 127,372 | 2,518 | 23 | 2,0 | 1,349 |
| 1975 | 7,880 | 29,073 | 0,967 | 37,920 | 171,540 | 3,705 | 22 | 2,2 | 1,671 |
| 1979 | 13,754 | 49,861 | 6,985 | 70,600 | 276,096 | 8,080 | 26 | 2,9 | 2,973 |
| 1983 | 17,184 | 109,254 | 12,256 | 138,694 | 405,717 | 17,420 | 34 | 4,3 | 5,571 |
| 1988 | 20,653 | 201,049 | 52,154 | 273,856 | 605,906 | 31,882 | 45 | 5,2 | 10,574 |
| 1992 | 22,639 | 266,597 | 84,649 | 373,885 | 688,541 | 38,940 | 54 | 5,7 | 13,644 |
| 1996 | 25,519 | 325,886 | 118,033 | 469,438 | 797,789 | 45,306 | 59 | 5,7 | 15,772 |

**Sources :** Données tirées de Banque du Canada, *Revue de la Banque du Canada*, colonnes 2 à 5, tableau G5 ; colonne 7, tableau G1 ; et de Statistique Canada, *Supplément Statistique historique*, colonne 6, tableau 1.2 ; colonne 7, tableau 11.1.

* Dette non échue, la dette totale du gouvernement fédéral se situait en 1996 à 636 215 et représentait 80 % du PIB.

**TABLEAU 6.3**    Les recettes et les dépenses du gouvernement fédéral depuis 1974

| Année | Recettes | Dépenses | Excédent (+) ou déficit (–) budgétaire |
|---|---|---|---|
| 1974/75 | 29 974 | 28 706 | +1 268 |
| 1975/76 | 31 817 | 35 640 | – 3 823 |
| 1976/77 | 35 479 | 38 816 | – 3 337 |
| 1977/78 | 36 667 | 44 010 | – 7 343 |
| 1978/79 | 38 275 | 49 129 | – 10 854 |
| 1979/80 | 43 408 | 52 791 | – 9 383 |
| 1980/81 | 48 667 | 63 170 | – 14 303 |
| 1981/82 | 60 307 | 75 848 | – 15 583 |
| 1982/83 | 60 662 | 89 396 | – 29 029 |
| 1983/84 | 64 168 | 96 891 | – 28 734 |
| 1984/85 | 71 056 | 109 493 | – 38 437 |
| 1985/86 | 76 933 | 111 528 | – 34 595 |
| 1986/87 | 85 931 | 116 673 | – 30 742 |
| 1987/88 | 97 612 | 125 406 | – 27 794 |
| 1988/89 | 104 067 | 132 840 | – 28 773 |
| 1989/90 | 113 707 | 142 637 | – 28 930 |
| 1990/91 | 119 353 | 151 353 | – 32 000 |
| 1991/92 | 122 032 | 156 389 | – 34 357 |
| 1992/93 | 120 380 | 161 401 | – 41 021 |
| 1993/94 | 115 984 | 157 996 | – 42 012 |
| 1994/95 | 123 323 | 160 785 | – 37 462 |
| 1995/96 | 130 301 | 158 918 | – 28 617 |

**Source :** Données tirées de Banque du Canada, *Revue de la Banque du Canada*, tableau G1, été 1997.

tableau 6.2 (page 215). En 1996, la dette du gouvernement du Canada, en valeur absolue, semble s'être accrue considérablement en regard de celle de 1946, tandis que, d'un point de vue plus relatif, nous constatons qu'elle a diminué considérablement par rapport à cette même année. Il faut de plus noter la tendance à la hausse depuis 1975. Son maintien a entraîné des problèmes plus sérieux (voir les conséquences de la dette publique, page 218).

### Les comparaisons internationales

D'autres pays industrialisés ont une dette publique relativement semblable ou même plus élevée que celle du Canada. La dette publique n'est pas un phénomène exclusivement canadien. Tous les pays industrialisés ont des dettes publiques, mais le Canada détient le deuxième rang des Sept Grands (G7) en ce qui concerne sa dette exprimée en pourcentage du PIB. Si nous comparons la performance du Québec avec celle du gouvernement du Canada, les finances publiques québécoises semblent en bien meilleur état ; cependant, le Québec est l'une des provinces les plus endettées, occupant le troisième rang après Terre-Neuve et la Nouvelle-Écosse. De plus, pour le Canada, le fait que la taille de sa dette exprimée en pourcentage du PIB ait augmenté si rapidement depuis 1980 (près de 80 % en 1996) suscite encore plus d'inquiétude. Cependant, nous ne pouvons faire de lien direct entre l'importance relative d'une dette publique et la santé d'une économie. Le Japon a une dette relativement importante et, malgré tout, il a connu une croissance économique enviable durant les dernières décennies ; le Royaume-Uni, avec une dette relativement faible, stagne. Pourquoi alors les gouvernements du Canada et du Québec insistent-ils tant sur l'urgence et l'importance de réduire le déficit et, ultimement, la dette ? C'est d'abord et avant tout à cause des conséquences très négatives qui découlent des frais d'intérêts que la dette occasionne.

### Les frais d'intérêt

De nombreux économistes considèrent que l'augmentation des paiements d'intérêts engendrée par la dette constitue le principal inconvénient de cette dernière. Nous trouvons, à la colonne 7 du tableau 6.2 (page 215), la valeur de ces paiements. À ce titre, le fardeau de la dette s'est accru dramatiquement depuis le début des années 1970. Cette hausse témoigne à la fois de l'augmentation de la dette et des taux d'intérêt très élevés. En pourcentage des recettes gouvernementales, le **service de la dette** a considérablement augmenté. Celui du gouvernement fédéral représentait plus de 35 % de ses recettes. En d'autres termes, pour chaque dollar que nous versons à Ottawa, 0,35 $ servent uniquement à payer les intérêts de la dette. Nous n'obtenons des services que pour 0,65 $. Cette dépense est la composante la plus élevée du budget du gouvernement fédéral et croît sans cesse depuis 1974. Notre gouvernement fédéral utilise une plus grande fraction de nos impôts pour les intérêts de la dette que pour les transferts aux particuliers, aux autres administrations ou aux entreprises.

> **SERVICE DE LA DETTE**
> Frais qu'occasionnent au gouvernement ses emprunts passés.

### Les créanciers

À qui le gouvernement doit-il rembourser cette dette et verser ces intérêts ? En grande partie aux Canadiens. Environ 92,5 % des obligations du gouvernement canadien sont détenues par des individus ou des sociétés canadiennes (banques, compagnies d'assurances, de fiducie, entreprises privées, agences gouvernementales). Par conséquent, la dette publique est également un avoir public. Les Canadiens, en tant que contribuables, doivent rembourser la dette publique, mais, en tant que détenteurs d'obligations, ils possèdent un avoir financier important. Environ 25 % de la dette publique fédérale est détenue par des étrangers et cette proportion ne cesse d'augmenter. Cette statistique est importante parce que, comme nous le verrons bientôt, les conséquences du financement étranger diffèrent grandement de celles du financement intérieur.

### Les finances publiques et l'inflation

Bien qu'il puisse sembler que les données sur les déficits budgétaires et la dette publique soient irréfutables, ce n'est pas le cas. Les méthodes comptables des gouvernements ne reflètent pas leur situation financière réelle. Les entreprises privées comptabilisent différemment les immobilisations et les dépenses courantes pour le travail et les matières premières, car, contrairement à ces dernières, les dépenses en biens de production représentent des actifs physiques générateurs de profits. Les gouvernements considèrent les dépenses pour la construction d'autoroutes, de ports et d'édifices publics de la même manière que les prestations sociales, alors que, dans les faits, ces dernières ne sont pas des investissements. Les déficits budgétaires des dernières années seraient grandement réduits si les gouvernements avaient recours à un budget d'immobilisation comprenant des dépenses d'amortissement.

Rappelons-nous également que l'inflation profite aux créanciers. L'augmentation du niveau des prix réduit la valeur réelle ou le pouvoir d'achat des dollars remboursés par les emprunteurs. Si nous tenons compte de cet «impôt inflationniste», la taille des déficits budgétaires et celle de la dette publique sont encore plus réduites.

Toutes ces questions sont plutôt matière à controverse. Cependant, il faut retenir qu'il existe diverses manières de mesurer la dette publique et l'ensemble de la situation financière des gouvernements.

## Les conséquences économiques de la dette : deux mythes

### La possibilité de faire faillite

Est-ce qu'une dette publique importante peut mener un gouvernement à la faillite en l'empêchant de remplir ses obligations financières ? Comme le gouvernement fédéral a un pouvoir illimité de taxation et qu'il peut emprunter à la Banque du Canada, il ne peut faire faillite. En pratique, à mesure que les obligations arrivent à échéance chaque mois, le gouvernement ne coupe pas ses dépenses ni n'augmente ses impôts pour obtenir les fonds nécessaires pour retirer les obligations échues. (Ce serait une politique impropre en période de récession.) Il se contente d'émettre de nouvelles obligations pour refinancer sa dette. Cependant, il est possible que des gouvernements provinciaux et surtout municipaux fassent faillite, car ils n'ont pas le pouvoir illimité de taxation que détient Ottawa et, surtout, ils n'ont pas la possibilité de créer de la monnaie.

### Le transfert du fardeau aux générations futures

La dette publique transfère-t-elle un fardeau aux générations futures ? Ce n'est pas tant le genre de financement des dépenses gouvernementales que les dépenses elles-mêmes qui peuvent nuire aux générations futures. Par exemple, les générations actuelles ne souffrent pas de la décision de financer les dépenses militaires à même l'émission d'obligations lors de la Seconde Guerre mondiale. En effet, la population d'alors a transféré une partie des ressources de la production des biens de consommation à la production de matériel militaire. Elle a donc payé elle-même ce choix en se privant de biens de consommation. Qu'on ait financé les dépenses militaires en augmentant les impôts ou en empruntant ne change rien à la question. Souvent, la production de guerre peut réduire les possibilités de production des générations futures en réduisant le stock de capital. Mais cet impact est une fois de plus indépendant de la façon dont on a financé la guerre. Par contre, une dette trop importante réduit la marge de manœuvre d'un gouvernement car une partie de plus en plus imposante de son budget doit servir à payer les intérêts et c'est dans cette optique que nous pouvons parler d'un transfert du fardeau aux générations futures. En coupant dans la santé, l'éducation et les programmes sociaux pour rétablir l'équilibre des finances publiques, l'on fait payer aux jeunes d'aujourd'hui les frasques des générations précédentes.

## Le fardeau réel de la dette

Il ne faut pas non plus sous-estimer les conséquences de la dette publique. L'existence d'une dette publique importante comporte des inconvénients réels et potentiels.

### La redistribution des revenus

Les détenteurs d'obligations se trouvent parmi les groupes les plus riches de la société et la fiscalité fédérale est relativement proportionnelle. Par conséquent, les paiements d'intérêts sur la dette peuvent contribuer à accroître les inégalités de revenu.

### Le service de la dette

Le tableau 6.2 (page 215) nous indique que la dette publique fédérale, en 1996, nécessitait des paiements d'intérêts annuels de 45,3 milliards de dollars. Pour ne pas faire augmenter la dette davantage, il faut payer ces intérêts en élevant les impôts, ce qui diminue l'incitation au risque, à l'innovation, à l'investissement et au travail. De cette façon indirecte, l'existence d'une dette publique importante peut entraver la croissance économique. Le ratio intérêt/PIB révèle le niveau de taxation nécessaire pour payer l'intérêt de la dette. C'est pourquoi certains économistes s'inquiètent de voir ce ratio augmenter aussi rapidement qu'il l'a fait ces dernières années.

### La dette extérieure

La dette extérieure est un problème réel. Cette partie de la dette n'est certes pas un actif financier pour les Canadiens. Le remboursement du principal et des intérêts se fait au prix d'un transfert de notre production réelle à d'autres nations. La dette extérieure constitue 25 % de la dette totale et cette fraction ne cesse d'augmenter depuis 1975, l'épargne canadienne ne suffisant plus aux besoins. En outre, depuis cette date, les provinces, les municipalités et les sociétés d'État ont réagi à l'augmentation des taux d'intérêt en empruntant davantage sur les marchés extérieurs, alourdissant ainsi le fardeau de la dette pour tous les Canadiens. Les intérêts versés aux étrangers, chaque année, font pression à la baisse sur la valeur de notre dollar, et seules des exportations massives peuvent rétablir le taux de change et alléger quelque peu ce fardeau. « La dette publique est une dette contractée envers soi-même et donc sans conséquence » constitue donc une affirmation de moins en moins juste.

### La rareté des capitaux et l'investissement

Nous abordons maintenant un problème potentiel beaucoup plus sérieux. Malgré ce que nous en disions précédemment, il existe en fait une autre manière dont le fardeau de la dette publique peut être transféré aux générations futures. C'est en leur léguant un plus petit stock de capital. Nous faisons référence à l'effet d'évincement des capitaux. Les hauts taux d'intérêt nécessaires pour attirer les capitaux indispensables au financement du déficit entraînent une baisse des dépenses d'investissement. Si cela se produisait, les générations futures hériteraient d'une économie dotée d'une plus petite capacité de production et, toutes choses étant égales par ailleurs, le niveau de vie en serait moindre.

Comment cela pourrait-il se passer ? Supposons que l'économie se situe au niveau de plein-emploi et que le budget fédéral soit initialement équilibré. Supposons que pour une raison quelconque le gouvernement augmente le niveau de ses dépenses. Pour ce qui est des possibilités de production, si l'économie fonctionne au niveau de plein-emploi, une plus grande production de biens publics entraîne nécessairement une diminution de la production de biens privés.

D'autre part, les biens privés peuvent être destinés soit à la consommation, soit à l'investissement. Si l'augmentation de production de biens publics se fait au détriment de la production de biens de consommation privés, alors la génération présente supporte entièrement le fardeau d'un niveau de vie moindre. Mais si l'augmentation de la production de biens publics entraîne une réduction de la production de biens, alors le niveau de vie de la présente génération n'en sera pas modifié, mais nos enfants et nos petits-enfants hériteront d'un stock de capital moindre et en tireront des revenus moindres.

### DEUX SCÉNARIOS

Essayons de décrire ces deux scénarios plus concrètement.

Premièrement, supposons que l'augmentation des dépenses gouvernementales soit financée par une hausse de l'impôt sur le revenu des particuliers. Nous savons qu'une très grande partie du revenu est allouée à la consommation et que, par conséquent, les dépenses de consommation diminueront d'une valeur presque équivalente à la hausse d'impôt. Dans ce cas, le fardeau découlant de l'augmentation des dépenses gouvernementales retombe principalement sur la génération actuelle qui aura accès à un moins grand panier de biens de consommation.

Deuxièmement, supposons que l'augmentation des dépenses gouvernementales soit financée par la hausse de la dette publique. Dans ce cas, le scénario diffère. Le gouvernement doit aller sur le marché monétaire et entrer en compétition avec les emprunteurs privés. Pour une offre de monnaie donnée, l'augmentation de la demande de monnaie fera augmenter les taux d'intérêt, c'est-à-dire le prix payé pour accéder à la monnaie. Des taux d'intérêt élevés découragent les investissements.

C'est pourquoi nous pouvons conclure qu'une augmentation de la production de biens publics financée par des déficits a plus de chance de se produire aux dépens des biens d'investissement privés, et avoir pour conséquence un transfert du fardeau aux générations futures.

### DEUX CONSIDÉRATIONS

Il y a cependant deux considérations qui peuvent alléger ou même éliminer la taille du fardeau économique transmis aux générations ultérieures dans notre deuxième scénario.

D'abord, tout comme les biens privés, les biens publics peuvent également être destinés à la consommation et à l'investissement. Si l'augmentation des dépenses du gouvernement ne porte que sur des biens de consommation, comme des limousines pour les ministres ou du lait dans les écoles, alors notre conclusion était correcte. Mais qu'en est-il si les dépenses gouvernementales portent principalement sur des investissements, comme la construction d'autoroutes, de ports ou d'hôpitaux? Ou si le gouvernement investit dans l'éducation ou la santé?

Tout comme les dépenses privées pour de la machinerie et de l'équipement, l'investissement public fait augmenter la capacité de production future de l'économie. C'est pourquoi le stock de capital des générations futures n'est pas diminué, c'est sa composition qui est changée: plus d'investissement public et moins d'investissement privé.

Une autre considération a trait à notre postulat de départ qui supposait que l'économie fonctionnait au niveau de plein-emploi. Si l'économie ne fonctionne pas à ce niveau, une hausse des dépenses gouvernementales aura comme effet d'entraîner l'économie vers son potentiel sans sacrifier ni consommation ni accumulation de capital. Si le chômage prévalait au départ, le déficit n'entraînera pas de fardeau pour les générations futures.

### Les déficits fédéraux des dernières années

Les déficits gouvernementaux et la croissance de la dette publique ont fait les manchettes économiques de la dernière décennie à cause de l'ampleur inhabituelle des déficits. De nombreux problèmes économiques y sont associés.

#### Une préoccupation croissante

Plusieurs facteurs ont alimenté les préoccupations au sujet des déficits et de la dette publique. C'est d'abord une question de taille. La dette fédérale, exprimée en pourcentage du PIB, est passée de 22 % à 80 % entre 1975 et 1996. Une dette si élevée crée un fardeau très lourd pour ce qui est des intérêts à payer. En effet, comme nous le mentionnions précédemment, en 1996, sur chaque dollar versé en taxes ou en impôts par les Canadiens, environ 0,35 $ servaient à payer les intérêts de la dette. Ces paiements ont augmenté à un point tel que, n'eussent été de la dette et de son service, il n'y aurait pas eu de déficit depuis 1988. En d'autres termes, la dette se crée elle-même. En fait, le **solde de fonctionnement** est positif depuis 1988. Les revenus

> **SOLDE DE FONCTIONNEMENT**
>
> Différence entre le déficit budgétaire et les frais de la dette publique, c'est-à-dire les dépenses de programmes.

fiscaux couvrent amplement les dépenses de programmes du gouvernement fédéral. Ils sont malheureusement insuffisants pour payer également les intérêts de la dette, et cette dépense est incompressible, c'est-à-dire que le gouvernement ne peut y échapper.

Il était également préoccupant de constater que les récents déficits étaient enregistrés autant en période où l'économie approchait le plein-emploi qu'en récession, ce qui va à l'encontre de la théorie du budget équilibré de façon cyclique. Bon temps, mauvais temps, le gouvernement dépensait beaucoup plus que ce qu'il percevait comme revenu. En période de prospérité économique, ce comportement est générateur d'inflation. Pour contrer cet effet indésirable, le gouvernement s'est vu obligé de maintenir des taux d'intérêt beaucoup plus élevés que le niveau souhaitable pour l'économie (chapitre 8). Comme nous l'avons vu antérieurement dans le présent chapitre, cette politique a pour conséquence de réduire les investissements. De plus, comme nous le verrons au chapitre 10, des déficits budgétaires élevés nuisent à notre balance commerciale (X – M). C'est pourquoi les gouvernements ont dû s'attaquer de front aux problèmes des finances publiques en réduisant leurs dépenses et en permettant des baisses du taux d'intérêt pour stimuler l'économie. On prévoit un déficit fédéral inférieur à 2 % en 1997-1998. Il se pourrait même que l'équilibre budgétaire soit atteint avant l'an 2000. C'est également l'objectif visé par le gouvernement du Québec.

#### Les aspects positifs de la dette

Il y a également un côté positif à la dette. Il ne faut pas oublier que la dette publique, tout comme l'endettement privé, joue un rôle positif dans une économie prospère et en croissance. Nous savons qu'à mesure que les revenus augmentent l'épargne fait de même. La théorie keynésienne de l'emploi et la politique fiscale nous disent que, pour maintenir la demande globale au niveau du plein-emploi, cette épargne accrue doit retourner aux consommateurs, aux entreprises ou aux gouvernements pour être dépensée. Le processus par lequel s'effectue ce transfert est le crédit. En fait, les consommateurs et les entreprises empruntent et dépensent une grande partie de l'épargne. La dette privée n'a cessé d'augmenter depuis la Seconde Guerre mondiale. Mais si les consommateurs et les entreprises ne désiraient pas emprunter et, par conséquent, accroître suffisamment la dette privée pour absorber le volume croissant d'épargne, il faudrait augmenter la dette publique, sinon l'économie s'éloignerait du plein-emploi et ne réaliserait pas pleinement son potentiel de croissance.

L'existence d'une dette importante peut être souhaitable pour d'autres considérations. Même si une dette considérable peut amener des problèmes d'inflation dans une économie qui fonctionne au niveau du plein-emploi, il reste que cette dette peut amortir une récession. Une condition non souhaitable pour une économie qui se trouve très près du plein-emploi peut être

hautement souhaitable pour une économie qui en est éloignée. Grâce aux paiements d'intérêts du gouvernement, une dette publique importante peut se révéler un stabilisateur automatique dans les cas de récession, mais à deux conditions : que la dette ne soit pas extérieure et que les paiements d'intérêts ne soient pas élevés au point de forcer le gouvernement à augmenter les impôts ou à diminuer ses autres dépenses.

Finalement, nous étudierons, au chapitre 8, le rôle important que jouent les obligations du gouvernement dans la politique monétaire. L'achat et la vente d'obligations gouvernementales par la Banque du Canada influencent l'offre de monnaie, le niveau des dépenses et, par conséquent, le niveau d'activité économique.

# Activités d'apprentissage

## Résumé

*Si vous ne pouvez répondre aux questions qui accompagnent le résumé d'une section, vous devriez relire attentivement cette section et essayer de nouveau.*

### LES OBJECTIFS BUDGÉTAIRES

*Cette responsabilité a-t-elle toujours été reconnue?*

■ Une des responsabilités reconnues du gouvernement est l'atteinte et le maintien du plein-emploi ; à défaut d'atteindre celui-ci, il doit tâcher de s'en approcher le plus possible.

### LES POLITIQUES FISCALES DISCRÉTIONNAIRES

*Expliquez comment un déficit budgétaire peut améliorer la situation de l'emploi.*

■ Une augmentation ou une réduction des dépenses gouvernementales hausse ou diminue le PIB d'équilibre. Pour corriger le problème du chômage, la politique fiscale appropriée consiste donc à hausser les dépenses gouvernementales et à réduire les impôts, ce qui devrait entraîner un déficit budgétaire. Pour corriger une situation d'inflation, le gouvernement devrait diminuer ses dépenses et augmenter les impôts, quitte à réaliser un surplus budgétaire.

La création de monnaie est une façon plus expansionniste de financer le déficit que l'emprunt. Un surplus qui est inutilisé ou qui sert à racheter des obligations détenues par la Banque du Canada a un effet plus restrictif qu'un surplus qui sert à rembourser une partie de la dette publique.

### LA POLITIQUE FISCALE NON DISCRÉTIONNAIRE ET LES STABILISATEURS AUTOMATIQUES

*Quels sont ces effets?*

■ Les stabilisateurs automatiques indiquent que les recettes fiscales nettes varient directement selon le niveau du PIB. Par conséquent, durant une récession, le solde budgétaire tend automatiquement vers un déficit de nature stabilisatrice ; inversement, durant une période d'expansion, il tend vers un surplus anti-inflationniste. De plus, l'existence de ces stabilisateurs automatiques peut entraîner des effets non souhaités quand l'économie ne fonctionne pas au niveau du plein-emploi.

■ Le budget de plein-emploi indique ce que serait le solde budgétaire de tous les paliers de gouvernement si l'économie fonctionnait au niveau du plein-emploi. Le budget de plein-emploi est un indicateur plus significatif de la situation fiscale des gouvernements que leurs déficits ou leurs surplus effectivement réalisés.

## LES PROBLÈMES ET LES CRITIQUES
■ L'établissement et l'application d'une politique fiscale soulèvent des problèmes de synchronisation et des problèmes politiques.

## LA POLITIQUE FISCALE DANS UNE ÉCONOMIE OUVERTE
■ Dans une économie ouverte, des chocs provenant de l'étranger peuvent contrecarrer la politique fiscale. De plus, le commerce international peut réduire l'efficacité de la politique fiscale.

## LES THÉORIES BUDGÉTAIRES
■ Les principales théories budgétaires comprennent la théorie du budget équilibré annuellement et celle du budget équilibré de façon cyclique. Un budget équilibré annuellement accentue le cycle économique au lieu de l'atténuer. Cependant, il peut être difficile d'équilibrer le budget sur la base d'un cycle économique parce que les phases de récession et d'expansion n'ont pas nécessairement la même longueur.

## LES POLITIQUES DE MARCHÉ
■ Les politiques de marché, de revenus (prix et salaires) et les politiques axées sur l'offre visant à déplacer la courbe d'offre agrégée vers la droite ont été proposées comme moyen de prévenir la stagflation ou d'en sortir.

Les politiques de marché comprennent des programmes d'emploi et de formation destinés à réduire les déséquilibres du marché du travail et des politiques de concurrence qui réduisent le pouvoir monopolistique des syndicats et des grandes entreprises.

## LES POLITIQUES DE REVENUS (RÉMUNÉRATION ET PRIX)
■ Les politiques de revenus prennent la forme de directives ou de contrôles. Les économistes mettent en doute le caractère désirable de telles politiques quant à leur faisabilité et à leur incidence sur l'affectation des ressources.

## LES POLITIQUES AXÉES SUR L'OFFRE
■ Les économistes de l'offre lient tout d'abord la stagflation à la croissance du secteur public et, plus spécifiquement, à la croissance de l'effet de levier des impôts sur les coûts de production et les prix des produits. Ils attribuent aussi la stagflation aux effets pervers du système de taxation et de transfert sur l'incitation et à la trop importante réglementation gouvernementale des entreprises. En se basant sur la courbe de Laffer, les économistes de l'offre demandent des coupures d'impôts substantielles pour contrer la stagflation.

■ Un déficit budgétaire correspond à la différence entre les dépenses gouvernementales et les recettes fiscales ; la dette publique est égale à la somme des déficits accumulés moins les surplus budgétaires. Dans le

*Quel problème est relié à un budget de plein-emploi déficitaire ?*

*Illustrez ces problèmes.*

*Donnez des exemples de chocs provenant de l'étranger. Expliquez le lien entre commerce international et politique fiscale.*

*Résumez brièvement les principales théories budgétaires.*

*Qu'entend-on par pouvoir monopolistique des syndicats et des grandes entreprises ?*

*Quelle différence existe-t-il entre des directives et des contrôles ?*

*À quoi correspond la courbe de Laffer ?*

*Si le déficit budgétaire diminue, la dette en fait-elle autant ?*

ACTIVITÉS D'APPRENTISSAGE

*Comment peut-on expliquer cet accroissement considérable de la dette ?*

*Doit-on conclure que les gouvernements ne devraient plus jamais faire de déficits ?*

passé, la croissance de la dette publique découlait des déficits nécessaires au financement des guerres ou des récessions. Les imposants déficits des dernières années ont un caractère nettement structurel. Les baisses d'impôts et les hausses de dépenses discrétionnaires entraînent des déficits même en période de croissance économique soutenue.

### LA TAILLE DE LA DETTE

■ La dette publique fédérale brute atteignait, en 1996, environ 636 milliards de dollars, soit environ 80 % du PIB. Depuis le milieu des années 1970, la dette et son service ont considérablement augmenté en proportion du PIB. La dette *per capita* s'est également accrue.

### LES CONSÉQUENCES ÉCONOMIQUES DE LA DETTE : DEUX MYTHES

■ Il est faux de prétendre que l'ampleur de la dette pourrait entraîner la faillite du gouvernement fédéral parce qu'il n'est pas nécessaire de rembourser la dette (il suffit de la refinancer) et que le gouvernement fédéral a le pouvoir de lever les impôts et de créer de la monnaie. Cependant, la dette peut avoir des conséquences néfastes pour l'économie : l'effet d'évincement des investissements et la perte de marge de manœuvre du gouvernement.

Les principaux problèmes associés à une importante dette publique sont les suivants :

a) les paiements d'intérêts sur la dette accroissent probablement les inégalités et entraînent une hausse des impôts qui peut nuire au rendement ;

b) le paiement des intérêts et du principal sur la partie de la dette détenue par des non-résidants correspond à un transfert de production réelle à l'étranger ;

c) les emprunts gouvernementaux pour refinancer ou payer les intérêts sur la dette peuvent avoir pour effet d'augmenter les taux d'intérêt et d'évincer les investissements privés.

Les déficits fédéraux ont considérablement augmenté ces dernières années. De nombreux économistes croient que ces imposants déficits ont fait monter les taux d'intérêt au Canada, ce qui a eu pour conséquence l'évincement des investissements privés. Ces taux d'intérêt élevés ont également influé sur nos échanges avec les autres pays.

Tous ces effets néfastes ont amené les gouvernements à assainir leurs finances pour pouvoir reprendre à nouveau le contrôle de l'économie.

# Mots-clés

Budget de plein-emploi
Budget équilibré de façon cycliquement et annuellement
Courbe de Laffer
Délais d'interprétation, administratifs et d'impact
Dette extérieure
Dette publique
Directives et contrôles concernant les prix et les salaires

Effet d'évincement
Effet des exportations nettes
Politique fiscale discrétionnaire et non discrétionnaire
Politique fiscale expansionniste et restrictive
Politiques de concurrence
Politiques de main-d'œuvre
Politiques de revenus
Politiques fiscales axées sur l'offre

Ratio déficit/PIB
Ratio dette/PIB
Service de la dette
Solde de fonctionnement
Stabilisateurs automatiques
Surplus, déficit et équilibre budgétaire

# Réseau de concepts

Mettez en réseau les concepts suivants : surplus, déficit, équilibre budgétaire, dette, service de la dette, solde de fonctionnement, politique fiscale expansionniste et politique fiscale restrictive. (Inspirez-vous des réseaux de concepts des chapitres précédents.)

# Exercices et problèmes

**Choisissez la bonne réponse.**

1. Si le gouvernement augmente ses dépenses lors d'une récession pour favoriser la reprise économique, l'argent nécessité par ces dépenses doit venir de quelque part. Parmi les sources suivantes, laquelle serait la plus expansionniste ?
   a) Des impôts supplémentaires sur les revenus personnels.
   b) La création de nouvelle monnaie.
   c) Des emprunts auprès de la population.
   d) Des impôts supplémentaires sur les bénéfices des entreprises.

2. Supposons que l'économie fonctionne au niveau du plein-emploi et que l'investissement planifié tombe à un niveau inférieur à l'épargne planifiée. Dans ce contexte, la politique fiscale du gouvernement devrait tendre vers :
   a) l'égalité entre ses revenus et ses dépenses ;
   b) un déficit budgétaire ;
   c) un surplus budgétaire ;
   d) une réduction des paiements de transfert et des subventions et une augmentation des taux d'imposition.

3. Laquelle des mesures fiscales suivantes est la meilleure pour contrer l'inflation ?

    a) Réaliser un déficit budgétaire en empruntant du public.

    b) Réaliser un surplus budgétaire qu'on utilisera pour résorber la dette détenue par les banques à charte.

    c) Réaliser un surplus budgétaire et le laisser inutilisé.

    d) Réaliser un surplus budgétaire qu'on utilisera pour résorber la dette détenue par la population.

4. Un économiste conservateur recommanderait comme politique fiscale :

    a) des réductions d'impôts durant une récession et des réductions des dépenses gouvernementales en période d'inflation par la demande ;

    b) des augmentations d'impôts durant une récession et des réductions d'impôts en période d'inflation par la demande ;

    c) des réductions d'impôts durant une récession et des augmentations d'impôts en période d'inflation par la demande ;

    d) des augmentations des dépenses gouvernementales durant une récession et des augmentations d'impôts en période d'inflation par la demande.

5. On parle de stabilisation automatique lorsque :

    a) un budget équilibré annuellement tend automatiquement à éliminer les tendances procycliques créées par les administrations provinciales et municipales, et par conséquent stabilise l'économie ;

    b) pour un taux d'imposition et des politiques de dépenses donnés, une hausse du revenu intérieur engendre un surplus budgétaire, tandis qu'une réduction du revenu entraîne un déficit ;

    c) le Parlement modifie automatiquement la structure des impôts et de ses programmes de dépenses pour corriger les fluctuations économiques ;

    d) les dépenses gouvernementales ainsi que les recettes fiscales s'équilibrent automatiquement au cours d'un cycle économique, même si elles ne s'équilibrent pas nécessairement annuellement.

**Vrai ou faux ? Justifiez vos réponses.**

6. Financer les dépenses de guerre en augmentant la dette publique détenue à l'intérieur du pays permet à ce pays de reporter une partie du coût économique de la guerre.

7. La dette publique *per capita* a eu tendance à doubler tous les cinq ans depuis la fin de la Seconde Guerre mondiale.

8. La dette publique s'est accrue de façon absolue durant les deux dernières décennies.

9. L'effet d'évincement peut être atténué si la courbe de demande d'investissement se déplace vers la droite.

10. La dette publique correspond à l'accumulation de tous les déficits et de tous les surplus réalisés année après année.

ACTIVITÉS D'APPRENTISSAGE

11. Durant les années 1980 et le début des années 1990, la dette publique a augmenté de façon absolue, mais a diminué en pourcentage du PIB.

12. Le fardeau réel de la dette publique sera plus faible en période de plein-emploi que lorsque l'économie dispose d'une grande quantité de ressources inutilisées.

13. L'effet d'évincement implique qu'une hausse des dépenses gouvernementales financées par des emprunts fera augmenter le taux d'intérêt et, par conséquent, réduira l'investissement privé.

14. Les paiements d'intérêts découlant de la dette publique font probablement diminuer les inégalités de revenu.

15. La dette publique peut constituer un fardeau pour les générations futures parce qu'elle peut réduire le niveau actuel d'accumulation du capital.

## Suivez les directives et répondez aux questions.

16. Expliquez le fonctionnement des stabilisateurs automatiques. Comment peut-on éliminer les effets fiscaux non voulus ? Définissez la notion de « budget de plein-emploi » et expliquez sa pertinence.

17. Quel est le mode de financement d'un déficit budgétaire le plus approprié en période de récession ? Quelle est la meilleure façon de disposer d'un surplus en période d'inflation ? Expliquez vos réponses. « Si l'économie nécessite 10 milliards de dollars pour l'expansion et l'amélioration de son réseau d'autoroutes, il suffit d'imprimer de la monnaie pour financer cette opération. De cette manière, nous pourrons profiter des routes sans que personne ne souffre d'une hausse d'impôts. » Évaluez cette suggestion, d'abord dans un contexte de plein-emploi et ensuite dans celui de sous-emploi.

18. Expliquez quel genre de politique fiscale les économistes « libéraux » et « conservateurs » soutiendraient respectivement.

19. Commentez les affirmations suivantes :
    a) « Pour résoudre l'inflation, les keynésiens recommandent de hausser les impôts de manière à restreindre la demande, tandis que les partisans de politiques axées sur l'offre recommandent d'abaisser les impôts pour stimuler l'offre. »
    b) « Les keynésiens affirment que la demande crée sa propre offre, tandis que les partisans de politiques axées sur l'offre prétendent que l'offre crée sa propre demande. »

20. Que pouvez-vous dire de l'origine et de la taille de la dette publique ? Quelle est la différence entre la dette extérieure et la dette publique détenue par la population canadienne ? Qu'entraînerait la résorption de la dette publique intérieure ? Faites la différence entre le refinancement de la dette publique et la liquidation de celle-ci.

21. Dans quelle mesure l'existence d'une dette publique importante peut-elle contribuer à accentuer les pressions inflationnistes ? Commentez l'affirmation suivante : « L'augmentation de la dette publique est plus inflationniste que l'existence de celle-ci. »

ACTIVITÉS D'APPRENTISSAGE

ACTIVITÉS D'APPRENTISSAGE

22. Expliquez et évaluez les affirmations suivantes :
    a) « L'augmentation des prix fait chuter les revenus réels. Dans un tel contexte, tous les gouvernements devraient diminuer les impôts ; cela permettrait aux Canadiens de maintenir leur niveau de vie. »
    b) « Une dette nationale, c'est ni plus ni moins la main gauche qui prête à la main droite. »
    c) « Quand une société s'enrichit, l'épargne augmente. Pour maintenir la prospérité, les secteurs privé et public doivent emprunter et dépenser suffisamment pour compenser cette épargne. La croissance de la dette est par conséquent nécessaire au maintien du plein-emploi. »
    d) « Les difficultés d'application des politiques stabilisatrices proviennent du système politique plutôt que du système économique, et le principal obstacle à leur réussite est le gouvernement lui-même. »

23. Commentez l'énoncé suivant : « La dette publique se nourrit d'elle-même. »

24. Expliquez les directives de prix et de salaires en détaillant la relation entre la rémunération nominale, la production et les coûts unitaires de main-d'œuvre. Quels problèmes particuliers soulève généralement l'application des directives et des contrôles de prix et de salaires ? Évaluez ces problèmes et relevez les arguments en faveur des directives et des contrôles.

25. En utilisant la courbe de Laffer, expliquez pourquoi certains économistes recommandent des baisses d'impôts pour contrer la stagflation.

## Complétez les énoncés.

26. Trois sortes de politiques économiques peuvent être utilisées dans un contexte de stagflation.
    a) Ces trois politiques sont les politiques de _____ , les politiques de _____ et les politiques regroupées sous l'expression _____ .
    b) Si elles fonctionnent, ces politiques déplaceront la courbe de Phillips vers la (droite/gauche) _____ .

27. Les critiques apportées à la courbe de Laffer sont que les effets des réductions des taux d'imposition sur l'incitation au travail, à l'épargne et à l'investissement sont (faibles/importants _____ ; que les réductions d'impôts engendrent une augmentation de (la demande/l'offre) _____ agrégée qui contrebalance toute augmentation de _____ agrégée et que dans une situation de plein-emploi cela entraînera _____ ; et que les réductions d'impôts peuvent entraîner des (gains/pertes) _____ de revenus fiscaux qui ne peuvent que créer ou faire augmenter un déficit budgétaire.

# Complément

## L'ANALYSE GRAPHIQUE : L'EFFET D'ÉVINCEMENT ET L'INFLATION

Il peut être intéressant, à ce moment, d'approfondir l'étude des complications de la politique fiscale dans le contexte du modèle de demande et d'offre agrégées. À la figure 6.3, nous supposons qu'il existe un niveau de PIB de plein-emploi non inflationniste de 490 milliards de dollars. Remarquons que notre courbe d'offre agrégée ne comprend pas le segment intermédiaire, de sorte que jusqu'au niveau de plein-emploi le niveau des prix est parfaitement constant, mais, dépassé ce niveau, l'économie se trouve dans le segment classique, de sorte que toute augmentation ultérieure de la demande agrégée sera totalement inflationniste.

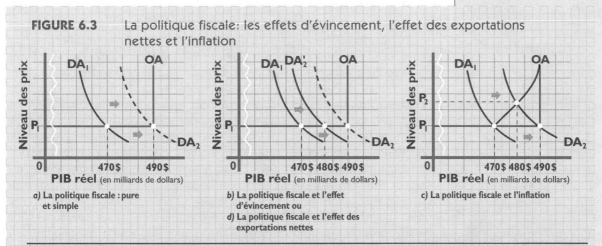

**FIGURE 6.3**  La politique fiscale : les effets d'évincement, l'effet des exportations nettes et l'inflation

*a)* **La politique fiscale : pure et simple**

*b)* **La politique fiscale et l'effet d'évincement ou**

*d)* **La politique fiscale et l'effet des exportations nettes**

*c)* **La politique fiscale et l'inflation**

Étant donné une courbe d'offre agrégée simplifiée, nous observons, en *a*, que la politique fiscale n'est pas compliquée et fonctionne pleinement. En *b*, nous supposons qu'une partie des investissements privés est évincée par la politique fiscale expansionniste, de sorte que cette politique s'en trouve affaiblie. En *c*, une courbe d'offre agrégée plus réaliste nous rappelle que, lorsque l'économie approche du plein-emploi, une partie de l'effet d'une politique fiscale expansionniste se traduira en inflation plutôt qu'en une augmentation de la production réelle et de l'emploi. Finalement, en *d* – le même graphique qu'en *b* –, nous supposons que la politique fiscale fait augmenter le taux d'intérêt, ce qui attire le capital financier étranger au pays. Une appréciation du dollar s'ensuit et nos exportations nettes chutent, affaiblissant ainsi la politique fiscale expansionniste.

Nous commencerons notre analyse par la courbe de demande agrégée DA$_1$, ce qui nous donne un PIB d'équilibre de sous-emploi à 470 milliards de dollars. Supposons maintenant que le gouvernement mette en place une politique fiscale expansionniste qui entraîne le déplacement de la courbe de demande agrégée vers la droite de 20 milliards de dollars à DA$_2$ et que l'économie atteigne alors le plein-emploi sans inflation avec un PIB de 490 milliards de dollars. Nous avons déjà appris, lors de l'étude des politiques fiscales discrétionnaires, que l'effet expansionniste d'un multiplicateur du budget équilibré, lorsque G et T sont de 20 milliards de dollars chacun, est suffisant pour entraîner cette hausse de 20 milliards de dollars du PIB. Vous devriez vérifier si une augmentation des dépenses gouvernementales de

5 milliards de dollars ou une diminution des impôts de 6 2/3 milliards de dollars entraînerait à peu près le même effet expansionniste. De toute façon, toutes choses étant égales par ailleurs, cette pure et simple politique fiscale expansionniste a permis à l'économie de sortir de la récession et d'atteindre le plein-emploi.

À la figure 6.3b, nous introduisons l'effet d'évincement. Bien que la politique fiscale soit expansionniste et qu'elle doive provoquer le déplacement de la courbe de demande agrégée de $DA_1$ à $DA_2$, certains investissements peuvent avoir été évincés, de sorte que la demande agrégée se trouve en $DA'_2$. Si la courbe d'offre agrégée a la forme que nous lui donnons à la figure 6.3a et b, le plein-emploi est alors atteint à 490 milliards de dollars et le niveau des prix demeure à $P_1$. Mais nous constatons, à la figure 6.3c, que la pente positive du segment intermédiaire de la courbe d'offre agrégée annule une partie de l'augmentation de la demande agrégée et entraîne plutôt une majoration des prix, de sorte que la hausse du PIB réel est moindre. Plus précisément, le niveau des prix augmente de $P_1$ à $P_2$ et la production intérieure réelle n'atteint que 480 milliards de dollars.

Si nous utilisons le modèle de demande et d'offre globales, une politique fiscale expansionniste peut ne pas entraîner une hausse des dépenses totales égale à l'augmentation des dépenses gouvernementales (ou à l'augmentation de la consommation associée à la réduction des impôts). Si le niveau des prix monte, ce qui se produit lorsque la pente de la courbe d'offre agrégée est positive, l'augmentation des dépenses gouvernementales sera en partie annulée par le déclin des dépenses de consommation, des investissements et des exportations nettes. Ces baisses découlent respectivement des effets de richesse, de taux d'intérêt et des importations qui dérivent du niveau plus élevé des prix intérieurs. En fait, la courbe de demande agrégée de la figure 6.3 se déplace de $DA_1$ à $DA_2$, mais nous nous déplaçons vers le haut le long de la courbe $DA_2$ jusqu'aux nouveaux niveaux de prix d'équilibre et de PIB à cause de la pente positive de la courbe d'offre agrégée. Les politiques fiscales axées sur la demande ne peuvent échapper aux réalités imposées par la courbe d'offre agrégée.

## LES POLITIQUES FISCALES AXÉES SUR L'OFFRE

Nous avons étudié la façon dont les déplacements le long de la courbe d'offre agrégée pouvaient compliquer le fonctionnement de la politique fiscale. Nous allons maintenant analyser la possibilité de liens plus étroits entre la politique fiscale et l'offre agrégée. Les économistes reconnaissent maintenant que la politique fiscale, plus particulièrement les modifications fiscales, peut influencer l'offre agrégée et changer les effets d'une modification de la politique fiscale sur le niveau des prix et la production réelle.

Supposons qu'à la figure 6.4 les courbes de demande et d'offre agrégées se situent en $DA_1$ et en $OA_1$, de telle sorte que le niveau d'équilibre du PIB réel soit $Q_1$ et que le niveau des prix soit $P_1$. Supposons également que l'on considère le niveau de chômage associé à $Q_1$ comme trop élevé et que, par conséquent, on mette en place une politique fiscale expansionniste en réduisant les impôts. Nous savons que cette politique fait augmenter la demande agrégée. Nous supposerons qu'elle se déplacera de $DA_1$ à $DA_2$. Ce déplacement élève le PIB réel jusqu'à $Q_2$, mais majore également le niveau des prix jusqu'à $P_2$.

Comment cette coupure d'impôts peut-elle influencer l'offre agrégée? Certains économistes, appelés en conséquence «économistes de l'offre», sont convaincus que les diminutions de taxes entraîneront un déplacement important de la courbe d'offre agrégée vers la droite. La diminution des taxes, en faisant augmenter le revenu disponible, entraînera une hausse de l'épargne des particuliers. De la même manière, la diminution des impôts des entreprises fera augmenter la rentabilité de l'investissement. En bref, des impôts plus faibles feront augmenter le volume de l'épargne et de l'investissement, permettant ainsi un accroissement du taux d'accumulation du capital. En d'autres termes, la capacité de production de notre économie croîtra plus rapidement qu'auparavant.

**FIGURE 6.4**    Les effets de la politique fiscale sur l'offre

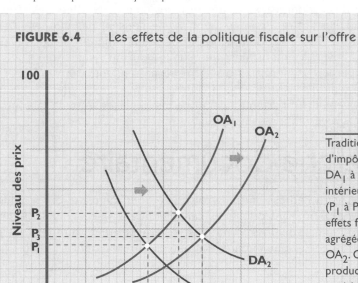

Traditionnellement, on considère qu'une baisse d'impôts fera augmenter la demande agrégée de $DA_1$ à $DA_2$, haussant ainsi à la fois la production intérieure réelle ($Q_1$ à $Q_2$) et le niveau des prix ($P_1$ à $P_2$). Si des baisses d'impôts entraînent des effets favorables sur l'offre, la courbe d'offre agrégée se déplacera vers la droite, de $OA_1$ à $OA_2$. Cela permet à l'économie de réaliser une production encore plus importante ($Q_3$ comparé à $Q_2$) et un niveau des prix plus faible ($P_3$ comparé à $P_2$).

De plus, une diminution des taux d'imposition du revenu des particuliers haussera également le revenu après impôts, le prix payé pour le travail, et augmentera ainsi l'incitation au travail. Plusieurs personnes ne faisant pas encore partie du marché du travail offriront leurs services maintenant que la rémunération après impôts est supérieure. Celles qui font déjà partie du marché du travail désireront travailler durant un plus grand nombre d'heures et s'absenteront moins.

Des taux d'imposition plus faibles encouragent également les preneurs de risques. Les individus et les entreprises seront davantage prêts à risquer leurs énergies et leurs capitaux financiers dans de nouvelles méthodes de production et de nouveaux produits lorsque les taux d'imposition plus faibles permettent d'envisager un potentiel plus élevé de profits après impôts.

De toutes ces différentes façons, la baisse d'impôts entraînera un déplacement vers la droite de la courbe d'offre agrégée, par exemple de $OA_1$ à $OA_2$ à la figure 6.4, réduisant ainsi l'inflation et entraînant de nouvelles hausses du PIB réel. C'est sur ces arguments des économistes de l'offre en faveur d'une augmentation de l'offre agrégée que l'administration Reagan s'est appuyée pour réduire les impôts dans les années 1980.

Les économistes de l'offre prétendent également que des *taux* d'imposition plus faibles n'entraînent pas nécessairement des *revenus* fiscaux moindres. En fait, des taux d'imposition plus faibles, en provoquant une expansion importante de la production et du revenu intérieurs, devraient engendrer des revenus fiscaux plus substantiels. Cette assiette fiscale élargie créera des revenus fiscaux totaux supérieurs même si les taux d'imposition sont plus faibles. Ainsi, les économistes de l'offre croient qu'une réduction du taux d'imposition peut être orchestrée pour augmenter les revenus fiscaux et réduire les déficits budgétaires.

La plupart des économistes ont des réserves quant aux effets des réductions d'impôts sur l'offre. Premièrement, ils ne pensent pas que les effets positifs attendus de la réduction des impôts sur l'incitation au travail, l'épargne et l'investissement ainsi que sur le goût du risque soient aussi importants que les économistes de l'offre le prétendent. Deuxièmement, tout déplacement vers la droite de la courbe d'offre agrégée nécessite une période relativement importante, alors que les déplacements de la courbe de demande agrégée sont plus immédiats.

# Recherche documentaire

Allez sur Internet à l'adresse http://www.fin.gc.ca et mettez à jour les données relatives aux finances publiques canadiennes et québécoises. Aidez-vous des mots-clés suivants : finances, gouvernement, budget, dette, Québec, Canada, Statistique Canada, Banque du Canada, déficit.

ACTIVITÉS D'APPRENTISSAGE

# L'économique pour comprendre ce qui se passe

Que pensez-vous de ce budget ? Appuyez vos affirmations sur la conjoncture et l'état des finances publiques.

# Déficit fédéral zéro dès cette année ?

**Jules Richer** *de la Presse Canadienne,* OTTAWA

**LA PRESSE,** Montréal le 4 septembre 1997, page A 24

Alimentée par des taux d'intérêt et d'inflation très bas et une économie qui tourne à plein régime, la lutte au déficit fédéral va beaucoup mieux que prévu : certains économistes prévoient qu'Ottawa pourrait équilibrer son budget au cours de l'exercice financier actuel.

Si cela devait s'avérer, le gouvernement fédéral serait en avance de deux ans sur son calendrier. Le déficit prévu pour l'exercice 1997-98 devait atteindre 17 milliards.

Les économistes les plus optimistes avancent même qu'Ottawa pourrait dégager des surplus dès l'exercice en cours, qui se termine en avril 1998. Les autres évaluent le déficit entre 0 et 5 milliards.

« Ce devrait être près de zéro. Depuis les derniers mois, on va de bonne nouvelle en bonne nouvelle », affirme François Dupuis, économiste attaché au Mouvement Desjardins.

Les bonnes nouvelles sont : stabilisation des taux d'intérêt et de l'inflation, bonne performance de l'économie américaine et croissance soutenue du produit intérieur brut (PIB) canadien. Cette année, la croissance du PIB devrait être supérieure à 4 %, alors qu'Ottawa tablait sur 3,2 %.

Selon M. Dupuis, cette excellente conjoncture a permis au fédéral de faire beaucoup mieux que prévu, surtout que le ministre des Finances, Paul Martin, a joué de prudence lorsqu'il a établi ses cibles budgétaires.

En outre, note l'économiste, il ne faut pas oublier que les surplus de la caisse de l'assurance-emploi (qui atteignent actuellement plus de 5 milliards par année) donnent un sérieux coup de pouce à la réduction du déficit.

De son côté, Clément Gignac, économiste chez Lévesque Beaubien Geoffrion, rappelle que la collaboration des citoyens a été essentielle à l'atteinte du déficit zéro.

On ne saura pas avant octobre si toutes ces prévisions sont exactes. Le ministre Paul Martin fera alors part de ses nouvelles cibles pour l'exercice en cours et le suivant.

Rappelons que, quand le gouvernement Chrétien a pris le pouvoir en 1993, le déficit fédéral atteignait 43 milliards. La dette a, bien entendu, continué à grossir, et dépasse aujourd'hui les 600 milliards.

## Information Budget 1997
http://www.fin.gc.ca/budget97/factf.html

### Le budget de 1997 : aperçu
Dans les trois derniers budgets, le gouvernement a cherché à redonner confiance aux Canadiens en leur avenir. Le plan qu'il s'était fixé en 1994 pour relancer l'économie et renforcer la société a été suivi de façon cohérente dans tous les domaines d'action du gouvernement. Celui-ci a pris des mesures pour rétablir la confiance dans la gestion des finances de la nation, pour renforcer l'économie afin qu'elle génère emplois et croissance à court terme pour bâtir une économie plus innovatrice à long terme et pour renforcer la société canadienne en protégeant et en

ACTIVITÉS D'APPRENTISSAGE

améliorant les programmes sociaux sur lesquels repose le bien-être des Canadiens.

Le **budget de 1997** démontre que le gouvernement est en bonne voie d'atteindre ses objectifs d'assainissement des finances publiques, qu'il fera mieux que prévu cette année sur le plan de la réduction du déficit et qu'il gardera le cap sur la réduction du déficit au cours des prochaines années. Le budget renforce le plan de croissance économique et de création d'emplois du gouvernement, aussi bien dans l'immédiat qu'à long terme. Il propose également d'importants investissements dans des secteurs prioritaires pour les Canadiens : l'enseignement supérieur, l'innovation, les soins de santé, les enfants, les personnes handicapées et les dons de bienfaisance.

Le **budget de 1997** ne comporte aucune nouvelle réduction des dépenses de programmes, aucune augmentation d'impôt ou de taxe, mais au contraire des réductions d'impôt sélectives et des investissements bien ciblés.

### Objectifs de réduction du déficit

- Pour la troisième année consécutive, le gouvernement fera mieux que prévu dans la réduction de son déficit.
- Pour 1996-97, le gouvernement fédéral s'était fixé pour objectif un déficit de 24,3 milliards de dollars. Selon les estimations actuelles, le déficit ne dépassera pas 19 milliards de dollars compte tenu des nouvelles initiatives de dépenses – soit environ 5,3 milliards de dollars de moins que l'objectif visé et seulement 2,4 % environ du produit intérieur brut (PIB).
- Les objectifs visés pour 1997-98 et 1998-99, soit un déficit de 17 milliards de dollars (ou 2 % du PIB) et de 9 milliards de dollars (1 % du PIB) respectivement, seront également atteints.
- En 1993-94, le déficit budgétaire s'élevait à 42 milliards de dollars. Le gouvernement vise pour 1998-99 un déficit de 9 milliards de dollars, soit environ 1 % du PIB – ce qui représente une réduction de 33 milliards de dollars, soit 80 %, en cinq ans seulement.

### Initiatives

- Les initiatives annoncées dans ce budget représentent moins de un milliard de dollars au total par année ; elles s'élèvent à 765 millions de dollars en 1996-97, 991 millions de dollars en 1997-98, 730 millions de dollars en 1998-99 et 917 millions de dollars en 1999-2000.
- La plupart des initiatives proposées dans ce budget consistent en allégements d'impôt sélectifs plutôt qu'en augmentations des dépenses de programmes. En fait, les dépenses de programmes seront plus faibles que prévu dans le budget de 1996 au cours de chacun des exercices postérieurs à 1996-97.

### Le budget de 1997 comporte :

- des mesures qui stimulent la croissance économique et la création d'emplois à court et à moyen terme, ainsi que des investissements stratégiques qui prépareront l'économie au XXI<sup>e</sup> siècle ;
- des mesures fiscales pour aider les étudiants et leurs familles à assumer les coûts des études supérieures, les travailleurs à se

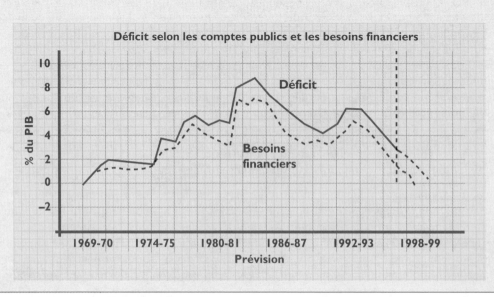

Déficit selon les comptes publics et les besoins financiers

perfectionner et les étudiants à rembourser leurs prêts ;

- la création proposée d'une Fondation canadienne pour l'innovation, afin de moderniser et de renforcer les infrastructures de recherche dans les établissements d'enseignement supérieur et les hôpitaux de recherche ;
- des mesures immédiates afin de renforcer le système de santé au Canada ;
- une aide accrue, d'ici juillet 1998, pour plus de 2,5 millions d'enfants de familles à faible revenu, grâce au nouveau régime national de prestations pour enfants proposé ;

- une aide améliorée aux personnes handicapées ;
- de nouvelles mesures pour encourager les dons de bienfaisance ;
- un soutien supplémentaire au tourisme et à la petite entreprise ;
- une aide accrue au développement des régions rurales grâce à une augmentation des fonds consacrés au Programme d'accès communautaire et des fonds supplémentaires pour la Société du crédit agricole.

### Autres faits saillants

- Les besoins financiers diminuent rapidement et un léger excédent sera enregistré en 1998-99. Cela

signifie que le gouvernement n'aura plus à emprunter d'argent frais sur les marchés financiers pour financer ses programmes ou payer les intérêts de la dette publique.
- Le ratio de la dette au PIB commencera à diminuer en 1997-98.
- Les dépenses de programmes fédérales seront ramenées à 103,5 milliards de dollars en 1998-99, comparativement à 120 milliards de dollars en 1993-94.
- Le solde de fonctionnement (les recettes diminuées des dépenses de programmes) atteindra près de 5 % du PIB en 1998-99.

ACTIVITÉS D'APPRENTISSAGE

# Chapitre 7

# La monnaie et le système bancaire canadien

a monnaie, qui est l'une des plus grandes inventions de tous les temps, constitue l'un des aspects les plus fascinants de la science économique.

*La monnaie ensorcelle les gens. Ils se tourmentent et transpirent pour en obtenir. Ils inventent toutes sortes de trucs pour s'en procurer et la dépenser. La monnaie est le seul bien qui ne prenne de la valeur qu'au moment où vous vous en défaites. Elle ne peut vous nourrir, ni vous habiller, ni vous abriter, ni vous amuser, à moins que vous ne la dépensiez ou ne l'investissiez. Les gens sont prêts à tout pour de la monnaie. C'est une énigme captivante et mouvante[1].*

*La monnaie est l'un des éléments centraux de la science économique. Elle représente plus qu'une composante passive du système économique, plus qu'un outil facilitant le fonctionnement de l'économie. Quand il fonctionne correctement, le système monétaire est le flux sanguin du circuit des revenus et des dépenses qui caractérise toute*

*économie. Un système monétaire fonctionnant adéquatement favorise le plein-emploi. Au contraire, s'il a des ratés, il peut entraîner de graves fluctuations des niveaux de production, d'emploi et des prix.*

Nous commencerons le présent chapitre par une brève revue des fonctions de la monnaie. Nous étudierons ensuite l'offre de monnaie à partir de la question suivante : que comprend la monnaie dans notre économie ? Puis, nous verrons ce qui donne de la valeur à la monnaie au Canada. Finalement, nous décrirons le système financier canadien, plus spécifiquement les banques à charte et la Banque du Canada.

> **MONNAIE**
>
> Tout article généralement considéré comme acceptable par les vendeurs en échange de biens et de services.

## LA MONNAIE

### Les fonctions de la monnaie

Qu'est-ce que la monnaie ? Nous pouvons définir la **monnaie** par ses fonctions : un moyen d'échange, un étalon et un réservoir de valeur. Tout ce qui remplit ces fonctions peut être qualifié de monnaie.

---

1. Federal Reserve Bank of Philadelphia, «Creeping Inflation», *Business Review*, août 1957, p. 3, traduit par Ginette Tremblay.

*Un moyen d'échange*

D'abord et avant tout, la monnaie est un moyen d'échange, c'est-à-dire qu'elle sert à acheter et à vendre des biens et des services.

En tant que moyen d'échange, la monnaie permet à la société d'éviter les complications qui découlent du troc et, par conséquent, de profiter des bénéfices qu'engendre la spécialisation géographique et humaine.

Presque toutes les économies, qu'elles soient avancées ou traditionnelles, utilisent la monnaie. La monnaie joue différents rôles, mais, avant toute chose, elle est un moyen d'échange. L'échange se pratique parfois sous la forme du troc, lequel consiste à échanger un bien contre un autre bien. Cependant, le troc présente bien des faiblesses comme moyen d'échange dans une économie. Le troc exige que les partenaires aient des besoins compatibles.

Supposons que la Saskatchewan n'ait aucunement besoin des pommes du Québec, mais qu'elle désire obtenir des pommes de terre du Nouveau-Brunswick. Supposons également que le Nouveau-Brunswick veuille se procurer des pommes du Québec et qu'il ne désire pas le blé de la Saskatchewan. Pour compliquer les choses, le Québec aimerait avoir du blé de la Saskatchewan, mais n'a pas besoin des pommes de terre du Nouveau-Brunswick. La figure 7.1 résume bien la situation.

Aucun échange direct ne peut se faire entre ces trois partenaires pour satisfaire leurs besoins. De nombreuses transactions seraient nécessaires. Pour résoudre une telle impasse, les économies modernes ont inventé la monnaie, un outil dont la fonction principale est de faciliter les échanges de biens et de services. Au cours de l'histoire, le bétail, le tabac, les peaux d'animaux, l'alcool, les cartes à jouer, les coquillages, les galets, les pièces de métal ainsi que bien d'autres marchandises ont été utilisés avec plus ou moins de succès comme moyens d'échange. *La seule condition qu'un bien doit remplir pour servir de monnaie est d'être généralement accepté par les acheteurs et les vendeurs comme moyen d'échange.* La monnaie provient d'une convention sociale ; tout ce qu'une société accepte comme moyen d'échange s'appelle « monnaie ». La plupart des économies modernes utilisent maintenant la monnaie de papier pour des raisons pratiques. Intégrons maintenant la monnaie aux économies de la Saskatchewan, du Québec et du Nouveau-Brunswick. Supposons qu'ils utilisent une monnaie de papier appelée « dollar ». Ces dollars permettront-ils de résoudre leurs problèmes d'échange ? Sans aucun doute, comme l'illustre la figure 7.1.

**1.** Le Québec échangera de la monnaie contre le blé de la Saskatchewan.

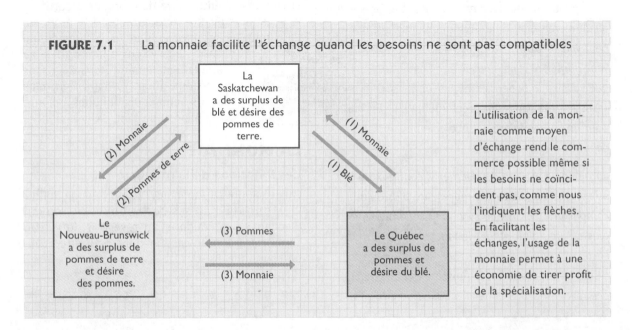

**FIGURE 7.1**     La monnaie facilite l'échange quand les besoins ne sont pas compatibles

**2.** La Saskatchewan utilisera la monnaie provenant de la vente de blé pour s'approvisionner en pommes de terre du Nouveau-Brunswick.

**3.** Le Nouveau-Brunswick échangera la monnaie reçue contre des pommes venant du Québec.

La volonté d'accepter une monnaie de papier ou toute autre forme de monnaie comme moyen d'échange permet le commerce entre partenaires multiples même quand les besoins ne coïncident pas. La spécialisation devient alors possible puisqu'on peut facilement échanger les surplus. Les besoins ne coïncidant pas, le troc n'aurait pas permis ces échanges, et les régions auraient abondonné la spécialisation et, bien sûr, les avantages qui en découlent. Il peut sembler étonnant que deux transactions – surplus contre monnaie et monnaie contre le bien désiré – soient plus simples qu'une seule transaction – bien contre bien (troc). Les transactions avec monnaie sont plus simples, car elles assurent que l'échange aura lieu, alors qu'avec le troc rien n'est garanti.

### Un étalon

La monnaie sert également d'étalon. Les sociétés trouvent pratique d'utiliser une unité monétaire comme dénominateur commun pour mesurer la valeur relative des biens et des ressources hétérogènes. De même que nous mesurons la distance en mètres ou en kilomètres, de même nous estimons la valeur des biens et des services en dollars. Cette façon de faire est très avantageuse. Avec un système monétaire, il n'est plus nécessaire d'estimer la valeur d'un bien en fonction de tous les autres produits contre lesquels il pourrait être échangé. Par exemple, nous n'avons pas besoin d'établir le prix des vaches en quantité de maïs, de crème, de cigares, de Chevrolet ou d'autres produits. L'utilisation de la monnaie comme dénominateur commun signifie que le prix de chaque produit peut être exprimé *uniquement* selon l'unité monétaire. En réduisant substantiellement le nombre de prix dans l'économie, l'utilisation de la monnaie nous permet de comparer directement la valeur de tous les biens et de toutes les ressources.

> **M1**
>
> Définition très stricte de la masse monétaire ; elle comprend la monnaie fiduciaire en circulation (pièces et papier-monnaie) et les dépôts dans les banques à charte (voir les *banques à charte*, page 244).

### Un réservoir de valeur

Finalement, la monnaie sert de réservoir de valeur. Comme la monnaie est l'actif financier le plus liquide, elle est des plus pratiques pour conserver la richesse. D'autres façons de détenir de la richesse rapportent davantage (propriété, action, obligation, etc.), mais la monnaie a l'avantage particulier d'être disponible immédiatement pour permettre aux ménages et aux entreprises de faire face à leurs obligations financières.

## L'offre de monnaie

Étudions maintenant l'offre de monnaie. En principe, tout ce qui est généralement accepté comme moyen d'échange peut être considéré comme de la monnaie. Historiquement, des fourrures, des cartes à jouer, des défenses de baleines ou d'éléphants, des galets, des clous, des esclaves, de la bière, des cigarettes et des pièces métalliques ont servi de moyens d'échange. Dans notre économie, les dettes de la Banque du Canada, des banques à charte et des autres institutions financières servent également de monnaie.

### La masse monétaire

De façon stricte, la masse monétaire **(M1)** comprend la monnaie fiduciaire, c'est-à-dire les pièces métalliques et le papier-monnaie en circulation (en dehors des banques à charte) et les dépôts à vue du public (excluant ceux du gouvernement du Canada) dans les banques à charte. La monnaie fiduciaire, basée sur la confiance, représente la dette de la Banque du Canada ; les dépôts à vue (comptes de chèques personnels) représentent celle des banques à charte.

Cette définition de la masse monétaire est symbolisée par M1. Le tableau 7.1 (page 240), décrit l'importance relative des diverses composantes de M1 en dollars et en pourcentage.

Les pièces métalliques, du « sou noir » aux nouvelles pièces de un et de deux dollars, sont également appelées *monnaie divisionnaire*. Elles constituent une très faible proportion de l'offre totale de monnaie, mais sont fort pratiques dans le cas de petits achats, plus particulièrement

**TABLEAU 7.1** La masse monétaire au Canada, mai 1997 (données désaisonnalisées)

| Monnaie | En millions de dollars | En pourcentage de M1 | En pourcentage de M2 | En pourcentage de M3 |
|---|---|---|---|---|
| Espèces en circulation | 27 819 | 37,0 | 7,1 | 5,5 |
| Dépôts à vue | 47 429 | 63,0 | 12,1 | 9,3 |
| Total M1 | 75 248 | 100,0 | 19,2 | 14,8 |
| Dépôts à préavis non personnels | 29 776 | | 7,6 | 5,9 |
| Dépôts d'épargne des particuliers | 287 994 | | 73,2 | 56,4 |
| Total M2 | 393 018 | | 100,0 | 77,1 |
| Autres dépôts non personnels plus les dépôts en monnaies étrangères des résidants | 116 541 | | | 22,9 |
| Total M3 | 509 559 | | | 100,0 |

**Note:** Tous les dépôts qui précèdent sont dans les banques à charte et en dollars canadiens, sauf le dernier article.

**Source:** Banque du Canada, *Revue de la Banque du Canada*, été 1997, tableau E1.

depuis l'entrée en vigueur de la TPS, les prix étant fractionnés. Cependant, leur valeur réelle, appelée *valeur intrinsèque*, diffère grandement de leur valeur monétaire, c'est-à-dire que leur contenu en métal est moindre que leur valeur nominale. Si ce n'était pas le cas, des gens feraient fondre les pièces pour en récupérer la valeur métallique. Cette situation s'est produite durant les années 1960. Le prix de l'argent ayant fortement augmenté, les pièces de 10 cents et de 25 cents avaient un contenu en argent supérieur à 0,10 $ et à 0,25 $. Bien que ce fût illégal, des individus récupéraient ces pièces pour leur contenu en argent, et celles-ci avaient tendance à disparaître de la circulation. Un 25 cents daté d'avant 1967 vaut maintenant plusieurs dollars.

Le papier-monnaie est environ neuf fois plus abondant que les pièces métalliques. Il constitue environ 40 % de la masse monétaire de l'économie telle qu'elle est définie de façon stricte en M1. Il s'agit de billets de banque imprimés par la Banque du Canada avec l'autorisation du Parlement fédéral. On appelle «**numéraire**» les deux premiers types de monnaie dont nous venons de parler.

### Les dépôts bancaires avec privilège de chèques

Parce que les chèques sont sûrs et pratiques et que l'on utilise de plus en plus le paiement

> **NUMÉRAIRE**
>
> Nom donné à la monnaie qui est tangible : les pièces métalliques et le papier-monnaie.

direct, les dépôts bancaires sont devenus l'une des formes de monnaie les plus importantes au Canada. Personne n'aurait l'idée de mettre 4 896,47 $ en espèces dans une enveloppe et de l'envoyer par la poste pour rembourser une dette. Pour de gros montants, nous préférons faire un chèque et le poster. Ce dernier doit être endossé par la personne qui veut l'encaisser, et la personne qui l'a signé peut récupérer le chèque déjà encaissé comme reçu de la transaction. De plus, comme le chèque doit être endossé par la personne à qui il est destiné, la perte ou le vol d'un chéquier n'est pas aussi dramatique que la perte d'espèces. Il est également plus pratique de transporter un carnet de chèques que des sommes importantes de monnaie en espèces. Pour toutes ces raisons, cette forme de monnaie (dépôts à vue) domine maintenant dans l'économie canadienne. Même le tableau 7.1 ne rend pas compte de son importance ; on a estimé, en dollars, que 90 % des transactions se faisaient par chèque ou par paiement direct (voir la nouvelle donne bancaire dans le complément, à la fin du présent chapitre).

En résumé,

M1 = espèces en circulation hors banque + dépôts bancaires à vue

**Remarque** Les espèces détenues dans les banques à charte ainsi que les dépôts du gouvernement du Canada ne sont pas compris dans la masse monétaire afin d'éviter de surestimer cette dernière en comptant deux fois les mêmes sommes. En effet, un dépôt en espèces dans une banque à charte s'ajoute à la somme des dépôts, d'une part, et à l'encaisse de la banque, d'autre part. On ne doit le comptabiliser qu'une fois.

## La quasi-monnaie : M2 et M3

La **quasi-monnaie** comprend des actifs financiers très liquides comme les comptes d'épargne sans chèques, les dépôts à terme, les obligations gouvernementales à court terme. Même si ces actifs ne peuvent servir directement comme moyen d'échange, ils peuvent être convertis facilement, rapidement et sans risque financier en espèces ou en dépôts à vue. Ainsi, sur demande, vous pouvez retirer des espèces d'un compte d'épargne sans chèques d'une banque à charte ou d'un autre établissement financier comme une caisse populaire, une *credit union* ou une caisse d'économie. Vous pouvez également demander qu'on transfère certaines sommes d'un compte d'épargne stable à un compte avec chèques. Comme son nom l'indique, un dépôt à terme n'est disponible qu'à la fin du terme. Par exemple, un dépôt à terme de 90 jours ou de 6 mois ne peut être encaissé sans pénalité qu'à la fin de la période mentionnée. Même si ces dépôts sont nettement moins liquides que les comptes d'épargne sans chèques, il est possible de les transformer en espèces ou de les déposer dans un compte avec chèques au moment où ils sont échus. Ces autres dépôts (dépôts à préavis, dépôts à terme personnels) ajoutés à M1 nous donnent une définition plus large de la masse monétaire : **M2** (tableau 7.1).

Il existe une troisième définition officielle de la masse monétaire, soit **M3**. Elle ajoute les importants dépôts à terme – habituellement détenus par les entreprises sous forme de certifi-

---

> **QUASI-MONNAIE**
>
> Actifs financiers dont les plus importants sont les dépôts d'épargne, les dépôts à terme et les dépôts avec préavis de retrait dans les banques à charte, les sociétés d'investissement, les caisses populaires, les *credit unions* et les autres institutions d'épargne. De plus, ces actifs peuvent être facilement convertis en monnaie.
>
> **M2**
>
> Masse monétaire qui comprend, outre M1, les comptes d'épargne personnelle en dollars canadiens, non assortis de chèques, les comptes d'épargne personnelle à terme fixe et les dépôts à terme non personnels, non assortis de chèques, effectués auprès des banques à charte.
>
> **M3**
>
> Masse monétaire qui comprend, outre M2, les dépôts à terme fixe non personnels en dollars canadiens et les bons au porteur à terme, ainsi que tous les dépôts en monnaies étrangères des résidants canadiens enregistrés par les banques à charte au Canada.

---

cats de dépôt – qui sont facilement convertibles en dépôts avec chèques. En fait, il existe un marché pour ces certificats, lesquels peuvent être vendus (liquidés) en tout temps, bien qu'avec un léger risque de perte. L'ajout de ces dépôts à terme importants à M2 ainsi que des dépôts en monnaies étrangères des résidants canadiens nous donne M3 (tableau 7.1).

Finalement, il existe d'autres actifs financiers moins liquides, comme les bons du Trésor et les obligations d'épargne du Canada[2], qui peuvent être convertis facilement sous la forme de M1.

Ce qu'il faut souligner, c'est qu'il y a tout un éventail d'actifs variant légèrement de l'un à l'autre quant à leur liquidité. Nous adopterons la définition stricte de la masse monétaire, M1, pour la suite de notre analyse, car ses composantes peuvent être utilisées directement comme moyens d'échange. Cependant, il faut retenir que ce qui est valable pour M1 l'est également pour M2 et M3, car ces deux définitions englobent M1.

### LA MONNAIE DANS LES INSTITUTIONS FINANCIÈRES NON BANCAIRES

Vous aurez remarqué que les dépôts dans les institutions financières non bancaires ne sont pas comptés dans le calcul officiel de la masse monétaire, même pas les dépôts dans les caisses populaires. Cependant, les dépôts dans les filiales que possèdent majoritairement les banques à charte (compagnies de prêts hypothécaires, par exemple) sont comptés. La Banque du Canada contrôle directement les banques à charte et, par celles-ci, leurs filiales. La Banque centrale préfère ne considérer comme monnaie (M1 à M3) que ce qu'elle peut contrôler directement. Cependant, un compte de chèques dans une compagnie de fiducie ou une caisse populaire constitue de la monnaie aussi bien qu'un compte dans une banque à charte, ce que la Banque du Canada reconnaît tacitement en publiant les

---

2. Les obligations d'épargne du Canada peuvent être remboursées à leur valeur nominale en tout temps ; elles sont par conséquent tout aussi liquides que les comptes d'épargne.

tableaux des actifs et des engagements des institutions financières non bancaires dans sa revue trimestrielle, la *Revue de la Banque du Canada*.

### Les cartes de crédit

Vous vous demandez peut-être pourquoi nous avons passé sous silence les cartes de crédit (Visa, MasterCard, American Express, etc.) lors de la définition de la monnaie. Après tout, les cartes de crédit sont fort pratiques lorsqu'il s'agit d'effectuer des achats. Les cartes de crédit ne sont pas réellement de la monnaie. Elles sont plutôt un moyen d'obtenir un prêt à court terme d'une banque à charte ou d'un autre établissement financier qui a émis la carte.

Quand vous achetez un magnétophone à cassettes avec votre carte de crédit, la banque en cause remboursera le magasin et, plus tard, vous rembourserez la banque. Vous pouvez payer un droit annuel pour le service offert et, si vous choisissez de payer la banque par versements, vous paierez en plus un intérêt appréciable. Les cartes de crédit sont donc un moyen de retarder un paiement pour une brève période. Votre achat d'un magnétophone n'est réellement conclu que lorsque vous avez payé votre compte.

Cependant, il faut souligner que les cartes de crédit, et toutes les autres formes de crédit, permettent aux individus et aux entreprises d'avoir recours moins souvent à la monnaie. Les cartes de crédit fournissent l'occasion de transporter moins d'espèces ou d'avoir des dépôts avec chèques moins élevés pour faire des transactions. En d'autres termes, les cartes de crédit facilitent le synchronisme des dépenses des uns avec la perception de revenus des autres ; il devient alors de moins en moins nécessaire de détenir de la monnaie en espèces ou sous forme de dépôts à vue.

## Qu'est-ce qui garantit la monnaie ?

Cette question est délicate. La réponse que nous y donnerons ne correspond pas à ce que la plupart des gens peuvent croire.

### La monnaie en tant que dette

En premier lieu, les principales composantes de la masse monétaire, c'est-à-dire les espèces et les dépôts bancaires à vue, sont tout simplement des dettes ou des promesses de paiement. Le papier-monnaie n'est que la dette en circulation de la Banque du Canada. Les dépôts à vue représentent les dettes des banques à charte.

De plus, le papier-monnaie et les dépôts à vue n'ont aucune valeur intrinsèque. Un billet de cinq dollars n'est qu'un bout de papier et un dépôt à vue n'est qu'une écriture comptable. Nous avons dit précédemment que les pièces métalliques ont une valeur intrinsèque inférieure à leur valeur nominale. La Banque du Canada ne vous échangera jamais votre papier-monnaie contre quelque chose de tangible comme l'or. En pratique, nous avons fait le choix de gérer la masse monétaire en fonction des besoins de l'économie, de façon qu'elle soit suffisante pour assurer un volume d'activité particulier qui, nous l'espérons, entraînera le plein-emploi, la stabilité des prix et un taux de croissance économique acceptable.

La plupart des économistes croient qu'une telle gestion de la masse monétaire est préférable aux pratiques antérieures qui liaient la monnaie à l'or ou à une autre marchandise dont l'offre pouvait varier de façon arbitraire ou capricieuse. Après tout, une hausse substantielle des réserves d'or de la nation, découlant par exemple de la découverte d'un gisement, pouvait faire augmenter la masse monétaire bien au-delà du montant requis pour un niveau d'activité économique de plein-emploi et provoquer ainsi une inflation aiguë. Il faut donc retenir que le papier-monnaie ne peut être converti en or ou en quelque autre métal précieux et qu'il peut seulement être échangé contre d'autres pièces ou d'autres billets. La Banque du Canada échangera un billet de cinq dollars contre un autre portant un numéro de série différent : c'est tout ce que vous pouvez obtenir si vous lui demandez de vous rembourser le papier-monnaie que vous détenez. De la même manière, les chèques ne peuvent être échangés contre de l'or ; ils peuvent l'être seulement contre du papier-monnaie.

### La valeur de la monnaie

Si les espèces et les dépôts avec chèques n'ont aucune caractéristique intrinsèque qui leur confère une valeur et s'ils ne sont pas soutenus par l'or ou par un autre métal précieux, pourquoi les considère-t-on comme de la monnaie ? La réponse à cette question comporte trois volets.

## L'ACCEPTATION

Les espèces et les dépôts avec chèques sont de la monnaie pour la simple raison qu'ils sont acceptés comme telle. L'usage en a fait des moyens d'échange. Supposons que vous dépensiez 20 $ dans une boutique de vêtements. Pourquoi le marchand accepte-t-il votre billet de 20 $ en échange d'un produit quelconque ? Le marchand l'accepte parce qu'il est persuadé que d'autres personnes le lui prendront à leur tour en échange de biens ou de services.

## LE POUVOIR LIBÉRATOIRE

La confiance dans le papier-monnaie repose sur une certitude légale. Les billets et les pièces ont **cours légal** au Canada. Cela signifie qu'ils doivent être acceptés en échange de biens et de services ou comme remboursement de dettes, sinon le créancier perd son privilège de demander de l'intérêt et le droit de poursuivre le débiteur pour défaut de payer. L'acceptation de la monnaie de papier est confirmée par le gouvernement qui en fait une obligation légale. La monnaie de papier est une monnaie fiduciaire, c'est-à-dire basée sur la confiance, qui est renforcée par la loi. Nous acceptons la monnaie de papier non pas parce que nous pouvons obtenir du métal précieux en échange, mais parce que nous avons confiance. L'État l'accepte en paiement de taxes et dans les autres transactions qu'il effectue avec les citoyens.

> **COURS LÉGAL**
>
> Tout ce que l'État a décrété comme devant être accepté en règlement d'une dette.

## LA RARETÉ RELATIVE

Fondamentalement, la valeur de la monnaie, comme toute valeur économique, n'est qu'une question d'offre et de demande. La valeur de la monnaie découle de sa rareté par rapport à son utilité. L'utilité de la monnaie, bien sûr, repose uniquement sur le fait que nous pouvons l'échanger contre des biens et des services, maintenant ou dans l'avenir. La demande de monnaie de l'économie dépend donc de la valeur totale des transactions effectuées pendant une période donnée et des sommes que les individus et les entreprises désirent détenir en vue de transactions futures. Compte tenu d'une demande relativement constante de monnaie, la valeur ou le pouvoir d'achat de l'unité monétaire sera déterminé par l'offre de monnaie qui est contrôlée par la Banque du Canada (chapitre 8).

## *La monnaie et les prix*

La valeur réelle ou le pouvoir d'achat de la monnaie peut être défini simplement comme la quantité de biens et de services qu'une unité de monnaie peut nous procurer. Il est évident que cette quantité varie inversement au niveau des prix ; en d'autres termes, une relation réciproque existe entre le niveau général des prix et la valeur du dollar. La figure 7.2 (page 244) nous permet de visualiser cette relation inverse. Lorsque l'indice des prix à la consommation augmente, le pouvoir d'achat du dollar diminue nécessairement et vice versa. Des prix plus élevés font diminuer la valeur du dollar parce que, pour acheter une même quantité de biens ou de services, il faudra dépenser plus de dollars. Inversement, des prix plus bas augmentent le pouvoir d'achat, car il faudra moins de dollars pour obtenir la même quantité de biens et de services. Si le niveau des prix double, la valeur du dollar diminuera de moitié, ou de 50 %. Si le niveau des prix chute de moitié, ou de 50 %, le pouvoir d'achat du dollar doublera.

En fait, les calculs derrière ces relations sont un peu plus complexes que ne le suggèrent nos exemples. Soit P, un indice du niveau des prix, et D, la valeur du dollar ; notre relation réciproque peut alors s'écrire comme suit :

$$D = \frac{1}{P}$$

Si P est égal à 1,00, alors D est nécessairement égal à 1,00. Mais si le niveau des prix augmente jusqu'à 1,20, alors D sera de 0,833. Ainsi, une augmentation de 20 % du niveau des prix entraînera une baisse de 16,67 % de la valeur du dollar.

Vous avez probablement déjà entendu parler de situations où la monnaie d'une nation avait perdu toute valeur et était devenue inutilisable comme moyen d'échange. À quelques exceptions près, ces situations résultaient d'une émission massive de papier-monnaie par les gouvernements. La valeur de chacun des billets devenait alors presque indéterminable. L'exemple le plus notoire est celui de l'Allemagne après la Première Guerre mondiale. En décembre 1919, il y avait environ 50 milliards de marks en circulation. Exactement 4 années plus tard, on en trouvait 496 585 345 900 milliards ! Le résultat ? Le mark ne valait plus qu'une fraction infinitésimale de sa valeur en 1919.

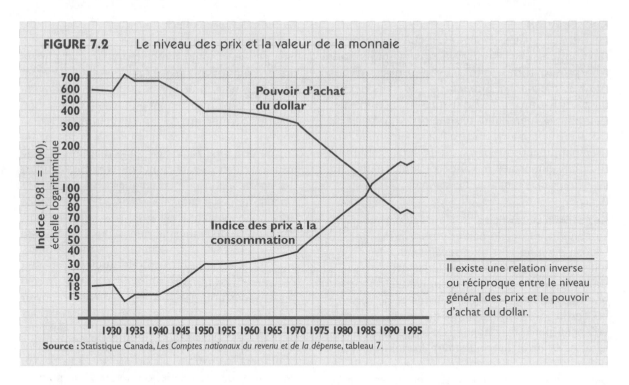

**FIGURE 7.2**    Le niveau des prix et la valeur de la monnaie

**Source :** Statistique Canada, *Les Comptes nationaux du revenu et de la dépense*, tableau 7.

Comment l'inflation et la baisse de la valeur du dollar qui l'accompagne peuvent-elles influencer l'acceptation des billets comme monnaie? Les ménages et les entreprises seront prêts à accepter la monnaie de papier comme moyen d'échange tant et aussi longtemps qu'ils seront assurés de pouvoir la dépenser sans perdre trop de leur pouvoir d'achat en retour. Lorsque l'économie traverse une spirale inflationniste (hyperinflation), ce n'est plus le cas. L'hyperinflation qu'a connue l'Allemagne au début des années 1920 diminuait sensiblement le pouvoir d'achat de la monnaie entre le moment où elle était reçue et celui où elle était dépensée. Lorsque se présente ce genre de situation, nous cherchons à nous débarrasser le plus rapidement possible de la monnaie. À la limite, elle peut perdre son rôle de moyen d'échange. Les ménages et les entreprises peuvent refuser la monnaie de papier même si elle a toujours cours légal. Sans un moyen d'échange acceptable, l'économie revient au troc et à ses complications.

De la même manière, les gens acceptent d'utiliser la monnaie comme réserve de valeur aussi longtemps que l'inflation ne vient pas gruger de façon trop importante la valeur des dollars mis en réserve. De plus, l'économie peut employer la monnaie comme étalon seulement si le pouvoir d'achat de celui-ci est relativement stable. Un étalon qui rétrécit subitement et dramatiquement ne peut plus permettre aux acheteurs et aux vendeurs d'établir clairement les conditions de l'échange. Quand la valeur du dollar chute rapidement, les vendeurs ne savent plus quel prix demander et les acheteurs ne savent plus ce qu'il faut payer pour les différents biens et services.

## LE CADRE INSTITUTIONNEL DU SYSTÈME BANCAIRE CANADIEN

### Les banques à charte dans le système bancaire

Nous avons déjà vu que la principale composante de l'offre de monnaie, les dépôts bancaires à vue, est créée par les banques à charte et que la monnaie fiduciaire, les pièces et les billets, créée par la Banque du Canada, est mise en circulation à partir des banques à charte. Il convient donc d'étudier le cadre du système bancaire canadien avant d'aborder, au chapitre 8, la création de la monnaie et la politique monétaire.

#### *Les banques à charte*

Selon l'Acte de l'Amérique du Nord britannique, la monnaie et les banques sont des responsabilités fédérales. Selon la Loi des banques, renouvelée tous les 10 ans, toute banque est incorporée par une loi distincte du Parlement et obtient une charte. C'est pourquoi nos banques sont appelées « **banques à charte** ».

En 1867, on comptait 28 banques à charte. Avec les années, ce nombre passa à 41 jusqu'à ce que les faillites, les liquidations et les fusions le fassent descendre à son plus bas niveau, soit 8, en 1960. Les années 1960 et 1970 virent la formation de nouvelles banques et, après deux autres fusions en 1980, leur nombre s'établit à 11. En février 1997, elles étaient au nombre de 9, dont voici les 6 plus grandes : Banque de Montréal, La Banque de Nouvelle-Écosse, Banque Canadienne Impériale de Commerce, Banque Nationale du Canada, Banque Royale du Canada, La Banque Toronto-Dominion. Ces 6 banques possèdent 90 % de l'actif total et 65 % des actifs en dollars canadiens de toutes les institutions de dépôt au Canada.

Ensuite, avec la révision de la Loi des banques, en 1980, les banques étrangères furent autorisées à établir des filiales canadiennes : ainsi, maintenant, 41 filiales de banques étrangères détiennent une charte. La taille des banques varie grandement, de la Banque Royale du Canada à la Northland Bank, relativement petite. Toutes les banques étrangères doivent demeurer de petite taille : les prêts totaux des banques étrangères ne doivent pas excéder 16 % du total des activités intérieures des banques de propriété canadienne. Par conséquent, l'admission des banques étrangères n'a eu que peu d'effet sur la concurrence. Notre système bancaire est vraiment très concentré si on le compare au système américain comprenant plus de 3 000 institutions.

### La compensation des chèques

Comme nous l'avons vu antérieurement, un chèque n'est en fait qu'un ordre écrit que le signataire peut utiliser pour effectuer un achat ou payer une dette. Un chèque est encaissé ou annulé quand une ou plusieurs banques ou quasi-banques négocient un transfert d'une partie du compte du signataire au compte du béné-

---

**BANQUE À CHARTE**

Un des intermédiaires financiers à succursales multiples, de propriété privée et à vocation commerciale. Elle a reçu une charte en vertu d'une loi du Parlement et est seule, avec les banques d'épargne du Québec, susceptible de s'appeler elle-même « banque ». Elle accepte des dépôts à vue.

**BILAN**

État des actifs, des engagements (passifs) et de la richesse nette d'une firme ou d'un individu à un instant donné.

---

ficiaire. Si monsieur Tremblay et madame Gagnon ont leurs comptes de chèques à la même banque et que monsieur Tremblay donne à madame Gagnon un chèque de 10 $, madame Gagnon peut encaisser ce chèque en l'apportant à la banque, où son compte sera augmenté de 10 $ et celui de monsieur Tremblay réduit d'autant. Dans plusieurs cas, cependant, le signataire et le bénéficiaire d'un chèque demeurent dans des villes ou des provinces différentes et, par conséquent, n'ont pas leurs comptes dans la même banque ou dans des succursales rapprochées. En 1982, l'Association canadienne des paiements fut mise sur pied. De ressort fédéral, elle remplaçait le système de compensation géré par l'Association des banquiers canadiens. Le nouveau système, tout comme l'ancien, s'occupe notamment des chèques des quasi-banques. Dans la section suivante, nous étudierons la mécanique sous-jacente au recouvrement des chèques et ses effets sur la position financière dans des banques à charte.

### Le bilan d'une banque à charte

L'utilisation du bilan d'une banque à charte nous aidera à comprendre le fonctionnement du système bancaire. La compréhension des éléments de base qui constituent le bilan d'une banque à charte et la connaissance de la façon dont diverses transactions influent sur ces postes faciliteront l'analyse du fonctionnement de nos systèmes monétaire et bancaire.

Qu'est-ce qu'un **bilan** ? C'est tout simplement le portrait de l'actif et des créances qui résume la situation financière d'une entreprise, en l'occurrence une banque à charte, à un moment particulier. Tout bilan doit être équilibré. Pourquoi ? Parce que tout actif comportant quelque valeur économique sera réclamé par quelqu'un. Pouvez-vous imaginer un actif, c'est-à-dire quelque chose ayant une valeur monétaire, que personne ne réclamerait ? Un bilan est équilibré lorsque la valeur des actifs égale celle des créances. On divise les créances apparaissant au bilan en deux groupes : celles des propriétaires de l'entreprise quant aux actifs de l'entreprise, appelées avoir des actionnaires, et celles des non-propriétaires, appelées passif. Ainsi, un bilan est équilibré quand :

Actif = passif + avoir des actionnaires

L'utilisation de bilans pour étudier le fonctionnement des banques à charte et la création de monnaie (au chapitre suivant) est intéressante à maints égards. Elle permet, entre autres choses, d'introduire des termes et des concepts nouveaux d'une manière plus ou moins ordonnée. De plus, elle permet de quantifier certains concepts-clés et certaines relations que nous aurions du mal à comprendre à partir d'explications purement verbales.

### Le fonctionnement d'une banque à charte dans le système bancaire

Quels sont les postes du bilan d'une banque à charte ? Quels facteurs déterminent les possibilités de création de monnaie d'une telle banque ?

### La formation d'une banque à charte

Pour répondre à ces questions, nous devons approfondir notre connaissance du bilan d'une banque à charte et de la façon dont certaines transactions élémentaires l'influencent. Nous commencerons par la création d'une banque à charte locale.

#### PREMIÈRE TRANSACTION :
#### LA NAISSANCE D'UNE BANQUE

Supposons que des citoyens de la Beauce décident que le Canada en général, et le Québec en particulier, a besoin d'une nouvelle banque à charte. En supposant qu'ils obtiennent du Parlement canadien une charte pour leur banque, ils émettront pour 25 millions de dollars de capital-actions qu'achèteront des gens de la province et d'ailleurs. Si ces efforts de financement sont couronnés de succès, la Banque régionale existera. À quoi ressemblera son bilan à la naissance ?

Les nouveaux propriétaires de la banque ont vendu des actions d'une valeur de 25 millions de dollars. Ils en possèdent une certaine quantité et le public détient le reste. La banque possède donc 25 millions de dollars en caisse, mais a émis des actions d'une valeur de 25 millions. De toute évidence, l'encaisse est un actif de la banque. Cependant, les actions émises constituent autant de dettes que leurs propriétaires détiennent à titre de créances sur l'actif de la

banque. Les actions font donc partie de l'avoir des actionnaires même si elles sont considérées comme des actifs par ceux qui les possèdent. Le bilan de la nouvelle banque aura l'aspect suivant :

**Bilan 1**
**La Banque régionale**

| Actif | |
|---|---|
| Encaisse | 25 000 000 $ |
| **Passif et avoir des actionnaires** | |
| Capital-actions | 25 000 000 $ |

#### DEUXIÈME TRANSACTION :
#### L'OUVERTURE D'UNE PREMIÈRE SUCCURSALE

L'ouverture d'une succursale passe par l'achat d'une propriété et d'équipement. Normalement, on ouvre plusieurs succursales simultanément. Mais, pour simplifier notre exemple, nous limiterons cette analyse au cas d'une succursale. Supposons que les directeurs achètent des immeubles pour une valeur de 22 millions de dollars et de l'équipement pour une valeur de 2 millions de dollars. Cette simple transaction modifiera le bilan de la banque. Son encaisse se voit réduit de 24 millions de dollars, mais son actif comprend maintenant une valeur de 24 millions de dollars en immobilisations. (Nous utiliserons un astérisque [*] pour déterminer les postes du bilan qui sont influencés par une transaction.) À la fin de la deuxième transaction, le bilan de la banque a donc l'allure suivante :

**Bilan 2**
**La Banque régionale**

| Actif | |
|---|---|
| Encaisse* | 1 000 000 $ |
| **Passif et avoir des actionnaires** | |
| Capital-actions | 25 000 000 $ |
| Immobilisations* | 24 000 000 $ |

Nous remarquons que le bilan est toujours en équilibre, comme il doit l'être.

#### TROISIÈME TRANSACTION :
#### LA BANQUE REÇOIT DES DÉPÔTS

Nous avons déjà expliqué que les banques à charte ont deux fonctions essentielles, à savoir accepter les dépôts et effectuer des prêts. Maintenant que la banque de notre exemple est en activité, supposons que des citoyens et des entreprises de la Beauce décident de déposer 10 000 000 $ à la Banque régionale. Qu'arrivera-t-il au bilan de celle-ci?

La banque reçoit les espèces qui sont comptabilisées dans son actif au poste encaisse. Supposons que cette somme soit placée à la banque sous forme de dépôts à vue plutôt que sous forme de dépôts à terme ou à préavis. Ces dépôts à vue fraîchement reçus constituent des créances que les déposants détiennent sur l'actif de la Banque régionale. Ces dépôts ont donc créé un nouveau poste qui apparaît au passif de la banque, soit les dépôts à vue. Le bilan s'est à nouveau transformé.

> **COEFFICIENT DE RÉSERVES-ENCAISSE**
>
> Ratio existant entre l'encaisse liquide d'une banque à charte et ses dépôts à vue.

### Bilan 3
### La Banque régionale

| Actif | |
|---|---|
| Encaisse* | 11 000 000 $ |
| Immobilisations* | 24 000 000 $ |
| **Passif et avoir des actionnaires** | |
| Dépôts à vue* | 10 000 000 $ |
| Capital-actions* | 25 000 000 $ |

Même si l'offre totale de monnaie n'a pas bougé, un changement dans sa composition s'est produit. La monnaie scripturale (dépôts à vue) a augmenté de 10 000 000 $, tandis que la monnaie fiduciaire en circulation a diminué de 10 000 000 $. Rappelons-nous que les espèces détenues par les banques ne font pas partie de la masse monétaire.

Il est clair qu'un retrait en espèces fera diminuer le passif de la banque au poste dépôts à vue et son encaisse du même montant. Cette transaction modifie également la composition de la masse monétaire, mais non sa valeur totale.

**LES DÉPÔTS À LA BANQUE DU CANADA** Étant une banque à charte, la Banque régionale doit conserver des réserves suffisantes pour garder un ratio minimal entre ses actifs et ses dépôts de manière à pouvoir faire face aux demandes de retraits en argent. Une partie de ces réserves liquides se trouve dans ses coffres, tandis qu'une

autre est déposée à la Banque du Canada. Les dernières modifications à la Loi des banques n'obligent plus ces dernières à conserver un pourcentage donné de réserves. Pour tenir compte de ces modifications, nous supposerons que notre banque à charte ne dépose à la Banque du Canada que les sommes nécessaires à la compensation des chèques (voir la quatrième transaction, page 248) et qu'elle garde le reste dans ses coffres. Pour simplifier l'illustration, nous ne nous référerons plus qu'à cet encaisse liquide à partir de maintenant.

Le pourcentage que les banques doivent détenir en réserves s'appelle « **coefficient de réserves-encaisse** ». On le calcule comme suit :

$$\text{Coefficient de réserves-encaisse} = \frac{\text{encaisse de la banque à charte}}{\text{dépôts à vue de la banque à charte}}$$

Pour simplifier les calculs, nous utiliserons un ratio de 10 % et remplacerons « dépôts à vue » et « dépôts à terme » par « dépôts ». Par conséquent, si le coefficient de réserves était de 10 % et que notre banque eût accepté des dépôts du public d'une valeur de 10 000 000 $, elle serait obligée de garder 1 000 000 $ dans ses voûtes.

**LES RÉSERVES EXCÉDENTAIRES** Le montant des réserves effectives d'une banque qui excède les réserves requises s'appelle « réserves excédentaires »

Dans notre exemple,

| | |
|---|---|
| Réserves détenues | 11 000 000 $ |
| Réserves requises | −1 000 000 $ |
| Réserves excédentaires | 10 000 000 $ |

Pour vous assurer que vous avez bien compris le processus, vous devriez essayer de calculer les réserves excédentaires de la Banque régionale à la fin de la troisième transaction, en supposant que le coefficient de réserves-encaisse soit de (1) 5 %, (2) 20 % et (3) 50 %.

Comme la capacité de prêter d'une banque dépend de ses réserves excédentaires, ce concept est fondamental pour bien comprendre les possibilités de création de monnaie du système bancaire.

**L'INFLUENCE** Les réserves requises permettent à la Banque du Canada d'influencer la capacité de prêter des banques à charte. Au chapitre 8, nous expliquerons en détail comment la Banque du Canada peut avoir recours à certaines politiques qui ont pour effet soit d'augmenter, soit de diminuer les réserves des banques à charte. Dans la mesure où ces politiques atteignent leurs objectifs, elles permettent à la Banque du Canada d'éviter les fluctuations économiques.

### QUATRIÈME TRANSACTION : UN CHÈQUE

Étudions maintenant une transaction un peu plus complexe. Supposons que Georges Cliche, propriétaire d'une scierie à Saint-Georges de Beauce détenant une grande partie des dépôts que la Banque régionale a reçus lors de la troisième transaction, achète du bois d'une valeur de 1 000 000 $ à la compagnie Bois du Québec. Monsieur Cliche paie son bois par chèque d'une valeur de 1 000 000 $ tiré sur son compte à la Banque régionale. Il s'agit alors de déterminer comment ce chèque sera compensé et quel effet la compensation du chèque aura sur le bilan des banques touchées par la transaction.

Pour ce faire, nous examinerons les attitudes de la Banque régionale, de la Banque Royale avec laquelle la compagnie Bois du Québec fait affaire, de la Chambre de compensation de Québec de l'Association canadienne des paiements et, finalement, du bureau régional de la Banque du Canada au Québec. Pour que notre exemple demeure aussi clair que possible, nous n'étudierons que les postes touchés par cette transaction.

Nous subdiviserons la transaction en trois étapes.

*a)* Monsieur Cliche remet à la compagnie Bois du Québec un chèque de 1 000 000 $ tiré sur son compte à la Banque régionale. La compagnie Bois du Québec dépose à son tour le chèque dans son compte à la succursale de Sainte-Marie de la Banque Royale, ce qui augmente les dépôts de la compagnie de 1 000 000 $ au moment du dépôt. La compagnie Bois du Québec a donc été payée.

*b)* Maintenant, la Banque Royale possède le chèque de monsieur Cliche. Ce chèque n'est en fait qu'une créance sur l'actif de la Banque régionale. Comment la Banque

Royale pourra-t-elle réclamer son dû ? En envoyant ce chèque à sa succursale de Québec (il n'y a pas encore de succursale de la Banque régionale à Sainte-Marie). Cette succursale apportera le chèque à la Chambre de compensation de Québec de l'Association canadienne des paiements administrée par les banques à charte et les quasi-banques, c'est-à-dire par toutes les institutions financières qui offrent des comptes de chèques. À la Chambre de compensation, des représentants des institutions financières se rencontrent tous les jours ouvrables pour échanger tous les chèques tirés sur une banque et déposés dans une autre. Pour simplifier l'exemple, supposons que, ce jour-là, la seule transaction effectuée entre la Banque Royale et la Banque régionale soit le chèque de monsieur Cliche. La Banque du Canada sera informée de la transaction par la Chambre de compensation, réduira les réserves de la Banque régionale d'un montant de 1 000 000 $ et augmentera celles de la Banque Royale du même montant.

*c)* Finalement, le chèque compensé retournera à la Banque régionale, qui sera informée à ce moment pour la première fois qu'un de ses déposants a tiré un chèque de 1 000 000 $. Elle réduira alors le dépôt de monsieur Cliche d'une somme de 1 000 000 $ et constatera que le recouvrement du chèque a provoqué une diminution de ses réserves à la Banque du Canada d'une somme de 1 000 000 $. Remarquez que les bilans des trois banques sont toujours en équilibre. La Banque régionale a réduit à la fois son passif et son actif de 1 000 000 $. La Banque Royale aura 1 000 000 $ de plus en réserves et en dépôts. La propriété des réserves à la Banque du Canada aura changé, mais les réserves totales seront demeurées les mêmes.

Il faut insister sur le fait que *chaque fois qu'un chèque est tiré sur une banque et déposé dans une autre, le recouvrement de ce chèque entraîne une diminution des réserves et des dépôts de la banque sur laquelle le chèque a été tiré.* Dans notre exemple, la Banque régionale perd 1 000 000 $ en réserves et en dépôts au bénéfice de la Banque Royale. Mais le système bancaire dans son ensemble n'a perdu ni réserves ni dépôts. Ce qu'une banque perd, l'autre le gagne.

À la fin de la quatrième transaction, le bilan de la Banque régionale a donc l'aspect suivant :

### Bilan 4
### La Banque régionale

| Actif | |
|---|---|
| Encaisse* | 10 000 000 $ |
| Immobilisations* | 24 000 000 $ |
| **Passif et avoir des actionnaires** | |
| Dépôts à vue* | 9 000 000 $ |
| Capital-actions | 25 000 000 $ |

Vous noterez que, avec un coefficient de réserves de 10 %, les réserves excédentaires de la banque sont maintenant de 9 100 000 $.

### Les institutions financières

Même si notre analyse sera axée principalement sur les banques à charte, il demeure important de connaître toutes les autres institutions financières qui complètent le système bancaire. Par exemple, les compagnies de fiducie, les compagnies de prêts à la consommation, les caisses populaires et les *credit unions* (équivalent ontarien des caisses populaires québécoises) sont toutes des institutions financières. Elles acceptent les fonds de petits épargnants sous forme de dépôts à terme et les rendent disponibles aux investisseurs par des prêts hypothécaires ou contre des valeurs mobilières. Les courtiers en valeurs mobilières négocient les nouvelles obligations émises et les actions des sociétés à la recherche de fonds pour accroître leur stock de capital. Les compagnies d'assurances contrôlent un volume d'épargne important sous la forme de primes pour des contrats d'assurance-vie et utilisent ces fonds, en tout ou en partie, pour acheter un éventail de titres privés, publics ou gouvernementaux. Il est difficile de faire une liste exhaustive des institutions financières. Les tendances actuelles sont au décloisonnement, c'est-à-dire que la concurrence s'accroît entre les types d'institutions. Les banques à charte et les autres institutions financières ont deux fonctions communes : (1) elles détiennent les dépôts des entreprises et des ménages ; (2) elles prêtent au public et augmentent ainsi l'offre de monnaie dans l'économie. Cette dernière fonction sera étudiée en détail au chapitre 8.

### La Banque du Canada

Depuis la Confédération jusqu'à la fondation de la Banque du Canada en 1935, le ministère fédéral des Finances a agi comme substitut d'une banque centrale. Le fait que les six plus grandes banques à charte canadiennes détiennent 90 % des actifs bancaires favorise fortement le contrôle centralisé.

Cependant, les affaires bancaires, et plus particulièrement les activités de la banque centrale, sont très spécialisées. Conformément aux Lois de la finance de 1914 et de 1923, les banques à charte pouvaient obtenir autant de crédit qu'elles le désiraient auprès du ministère des Finances, pourvu qu'elles déposent des valeurs ou des papiers commerciaux au ministre pour couvrir le crédit. La limite d'emprunt des banques était presque infinie puisqu'une banque pouvait emprunter, par exemple un million de dollars, en déposant des titres d'une valeur de un million de dollars en garantie au ministère ; ensuite, elle utilisait cet emprunt pour acheter d'autres titres d'une valeur de un million de dollars qui lui permettraient d'emprunter à nouveau, et ainsi de suite. Le crédit des banques connaissait une expansion démesurée. C'est ce qui se produisit en 1928 et 1929.

Les banques à charte se comportaient comme elles l'avaient toujours fait : elles prêtaient autant qu'elles le pouvaient, de façon sûre et rentable, compte tenu de leurs réserves liquides. Mais désormais, elles pouvaient obtenir des réserves additionnelles du ministère des Finances, et ce, presque sans limite. Il semble que le ministère des Finances n'ait eu aucune idée de ce qu'une telle gestion de la masse monétaire pouvait impliquer et, dans cette optique, la Loi de la finance ne donnait au ministère aucun pouvoir discrétionnaire de contrôle sur l'offre de monnaie.

La Grande Dépression démontra l'importance d'un contrôle centralisé du système bancaire, et la Commission royale d'enquête sur les affaires bancaires et la monnaie recommanda la création d'une banque centrale dans son rapport de 1933.

La Banque du Canada fut créée le 11 mars 1935. À l'origine, elle appartenait à des intérêts privés, mais elle fut nationalisée en 1938, toutes ses actions étant achetées par le gouvernement fédéral.

Le premier gouverneur, Graham F. Towers, décrivit les fonctions de la Banque comme suit :

Premièrement, la fonction principale d'une banque centrale est de contrôler le crédit et la monnaie dans les meilleurs intérêts de la vie économique d'une nation. [...] Deuxièmement, une banque centrale devrait le plus possible contrôler et protéger la valeur internationale de l'unité monétaire d'un pays. [...] Troisièmement, la Banque devrait être une source de conseils judicieux et impartiaux à la disposition du gouvernement. [...] Quatrièmement, une banque centrale devrait mettre en place un système de coopération avec les institutions similaires des autres pays[3].

La Banque est gérée par un conseil de direction formé du gouverneur et du sous-gouverneur, du sous-ministre des Finances (sans droit de vote) et de 12 directeurs qui reçoivent leur mandat de 3 ans du gouvernement. Le gouverneur et le sous-gouverneur sont nommés pour une période de sept ans par les directeurs avec l'approbation du gouverneur en conseil (en fait, le cabinet). Naturellement, les directeurs nomment, tout comme le gouverneur et le sous-gouverneur, les personnes que le gouvernement souhaite voir élire. Le gouverneur, le sous-gouverneur et les directeurs peuvent voir leurs mandats renouvelés. Le gouverneur ne peut être déchu avant l'expiration de son mandat que par une loi du Parlement.

Le comité exécutif de la Banque est formé du gouverneur, du sous-gouverneur, de deux directeurs sélectionnés par le conseil d'administration et du sous-ministre des Finances (qui, une fois encore, n'a pas le droit de vote).

En 1966-1967, un amendement fut apporté à la Loi des banques canadienne. Intitulé « Directive du gouvernement », il se lisait comme suit :

14. (1) Le ministre et le gouverneur doivent se consulter régulièrement sur la politique monétaire et sur ses liens avec la politique économique générale appliquée par le gouvernement.

(2) Si, en dépit des consultations qui doivent avoir lieu comme le précise la sous-section (1), il existe encore une divergence d'opinion entre le ministre et la Banque en ce qui concerne la politique monétaire à suivre, le ministre peut, après avoir consulté le gouverneur et reçu l'approbation du gouverneur en conseil, donner une directive écrite au gouverneur en termes clairs et précis concernant la politique monétaire, pour une période déterminée ; la Banque devra se conformer à cette directive.

(3) On devra publier sans délai, dans la *Gazette officielle*, toute directive prévue en vertu de la section (2). On devra soumettre cette directive au Parlement dans les quinze jours suivant sa publication ou après l'ouverture de la session si le Parlement ne siège pas à ce moment précis.

Il est clair que la Banque du Canada applique la politique monétaire qui lui semble appropriée, mais le gouvernement porte toujours l'ultime responsabilité de cette politique, car il a le pouvoir d'y substituer sa propre politique en tout temps. Comme aucune directive n'a jamais été publiée dans la *Gazette officielle* en rapport avec la section 14, nous pouvons supposer que le gouvernement a été en accord avec la politique monétaire de la Banque depuis une vingtaine d'années.

### Les fonctions de la Banque du Canada

Les fonctions de la Banque du Canada, la banque des banques, se regroupent en cinq catégories. Nous examinerons les plus importantes en dernier.

**CONSERVER LES DÉPÔTS DES BANQUES À CHARTE** La Banque du Canada conserve les dépôts ou réserves des banques à charte. Les entreprises privées et les individus trouvent commode d'avoir des comptes de chèques dans les banques à charte. Ces comptes correspondent à des réserves dans lesquelles les détenteurs puisent plus ou moins régulièrement et qu'ils renouvellent à l'occasion. De la même manière, les banques à charte gardent des réserves, c'est-à-dire des dépôts en espèces, à la Banque du Canada. Mais comme nous le verrons au chapitre 8, les banques à charte ne gardent que rarement des réserves supérieures à ce que la Loi des banques exige. Selon la nouvelle Loi des banques, adoptée en 1991, les banques à charte ne sont tenues de garder que les réserves nécessaires à l'équilibre des paiements bilatéraux, c'est-à-dire à la compensation des chèques.

---

3. *Memoranda and Tables Respecting the Bank of Canada*, Ottawa, 1939, p. 19. Reproduit avec la permission du ministère des Approvisionnements et Services Canada, traduit par Ginette Tremblay.

**FOURNIR LE PAPIER-MONNAIE DONT L'ÉCONOMIE A BESOIN** La Banque du Canada a la responsabilité de fournir à l'économie le papier-monnaie dont elle a besoin, plus précisément des billets de la Banque du Canada.

**SERVIR D'AGENT FINANCIER AU GOUVERNEMENT** La Banque du Canada sert de banquier et d'agent financier au gouvernement fédéral. Celui-ci perçoit des sommes importantes en impôts, dépense des sommes astronomiques et négocie des obligations. Naturellement, le gouvernement nécessite les services d'un agent financier pour effectuer toutes ces opérations. Alors, la Banque du Canada fournit au gouvernement du Canada un compte de chèques, l'aide à percevoir les impôts de toutes sortes et administre à sa place la vente et le rachat des obligations.

**SUPERVISER LES OPÉRATIONS DES BANQUES À CHARTE** Le ministère des Finances et la Banque du Canada supervisent les opérations des banques à charte. La survie d'un système financier repose sur la solvabilité des banques à charte qui le composent. Des pratiques bancaires douteuses peuvent avoir des répercussions généralisées et, en minant la confiance dans le système, menacer la structure d'une économie. Comme les banques à charte sont d'« intérêt public », elles sont soumises à la surveillance du gouvernement.

**CONTRÔLER L'OFFRE DE MONNAIE** Finalement, la fonction la plus importante de la Banque du Canada consiste à contrôler en dernier ressort l'offre de monnaie. Le défi primordial de la banque centrale est de gérer l'offre de monnaie selon les besoins de l'économie considérée dans son ensemble. Dans le contexte d'une économie dynamique et croissante, la Banque doit voir à ce que la quantité de monnaie disponible soit compatible avec des niveaux croissants de production et d'emploi tout en assurant une certaine stabilité des prix. C'est en contrôlant le crédit que la Banque du Canada tente d'ajuster l'offre de monnaie, numéraire et dépôts bancaires à vue, afin de maintenir la stabilité économique à court terme et la croissance à long terme.

Alors que toutes les autres fonctions de la Banque du Canada relèvent plus ou moins de la routine, l'objectif d'une gestion avisée de la masse monétaire sort du quotidien et donne lieu à des prises de décisions fort importantes. Au chapitre 8, nous étudierons les politiques monétaires de la Banque du Canada et leur efficacité.

### Le bilan de la Banque du Canada

Comme la Banque du Canada est en charge de la politique monétaire, nous devons connaître les principaux postes que comporte son bilan. Certains éléments de l'actif ou du passif diffèrent considérablement de ceux qui se trouvent dans le bilan d'une banque à charte. Le tableau 7.2 représente un bilan abrégé comportant les principaux postes de l'actif et du passif de la Banque du Canada au 30 juin 1997.

**TABLEAU 7.2** L'actif et le passif de la Banque du Canada au 30 juin 1997

| Actif | |
|---|---|
| Bons du Trésor du Canada | 15 930 $ |
| Autres titres du gouvernement du Canada | 11 642 |
| Autres titres | 2 600 |
| Avances aux membres de l'Association canadienne des paiements (ACP) | 336 |
| Autres éléments de l'actif | 217 |
| Total | 30 725 |

| Passif | |
|---|---|
| Billets en circulation | 28 755 $ |
| Dépôts du gouvernement du Canada | 12 |
| Dépôts des banques à charte | 1 233 |
| Dépôts des autres membres de l'ACP | 70 |
| Autres dépôts | 311 |
| Autres éléments du passif | 344 |
| Total | 30 725 |

**Source :** Banque du Canada, *Revue de la Banque du Canada*, été 1997, tableau B1.

**L'ACTIF**

Deux genres d'actif nous intéressent particulièrement.

**LES TITRES** La plupart des titres détenus par la Banque du Canada sont des obligations du gouvernement du Canada et des bons du Trésor émis par le gouvernement du Canada pour financer les déficits passés et présents. La majorité d'entre eux furent achetés directement du gouvernement, d'autres proviennent de courtiers et de banques à charte. Bien que les intérêts sur ces titres représentent des revenus pour la Banque du Canada, ce n'est pas pour cette raison qu'elle en achète ou en vend. C'est plutôt pour influencer les réserves des banques à charte et, par conséquent, leur capacité de créer de la monnaie, comme nous le verrons au chapitre suivant.

**LES AVANCES AUX BANQUES À CHARTE** Occasionnellement, les banques à charte obtiennent des avances à très court terme (prêts de la Banque du Canada). Les reconnaissances de dettes que les banques à charte remettent à la Banque du Canada lorsqu'elles négocient des avances apparaissent dans le bilan au poste des avances aux banques à charte. Du point de vue de la banque centrale, ces reconnaissances de dettes sont des actifs, c'est-à-dire des créances vis-à-vis des banques à charte qui ont emprunté. Pour les banques à charte, ces reconnaissances font partie du passif. En empruntant, celles-ci obtiennent une hausse de leurs réserves en échange de leurs reconnaissances de dettes.

### LE PASSIF

Dans le passif, nous trouvons trois postes importants.

**LES DÉPÔTS DES BANQUES À CHARTE** Nous connaissons déjà ce poste. Ces dépôts, la part la plus importante de leurs réserves-encaisse, sont un actif du point de vue des banques à charte, mais un passif pour la Banque du Canada. Avec l'abolition des réserves obligatoires, ces dépôts ont diminué considérablement puisqu'ils ne servent plus qu'à la compensation des chèques.

**LES DÉPÔTS DU GOUVERNEMENT DU CANADA** Le gouvernement du Canada, tout comme les entreprises et les individus, trouve plus pratique de payer par chèque. La plus grande partie des fonds du gouvernement, principalement des revenus fiscaux, est transférée par la Banque du Canada, l'agent fiscal du gouvernement, dans les différents dépôts que celui-ci détient dans les banques à charte. Pour le gouvernement, tous ces dépôts sont évidemment des actifs, tandis que pour les banques, y compris la banque centrale, ils font partie du passif.

**LES BILLETS EN CIRCULATION** En fait, tout notre stock de papier-monnaie correspond à des billets émis par la Banque du Canada. (Ces billets étaient émis par les banques à charte avant la création de la Banque du Canada en 1935. Lorsqu'elle devint la seule émettrice légale, ces billets conservèrent leur cours légal, mais dans les faits ils ne circulent plus qu'entre les collectionneurs.) Quand ils sont en circulation, les billets de la Banque du Canada constituent des créances vis-à-vis de l'actif de la Banque du Canada et, par conséquent, apparaissent dans le passif de son bilan. Mis en circulation à partir des banques à charte, ils ne viennent grossir la masse monétaire que lorsqu'ils sont détenus par le public.

# Activités d'apprentissage

## Résumé

*Si vous ne pouvez répondre à la question qui accompagne le résumé d'une section, vous devriez relire attentivement cette section et essayer de nouveau.*

### LES FONCTIONS DE LA MONNAIE
■ La monnaie est tout ce qui sert :
a) de moyen d'échange ;
b) d'étalon ;
c) de réservoir de valeur.

*Expliquez comment l'or remplit chacune de ces trois fonctions.*

### L'OFFRE DE MONNAIE
■ La plupart des économistes définissent la monnaie (masse monétaire) comme la somme des dépôts bancaires à vue et du numéraire ou des espèces (pièces métalliques et papier-monnaie) en circulation (M1). Les dépôts bancaires à vue, la composante la plus importante de l'offre de monnaie, sont considérés comme de la monnaie parce qu'ils peuvent être dépensés à partir de chèques.

*Pourquoi les dépôts détenus dans les caisses populaires ne font-ils pas partie de la masse monétaire ?*

### QU'EST-CE QUI GARANTIT LA MONNAIE ?
■ Notre monnaie est essentiellement constituée des dettes de la Banque du Canada et des banques à charte. Elle tire sa valeur de l'ensemble des biens et des services qu'elle nous permet de nous procurer sur le marché. Pour conserver le pouvoir d'achat de la monnaie, la Banque du Canada doit gérer l'offre de monnaie de façon efficace.

*Qu'est-ce qui peut faire diminuer le pouvoir d'achat de la monnaie ?*

### LES BANQUES À CHARTE DANS LE SYSTÈME BANCAIRE
■ Le système bancaire canadien comprend :
a) la Banque du Canada ;
b) 9 banques à charte canadienne et 4 banques à charte de propriété étrangère.

*À part les banques à charte, nommez d'autres institutions financières.*

*Que signifie « contrôler l'offre de monnaie » ?*

■ Les banques à charte acceptent les dépôts et effectuent des prêts. D'autres institutions financières ont également les mêmes fonctions. Les banques à charte sont soumises à la loi des banques. Elles doivent garder des réserves liquides pour compenser les chèques et pour faire face aux retraits en liquide. L'association canadienne se charge d'échanger les chèques des différentes institutions financières.

### LA BANQUE DU CANADA

■ Les principales fonctions de la Banque du Canada consistent à :

a) conserver les dépôts ou les réserves des banques à charte ;

b) fournir le papier-monnaie dont l'économie a besoin ;

c) servir d'agent financier au gouvernement fédéral ;

d) superviser les opérations des banques à charte (conjointement avec le ministère des Finances) ;

e) contrôler l'offre de monnaie dans le meilleur intérêt de l'économie considérée dans son ensemble.

Les principaux actifs de la Banque du Canada sont les obligations du gouvernement du Canada et les bons du Trésor. Les principaux éléments du passif sont les billets en circulation et les réserves (dépôts) des banques à charte.

# Mots-clés

| | | |
|---|---|---|
| Association canadienne des paiements | Dépôts à vue | Pouvoir libératoire |
| Banque à charte | Étalon | Quasi-monnaie |
| Banque du Canada | Institution financière | Réserves excédentaires |
| Bilan | Masse monétaire : M1, M2 et M3 | Réserves requises |
| Compensation des chèques | Monnaie | Réservoir de valeur |
| Dépôts à terme | Monnaie fiduciaire | Troc |
| | Offre de monnaie | |

# Réseau de concepts

Complétez le réseau de concepts suivant. Ajoutez le nombre de cases nécessaires.

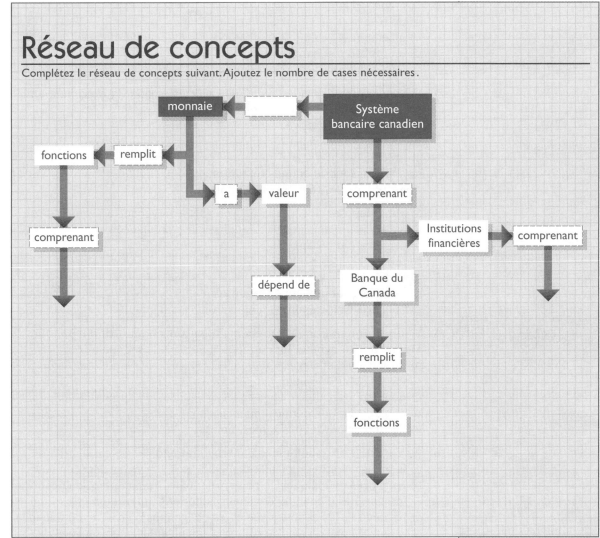

# Exercices et problèmes

**Choisissez la bonne réponse.**

1. Lorsque nous disons que la monnaie est définie par la société, cela signifie que :
   a) la monnaie a été définie par le Parlement ;
   b) tout ce qui remplit les fonctions de la monnaie de façon efficace est compris dans l'offre de monnaie ;
   c) l'offre de monnaie comprend tous les titres publics et privés achetés par la société ;
   d) la société, par l'intermédiaire du Parlement, détermine ce que doit comprendre l'offre de monnaie.

2. Les fonctions de la monnaie sont :
   a) un réservoir de valeur ;
   b) un étalon ;
   c) un moyen d'échange ;
   d) toutes ces réponses sont bonnes.

3. Si vous tentez d'évaluer vos dépenses totales pour la prochaine année scolaire, vous utilisez la monnaie comme :
   a) un moyen d'échange ;
   b) un réservoir de valeur ;
   c) un étalon ;
   d) a, b et c sont de bonnes réponses ;
   e) aucune de ces réponses n'est bonne.

4. Si vous déposez une partie de vos gains provenant d'un emploi d'été dans un coffret de sûreté, vous utilisez la monnaie comme :
   a) un moyen d'échange ;
   b) un réservoir de valeur ;
   c) un étalon ;
   d) a, b et c sont de bonnes réponses ;
   e) aucune de ces réponses n'est bonne.

5. Si un pomiculteur du Québec utilise un chèque de la Banque de Montréal pour acheter un entrepôt, il emploie la monnaie comme :
   a) un moyen d'échange ;
   b) un réservoir de valeur ;
   c) un étalon ;
   d) a, b et c sont de bonnes réponses ;
   e) aucune de ces réponses n'est bonne.

6. Au Canada, l'offre de monnaie (M1) comprend :
   a) le papier-monnaie, les pièces métalliques, l'or et les dépôts à vue ;
   b) les pièces métalliques, le papier-monnaie, les comptes de chèques et les comptes d'épargne dans les institutions financières ;
   c) les devises, les dépôts à vue et les obligations d'épargne du Canada ;
   d) les pièces métalliques, le papier-monnaie et les dépôts à vue.

7. La principale composante de l'offre de monnaie (M1) est :
   a) les certificats d'or ;
   b) les dépôts à vue ;
   c) le papier-monnaie en circulation ;
   d) les pièces métalliques.

8. Le pouvoir d'achat du dollar :
   a) a augmenté durant les dernières années grâce à la croissance économique ;
   b) varie directement avec l'indice du coût de la vie ;
   c) est inversement relié au niveau de la demande agrégée ;
   d) est la réciproque du niveau des prix.

9. La valeur de la monnaie varie :
   a) inversement avec le niveau des prix ;
   b) directement avec le volume de l'emploi ;
   c) directement avec le niveau des prix ;
   d) directement avec le taux d'intérêt.

10. Soit P, le niveau des prix exprimé en fonction de l'indice, et D, la valeur du dollar; nous pouvons alors dire que:
    a) $P = D - 1$;
    b) $D = 1/P$;
    c) $1 = D/P$;
    d) $D = P - 1$.

11. Supposons qu'une banque à charte ait le bilan suivant:

| **Actif** | |
|---|---|
| Réserves | 40 000 $ |
| Prêts | 25 000 $ |
| Titres | 110 000 $ |
| **Passif et avoir net des actionnaires** | |
| Dépôts à vue | 130 000 $ |
| Capital-actions | 45 000 $ |

En supposant que le coefficient de réserves-encaisse soit de 20 %, quel serait le montant des réserves excédentaires de cette banque après que l'on aurait tiré un chèque de 10 000 $ sur l'un des comptes de cette banque et après compensation?
    a)   3 000 $;
    b) 24 000 $;
    c)   6 000 $;
    d) 16 000 $;
    e) 14 000 $.

## Vrai ou faux? Justifiez vos réponses.

12. La principale source de monnaie dans notre économie est le ministère des Finances.

13. Les réserves excédentaires correspondent au montant dont les réserves requises dépassent les réserves effectives.

14. Les réserves des banques à charte sont un actif pour les banques à charte, mais un passif pour la Banque du Canada.

15. Les bilans sont toujours en équilibre parce que les réserves doivent toujours être égales au passif plus l'avoir des actionnaires.

16. Le poste le plus important du passif de la Banque du Canada correspond aux avances qu'elle fait aux banques à charte.

17. Une des fonctions importantes de la Banque du Canada est d'aider les banques à charte à vendre des actions.

18. La principale fonction de la Banque du Canada est de servir d'agent financier au gouvernement.

19. Les cartes de crédit font partie de M3.

ACTIVITÉS D'APPRENTISSAGE

ACTIVITÉS D'APPRENTISSAGE

**Suivez les directives et répondez aux questions.**

20. Expliquez comment l'inflation galopante peut empêcher la monnaie de remplir ses trois fonctions de base.

21. Quels sont les désavantages de la monnaie-marchandise ? Quels sont les avantages a) du papier-monnaie et b) des chèques, si nous les comparons à la monnaie-marchandise ?

22. « La monnaie n'est qu'un bout de papier ou un morceau de métal qui, d'après la loi, permet à son propriétaire d'obtenir une certaine quantité de pain, de bière, de diamants, d'automobiles, etc. Nous ne pouvons ni la manger, ni la boire, ni la porter. Quand nous la subdivisons, nous subdivisons les marchandises qu'elle peut acheter[4]. » Commentez et expliquez cet énoncé.

23. Critiquez les affirmations suivantes :
    a) « L'invention de la monnaie est l'une des plus grandes réalisations de l'être humain, car, sans elle, nous n'aurions pu connaître l'enrichissement qui découle de la généralisation du commerce. »
    b) « Un bien devient monnaie quand la société a choisi de l'utiliser comme telle. »
    c) « Quand tous les prix augmentent, la valeur de tous les biens n'a pas augmenté, c'est plutôt celle du dollar qui a diminué. »
    d) « Les problèmes que soulève le papier-monnaie [...] ne concernent ni son utilité, ni les économies que son utilisation procure, ni sa liquidité, mais plutôt la quantité qu'on peut sagement émettre ou créer et les perturbations violentes possibles qui surviennent lorsqu'il échappe au contrôle[5]. »

24. Qu'est-ce qui garantit la monnaie au Canada ? Qu'est-ce qui en détermine la valeur ? Qui a la responsabilité de maintenir la valeur de la monnaie ? Pourquoi est-il important que l'offre de monnaie soit élastique, c'est-à-dire qu'elle puisse varier à la hausse ou à la baisse ? Que signifie l'expression : « un dollar valant 52 cents » ?

25. Quelle est la principale responsabilité de la Banque du Canada ?

26. Quelles sont les deux fonctions de base de nos banques à charte (et des autres institutions financières) ? En quoi les banques à charte diffèrent-elles des autres institutions financières ? Énoncez et expliquez brièvement les différentes fonctions de la Banque du Canada.

27. Pourquoi un bilan doit-il être équilibré ? Quels sont les principaux actifs et les principales créances du bilan d'une banque à charte ?

28. Pourquoi les banques à charte doivent-elles garder des réserves ? Expliquez pourquoi les réserves font partie de l'actif des banques à charte, mais sont un passif pour la Banque du Canada. Comment calcule-t-on le montant des réserves excédentaires détenues par une banque ? Quelle est leur signification ?

---

4. G. G. Shaw, *The Intelligent Women's Guide to Socialism and Capitalism*, New York, Brentanon's Inc., 1938, p. 9, traduit par Ginette Tremblay.
5. F. W. Taussing, *Principles of Economics*, 4e édition, New York, The Macmillan Company, 1946, p. 247-248, traduit par Ginette Tremblay.

**29.** « Quand des espèces sont déposées dans une banque à charte, elles sont retirées de la circulation et, par conséquent, la masse monétaire se contracte. » Commentez cette affirmation.

# Complément

## EXTRAITS DE :
## L'ÉVOLUTION DE L'ACTIVITÉ BANCAIRE AU CANADA
*Revue de la Banque du Canada, printemps 1997*

*La ligne de démarcation qui existait entre les banques et les autres institutions financières s'est estompée sous l'effet conjugué des progrès de la technologie de l'information, des changements législatifs et des forces du marché, qui ont permis aux banques d'offrir une plus vaste gamme de produits et de services.*

*Celles-ci ont considérablement étendu leurs opérations de prêt aux ménages au cours des trois dernières décennies et, plus récemment, elles sont entrées dans le domaine de la gestion de la richesse personnelle. Certes, ces tendances ont été facilitées par des changements d'ordre législatif, mais elles reflètent également l'évolution des besoins des «baby-boomers», hier acheteurs de logements et, aujourd'hui, investisseurs dans la force de l'âge.*

*Du côté des services commerciaux et des services aux entreprises, les banques ont réagi à l'expansion rapide des marchés financiers (et à la contraction de la demande de services d'intermédiation à la fois par les prêteurs/déposants et par les emprunteurs) en offrant des services de placement, après que des changements législatifs les y eurent autorisées à la fin des années 80. Elles ont également utilisé leur savoir-faire en matière d'évaluation du crédit et de gestion du risque pour fournir des garanties à l'appui d'accords de crédit et prendre des positions de contrepartiste et d'intermédiaire sur les marchés des produits dérivés.*

*Un élément marquant de l'élargissement du champ d'action des banques est leur entrée, au cours des dix dernières années, sur les marchés des activités fiduciaires, des fonds mutuels et du courtage de détail. Les banques ont également fait quelques percées dans le domaine de l'assurance.*

*L'expansion des activités hors bilan a eu pour effet que les recettes tirées des droits et commissions ont gagné en importance dans les revenus des banques.*

*Un assortiment d'outils nouveaux et de techniques naissantes, notamment la gestion du risque, la titrisation, la mise en réseau et l'impartition, ainsi que l'avènement de la banque électronique (aussi appelée bancatique) façonneront la banque de demain*[*]*.*

### Introduction

Historiquement, les banques canadiennes ont constitué le plus important des quatre piliers du secteur des services financiers au pays. Principalement, elles octroient des prêts aux entreprises, reçoivent les dépôts des ménages et des entreprises et offrent des services de paiement à même ces dépôts. Les trois autres grands acteurs sur cette scène sont les sociétés de fiducie ou de prêt hypothécaire (qui se spécialisent dans les services

[*] Cet article a été rédigé par Jim Armstrong, du département des Études monétaires et financières.

ACTIVITÉS D'APPRENTISSAGE

fiduciaires et les prêts hypothécaires aux ménages), les compagnies d'assurance-vie et d'assurance-santé (qui se concentrent sur les produits d'assurance et de rentes) ainsi que les courtiers en valeurs mobilières (dont les principales activités sont la souscription et la vente de produits de placement)[1].

Les banques canadiennes ont initialement été établies pour financer l'activité commerciale. Traditionnellement, elles prenaient des engagements à court terme et octroyaient aux entreprises des prêts qui s'auto-liquidaient, avec lesquels celles-ci finançaient leur fonds de roulement et leurs stocks. (Les entreprises satisfaisaient en général leurs besoins de financement à long terme sur les marchés financiers.) Les banques ont également toujours offert à leurs clients des services de paiement, de gestion de trésorerie et des services liés aux opérations sur devises.

Au cours des 30 dernières années, nous avons assisté à une fusion graduelle des quatre piliers et à une nette progression du chevauchement entre les gammes d'activités commerciales (Daniel, Freedman et Goodlet, 1993). Cela est dû à de nombreux facteurs, notamment la volatilité des taux d'intérêt, la mondialisation des marchés financiers, les progrès de la technologie, l'évolution démographique, la richesse croissante des ménages et les changements effectués par les entreprises du secteur en vue de s'ajuster aux nouvelles possibilités d'affaires. Un autre facteur d'importance a été la forte baisse de la demande de services traditionnels d'intermédiation financière à la fois par les prêteurs (les déposants), et les emprunteurs. L'évolution qu'a connue le secteur des services financiers, notamment l'avènement de l'innovation financière, a joué un rôle majeur dans les révisions législatives et réglementaires qui ont élargi les pouvoirs des institutions financières et placé les groupes financiers en concurrence directe entre eux[2].

Les changements de nature structurelle qui se sont opérés dans le système financier canadien dans les années 80 et au début des années 90 sont similaires à ceux survenus dans de nombreux pays industrialisés. Une étude menée récemment par l'OCDE décrit les forces qui ont donné le ton à l'évolution des marchés financiers pendant cette période :

> Les progrès technologiques spectaculaires qu'ont connus les systèmes de communication et d'information ont amélioré la capacité des banques et d'autres opérateurs des marchés financiers de tirer parti des occasions d'affaires offertes par la libéralisation des échanges. L'avance technologique a réduit les effets des barrières légales et physiques entre les secteurs et les pays. Les nouveaux systèmes d'information ont permis la création et l'utilisation de nouveaux produits financiers d'une grande complexité (OCDE, 1995, p. 10).

---

1. Le mouvement coopératif de crédit (caisses populaires et *credit unions*), qui offre des services bancaires et d'autres services financiers, est parfois considéré comme le «cinquième pilier» du secteur des services financiers au Canada. Les autres groupes présents sur la scène financière canadienne sont les compagnies d'assurance de biens et de personnes, les caisses de retraite, les fonds mutuels, les sociétés de financement, les compagnies de crédit-bail et les entreprises de capital risque.
2. Voir le document du ministère des Finances intitulé «La réglementation des institutions financières» (1985) pour plus de renseignements sur l'interaction qui existe entre l'évolution des marchés financiers et les changements d'ordre réglementaire et législatif.

Comme on pouvait s'y attendre, ces forces ont fortement agi sur les banques canadiennes, qui ont été amenées à diversifier considérablement leurs gammes de produits et à se lancer ainsi dans des activités autres que les prêts aux entreprises, la mobilisation de dépôts et les services traditionnels. Le présent article brosse une fresque de l'évolution de l'activité bancaire au Canada, en mettant l'accent sur le développement de la gamme des produits bancaires, à la fois ceux qui figurent au bilan et les activités hors bilan.

### Les tendances des activités intérieures des banques au cours des 25 dernières années

Le jeu des forces du marché et des changements législatifs a contribué à la modification de la composition des actifs en dollars canadiens des banques au cours des 25 dernières années. Au cours de cette période, les banques ont presque continuellement augmenté la part de leur bilan consacrée au crédit hypothécaire à l'habitation. L'importance relative des concours aux entreprises dans le bilan des banques a reculé par rapport au sommet atteint au début des années 90, et les stocks de titres négociables détenus par elles se sont accrus ces dernières années.

#### LES PRÊTS HYPOTHÉCAIRES À L'HABITATION

L'importance croissante des prêts hypothécaires à l'habitation a été particulièrement prononcée. Une évolution démographique favorable, les «baby-boomers» ayant commencé à fonder des foyers et à acheter des maisons, une situation économique généralement vigoureuse et l'attrait de l'immobilier comme valeur refuge en période d'inflation persistante ont dopé le marché hypothécaire, en particulier dans la seconde moitié des années 80, où les prêts hypothécaires octroyés par les banques se sont accrus à un taux annuel moyen de 20 %. Les grandes banques canadiennes, avec leurs réseaux étendus de succursales, se sont avérées particulièrement aptes à répondre aux besoins des emprunteurs hypothécaires.

Des modifications à la réglementation adoptées à point nommé ont aussi contribué à l'expansion du marché des prêts hypothécaires octroyés par les banques :

- *La Loi sur les banques de 1967 a permis à ces dernières d'octroyer des prêts hypothécaires conventionnels et éliminé le plafond traditionnel de 6 % imposé aux taux des prêts bancaires[3]. Ces deux changements ont résulté des recommandations faites par la Commission royale d'enquête sur le système bancaire et financier de 1964 (la Commission Porter), qui faisait valoir que les consommateurs bénéficieraient de l'élimination de certaines restrictions.*
- *La Loi sur les banques de 1980 a permis à celles-ci d'utiliser leurs succursales de prêt hypothécaire pour mobiliser des dépôts auxquels ne s'appliquaient pas les exigences en matière de réserves obligatoires.*

---

3. Les banques avaient été autorisées en 1954 à consentir des prêts hypothécaires garantis par la LNH sur des maisons neuves. En vertu de l'article 91 de la *Loi sur les banques*, une banque ne pouvait pas exiger un taux d'intérêt supérieur à 6 % par an sur ses prêts : ce plafond avait été réduit en 1944 par rapport au plafond de 7 % où il se situait depuis 1867. Au début des années 60, les banques avaient presque déserté le domaine du financement hypothécaire parce que le taux applicable aux prêts garantis par la LNH était supérieur au plafond prescrit de 6 %.

ACTIVITÉS D'APPRENTISSAGE

Les prêts hypothécaires à l'habitation sont passés de 7 % de la totalité des actifs des banques canadiennes en 1971 à 30 % en 1996. Au cours de la même période, la part des banques dans l'ensemble du marché du crédit hypothécaire à l'habitation a grimpé pour passer d'environ 10 % à plus de 50 %. Cet accroissement tient en partie aux prises de contrôle par les banques de sociétés de fiducie qui avaient connu des difficultés financières à la suite de l'éclatement de la bulle spéculative survenu sur les marchés de l'immobilier vers la fin des années 80. La progression générale des banques sur ce marché s'est produite à un moment où le secteur des prêts hypothécaires à l'habitation affichait une croissance rapide[4]. Durant les années 90, l'avance des banques sur le marché hypothécaire s'est ralentie, reflétant la baisse de l'inflation, un climat économique plus incertain (en particulier chez les jeunes), la baisse de la demande de logements due au vieillissement de la population et une réévaluation de l'acquisition d'un logement comme placement en situation de faible inflation.

### LES PRÊTS À LA CONSOMMATION

Les banques ont également accru leur part du marché des prêts à la consommation ou des prêts personnels, en particulier des prêts à tempérament[5]. Au cours des 25 dernières années, leur part dans l'ensemble du crédit à la consommation a augmenté, passant d'environ 50 % à près de 70 % ; cette progression s'est faite principalement au détriment des compagnies de financement des ventes pendant les années 70, période de forte expansion des prêts à la consommation. Compte tenu de la réserve de dépôts peu rémunérés dont elles disposent ainsi que de leurs réseaux étendus de succursales, les banques détiennent un net avantage concurrentiel. Après 1980, la croissance de la part des banques s'est ralentie, à cause surtout de la concurrence accrue en provenance des sociétés de fiducie ou de prêt hypothécaire ainsi que des *credit unions* et des caisses populaires. En proportion de la totalité des actifs des banques, les prêts à la consommation ont de fait légèrement reculé au cours de la période.

### LES PRÊTS AUX ENTREPRISES

L'importance relative des prêts bancaires aux entreprises[6] s'est inscrite en baisse au cours des 15 dernières années, après une forte montée au début des années 80, période pendant laquelle les dépenses d'investissement ont été vigoureuses, où de nombreuses prises de contrôle (surtout dans le secteur énergétique) ont eu lieu et où la demande de services d'intermédiation bancaire était forte. Les prêts aux entreprises représentaient environ 30 % de l'ensemble des actifs bancaires en dollars canadiens à la fin de 1996, ce qui est nettement en deçà des niveaux enregistrés au cours des 25 années précédentes.

La part que détiennent les banques sur le marché du crédit aux entreprises, lequel comprend aussi les prêts octroyés par les institutions parabancaires ainsi que les emprunts sur les marchés financiers sous la

---

4. En guise d'exemple, le ratio du stock des prêts hypothécaires à l'habitation au PIB est passé d'environ 18 % à la fin des années 60 à environ 40 % au début des années 90.

5. La *Loi sur les banques* de 1954 avait permis à ces dernières d'octroyer des prêts hypothécaires sur des biens meubles personnels comme les véhicules ou les appareils ménagers.

6. Les prêts bancaires aux entreprises englobent les prêts à court terme traditionnels et les acceptations bancaires, les prêts en devises aux résidants, les prêts hypothécaires autres qu'à l'habitation et les baux financiers (crédit-bail).

ACTIVITÉS D'APPRENTISSAGE

forme notamment de papier commercial, d'obligations et d'actions[7] s'est accrue de façon soutenue pour atteindre un sommet de 52 % en 1982-1983 et a depuis lors baissé pour se situer à environ 33 %.

### *L'évolution de la gamme des activités bancaires depuis 1987*

À la suite de la réforme financière de 1987 (qui a permis aux banques de prendre le contrôle de firmes de courtage en valeurs mobilières ou de leurs propres filiales) et de l'entrée en vigueur en 1992 de la nouvelle *Loi sur les banques* (qui leur a accordé des pouvoirs supplémentaires), les banques se sont engagées dans une gamme d'activités nouvelles, en particulier les opérations hors bilan.

Les grandes banques ne sont pas toutes structurées de la même façon, mais leurs opérations peuvent être classées en deux grandes catégories, selon qu'elles concernent les petits ou les gros clients. Les *services bancaires de détail* comprennent les services offerts aux ménages et, dans une certaine mesure, aux petites entreprises et aux professions libérales. Les *services bancaires commerciaux* englobent les services destinés aux petites et moyennes entreprises, et les *services bancaires de gros* incluent les services offerts aux grandes entreprises et aux administrations publiques ; ils sont habituellement intégrés ou étroitement liés aux activités de placement.

#### LES SERVICES BANCAIRES DE DÉTAIL

Les banques ont été autorisées à pénétrer de nouveaux marchés au cours des 10 dernières années, ce qui a amélioré leur aptitude à servir la petite clientèle et a facilité leur importante poussée stratégique dans les domaines de la gestion de la richesse personnelle et de la planification de la retraite.

**LES BANQUES ET LES ACTIVITÉS FIDUCIAIRES** La législation financière fédérale entrée en vigueur en 1992 a donné aux banques le droit de participer au marché des activités fiduciaires par la création ou l'acquisition d'une filiale spécialisée dans ce domaine[8]. Certaines banques ont ainsi fondé leurs propres filiales de fiducie.

En gros, les activités fiduciaires sont de nature soit *institutionnelle* soit *personnelle*. Les activités fiduciaires institutionnelles englobent l'administration des caisses de retraite ainsi que les opérations générales de garde, notamment le maintien des registres d'actionnaires et le versement des dividendes. Les activités fiduciaires personnelles se rapportent à la gestion de la richesse personnelle, notamment l'administration des actifs détenus en vertu d'accords de fiducie en nantissement de fonds mutuels et de titres adossés à des créances hypothécaires.

**LES FONDS MUTUELS** Les institutions de dépôt sont de plus en plus actives dans la distribution et la promotion de fonds mutuels (Fine et Zelmer, 1992-1993). La mise en marché de leurs propres fonds mutuels a aidé les banques à maintenir leur part des avoirs des ménages au cours des périodes où, autrement, elles auraient perdu des dépôts compte tenu des taux de rendement attrayants des placements dans les fonds mutuels.

---

7. Il convient de faire remarquer que les prêts consentis par les organismes non financiers ne sont pas inclus.

8. Avant 1967, les banques étaient autorisées à posséder des sociétés de fiducie, mais la *Loi sur les banques* votée cette année-là les avait obligées à s'en départir.

De la fin de 1990 à la fin de 1996, la valeur des fonds mutuels offerts par les banques est passée d'environ 10 % à près de 25 % de l'ensemble du marché des fonds mutuels.

**LE COURTAGE À TARIF RÉDUIT** En plus de leurs opérations d'intermédiation de détail, les banques sont devenues des opérateurs importants sur le marché du courtage à tarif réduit, qui connaît un vif essor. L'épargnant ne paie pas de petites commissions, mais il ne reçoit pas de conseils en placement. Parmi les grandes banques, une seule a créé son propre service de courtage à tarif réduit, la plupart ayant choisi de prendre le contrôle d'entreprises existantes.

**L'ASSURANCE** Jusqu'à la réforme de la législation financière entrée en vigueur en 1992, la participation des banques au marché de l'assurance se limitait à la vente de polices d'assurance-vie sur les prêts qu'elles octroyaient et d'assurance médicale et accidents couvrant les déplacements à l'étranger, offertes uniquement aux titulaires de leurs cartes de crédit. Ces produits d'assurance étaient souscrits par d'autres entreprises.

Depuis 1992, les banques ont le droit de posséder des filiales qui offrent des polices d'assurance-vie et d'assurance-santé, d'assurance sur les biens et d'assurance-risques divers. Toutefois, jusqu'ici, leurs incursions dans ce domaine ont été limitées. Cela s'explique, en partie, par certaines dispositions actuelles de la Loi sur les banques, qui interdisent aux banques de vendre directement des produits d'assurance à partir de leurs succursales et de permettre à leurs groupes chargés des opérations bancaires et à ceux qui sont chargés des produits d'assurance de partager entre eux des renseignements sur les clients. Toutefois, vers la fin de 1996, la plupart des grandes banques avaient acquis ou fondé des filiales d'assurances et mis en branle un certain nombre de programmes visant à vendre de l'assurance-automobile et des produits d'assurance-vie temporaire à leurs clients existants, en particulier au moyen du publipostage et du télémarketing.

L'intérêt des banques à l'égard du marché de l'assurance-vie et du marché des rentes semblait être largement motivé par leur désir de compléter leur gamme de produits et de mieux se positionner sur le marché florissant de la gestion de la richesse personnelle et de la planification financière.

**LES SERVICES BANCAIRES COMMERCIAUX ET LES SERVICES BANCAIRES DE GROS**

**LES BANQUES ET LE SECTEUR DES VALEURS MOBILIÈRES** La réforme financière de 1987 a permis aux banques canadiennes de pénétrer le marché intérieur des valeurs mobilières[9]. Depuis le 30 juin 1987, l'Ontario permet aux institutions financières canadiennes de posséder sur son territoire de façon exclusive des firmes de courtage en valeurs mobilières, en conformité avec la nouvelle *Loi sur les banques*, qui permet aux banques de prendre le contrôle de filiales de courtage en valeurs mobilières.

---

9. Il faut signaler que, jusqu'à la révision de 1980 de la *Loi sur les banques*, il n'était pas interdit aux banques de prendre ferme et de distribuer des obligations et des actions de société, mais par tradition elles s'en étaient abstenues. La loi de 1980 établissait des règles précises indiquant quelles activités les banques étaient autorisées à entreprendre sur le marché des titres et lesquelles leur étaient interdites. (Voir Daniel, Freedman et Goodlet (1992-1993) et Freedman (1996) pour plus de renseignements sur les changements législatifs ayant donné lieu à l'élargissement des pouvoirs des banques sur le marché des titres.)

**LA CROISSANCE DES OPÉRATIONS HORS BILAN AVEC LES ENTREPRISES**   Les banques entreprennent une foule d'arrangements commerciaux qui n'apparaissent pas au bilan, mais qui comportent les mêmes risques que leurs actifs et leurs engagements au bilan (c'est-à-dire le risque de crédit, le risque de taux d'intérêt, etc.). Les engagements hors bilan sont en gros soit des opérations de *crédit* soit des opérations liées aux *produits dérivés*. Ils génèrent principalement un revenu sous forme de droits, mais se distinguent d'autres types d'activités génératrices de droits comme les services de gestion des fonds mutuels, de fiducie et de garde, parce que celles-ci ne comportent pas normalement de risques de crédit ou de risques de marché pour la banque.

**LES AUTRES ACTIVITÉS LIÉES AUX SERVICES BANCAIRES COMMERCIAUX DE GROS**
Certaines des grandes banques ont commencé récemment à offrir d'autres services à leurs entreprises clientes, par exemple :
- des services de gestion de l'épargne de retraite et de conseil en placements par l'entremise de leurs filiales partielles ou exclusives, un pouvoir que leur a accordé la *Loi sur les banques* promulguée en 1992 ;
- des services d'investissement en capital-risque, qui fournissent des capitaux de développement à un stade préliminaire aux jeunes entreprises – ces services tendent à être fournis par des entités autonomes, qui recrutent leur personnel à l'extérieur de l'organisation bancaire ;
- les services de banque d'affaires (offerts généralement par l'entremise d'une banque d'investissement) qui font d'importants placements sous forme d'actions et qui octroient des prêts à des entreprises établies.

### La nouvelle donne bancaire : titrisation, réseautage et impartition, bancatique

L'accent du présent article a porté sur les changements importants qui se sont produits sur le marché canadien des services bancaires au cours des quelque 30 dernières années, sous l'impulsion d'un certain nombre de forces à l'œuvre tant au Canada qu'à l'étranger. L'éventail des produits offerts par les banques s'en est trouvé considérablement modifié et élargi. Toutefois, beaucoup d'observateurs croient que l'activité bancaire est sur le point de connaître des mutations encore plus importantes compte tenu de l'évolution enregistrée dans le domaine de la gestion du risque et de la prolifération des produits dérivés nouveaux et plus spécialisés (comme il a été indiqué précédemment) ainsi que des nouvelles façons de structurer les activités bancaires, au moyen de la *titrisation*, du *réseautage* et de l'*impartition*, ainsi que de la *bancatique*.

#### TITRISATION
Le domaine de la titrisation est révélateur des nouvelles orientations que pourrait prendre l'activité bancaire. De façon générale, la titrisation englobe le transfert des avoirs plus liquides d'une entreprise à une société spécialisée distincte, habituellement une fiducie.

#### RÉSEAUTAGE ET IMPARTITION
Le *réseautage* est une autre pratique relativement nouvelle et qui est utilisée de plus en plus pour étendre la gamme des produits et les pouvoirs de

distribution des banques. Il s'agit en général d'un arrangement contractuel en vertu duquel une institution financière ou un autre intermédiaire du marché vend ou distribue un produit offert par une autre institution financière (Conference Board, 1996).

### BANCATIQUE

L'intérêt envers la bancatique (aussi appelée « banque virtuelle ») a été motivé tant par le désir des institutions financières de trouver des modes de livraison des services plus économiques par rapport à ceux en place dans les succursales que par le vœu de la petite clientèle d'obtenir un service et un choix améliorés (Conference Board, 1997). Les banques canadiennes mettent à l'essai depuis quelque temps une foule de nouvelles technologies pour la distribution de leurs produits et services. Les premières innovations ont été le lancement des cartes de crédit à la fin des années 60 et l'apparition des guichets automatiques au début des années 80. Les cartes de débit lancées à l'échelle nationale au cours de la présente décennie ont connu un grand succès. Nous avons aussi, jusqu'à maintenant, assisté à des expériences de lancement – dans le cadre de marchés-tests ou en vue de leur mise en œuvre – de la carte prépayée (sur laquelle est emmagasiné un petit montant d'argent servant au paiement de petits articles de détail), de la carte à mémoire (pouvant stocker divers types de renseignements comme des renseignements personnels sur le détenteur et avoir à la fois les caractéristiques d'une carte prépayée et d'une carte de débit), des transactions bancaires par téléphone ou à partir d'un ordinateur personnel (habituellement grâce à un logiciel offert par la banque qui raccorde directement, par l'entremise d'une ligne téléphonique privée et d'un modem, l'ordinateur du client à celui de sa banque), des opérations par l'entremise du réseau Internet et du service bancaire télévisuel interactif.

Même si ces nouveaux canaux de distribution n'engagent pas, strictement parlant, les banques dans de nouvelles gammes de produits, les diverses combinaisons de services qu'ils permettent à ces dernières d'offrir représentent une nouvelle façon de faire les choses. Seuls les progrès technologiques, l'évolution des préférences changeantes des consommateurs et le temps détermineront lesquels de ces nouveaux canaux de distribution électronique joueront demain un rôle important ou même prédominant.

### L'AVENIR

De toute évidence, la technologie en matière de titrisation, de réseautage et d'impartition, ainsi que de bancatique, continue de se développer, et offrira une foule de nouvelles possibilités dans la manière de structurer les activités bancaires traditionnelles. Ces changements, conjugués au savoir-faire croissant des banques dans le domaine des produits dérivés et de la gestion du risque, laissent entrevoir que l'activité bancaire continuera d'être transformée au cours des années à venir par le jeu des forces de la concurrence et de la technologie.

ACTIVITÉS D'APPRENTISSAGE

# Recherche documentaire

Faites la liste des mots-clés que vous utiliseriez pour chercher dans les revues, les ouvrages statistiques, les livres et les journaux des documents utiles pour une recherche sur la bancatique (pour une définition de la bancatique, voir le complément, page 266). Vous devez trouver au moins 20 mots-clés.

# L'économique pour comprendre ce qui se passe

Lisez le texte qui suit et à partir des fonctions de la monnaie, développez une argumentation pour l'abolition de la « cenne noire ». Mentionnez également les arguments militant en faveur de son maintien.

## La saga de la cenne noire

### Alain Dubuc
LA PRESSE, le 13 juillet 1996, page B2

Dans les prochains jours, si vous tombez sur une nouvelle pièce d'un cent, vous découvrirez qu'elle a perdu ses angles pour redevenir parfaitement ronde. Pourquoi ? Parce que depuis le mois de juillet, ces pièces sont frappées, à moindre coût, aux États-Unis.

Ce dernier épisode de la saga du sou noir est lourd de symboles pour un pays qui, surtout du côté anglophone, définit largement son identité par ses efforts pour se distinguer des É.-U. Et pourtant, cette blessure d'amour-propre aurait pu être évitée.

Depuis 15 ans, l'existence du sou noir a en effet été régulièrement remise en cause. Tout d'abord, la poussée inflationniste des années 70 a affecté considérablement notre dollar et nos pièces de monnaie. Depuis 1926, le dollar a perdu 90 % de sa valeur. Par exemple, une pièce de deux dollars d'aujourd'hui vaut

moins qu'un 25 cents de l'époque. Quant à la cenne noire, son pouvoir d'achat est devenu quasi nul.

Lors de l'introduction de la pièce de un dollar, en 1987, les critiques sont revenues à la surface : si on s'ajuste à l'inflation à un bout du spectre, pourquoi pas à l'autre ? Ensuite, l'arrivée de la TPS, qui a multiplié les prix qui n'arrivaient pas juste, a provoqué une pénurie de sous noirs et une autre remise en cause. Enfin, l'an dernier, avec la nouvelle pièce de deux dollars, l'absurdité d'un système qui laisse coexister une pièce qui vaut deux cents fois moins qu'une autre a sauté aux yeux.

Et pourtant, on continue à en frapper. Il y en a 7,5 milliards en circulation, et l'on en ajoute encore 900 millions par année, à perte. En effet, selon le prix du cuivre qui entre dans la composition du bronze, le coût de production du cent oscille entre 1,25 et 2,25 sous.

Mais pourquoi ? Il est clair que le maintien des sous noirs est coûteux et parfaitement irrationnel. On ne peut rien acheter avec, on les laisse traîner dans des bocaux. L'explication de ce mystère tient à l'âme canadienne.

Le Canada est assis entre deux chaises. La plupart des pays européens modifient leur gamme de pièces aux deux bouts : on crée des pièces qui ont plus de valeur et on élimine les petites. Les États-Unis, eux, ne bougent pas. Typiquement, le Canada fait les deux à la fois : il ajoute de nouvelles pièces, mais garde les obsolètes.

Le second élément d'explication, lui aussi canadien, s'inspire de la démocratie participative si populaire dans les autres provinces. On a interrogé les Canadiens et découvert leur attachement au sou noir. Comme d'habitude, cette question divise le pays : le Canada anglais est pour à 53 %, sauf au Québec, où l'appui à la piécette tombe à 48 %.

ACTIVITÉS D'APPRENTISSAGE

Le troisième argument, typique de la gauche canadienne, repose sur la crainte que sa disparition, en forçant les marchands à arrondir leurs prix, pénaliserait les consommateurs. Pourtant, les consommateurs, nubiles et vaccinés, savent parfaitement que l'arrondissement des prix répond à des règles arithmétiques connues.

Cet immobilisme a cependant un coût. Le gouvernement fédéral a quand même voulu réduire les pertes engendrées par cette pièce coûteuse. Pour cela, il a dû faire appel au privé. Mais l'ALENA le force à ouvrir ses soumissions aux entreprises américaines. Et ce sont donc des Américains, capables de faire mieux, qui ont ramassé le morceau. Un autre symbole qui fout le camp.

Ce revirement modifiera sans doute l'attitude des Canadiens face au sou noir. Si, dans un autre sondage, organisé par exemple par la nouvelle agence de Mme Copps, on demandait aux Canadiens s'ils veulent toujours garder le sou noir, sachant qu'il sera fabriqué aux É.-U., il y a de bonnes chances pour qu'ils changent d'idée! Et voilà pourquoi les adversaires de la cenne noire disposent maintenant d'un argument-massue, l'identité canadienne!

# Chapitre 8

# La création de monnaie et la politique monétaire

« **L**a politique monétaire canadienne est axée sur la réalisation de la stabilité des prix. Toutefois, il ne s'agit pas là d'une fin en soi, mais plutôt du moyen dont dispose la Banque du Canada pour promouvoir une économie productive bien huilée et permettant aux Canadiens d'améliorer leur niveau de vie. »[1]

Au chapitre précédent, nous avons vu que le papier-monnaie nous est fourni par la Banque du Canada, mais que la principale composante de la masse monétaire est les dépôts à vue dans les banques, c'est-à-dire la monnaie scripturale. D'où vient cette monnaie ? Comme la plupart des comptes de chèques sont des dépôts à vue dans les banques à charte, notre étude se limitera à expliquer comment celles-ci créent la monnaie scripturale (dépôts à vue). Plus particulièrement, nous tenterons d'expliquer et de comparer entre elles les possibilités de création de monnaie (1) d'une banque à charte faisant partie d'un système bancaire qui comporte plusieurs banques et (2) du **système bancaire** dans son ensemble. Tout au long de l'étude, il faudra se rappeler que les autres institutions financières permettent également des dépôts avec privilèges de chèques. Dès lors, nous pouvons substituer l'expression « institutions financières » à celle de « banques à charte ». De la même manière, nous remplacerons « dépôts avec privilèges de chèques » par « dépôts à vue ». Nous étudierons ensuite les objectifs de la politique monétaire, le rôle des institutions qui sont en

---

**SYSTÈME BANCAIRE**

Ensemble des banques à charte.

---

1. Thiessen, Gordon, *Banque du Canada*, « Rapport sur la politique monétaire », mai 1996.

cause et la façon dont la politique monétaire agit sur le fonctionnement de l'économie. Nous analyserons de façon détaillée les outils de la politique monétaire : quels sont les principaux instruments de contrôle et comment ils fonctionnent. Nous représenterons graphiquement le fonctionnement de la politique monétaire et nous tenterons d'évaluer l'efficacité d'une telle politique.

# LA CRÉATION DE MONNAIE

## Un peu d'histoire : les orfèvres

Un peu d'histoire nous aidera à comprendre les caractéristiques et le fonctionnement d'un système bancaire opérant à partir de réserves qui ne représentent qu'une fraction de la masse monétaire.

Quand l'être humain commença à utiliser l'or pour effectuer des transactions, il se rendit vite compte qu'il n'était ni prudent ni pratique de transporter l'or, de le peser et d'en vérifier la pureté à chaque transaction. Il devint alors courant de déposer son or chez un orfèvre, lequel possédait des coffres ou des chambres fortes qu'il mettait à la disposition du public moyennant compensation. Quand il recevait un dépôt en or, l'orfèvre émettait un reçu au déposant. Bien vite, on échangea la marchandise contre ces reçus, qui devinrent l'une des premières formes de papier-monnaie.

À cette époque, les orfèvres, qui furent en quelque sorte les premiers banquiers, utilisaient un système où les réserves en or couvraient les dépôts à 100 %. Mais comme les reçus qu'ils émettaient étaient généralement acceptés par le public, ils s'aperçurent que les dépôts en or qu'ils détenaient étaient rarement réclamés. En fait, la situation était telle que, chaque semaine ou chaque mois, les dépôts en or étaient supérieurs aux retraits.

Tôt ou tard, un orfèvre allait comprendre qu'il pouvait émettre des reçus pour une valeur plus grande que celle qu'il détenait en or. L'orfèvre mettait en circulation ce papier-monnaie additionnel en prêtant aux marchands, aux producteurs et aux consommateurs. Le système monétaire s'était modifié. Les réserves en or ne représentaient plus qu'une fraction de la valeur des dépôts en or. Par exemple, si un orfèvre avait fait un prêt équivalant à ses réserves en or,

la valeur totale du papier-monnaie en circulation était alors du double de celle de ses réserves en or ; les réserves ne représentaient plus que 50 % du papier-monnaie. Ce genre de système comporte deux caractéristiques importantes.

### *La création de monnaie et les réserves*

Dans un tel système, les banques peuvent créer de la monnaie. Quand, dans notre exemple, l'orfèvre effectue des prêts en donnant aux emprunteurs du papier-monnaie non couvert en totalité par de l'or, il crée de la monnaie. Évidemment, la quantité d'une telle monnaie que pouvait créer l'orfèvre dépendait de la valeur des réserves qu'il devait garder sans commettre d'imprudence. Plus ces réserves étaient petites, plus l'orfèvre pouvait créer de monnaie. Même si l'or ne sert plus à garantir notre monnaie (chapitre 7), le prêt bancaire (**création de monnaie**) est également limité, de nos jours, par la valeur des réserves que les banques se sentent obligées de détenir pour couvrir les retraits en espèces. Nous appellerons ces sommes réserves obligatoires.

> **LA CRÉATION DE MONNAIE**
>
> La création de monnaie correspond à un plus grand pouvoir de dépenser pour les agents économiques. C'est par le crédit qu'on crée de la monnaie scripturale.

### *Les mouvements de panique et la réglementation*

Les banques qui utilisent un tel système sont à la merci des mouvements de panique et des retraits massifs qui les accompagnent. L'orfèvre qui avait émis du papier-monnaie pour une valeur égale au double de ses réserves n'aurait pas été à même de convertir tout ce papier-monnaie en or si jamais tous les détenteurs de ce papier-monnaie avaient réclamé de l'or en même temps. En fait, de nombreuses banques ou autres institutions financières disparurent dans ces circonstances. Mais de tels mouvements de panique sont peu probables lorsque les réserves et les politiques de prêt sont prudentes. C'est une des raisons pour lesquelles le système bancaire est sévèrement réglementé.

## La création de monnaie par les banques à charte

Nous avons étudié, au chapitre 7, le bilan des banques à charte ainsi que certaines transactions élémentaires qui influençaient ce bilan. Les trois prochaines transactions sont cruciales parce qu'elles permettent d'expliquer comment une banque à charte peut littéralement créer de la monnaie en effectuant des prêts et en achetant du public des obligations gouvernementales. Même si ces transactions se ressemblent sous de nombreux aspects, nous les traiterons séparément.

### CINQUIÈME TRANSACTION : UN PRÊT BANCAIRE

Nous nous rappellerons que, en plus d'accepter des dépôts, les banques à charte ont comme fonction d'effectuer des prêts. Quel effet les prêts bancaires ont-ils sur le bilan d'une banque à charte ?

Supposons que la compagnie Maison unique décide de prendre de l'expansion. Supposons également que la compagnie ait besoin de 9 100 000 $ exactement pour financer son projet, ce qui, par une coïncidence curieuse, correspond aux réserves excédentaires de la Banque régionale.

La compagnie fait une demande d'emprunt à la Banque régionale. Après enquête, celle-ci accorde le prêt. Le président de la compagnie Maison unique signe alors une reconnaissance de dette, un billet à ordre, à la Banque régionale. La compagnie, comme toutes les entreprises modernes, préfère l'usage des chèques à celui des espèces. Plutôt que de recevoir une montagne de billets, elle verra donc ses dépôts à la banque augmenter de 9 100 000 $. Quant à la banque, elle détient maintenant un nouvel actif, soit un billet à ordre portant intérêt, et son passif-dépôts s'accroît du même montant. Elle a créé un dépôt en échange du nouvel actif. En bref, la compagnie Maison unique a troqué un billet à ordre contre le droit de tirer des chèques pour une valeur additionnelle de 9 100 000 $ sur son compte à la Banque régionale. Les deux parties sont satisfaites. La banque possède un nouvel actif, un billet à ordre portant intérêt qu'elle enregistrera dans ses livres au poste prêts. La compagnie Maison unique, grâce à son nouveau dépôt, est maintenant en mesure de prendre de l'expansion.

Au moment où le prêt est négocié, la situation de la banque apparaît comme suit au bilan 5A.

Tout cela semble bien simple. Pourtant, un examen approfondi du bilan de la banque nous révélera un fait étonnant : *quand une banque effectue un prêt, elle crée de la monnaie.*

Le président de la compagnie Maison unique apporta à la banque un billet à ordre qui n'est certes pas de la monnaie et obtint en échange un dépôt à vue. Quand la banque prête, elle crée des dépôts (avec chèques) qui sont de la monnaie. En pratiquant le crédit, la Banque régionale a converti un billet à ordre en monnaie. Les chèques tirés sur le dépôt sont acceptés comme moyen d'échange. C'est à partir du crédit consenti par les banques à charte que la partie la plus importante de la masse monétaire est créée.

**Bilan 5A**
**La Banque régionale**
**(au moment où le prêt est négocié)**

| Actif | |
|---|---|
| Réserves* | 10 000 000 $ |
| Prêts* | 9 100 000 $ |
| Immobilisations* | 24 000 000 $ |
| **Passif et avoir des actionnaires** | |
| Dépôts* | 18 100 000 $ |
| Capital-actions | 25 000 000 $ |

Supposons qu'un chèque d'une valeur égale au montant total du prêt soit tiré par l'emprunteur et remis à une entreprise qui le dépose dans une autre banque. Nous présentons ci-dessous le bilan de la Banque régionale une fois que le chèque aura été compensé.

**Bilan 5B**
**La Banque régionale**
**(après qu'un chèque tiré sur le prêt a été compensé)**

| Actif | |
|---|---|
| Réserves* | 900 000 $ |
| Prêts* | 9 100 000 $ |
| Immobilisations* | 24 000 000 $ |
| **Passif et avoir des actionnaires** | |
| Dépôts* | 9 000 000 $ |
| Capital-actions | 25 000 000 $ |

Nous remarquerons que, une fois le chèque compensé, les réserves de la Banque régionale correspondent exactement aux réserves obligatoires, soit 10 % des dépôts. Cette constatation soulève une question intéressante. Est-ce que la banque aurait pu prêter plus de 9 100 000 $, c'est-à-dire un montant supérieur à ses réserves excédentaires, tout en respectant l'obligation de détenir des réserves correspondant à 10 % de la valeur de ses dépôts si un chèque correspondant à la valeur totale du prêt est compensé ? La réponse est non.

Par exemple, supposons que la Banque régionale ait prêté 9 500 000 $ à la compagnie Maison unique. La compensation du chèque aurait diminué ses réserves à 500 000 $ (= 10 000 000 $ – 9 500 000 $) et ses dépôts auraient quand même été de 9 000 000 $ (= 18 500 000 $ – 9 500 000 $). Le ratio entre ses réserves et son passif-dépôts aurait alors été de 5,55 % (= 500 000 $/9 000 000 $). Elle n'aurait donc pu prêter 9 500 000 $. En essayant d'autres montants, vous vous apercevrez que le maximum que la banque peut prêter est 9 100 000 $, soit le montant du prêt de la cinquième transaction. Ce chiffre correspond à la valeur des réserves excédentaires de la banque au moment où elle négociait le prêt.

Nous pouvons donc conclure qu'*une banque à charte faisant partie d'un système bancaire qui comporte plusieurs banques ne peut prêter plus qu'un montant égal aux réserves excédentaires qu'elle détient avant d'accorder un prêt.* Pourquoi ? Parce que, lorsqu'elle prête, elle doit envisager la possibilité d'avoir à honorer des chèques correspondant à la valeur totale du prêt. Si quelques-uns des chèques tirés sur des prêts sont redéposés à la banque prêteuse, alors la banque pourra prêter un montant un peu plus élevé que ses réserves excédentaires initiales. Le système canadien comportant un nombre réduit de banques à charte, la chose se produit fréquemment, surtout chez les six grandes banques : 90 % des chèques encaissés aboutissent dans leurs succursales. Quand un chèque est tiré sur la succursale de Halifax de la Banque de Nouvelle-Écosse et déposé dans une de ses succursales de Toronto, les réserves de la Banque de Nouvelle-Écosse ne diminuent pas.

### SIXIÈME TRANSACTION :
### LE REMBOURSEMENT D'UN PRÊT BANCAIRE

Si les banques à charte, quand elles prêtent, créent des dépôts à vue, c'est-à-dire de la monnaie, il semble logique de se demander si la monnaie est détruite quand les prêts sont rem-

boursés. En effet, c'est ce qui se produit. Le bilan 6 nous permet de voir ce qui arrive quand la compagnie Maison unique rembourse les 9 100 000 $ qu'elle a empruntés.

Pour simplifier, premièrement, nous supposerons que le prêt est remboursé en un seul versement, deux ans après l'emprunt, et, deuxièmement, nous ignorerons l'intérêt payé sur celui-ci. La compagnie Maison unique émet donc à la Banque régionale un chèque de 9 100 000 $ sur son compte courant. Le passif de la Banque régionale diminuera donc de 9 100 000 $ ; la compagnie Maison unique a ainsi remboursé sa dette auprès de la banque. En retour, la banque remettra à l'entreprise le billet à ordre que celle-ci lui avait signé. Les dettes réciproques de la banque et de l'entreprise sont donc acquittées. L'offre de monnaie est donc réduite de 9 100 000 $, c'est-à-dire le montant des dépôts disparus, puisqu'aucune autre augmentation de la masse monétaire ne s'est produite dans l'économie. Au bilan de la banque, les dépôts et les prêts diminuent de 9 100 000 $. Vous remarquerez que cette baisse des dépôts accroît les réserves excédentaires de la banque, ce qui lui permet de prêter à nouveau.

### Bilan 6
### La Banque régionale
### (après le remboursement du prêt)

| Actif | |
|---|---|
| Réserves* | 10 000 000 $ |
| Prêts* | 0 $ |
| Immobilisations* | 24 000 000 $ |
| **Passif et avoir des actionnaires** | |
| Dépôts* | 9 000 000 $ |
| Capital-actions | 25 000 000 $ |

Même si la compagnie Maison unique avait remboursé son emprunt en espèces, la masse monétaire aurait diminué de 9 100 000 $. Dans ce cas, la compagnie rachèterait son billet à ordre en espèces, ce qui diminuerait les prêts de 9 100 000 $ au bilan de la banque et, bien entendu, augmenterait ses réserves de 9 100 000 $. Rappelons-nous que les espèces détenues par les banques ne sont pas comptabilisées dans la masse monétaire afin que la même monnaie ne soit pas enregistrée deux fois. Ces 9 100 000 $ étant retirés de la circulation, la masse monétaire diminue d'autant. Vous remarquerez que la banque a de nouveau des réserves excédentaires, ce qui lui permet d'effectuer de nouveaux prêts.

### SEPTIÈME TRANSACTION : L'ACHAT PAR LA BANQUE DE TITRES DU GOUVERNEMENT

Quand une banque à charte achète des obligations du gouvernement auprès d'un courtier, l'effet est sensiblement le même que lorsqu'elle prête. De la nouvelle monnaie est ainsi créée. Nous utiliserons le bilan de la Banque régionale à la fin de la quatrième transaction comme point de départ. Maintenant, plutôt que d'effectuer un prêt de 9 100 000 $, supposons que la banque achète des titres du gouvernement d'une valeur de 9 100 000 $ chez un courtier. La banque reçoit des obligations portant intérêt et celles-ci apparaissent à son bilan du côté de l'actif au poste titres. De l'autre côté, les dépôts du courtier sont augmentés d'autant. Le bilan de la banque devient :

> **MULTIPLICATEUR DES DÉPÔTS BANCAIRES**
>
> Multiple des réserves excédentaires du système bancaire dont ce dernier peut accroître les dépôts et la masse monétaire en consentant de nouveaux prêts (ou en achetant des titres); il est égal à l'inverse du coefficient de réserves requises.

### Bilan 7
### La Banque régionale

| Actif | |
|---|---|
| Réserves* | 10 000 000 $ |
| Titres* | 9 100 000 $ |
| Immobilisations* | 24 000 000 $ |
| **Passif et avoir des actionnaires** | |
| Dépôts* | 18 100 000 $ |
| Capital-actions | 25 000 000 $ |

En ce qui nous concerne, le point important consiste dans l'augmentation des dépôts, c'est-à-dire de l'offre de monnaie. Comme lors de la cinquième transaction, ils se sont accrus de 9 100 000 $. *L'achat d'obligations par une banque à charte augmente la masse monétaire de la même manière que ses prêts au public.* Finalement, comme vous vous en doutiez, quand une banque à charte vend des obligations gouvernementales au public, la masse monétaire se contracte, tout comme lors du remboursement d'un prêt. Les acheteurs paieront par chèque, et les titres et les dépôts de la banque diminueront du montant de la vente.

## Les profits et les liquidités

L'importance relative des composantes de l'actif d'une banque découle de la poursuite de deux objectifs qui s'opposent à maints égards. Le premier objectif est le profit. Les banques à charte, comme les autres entreprises, visent à réaliser des profits. C'est pourquoi la banque cherche à détenir des prêts et des titres, qui sont pour elle les deux principales sources de revenu. D'un autre côté, une banque à charte doit rechercher la sécurité. Pour elle, la sécurité repose sur la liquidité, c'est-à-dire des actifs liquides comme les espèces ou rapidement transformables en liquidités comme des obligations. Les banques doivent s'attendre que les déposants transformeront leurs dépôts en espèces. De la même manière, il est possible qu'un plus grand nombre de chèques soient compensés en faveur d'une autre banque qu'en sa faveur ; cela diminuerait sensiblement ses réserves. Les banquiers visent donc un équilibre entre la prudence et les profits. Une fois atteint, ce compromis détermine la part relative des actifs qui rapportent en regard des actifs très liquides.

Jusqu'à présent, nous avons découvert que la capacité de prêter d'une banque correspond aux réserves excédentaires dont elle dispose. Qu'en est-il du système bancaire dans son ensemble ? *Le système bancaire peut prêter, c'est-à-dire créer de la monnaie, selon un multiple de ses réserves excédentaires. Ce multiple est possible malgré le fait que chaque banque du système ne peut prêter plus que ses réserves excédentaires, car les réserves et les dépôts perdus par une banque ne sont pas perdus par le système bancaire dans son ensemble, l'argent étant déposé dans une autre banque. Le **multiplicateur des dépôts bancaires** est égal à 1/coefficient de réserves (pour approfondir la question, voir le complément à la fin du présent chapitre).*

Nous allons maintenant étudier les moyens par lesquels la Banque du Canada tente d'influencer les politiques de crédit des banques à charte de manière qu'elles atténuent les fluctuations économiques plutôt que les amplifier. Elle influence également, par le jeu de la concurrence, les autres institutions financières.

# LA POLITIQUE MONÉTAIRE

## La Banque du Canada et la politique monétaire

Nous avons concentré notre analyse sur la création de monnaie par les banques à charte et par le système bancaire. Les banques à charte profitent des périodes d'expansion pour augmenter le crédit disponible et réduisent celui-ci lorsque l'économie ralentit. Dans cette section, nous tenterons de répondre à la question suivante : comment les autorités monétaires de la Banque du Canada tentent-elles de renverser cette tendance procyclique du système bancaire à partir de diverses techniques de contrôle ?

### Les objectifs de la politique monétaire

La Banque du Canada est responsable de la supervision et du contrôle des opérations de nos systèmes bancaire et monétaire. La Banque formule les politiques de base que le système bancaire doit suivre. Comme c'est un organisme public, ses décisions sont prises dans l'intérêt public.

Le principal objectif de la Banque du Canada est la maîtrise de l'inflation pour favoriser la bonne marche de l'économie et la croissance à long terme. Selon la Banque du Canada, l'inflation découle d'une masse monétaire excessive. La Banque du Canada cherche à influencer le taux d'intérêt pour que la masse monétaire croisse à un rythme compatible avec les taux d'inflation souhaitables. Un taux d'inflation se situant entre 1 % et 3 % constitue la cible visée dans les années 90.

### Les outils de la politique monétaire

À partir du bilan de la Banque du Canada, nous pouvons étudier la façon dont celle-ci peut agir sur le crédit potentiel (capacité de créer de la monnaie du système bancaire). Quels sont les outils ou les techniques que possède la Banque du Canada pour influencer les réserves des banques à charte ?

La Banque du Canada dispose de deux instruments principaux pour influencer les réserves des banques à charte : (1) les interventions sur le marché public ; (2) les transferts des dépôts du gouvernement du Canada.

### LES INTERVENTIONS SUR LE MARCHÉ PUBLIC

Les **interventions sur le marché public** sont un moyen par lequel la Banque du Canada contrôle la masse monétaire. Cette expression fait référence (1) à l'achat et à la vente d'obligations gouvernementales et de bons du Trésor (obligations du gouvernement dont l'échéance varie entre trois mois et un an) par la Banque du Canada sur le marché public, c'est-à-dire aux banques à charte et aux courtiers ; (2) à des ententes achat-revente et vente-rachat de titres gouvernementaux.

Comment ces transactions influent-elles sur les réserves excédentaires des banques à charte ? Il faut préciser que les titres qui font l'objet des transactions entre la Banque du Canada et les banques et les courtiers sont déjà en circulation dans les portefeuilles de ces agents. Il s'agit explicitement d'un marché secondaire des titres du gouvernement canadien. Nous devons distinguer clairement ces transactions de celles qui concernent des titres nouvellement émis pour financer les dépenses gouvernementales ou pour refinancer les dettes qui arrivent à échéance. En particulier, les nouvelles émissions d'obligations achetées par les banques peuvent ne pas toucher la masse monétaire. L'analyse qui suit n'a pas été influencée par l'abolition des réserves obligatoires.

> **INTERVENTION SUR LE MARCHÉ PUBLIC**
>
> Achat et vente des obligations du gouvernement et des bons du Trésor par la Banque du Canada pour influencer les réserves des banques à charte.

**L'ACHAT DE TITRES** Supposons que la Banque du Canada décide d'acheter des obligations du gouvernement sur le marché public, c'est-à-dire aux banques à charte et aux courtiers. Dans chacun des cas, l'effet global sera fondamentalement le même : les réserves des banques augmenteront.

Suivons le processus étape par étape. Cette transaction est fort simple :

a) Les banques à charte remettent à la Banque du Canada une partie des titres qu'elles détiennent.

b) En retour, la Banque du Canada augmente les réserves des banques à charte du montant de l'achat. Les bilans des banques à charte et de la Banque du Canada changeront ainsi :

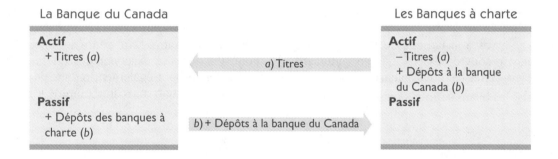

Il est important de retenir que, lorsque la Banque du Canada achète des titres aux banques à charte, les dépôts à la Banque du Canada (réserves) et, par conséquent, le crédit potentiel des banques à charte augmentent. Si la Banque du Canada achetait des titres aux courtiers, l'effet sur les réserves des banques à charte serait sensiblement le même. Supposons qu'une grosse maison de courtage de Montréal détienne des obligations du gouvernement du Canada et les vende sur le marché public à la Banque du Canada. La transaction se déroulerait ainsi :

a) La maison de courtage céderait ses titres à la Banque du Canada et recevrait en retour un chèque.

b) La maison de courtage déposerait aussitôt ce chèque dans son compte à la Banque de Montréal.

c) La Banque de Montréal apporterait ce chèque à la Chambre de compensation de Montréal, et la Banque du Canada augmenterait alors les réserves de la banque à charte.

Le bilan serait modifié de la façon suivante :

Il faut souligner deux aspects importants de cette transaction. Premièrement, les réserves et la capacité de prêter du système bancaire ont augmenté, tout comme lorsque la Banque du Canada achetait des titres aux banques à charte. Deuxièmement, l'achat d'obligations par la Banque du Canada augmente directement la masse monétaire en dehors de toute expansion subséquente découlant de l'augmentation des réserves des banques à charte. Dans chaque transaction, la conclusion est la même : *quand la Banque du Canada achète des titres sur le marché public, les réserves des banques à charte augmentent*. Alors, l'offre de monnaie augmente et les taux d'intérêt diminuent.

**LA VENTE DE TITRES** La vente d'obligations du gouvernement par la Banque du Canada abaisse les réserves des banques à charte. Supposons que la Banque du Canada cède des obligations aux banques à charte :

a) La Banque du Canada cède des titres que les banques à charte achètent.

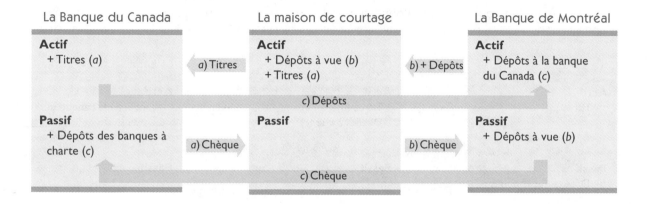

**b)** Les banques à charte paient ces titres en tirant des chèques sur leurs dépôts, à savoir leurs réserves à la Banque du Canada. Cette dernière recouvre ces chèques en réduisant les réserves des banques à charte.

En bref, les bilans se modifient comme suit:

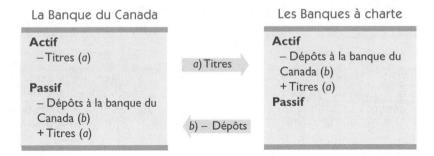

La Banque du Canada

**Actif**
– Titres (*a*)

**Passif**
– Dépôts à la banque du Canada (*b*)
+ Titres (*a*)

*a)* Titres
*b)* – Dépôts

Les Banques à charte

**Actif**
– Dépôts à la banque du Canada (*b*)
+ Titres (*a*)
**Passif**

Il faut noter ici la réduction des réserves des banques à charte.

Si la Banque du Canada vendait des titres à un courtier, l'effet global serait substantiellement le même. Supposons qu'une maison de courtage achète des obligations du gouvernement mises en vente par la Banque du Canada.

**a)** La banque centrale vend des obligations du gouvernement du Canada à la maison de courtage. Celle-ci paie les titres avec un chèque tiré sur la Banque de Montréal.

**b)** La Banque du Canada compense ce chèque vis-à-vis de la Banque de Montréal en réduisant les réserves de cette dernière.

**c)** La Banque de Montréal retourne le chèque compensé à la maison de courtage et réduit le dépôt de la compagnie.

Nous remarquons que la vente d'obligations d'une valeur de 1 000 $ par la Banque du Canada

au système bancaire réduit les réserves réelles et excédentaires du système d'une valeur de 1 000 $. Par contre, cette vente à un courtier ne réduit les réserves excédentaires que de 950 $, car les dépôts sont également réduits de 1 000 $ à la suite de cette transaction. Comme le système bancaire a réduit ses dépôts à vue de 1 000 $, il ne requiert plus que 50 $ de réserves.

Dans les deux cas, cependant, la conclusion générale est la même: *lorsque la Banque du Canada vend des titres sur le marché public, les réserves des banques à charte sont réduites.*

Si toutes les réserves excédentaires ont été prêtées, la baisse des réserves des banques à charte se traduira par une diminution d'offre de monnaie dans l'économie. Dans notre exemple, une vente de titres gouvernementaux de 1 000 $ entraînerait une diminution de 20 000 $ de l'offre de monnaie, peu importe que la transaction ait été faite avec les banques à charte ou avec les courtiers.

**DES ENTENTES D'ACHAT-REVENTE OU DE VENTE-RACHAT** Depuis 1985, la Banque du Canada a diminué ses interventions du type achat et vente à long terme d'obligations et de bons du Trésor sur le marché public pour y substituer des opérations sur le marché au jour le jour. Sur ce marché,

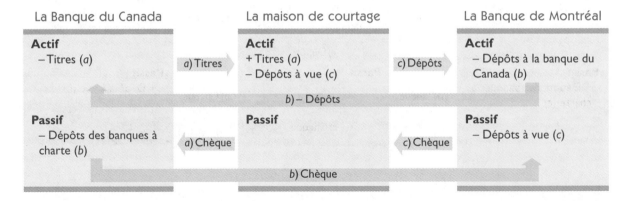

La Banque du Canada

**Actif**
– Titres (*a*)

**Passif**
– Dépôts des banques à charte (*b*)

*a)* Titres
*a)* Chèque
*b)* – Dépôts
*b)* Chèque

La maison de courtage

**Actif**
+ Titres (*a*)
– Dépôts à vue (*c*)

**Passif**

*c)* Dépôts
*c)* Chèque

La Banque de Montréal

**Actif**
– Dépôts à la banque du Canada (*b*)

**Passif**
– Dépôts à vue (*c*)

les courtiers empruntent de l'argent durant la nuit pour financer leur portefeuille d'obligations.

Pour faire pression à la baisse sur les taux d'intérêt, la Banque instaure des *ententes achat-revente* : elle achète des titres gouvernementaux détenus par les courtiers, faisant ainsi augmenter les liquidités du système, qu'elle revendra le lendemain. Pour faire pression à la hausse sur les taux d'intérêt, la Banque fait le contraire : elle instaure des ententes vente-rachat, c'est-à-dire qu'elle vend des titres gouvernementaux aux courtiers, retirant ainsi des liquidités du système, qu'elle rachètera le lendemain.

### LES TRANSFERTS DES DÉPÔTS DU GOUVERNEMENT DU CANADA

Le crédit potentiel des banques à charte (par conséquent leurs possibilités de création de monnaie) dépend de la composition de leurs dépôts : à vue ou à terme. La Banque du Canada a un contrôle direct sur une partie considérable de ces dépôts, c'est-à-dire ceux du gouvernement du Canada. En transférant de tels dépôts à son compte, la Banque du Canada réduit immédiatement les dépôts et les réserves des banques à charte du montant des dépôts transférés. Durant la dernière décennie, la Banque du Canada a privilégié les transferts des dépôts du gouvernement canadien comme outil de contrôle de la masse monétaire.

### LES AUTRES FAÇONS D'INFLUENCER LA MASSE MONÉTAIRE

Aux deux instruments majeurs de la politique monétaire s'ajoutent à l'occasion certains contrôles de crédit qualitatifs. Parmi ces contrôles sélectifs, se trouvent le taux d'escompte ainsi que la persuasion.

**LE TAUX D'ESCOMPTE** La banque centrale prête en dernier ressort aux banques à charte. Tout comme ces dernières peuvent prêter au public, la Banque du Canada peut prêter aux banques à charte (et à un certain nombre de courtiers accrédités). Le taux d'intérêt qu'elle exige sur de tels prêts s'appelle « **taux d'escompte** ».

> **TAUX D'ESCOMPTE**
> Taux d'intérêt prélevé par la Banque du Canada sur les avances (normalement des prêts à très court terme) consentis aux banques à charte et aux autres membres de l'Association canadienne des paiements.

Cependant, ce sont des prêts de très courte durée. C'est pourquoi nous les appelons des « avances ». Les banques à charte empruntent à la banque centrale pour une seule raison : que leurs réserves aient le niveau requis. Même alors, une banque à charte réclamera d'abord des prêts au jour le jour ou des prêts à demande consentis aux courtiers en valeurs mobilières avant de demander à la banque centrale une avance pour ramener ses réserves au niveau prescrit. Cependant, occasionnellement, une banque à charte a besoin d'une avance de la Banque du Canada, car les banques gardent leurs réserves excédentaires au niveau le plus bas possible étant donné que leur encaisse ainsi que leur dépôt à la Banque du Canada rapportent peu.

Une banque à charte qui demande une avance à la Banque du Canada signe en retour un billet à ordre. Cette créance de la banque à charte fait partie de l'actif de la Banque du Canada et apparaît dans le bilan au poste avances aux membres de l'Association canadienne des paiements. Pour les banques à charte, cette note apparaît au passif au poste avances de la Banque du Canada. En paiement de ce prêt, la banque centrale augmente les réserves de la banque à charte, qui emprunte jusqu'au niveau des réserves requises. Ces changements se reflètent de la façon suivante :

| La Banque du Canada | | Les Banques à charte |
|---|---|---|
| **Actif**<br>+ Avances aux banques à charte | ← Billet à ordre | **Actif**<br>+ Dépôts à la banque du Canada |
| **Passif**<br>+ Dépôts des banques à charte | + Réserves → | **Passif**<br>+ Avances de la banque du Canada |

Comment ces opérations aident-elles la Banque du Canada à contrôler le taux d'intérêt? *La principale fonction du taux d'escompte est psychologique*, car ses variations signalent aux banques à charte que la Banque du Canada désire qu'elles modifient leurs taux d'intérêt dans le même sens. On dit que ces changements sont quantitatifs, car ils influent directement sur le coût et, par conséquent, sur le volume du crédit. Les banques à charte ont tendance à suivre les signaux de la banque centrale car elles savent que, dans le cas contraire, celle-ci peut modifier radicalement leurs réserves en achetant ou en vendant des obligations sur le marché public. Les variations du taux d'escompte constituent un moyen très efficace par lequel la Banque du Canada communique au système bancaire et au public ses volontés en matière de politique monétaire.

Le taux d'escompte est flottant: la Banque du Canada le fixe tous les mardis à un quart de point de pourcentage au-dessus du taux payé par le gouvernement sur les bons du Trésor (échéance de trois mois) durant l'émission de la semaine. Comme la Banque du Canada gère cette émission et contrôle l'offre des bons du Trésor de manière à atteindre le taux qu'elle désire, la notion de taux d'escompte flottant n'est qu'un mythe pour rendre le gouvernement moins responsable aux yeux du public des taux d'intérêt élevés.

**LA PERSUASION** La Banque du Canada utilise parfois un moyen moins apparent pour influencer les politiques de crédit des banques à charte: la persuasion. Celle-ci peut prendre différentes formes plus ou moins directes: déclarations publiques, énoncés de politiques, entretiens privés, demandes formelles. Par ces moyens, la Banque du Canada cherche à faire comprendre qu'une expansion ou une contraction du crédit bancaire peut engendrer des conséquences graves pour le système bancaire ou pour l'économie dans son ensemble.

## La demande de monnaie

Jusqu'à présent, nous avons concentré nos efforts sur l'offre de monnaie. Nous allons maintenant aborder la demande de monnaie. Nous pouvons retenir deux raisons pour lesquelles il existe une demande de monnaie, et qui font que le public désire détenir de la monnaie.

### La demande à des fins de transaction

Premièrement, les gens désirent détenir de la monnaie parce qu'elle est un moyen d'échange. C'est une façon pratique d'effectuer des achats de biens et de services. Les ménages doivent avoir suffisamment de monnaie liquide pour payer l'épicerie, l'hypothèque, l'électricité, le téléphone, etc., jusqu'au prochain chèque de paye. De la même manière, les entreprises ont besoin de monnaie pour payer le travail, le matériel, l'énergie, etc. La monnaie demandée à ces fins s'appelle « **demande de monnaie à des fins de transaction** » ($D_t$).

Il n'est pas surprenant que le facteur déterminant de la demande de monnaie à des fins de transaction soit le niveau du PIB nominal. Plus la valeur monétaire totale des biens et des services échangés dans l'économie est élevée, plus la quantité de monnaie nécessaire pour effectuer ces transactions est élevée. *La demande de monnaie à des fins de transaction varie directement selon le PIB nominal*. Les ménages et les entreprises désireront plus de monnaie à des fins de transaction si la production réelle augmente ou si les prix augmentent. Dans les deux cas, des transactions monétaires plus importantes s'effectueront.

À la figure 8.1*a*, nous avons tracé la relation entre la demande de monnaie à des fins de transaction, $D_t$, et le *taux d'intérêt*. Comme la demande de monnaie à des fins de transaction dépend du niveau du PIB nominal et qu'elle est indépendante du taux d'intérêt et de ses variations, elle est représentée par une droite verticale. Supposons que la somme en monnaie demandée pour les transactions ne soit pas reliée aux variations des taux d'intérêt. Pourquoi avons-nous choisi une demande de 30 milliards de dollars? En supposant que chaque dollar détenu à des fins de transaction soit dépensé, en moyenne, 15 fois par année et que le PIB nominal soit de 450 milliards de dollars, alors le public aura besoin de 30 milliards de dollars en monnaie pour acheter ce PIB.

> **DEMANDE DE MONNAIE À DES FINS DE TRANSACTION**
>
> Quantité de monnaie que les gens souhaitent détenir afin de l'utiliser comme intermédiaire des échanges.

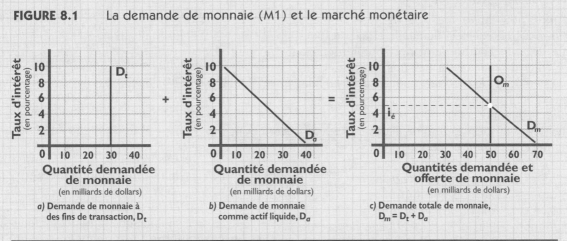

**FIGURE 8.1**    La demande de monnaie (M1) et le marché monétaire

a) Demande de monnaie à des fins de transaction, $D_t$

b) Demande de monnaie comme actif liquide, $D_a$

c) Demande totale de monnaie, $D_m = D_t + D_a$

On détermine la demande totale de monnaie, $D_m$, en additionnant horizontalement la demande de monnaie comme actif liquide, $D_a$, et la demande de monnaie à des fins de transaction, $D_t$. La courbe de demande à des fins de transaction est verticale parce qu'elle dépend du PIB nominal plutôt que du taux d'intérêt. La demande de monnaie comme actif liquide varie inversement selon le taux d'intérêt à cause du coût d'option présumé lorsqu'on détient de la monnaie (espèces et comptes de chèques) qui ne rapporte pas d'intérêt. En combinant l'offre de monnaie (masse monétaire), $O_m$, et la demande totale de monnaie, $D_m$, on obtient le marché monétaire et le taux d'intérêt d'équilibre, $i_é$.

### *La demande de monnaie comme actif liquide*

Deuxièmement, les gens veulent utiliser la monnaie parce qu'elle est un réservoir de valeur. Ils peuvent détenir leur actif financier sous des formes très variées, dont celles d'actions, d'obligations privées ou gouvernementales ou de monnaie (M1). Pourquoi choisir une forme plutôt qu'une autre?

Qu'est-ce qui détermine la **demande de monnaie comme actif liquide ($D_a$)**? La monnaie présente deux avantages principaux: la liquidité et une valeur croissante quand les prix diminuent. La monnaie est immédiatement disponible pour effectuer des achats. Il est particulièrement intéressant d'en posséder quand on s'attend à une baisse du prix des biens, des services et de tout autre actif financier. Quand le prix des obligations chute, le détenteur subit une perte. Mais lorsque les prix des biens et des services diminuent, le détenteur de monnaie gagne du pouvoir d'achat. Cependant, le désavantage de détenir de la monnaie par rapport aux obligations, par exemple, est qu'elle ne rapporte pas d'intérêt ou en rapporte peu en comparaison de tout autre actif financier.

> **DEMANDE DE MONNAIE COMME ACTIF LIQUIDE**
>
> Quantité de monnaie que les gens souhaitent détenir en tant que réservoir de valeur (montant de leur actif financier qu'ils désirent conserver sous forme de monnaie). Elle varie en sens inverse du taux d'intérêt.

Alors, qu'est-ce qui détermine la partie de richesse que vous désirez conserver sous forme de monnaie par rapport aux autres possibilités? La réponse dépend principalement du taux d'intérêt. En détenant de la monnaie, un ménage ou une entreprise subit un coût d'option (chapitre 1). Il sacrifie des revenus d'intérêt. Si une obligation rapporte 9 % d'intérêt, il en coûte donc 9 $ par année en revenu perdu pour détenir 100 $ en espèces ou dans un compte de chèques. Il n'est donc pas surprenant que la *demande de monnaie comme actif liquide varie inversement au taux d'intérêt*. Quand le taux d'intérêt est bas, le coût d'option pour détenir de la monnaie comme réservoir de valeur est faible et le public choisira de détenir une plus grande quantité de monnaie. Par contre, quand le taux d'intérêt est élevé, la liquidité coûte cher et les sommes détenues sous forme de monnaie seront moins importantes. Cette relation inverse entre le taux d'intérêt et la quantité de monnaie que les gens désirent détenir comme actif liquide est représentée par la courbe $D_a$ à la figure 8.1.

*La demande totale de monnaie*

Comme nous le voyons à la figure 8.1*c* (page 279), nous obtenons la demande totale de monnaie, $D_m$, en additionnant horizontalement la demande de monnaie à des fins de transaction et la demande de monnaie comme actif liquide. La courbe à pente négative ainsi obtenue représente la quantité totale de monnaie que le public désire détenir à des fins de transaction et comme actif liquide à chaque taux d'intérêt possible. De plus, nous remarquons qu'une variation du PIB nominal déplace la courbe de demande totale de monnaie. Plus précisément, une hausse du PIB nominal fait en sorte que le public désire une plus grande quantité de monnaie à des fins de transaction et la courbe de demande totale de monnaie se déplace vers la droite. Au contraire, une baisse du PIB nominal déplacera la courbe de demande totale de monnaie vers la gauche.

> **MARCHÉ MONÉTAIRE**
>
> Marché sur lequel la demande et l'offre de monnaie déterminent le taux d'intérêt (ou le niveau des taux d'intérêt) de l'économie.

*Le marché monétaire*

Nous pouvons combiner la demande et l'offre de monnaie pour définir le **marché monétaire**. La combinaison de ces deux fonctions détermine le taux d'intérêt d'équilibre. Ainsi, nous pouvons voir, à la figure 8.1*c*, une droite verticale, $O_m$, symbolisant l'offre de monnaie. Nous la représentons ainsi pour respecter le postulat simplificateur d'un certain stock de monnaie déterminé par les autorités monétaires. Tout comme pour le marché des ressources (chapitre 2), l'intersection de l'offre et de la demande de monnaie détermine le prix d'équilibre. Dans ce cas, le prix est le taux d'intérêt d'équilibre, c'est-à-dire le prix à payer pour l'utilisation de la monnaie. Un taux d'intérêt plus élevé, ou plus faible, ralentira, ou augmentera, les dépenses d'investissement et de consommation et, par effet d'entraînement, les niveaux de production réelle, d'emploi et des prix.

Que se passe-t-il lorsque le marché monétaire est en déséquilibre ? Comment retrouvera-t-il l'équilibre ? La figure 8.2 reprend la figure 8.1*c* et lui ajoute deux autres courbes d'offre de monnaie.

Supposons que l'offre de monnaie ($O_m$) soit réduite de 50 milliards de dollars à 38 milliards de dollars ($O_{m1}$). Remarquez que la quantité demandée de monnaie est supérieure à la quantité offerte d'un montant de 12 milliards de dollars à l'ancien taux d'intérêt d'équilibre de 5 %. Dans ce cas, les gens compenseront le manque de monnaie en vendant une partie de l'actif financier qu'ils possèdent (nous supposerons, pour simplifier, que ce sont des obligations). Mais la monnaie que reçoit une personne à la

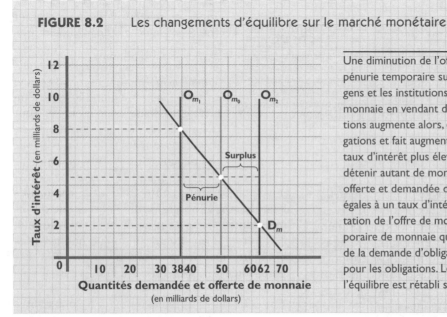

**FIGURE 8.2**    Les changements d'équilibre sur le marché monétaire

Une diminution de l'offre de monnaie crée une pénurie temporaire sur le marché monétaire. Les gens et les institutions tentent d'obtenir plus de monnaie en vendant des obligations. L'offre d'obligations augmente alors, ce qui réduit le prix des obligations et fait augmenter les taux d'intérêt. À des taux d'intérêt plus élevés, les gens ne veulent plus détenir autant de monnaie. Alors, les quantités offerte et demandée de monnaie sont de nouveau égales à un taux d'intérêt plus élevé. Une augmentation de l'offre de monnaie crée un surplus temporaire de monnaie qui entraîne une augmentation de la demande d'obligations et des prix plus élevés pour les obligations. Les taux d'intérêt chutent et l'équilibre est rétabli sur le marché monétaire.

suite de la vente d'une obligation est perdue par l'autre personne qui la lui a achetée. En tout et pour tout, il n'y a que 38 milliards de dollars disponibles. Cet essai collectif d'obtenir plus de monnaie en vendant des obligations fera augmenter l'offre d'obligations par rapport à la demande sur le marché des obligations et fera diminuer le prix des obligations. *Lorsque le prix des obligations diminue, le taux d'intérêt augmente.* Par exemple, une obligation dont la valeur nominale est de 1 000 $ et qui offre un intérêt annuel de 50 $ correspond à un taux d'intérêt de 5 %, c'est-à-dire :

$$\frac{50\,\$}{1\,000\,\$} = 5\,\%$$

Maintenant, supposons que le prix de cette obligation diminue à 625 $ à cause de l'augmentation de l'offre d'obligations. Le paiement fixe d'intérêt annuel de 50 $ correspond maintenant à un taux d'intérêt de 8 % pour celui qui achète l'obligation :

$$\frac{50\,\$}{625\,\$} = 8\,\%$$

Comme tous les emprunteurs se font concurrence en offrant aux prêteurs des taux d'intérêt semblables à ceux qui sont disponibles pour les obligations, un taux d'intérêt général plus élevé apparaît. À la figure 8.2, le taux d'intérêt augmente de 5 %, pour une offre de monnaie de 50 milliards de dollars, à 8 %, pour une offre de monnaie de 38 milliards de dollars. Ce taux d'intérêt plus élevé fait augmenter le coût d'option pour détenir de la monnaie et réduit la quantité de monnaie que les entreprises et les ménages désirent détenir. Plus spécifiquement, la quantité demandée de monnaie diminue de 50 milliards de dollars, à un taux d'intérêt de 5 %, à 38 milliards de dollars, à un taux d'intérêt de 8 %.

Inversement, une augmentation de l'offre de monnaie ($O_m$) de 50 milliards de dollars à 62 milliards de dollars ($O_{m2}$) engendrera un surplus de monnaie de 12 milliards de dollars à un taux d'intérêt initial de 5 %. Les gens essaieront de se départir de leur monnaie en achetant plus d'obligations. Cet essai collectif d'acheter plus d'obligations accroîtra la demande d'obligations et en haussera le prix. *Lorsque le prix des obligations augmente, les taux d'intérêt diminuent.* Dans notre exemple, le paiement d'intérêt de 50 $ pour une obligation dont le prix est main-

tenant de 2 500 $, par exemple, ne rapportera à l'acheteur de l'obligation que 2 % d'intérêt :

$$\frac{50\,\$}{2\,500\,\$} = 2\,\%$$

En fait, le niveau général des taux d'intérêt chutera à mesure que les gens essaieront de réduire sous les 62 milliards de dollars la quantité de monnaie qu'ils détiennent en vendant des obligations. Dans ce cas, le taux d'intérêt diminuera jusqu'à un nouveau niveau d'équilibre, 2 %. Comme le coût d'option pour détenir de la monnaie est maintenant moindre, les consommateurs et les entreprises augmenteront la quantité de numéraire et de dépôts à vue qu'ils désirent détenir, de 50 milliards de dollars à 62 miliards. Une fois de plus, le marché monétaire a retrouvé l'équilibre : les quantités de monnaie demandée et offerte sont égales à 62 milliards de dollars pour un taux d'intérêt de 2 %.

## La politique monétaire, le PIB d'équilibre et le niveau des prix

### Le mécanisme de transmission

Comment la politique monétaire permet-elle d'atteindre le plein-emploi et la stabilité des prix ? Les relations et les facteurs les plus importants sont illustrés à la figure 8.3 (page 282).

#### LE MARCHÉ MONÉTAIRE

La figure 8.3a représente le marché monétaire. La demande de monnaie est symbolisée par la courbe $D_m$ et l'offre de monnaie, par la courbe $O_m$.

La figure 8.3a nous révèle alors que, pour une demande de monnaie donnée, si l'offre de monnaie est de 25 milliards de dollars, le taux d'intérêt d'équilibre sera de 8 %. Supposons que le niveau des prix soit constant et que, par conséquent, 8 % soit le taux d'intérêt réel. Ce taux d'intérêt de 8 % est projeté sur la courbe de demande d'investissement à la figure 8.3b. La courbe indique qu'à ce taux, des investissements de 20 milliards de dollars seront profitables. Pour un taux d'intérêt inférieur à 8 %, il y aura plus d'investissement, tandis qu'à des taux supérieurs il y en aura moins. Les économistes s'entendent pour dire que le taux d'intérêt influence davantage les dépenses d'investissement que les dépenses de consommation.

L'effet des variations des taux d'intérêt sur l'investissement est plus important à cause de la taille et de la nature à long terme de tels achats. L'équipement, la construction d'usines, d'entrepôts, etc. sont très onéreux. En termes absolus, les coûts d'intérêt découlant des emprunts nécessités par de tels achats sont considérables. De la même manière, les coûts d'intérêt provenant de l'achat d'une maison financée à long terme sont très élevés : une variation de 1/2 % du taux d'intérêt peut signifier une hausse de plusieurs milliers de dollars du coût de la maison.

Finalement, à la figure 8.3*c*, nous insérons ces 20 milliards d'investissement dans le modèle de l'offre et de la demande globale d'une économie pour déterminer le niveau du PIB d'équilibre. Nous remarquons que le niveau du PIB est de 490 milliards de dollars. Essayez de refaire l'exercice avec une offre de monnaie égale à 35 milliards de dollars puis avec une offre de 15 milliards. Que pouvez-vous conclure quant à l'effet de l'offre de monnaie sur le PIB d'équilibre ?

## *La politique monétaire expansionniste ou restrictive*

Supposons que l'économie traverse une période de récession et de chômage. La Banque du Canada décide qu'une augmentation de la masse monétaire est nécessaire pour stimuler le volume des dépenses de manière à mettre à contribution les ressources inemployées de l'économie. Pour provoquer cette hausse de l'offre de monnaie, la banque centrale doit voir à ce que les réserves excédentaires des banques augmentent. Quelles mesures particulières lui permettront d'obtenir ce résultat ?

1. La Banque du Canada devrait acheter des titres sur le marché public. Ces achats d'obligations seront payés au moyen de la hausse des réserves excédentaires des banques à charte.

2. La Banque du Canada devrait transférer aux banques à charte tous les dépôts du gouvernement qu'elle détient.

3. La Banque du Canada devrait abaisser le taux d'escompte pour inciter les banques à charte à diminuer leur taux préférentiel et le taux des autres formes de crédit.

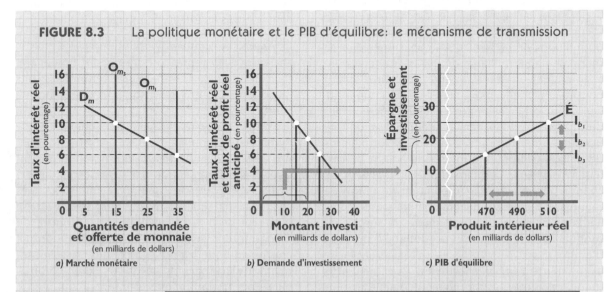

**FIGURE 8.3**    La politique monétaire et le PIB d'équilibre : le mécanisme de transmission

*a)* Marché monétaire

*b)* Demande d'investissement

*c)* PIB d'équilibre

Une politique monétaire expansionniste diminue le taux d'intérêt ; elle augmentera l'investissement de la demande globale et, par conséquent, le niveau d'équilibre du PIB. Inversement, une politique monétaire restrictive augmentera le taux d'intérêt ; elle réduira l'investissement de la demande globale ainsi que l'inflation par la demande.

Pour des raisons évidentes, ce type de mesures s'appelle «**politique monétaire expansionniste**». L'objectif de cette politique est de rendre le crédit moins dispendieux et plus accessible de manière à augmenter le volume des dépenses et l'emploi.

Supposons, par ailleurs, que des dépenses excessives provoquent une spirale inflationniste. La Banque du Canada devrait essayer de réduire les dépenses totales en limitant l'offre de monnaie. Pour ce faire, elle devrait réduire les réserves des banques à charte. Comment ferait-elle?

1. La Banque du Canada devrait vendre des obligations sur le marché public pour abaisser les réserves des banques à charte.

2. Une hausse du taux d'escompte devrait inciter les banques à charte à augmenter leur taux préférentiel et le taux des autres formes de crédit.

3. La Banque du Canada devrait transférer les dépôts du gouvernement du Canada des banques à charte à la Banque du Canada.

Cet ensemble de directives a pour nom «**politique monétaire restrictive**». Son objectif consiste à restreindre l'offre de monnaie et le crédit de manière à réduire les dépenses et à contrôler les pressions inflationnistes.

Si le niveau du PIB d'équilibre (490 milliards) implique du chômage et une capacité de production excédentaire, une politique monétaire expansionniste serait appropriée. Pour faire augmenter l'offre de monnaie, la Banque du Canada pourra: (1) acheter des titres du gouvernement des banques à charte et des courtiers sur le marché public; (2) transférer les dépôts du gouvernement dans une banque à charte, ou les deux. Il en résultera une augmentation des réserves excédentaires dans le système bancaire. Comme les réserves excédentaires conditionnent la quantité de monnaie que peuvent créer les banques à charte en prêtant, l'offre de monnaie du pays augmentera. Une augmentation de l'offre de monnaie fera diminuer le taux d'intérêt, augmentant ainsi l'investissement et le PIB d'équilibre. L'augmentation du PIB dépendra de l'augmentation de l'investissement et de la taille du multiplicateur de revenu de l'économie.

> **POLITIQUE MONÉTAIRE EXPANSIONNISTE**
>
> Expansion de la masse monétaire par la Banque du Canada, notamment dans le but de diminuer les taux d'intérêt.
>
> **POLITIQUE MONÉTAIRE RESTRICTIVE**
>
> Augmentation du taux d'intérêt, par la Banque du Canada, par une compression de la masse monétaire du pays.

Par exemple, si le PIB de plein-emploi est de 510 milliards de dollars, une augmentation de l'offre de monnaie de 25 milliards à 35 milliards réduira le taux d'intérêt de 8 % à 4 % et augmentera l'investissement de 20 milliards à 30 milliards de dollars, comme l'illustre la figure 8.3*b*. Ce déplacement de 10 milliards de dollars vers le haut de la courbe d'investissement, soumis au multiplicateur d'une économie ouverte égal à 2, augmentera le PIB d'équilibre de 490 milliards à 510 milliards de dollars, soit au niveau du plein-emploi.

Au contraire, si un PIB d'équilibre de 490 milliards de dollars entraîne de l'inflation par la demande, la Banque du Canada aura recours à une politique monétaire restrictive qui réduira la disponibilité du crédit et en augmentera le coût. La Banque du Canada pourra entreprendre l'une des actions suivantes: (1) vendre des titres gouvernementaux aux banques à charte et aux courtiers sur le marché libre; (2) transférer les dépôts du gouvernement hors des banques à charte, ou les deux. Les banques se rendront compte que leurs réserves sont trop faibles pour maintenir le niveau qu'elles jugent nécessaire de conserver. Elles devront réduire leurs dépôts à vue en limitant les nouveaux prêts à mesure que les anciens sont remboursés. L'offre de monnaie sera alors réduite, ce qui fera augmenter le taux d'intérêt, réduira la demande globale et aidera à éliminer l'écart inflationniste.

Le tableau 8.1 (page 284) résume le fonctionnement de la politique monétaire.

## L'efficacité de la politique monétaire

La figure 8.3 présente certains facteurs dont dépend l'efficacité de la politique monétaire et indique l'existence d'un problème de rétroaction compliquant la politique monétaire.

### L'efficacité de la politique

La figure 8.3 nous montre l'ampleur de l'impact d'une politique monétaire rectrictive ou expansionniste sur le taux d'intérêt, l'investissement et le PIB d'équilibre. Cet impact dépend de l'allure des courbes de demande de monnaie et de demande d'investissement. *Plus la courbe $D_m$ est abrupte, plus l'effet d'une variation donnée de*

*l'offre de monnaie sur le taux d'intérêt d'équilibre est grand. De plus, toute variation du taux d'intérêt a un impact plus grand sur l'investissement et le PIB d'équilibre lorsque la courbe de demande d'investissement est près de l'horizontale.* En d'autres termes, une variation donnée de la quantité de monnaie se révèle plus efficace lorsque la courbe de demande de monnaie est plutôt abrupte et que la courbe de demande d'investissement est plutôt horizontale. Au contraire, une variation donnée de la quantité de monnaie se révèle plutôt stérile lorsque la courbe de demande de monnaie est plutôt horizontale et que la courbe de demande d'investissement est particulièrement abrupte.

### Les effets de rétroaction

Vous aurez sans doute décelé, à la figure 8.3 (page 282), un problème de rétroaction qui complique la politique monétaire. En termes simples, nous pouvons exprimer le problème comme suit : en lisant la figure 8.3 de gauche à droite, nous apprenons que le taux d'intérêt, par la courbe de demande d'investissement, est un déterminant important du PIB d'équilibre. Maintenant, il faut admettre que le raisonnement inverse vaut également. Le niveau du PIB est un déterminant du taux d'intérêt d'équilibre ! En effet, la demande de monnaie à des fins de transaction dépend directement du niveau du PIB nominal.

Cela signifie qu'une hausse du PIB engendrée par une politique monétaire expansionniste augmentera à son tour la demande de monnaie, ce qui réduira ou éliminera la baisse du taux d'intérêt devant découler d'une telle politique.

Inversement, une politique monétaire restrictive a tendance à réduire le PIB, mais la baisse de la demande de monnaie qui en résulte atténue la hausse du taux d'intérêt qu'on attend d'une telle politique. Cette rétroaction est également au centre d'un dilemme en matière de politique économique, comme nous le verrons plus loin

### La politique monétaire et l'offre agrégée

Notre modèle de demande et d'offre agrégées va nous permettre de raffiner notre compréhension de la politique monétaire. Comme la politique fiscale, la politique monétaire est soumise aux contraintes implicites de la courbe d'offre agrégée. La figure 8.3 nous indique que la politique monétaire influe tout d'abord sur les dépenses d'investissement et, de là, sur la production réelle et le niveau des prix. Le modèle de demande et d'offre agrégées, et plus particulièrement la courbe d'offre agrégée, nous permet de déterminer l'effet de la variation de l'investissement sur la production réelle et l'incidence sur le niveau des prix.

Une augmentation de l'offre de monnaie fait diminuer le taux d'intérêt et augmenter les dépenses d'investissement, l'un des déterminants de la demande agrégée. La courbe de demande agrégée se déplace vers la droite.

L'effet sur le PIB et le niveau des prix dépendra de l'allure de la courbe d'offre agrégée. Si l'économie fonctionne à pleine capacité, la courbe d'offre agrégée sera abrupte ; une politique monétaire expansionniste entraînera alors une augmentation relativement faible du PIB et une augmentation relativement grande du niveau des prix. Inversement, une courbe d'offre

▷ **TABLEAU 8.1**  Résumé de la politique monétaire

|  | Problème | Solution | Outils |
|---|---|---|---|
| **Politique monétaire expansionniste** | Chômage et récession | Accroître l'offre de monnaie et, par conséquent, les dépenses, en réduisant le taux d'intérêt. | a) Acheter des obligations sur le marché public ;<br>b) Transférer les dépôts du gouvernement du Canada dans les banques à charte ;<br>c) Diminuer le taux d'escompte. |
| **Politique monétaire restrictive** | Inflation | Réduire l'offre de monnaie et, par conséquent, les dépenses, en augmentant le taux d'intérêt. | a) Vendre des obligations sur le marché public ;<br>b) Transférer les dépôts du gouvernement du Canada des banques à charte à la Banque du Canada ;<br>c) Augmenter le taux d'escompte. |

agrégée plus horizontale entraînera un effet plus important sur le PIB que sur le niveau des prix.

### Les points forts de la politique monétaire

La politique monétaire est une composante essentielle de toute politique économique stabilisatrice. Nous pouvons mentionner quelques points forts de la politique monétaire qui viennent appuyer cette opinion.

#### I. LA RAPIDITÉ ET LA FLEXIBILITÉ

Contrairement à la politique fiscale, la politique monétaire peut être mise en place rapidement. Nous avons vu, au chapitre 6, que l'implantation d'une politique fiscale pouvait être sérieusement retardée par les délais qui sont exigés pour déterminer les variations d'impôt ou de dépenses requises. En comparaison, la Banque du Canada peut acheter et vendre des obligations quotidiennement, et elle le fait. Elle influence ainsi l'offre de monnaie et les taux d'intérêt.

#### 2. LA SOUPLESSE POLITIQUE

Le gouverneur et le sous-gouverneur de la Banque du Canada ont des mandats de sept ans et ne peuvent être relevés de leurs fonctions que par le Parlement. Ils ne sont pas soumis au lobby ou à des pressions importantes pour être réélus. La Banque du Canada peut instaurer des politiques impopulaires qu'elle juge nécessaires pour la santé à long terme de l'économie. De plus, la politique monétaire est plus subtile et plus conservatrice sur le plan politique que la politique fiscale. Les variations des dépenses gouvernementales influencent directement l'affectation des ressources et les changements fiscaux ont de multiples répercussions politiques. Au contraire, la politique monétaire adopte une démarche plus subtile et semble, par conséquent, politiquement acceptable.

#### 3. LES SUCCÈS RÉCENTS

La politique monétaire a gagné de la crédibilité grâce à ses succès durant les années 1980 et 1990. Une politique monétaire restrictive a aidé à réduire le taux d'inflation de 12,5 % qu'il était en 1981 à 4,4 % trois ans plus tard, malgré ses effets négatifs sur le niveau de l'activité économique et les finances publiques. Récemment, la politique monétaire a aidé l'économie canadienne à sortir de la récession 1990-1991.

Ce succès est particulièrement appréciable dans un contexte où les déficits budgétaires des gouvernements rendent caduque la politique fiscale.

Le premier objectif du gouvernement fédéral est de réduire le déficit budgétaire et non de stimuler l'économie. Du point de vue de la politique fiscale, les réductions dans les dépenses gouvernementales et les hausses d'impôt étaient légèrement restrictives. Alors la Banque du Canada, en réduisant le taux d'escompte de 13 % en 1990 à 8 % en 1993, a stimulé les dépenses d'investissement et les dépenses de consommation sensibles au taux d'intérêt, ce qui a fait augmenter le PIB réel.

Dans ce contexte, la politique monétaire demeure le premier outil pour stimuler l'économie.

### Les insuffisances de la politique monétaire

Nous devons reconnaître que la politique monétaire a une limite importante.

#### I. MOINS DE CONTRÔLE?

Certains économistes craignent que les changements apportés aux pratiques bancaires ne réduisent le contrôle de la Banque du Canada sur l'offre de monnaie. Les innovations financières ont permis aux épargnants de transformer leur quasi-monnaie détenue sous forme de fonds mutuels en comptes avec privilège de chèques et vice-versa. Une politique monétaire visant à modifier les réserves des banques à charte pourrait alors être moins efficace à cause de ces déplacements de fonds au sein du système financier. Par exemple, les gens peuvent réagir à une politique monétaire restrictive en convertissant rapidement leur quasi-monnaie détenue dans des fonds mutuels ou dans d'autres placements liquides en monnaie dans des comptes avec privilège de chèques. Alors, les réserves des banques ne diminueraient pas comme prévu, les taux d'intérêt pourraient ne pas augmenter et la demande pourrait ne pas changer. De plus, les activités financières et bancaires s'internationalisent, ce qui pourrait rendre certaines politiques intérieures inadéquates.

Ces préoccupations sont-elles réellement fondées? Ces changements rendent la tâche de la Banque du Canada plus difficile, mais les toutes dernières études ainsi que l'expérience récente de la Banque du Canada tendent à démontrer que les outils traditionnels de politique monétaire demeurent efficaces pour modifier l'offre de monnaie et les taux d'intérêt.

### 2. L'ASYMÉTRIE CYCLIQUE

Appliquée de façon rigoureuse, une politique monétaire restrictive peut abaisser suffisamment les réserves des banques à charte pour les forcer à réduire le volume de leurs prêts. En diminuant les réserves excédentaires, elle oblige les banques à attendre le remboursement de certains prêts en cours avant de consentir de nouveaux prêts à des emprunteurs. L'offre de monnaie s'en trouve donc réduite. Mais une politique monétaire expansionniste peut rendre le crédit plus accessible (moins cher), mais ne garantit pas de nouveaux emprunts. Elle donne aux banques à charte les réserves excédentaires nécessaires pour effectuer de nouveaux prêts, mais rien ne garantit que de nouveaux emprunts seront faits et que, par conséquent, la masse monétaire augmentera. Si le public ne veut pas emprunter ou que les banques à charte ne souhaitent pas prêter (notamment à cause d'un besoin de liquidités, d'un marché trop risqué), la politique expansionniste échouera. Il ne faut pas conclure que la politique monétaire expansionniste ne fonctionne pas. Ce paragraphe visait à faire remarquer qu'une politique monétaire restrictive pouvait être plus efficace qu'une politique monétaire expansionniste.

### 3. L'IMPACT SUR L'INVESTISSEMENT

Certains économistes doutent que la politique monétaire n'influence l'investissement, comme le suggère la figure 8.3 (page 282). Si l'on combine une courbe de demande de monnaie plutôt horizontale avec une courbe de demande d'investissement plutôt abrupte, un changement donné dans l'offre de monnaie n'entraînera pas une variation significative de l'investissement et par conséquent le PIB d'équilibre ne devrait pas, non plus, varier de façon importante.

De plus, l'emplacement de la courbe de demande d'investissement peut également contrecarrer la politique monétaire. Par exemple, une politique monétaire restrictive visant une hausse des taux d'intérêt peut n'avoir qu'un faible effet sur les dépenses d'investissement si la courbe de demande d'investissement de la figure 8.3*b* se déplace en même temps vers la

droite à cause de l'optimisme des gens d'affaires, du progrès technologique ou de l'anticipation d'une hausse des prix des biens de production. La politique monétaire devra augmenter considérablement les taux d'intérêt dans ces circonstances pour réussir à réduire la demande. Inversement, une grave récession peut miner la confiance des gens d'affaires, provoquant un déplacement vers la gauche de la courbe de demande d'investissement, et contrarier ainsi une politique monétaire expansionniste.

### 4. L'INTÉRÊT COMME SOURCE DE REVENUS

Nous avons vu que la politique monétaire repose sur le postulat qu'il existe une relation inverse entre les taux d'intérêt et les dépenses pour les biens de production ainsi que pour les biens de consommation sensibles au taux d'intérêt. Il faut maintenant considérer que les ménages et les entreprises reçoivent également des revenus d'intérêt et que l'ampleur de ces revenus et des dépenses qui en découlent varient directement avec le niveau des taux d'intérêt. Supposons que l'inflation s'aggrave et que la Banque du Canada augmente les taux d'intérêt pour faire augmenter le coût des biens de production, des maisons et des automobiles. Les taux d'intérêt élevés offerts sur toutes sortes de placements accroîtront les revenus des ménages et des entreprises qui les détiennent. Par conséquent, les dépenses nouvelles découlant de l'augmentation des revenus d'intérêt viendront contrecarrer les efforts de la Banque du Canada pour réduire la demande. Par exemple, en 1991 et en 1992, la Banque du Canada a diminué à plusieurs reprises les taux d'intérêt pour stimuler l'économie. Une des raisons qui expliquent pourquoi cette stratégie a pris si longtemps avant de faire effet est que les ménages ont vu leurs revenus d'intérêt diminuer, passant de 8 % à 10 % à la fin des années 1980 à 4 % ou 5 % au début des années 1990. Cette chute de leurs revenus d'intérêt a certes contribué à réduire leurs dépenses.

En fait, même si les variations des taux d'intérêt considérés comme dépenses entraînent des variations de la demande dans le sens contraire, les variations des taux d'intérêt considérés comme revenus font varier la demande dans le même sens. Ces deux impacts s'annulent en quelque sorte.

# LES POLITIQUES FISCALE ET MONÉTAIRE ET LA DÉTERMINATION DU PIB

Voici venu le moment de synthétiser les politiques de stabilisation et leurs effets sur le PIB. Il s'agit d'améliorer notre compréhension de la macro-économique en intégrant les notions que nous avons vues dans le présent chapitre ainsi que dans les chapitres précédents. La figure 8.4 (page 288) nous aidera à intégrer les divers éléments pertinents. Elle nous montre comment les différents concepts et principes que nous avons analysés sont reliés entre eux pour constituer une théorie expliquant ce qui détermine le niveau des ressources utilisées dans une économie de marché. Les éléments qui constituent la politique monétaire ou qui sont fortement influencés par elle sont en rouge.

En lisant ce diagramme de la gauche vers la droite, nous constatons que les niveaux de production, d'emploi, de revenu et des prix sont tous directement liés au niveau de la demande globale. Les décisions des entreprises de produire des biens et, par conséquent, d'utiliser des ressources dépendent de la somme totale dépensée pour acquérir ces biens. Pour trouver ce qui détermine le niveau des dépenses totales, nous devons étudier les quatre principales composantes de la demande globale.

## La consommation

Le niveau absolu des dépenses de consommation dépend de l'emplacement de la fonction de consommation et du niveau du produit intérieur brut ou du revenu disponible. Nous pouvons penser que le niveau absolu des dépenses de consommation variera en réaction aux changements du PIB engendrés par les fluctuations des autres composantes de la demande globale. De plus, la pente de la fonction de consommation, égale à un moins la somme des propensions marginales à épargner et à importer, est un élément essentiel pour déterminer la taille du multiplicateur.

## L'investissement

Les dépenses d'investissement sont une composante très instable de la demande globale et sont donc souvent la cause des fluctuations du niveau de production, d'emploi et des prix.

L'instabilité de l'investissement provient de ses déterminants : la confiance du milieu des affaires dans l'économie se modifie fréquemment et substantiellement ; les progrès technologiques sont irréguliers ; la durabilité des biens de production permet d'en retarder le remplacement. De plus, les profits des entreprises, qui sont une source de plus en plus importante de financement, sont très variables. Nous remarquons que la politique fiscale et la politique monétaire influencent les dépenses d'investissement.

## Les dépenses gouvernementales

Les dépenses gouvernementales diffèrent des autres composantes de la demande globale, en ce sens qu'elles sont déterminées par les politiques publiques. La consommation et l'investissement dépendent des décisions des ménages et des entreprises. Ces décisions sont prises dans l'intérêt propre de ces agents économiques. Les décisions concernant les dépenses gouvernementales sont prises en grande partie dans l'intérêt de la société, c'est-à-dire en vue de niveaux de production et d'emploi élevés et d'un niveau de prix stable.

## Les exportations nettes

Les exportations nettes correspondent à la différence entre les exportations et les importations (X – M). Les importations comme les exportations influencent le taux de change. Par contre, les importations dépendent du niveau de notre PIB, tandis que les exportations dépendent de celui des autres pays. Le taux de change dépend du niveau des prix et des taux d'intérêt de tous les pays. Comme elles influencent le niveau de production intérieure et le taux d'intérêt, les politiques fiscale et monétaire intérieures influent alors sur le taux de change. Nous approfondirons cette question au chapitre 10.

## Les politiques fiscale et monétaire

La politique fiscale concerne les variations des dépenses gouvernementales et des revenus de taxation destinées à éliminer l'écart inflationniste ou déflationniste. La figure 8.4 illustre bien le rôle potentiel du gouvernement en matière de stabilisation ; les dépenses gouvernementales en tant que composante de la demande globale influent directement sur la production, l'emploi

**FIGURE 8.4** La théorie keynésienne de l'emploi et les politiques de stabilisation

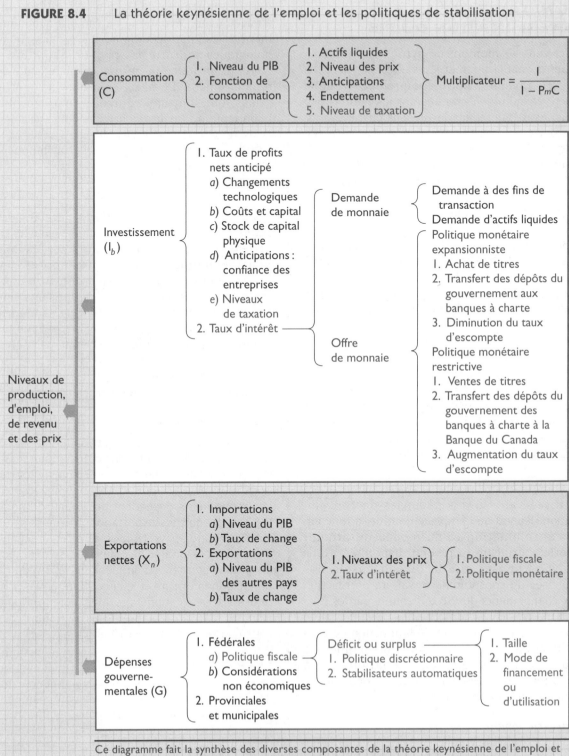

Ce diagramme fait la synthèse des diverses composantes de la théorie keynésienne de l'emploi et des politiques de stabilisation. Remarquez que les éléments qui font partie de la politique gouvernementale ou qui en dépendent fortement apparaissent en rouge.

et le niveau des prix. La politique de taxation, par ailleurs, agit indirectement par l'intermédiaire des deux autres composantes intérieures de la demande globale ; elle touche à la fois la consommation et l'investissement. Plus particulièrement, les réductions d'impôt personnel tendent à déplacer la fonction de consommation vers le haut ; les augmentations d'impôt tendent à la déplacer vers le bas. Des diminutions de l'impôt sur les profits des entreprises tendent à améliorer les perspectives de profit, déplacent la courbe de demande d'investissement vers la droite et stimulent l'investissement ; les augmentations d'impôt affaiblissent les perspectives de profit et réduisent le désir d'investir.

La politique fiscale peut être *discrétionnaire* et *automatique.* Les stabilisateurs automatiques, la progressivité de la structure de taxation, font varier les revenus fiscaux de façon directement proportionnelle au niveau de revenu intérieur. Une politique discrétionnaire consiste à faire changer par le Parlement le niveau des dépenses et à modifier les taux de taxation ou la structure de cette dernière dans le but explicite d'atteindre une plus grande stabilité économique. Il faut retenir, cependant, que les dépenses gouvernementales et les politiques fiscales ne sont pas utilisées seulement pour atteindre la stabilité macro-économique, mais également pour obtenir une meilleure affectation des ressources et pour redistribuer les revenus. Nous venons de voir de façon détaillée la politique monétaire à l'aide de la figure 8.3 (page 282) et du tableau 8.1 (page 284).

Finalement, nous verrons plus en détail, au chapitre 10, comment les politiques fiscale et monétaire peuvent influencer les exportations nettes par leurs effets sur le taux d'intérêt intérieur.

## La coordination des politiques

Même si nous avons étudié séparément la politique fiscale et la politique monétaire, elles sont en pratique reliées et devraient être coordonnées. L'effet de rétroaction dont nous parlions à propos de la figure 8.3 en est un exemple. L'effet quantitatif d'un changement donné des dépenses gouvernementales sera différent selon qu'il est accompagné d'une variation appropriée de l'offre de monnaie. Supposons que le PIB soit de 10 milliards de dollars inférieur au niveau de plein-emploi et que le multiplicateur soit égal à 2. Toutes choses étant égales par ailleurs, une hausse des dépenses gouvernementales de 5 milliards de dollars devrait amener l'économie au niveau de plein-emploi. Mais, en pratique, nous ne pouvons espérer que toutes choses, particulièrement le taux d'intérêt, demeurent constantes, en particulier lorsque l'économie commence à être stimulée par les dépenses additionnelles (figure 8.3*c*). À mesure que la production et le PIB s'accroissent, la demande de monnaie à des fins de transaction augmentera et, pour une offre de monnaie donnée, les taux d'intérêt augmenteront (figure 8.3*a*). Les taux d'intérêt plus élevés ralentiront l'investissement, ce qui réduira l'incidence de la hausse des dépenses gouvernementales. À moins d'augmenter l'offre de monnaie pour garder les taux d'intérêt stables, l'effet multiplicateur sera moindre, à cause de la rétroaction du marché monétaire qui restreint l'investissement. Les politiques monétaire et fiscale n'agissent pas de façon isolée ; pour qu'une politique de stabilisation soit efficace, les politiques monétaire et fiscale doivent être coordonnées de façon précise.

# Activités d'apprentissage

## Résumé

*Si vous ne pouvez répondre à la question qui accompagne le résumé d'une section, vous devriez relire attentivement cette section et essayer de nouveau.*

### UN PEU D'HISTOIRE : LES ORFÈVRES

**■** La création de monnaie scripturale permet d'augmenter le pouvoir de dépenser des agents économiques. C'est par le crédit qu'on crée la monnaie scripturale. Cette création est limitée par la valeur des réserves qu'il est prudent de garder. Cette prudence est assurée par une réglementation sévère.

*Pourquoi une banque doit-elle garder des réserves ?*

### LA CRÉATION DE MONNAIE PAR LES BANQUES À CHARTE

**■** Les banques à charte créent de la monnaie, c'est-à-dire des dépôts ou de la monnaie scripturale, quand elles effectuent des prêts. La principale source de création de monnaie de l'économie canadienne consiste en la création de dépôts par les banques à charte lorsqu'elles prêtent.

*Que se passe-t-il lorsque les prêts sont remboursés ?*

**■** Le potentiel de création de monnaie par le crédit, pour une banque à charte, dépend de la taille de ses réserves excédentaires. De façon générale, une banque à charte peut prêter un montant maximal correspondant à la taille de ses réserves excédentaires. Elle est donc limitée parce que, selon toute éventualité, les chèques tirés par les emprunteurs seront déposés dans d'autres banques ; cela aura pour effet de diminuer les réserves et les dépôts de la banque prêteuse d'un montant égal à celui de ses prêts.

Le système bancaire considéré dans son ensemble peut prêter un multiple de ses réserves excédentaires parce qu'il ne peut perdre de réserves, contrairement aux banques à charte qui peuvent en perdre au profit des autres banques du système. Le multiple des réserves excédentaires que le système bancaire peut prêter correspond à la réciproque du coefficient de réserves-encaisse. On l'appelle « multiplicateur des dépôts bancaires ». Le processus de création de monnaie est réversible.

## LA BANQUE DU CANADA ET LA POLITIQUE MONÉTAIRE

■ En matière de politique monétaire, le principal actif de la Banque du Canada est les obligations du gouvernement du Canada et les bons du Trésor. Les principaux éléments de son passif sont les billets en circulation et les réserves (dépôts) des banques à charte.

Comme la politique fiscale, la politique monétaire a pour objectif la stabilisation de l'économie.

Les principaux instruments de la politique monétaire sont :
a) les interventions sur le marché libre ;
b) les transferts des dépôts du gouvernement.

## LA DEMANDE DE MONNAIE

■ La demande totale de monnaie comprend les demandes de monnaie à des fins de transaction et comme actif liquide. La demande à des fins de transaction varie directement selon le PIB nominal ; la demande comme actif liquide varie inversement selon le taux d'intérêt. Sur le marché monétaire, le taux d'intérêt d'équilibre est déterminé par la rencontre de la demande et de l'offre de monnaie.

Les déséquilibres sur le marché monétaire se corrigent au moyen du changement du prix des obligations. À mesure que le prix des obligations change, les taux d'intérêt changent en sens contraire. Au taux d'intérêt d'équilibre, le prix des obligations tend à être stable, et les quantités demandées et offertes de monnaie sont égales.

## LA POLITIQUE MONÉTAIRE, LE PIB D'ÉQUILIBRE ET LE NIVEAU DES PRIX

■ Le fonctionnement de la politique monétaire, c'est-à-dire l'enchaînement de cause à effet qui la caractérise, est complexe :
a) les décisions politiques influent sur les réserves des banques à charte ;
b) les variations des réserves font varier l'offre de monnaie ;
c) les fluctuations de l'offre de monnaie influencent le taux d'intérêt ;
d) les changements du taux d'intérêt agissent sur l'investissement, le PIB d'équilibre et le niveau des prix.

## L'EFFICACITÉ DE LA POLITIQUE MONÉTAIRE

■ Parmi les avantages de la politique monétaire se trouvent la flexibilité et la neutralité politique. Les récents succès de la politique monétaire témoignent de son utilité.

1. Les récents changements dans le système financier canadien rendent la tâche de la Banque du Canada plus difficile.
2. Une politique monétaire expansionniste peut avoir moins de succès qu'une politique monétaire restrictive.
3. L'effet d'une politique monétaire est moindre lorsque la courbe de demande de monnaie est horizontale et que la courbe de demande d'investissement est abrupte ou se déplace.
4. Les impacts qu'a le taux d'intérêt sur la demande peuvent s'annuler car l'intérêt est à la fois une réserve et une dépense dans l'économie.

Les politiques monétaires récentes sont davantage pragmatiques. Elles visent la santé de l'économie plutôt que la stabilisation à tout prix soit du taux d'intérêt, soit de l'offre de monnaie.

*Quel est le principal problème auquel s'attaque la politique monétaire ?*

*Pourquoi veut-on détenir de la monnaie comme actif liquide ?*

*Concrètement, à quoi correspond l'offre de monnaie ?*

*Quand une courbe de demande de monnaie est-elle horizontale ?*

ACTIVITÉS D'APPRENTISSAGE

ACTIVITÉS D'APPRENTISSAGE

### LES POLITIQUES FISCALE ET MONÉTAIRE ET LA DÉTERMINATION DU PIB

■ La figure 8.4 (page 288) présente une synthèse des effets des politiques fiscale et monétaire sur la détermination du revenu.

# Mots clés

| | | |
|---|---|---|
| Création de monnaie | Interventions sur le marché libre | Taux d'escompte |
| Demande de monnaie à des fins de transaction et comme actif liquide | Marché monétaire | Taux d'intérêt |
| | Persuasion morale | Transfert des dépôts du gouvernement |
| Demande totale de monnaie | Politique monétaire expansion- niste et restrictive | |
| Effet de rétroaction | Réserves excédentaires | |

# Réseau de concepts

Décrivez à l'aide d'un réseau de concepts l'effet de la politique monétaire sur le PIB en fonction de l'allure de la courbe d'offre agrégée. (Inspirez-vous des réseaux de concepts des chapitres précédents.)

# Exercices et problèmes

### Suivez les directives et répondez aux questions.

1. Supposons que monsieur Tremblay dépose 500 $ en espèces à la Banque régionale. Une demi-heure plus tard, madame Marchand négocie un emprunt de 750 $ à cette même banque. De combien la masse monétaire a-t-elle varié, et dans quel sens ? Expliquez votre réponse.

2. Supposons que la Banque du Grand Nord ait le bilan simplifié suivant. Le coefficient de réserves-encaisse est de 6,25 %.

| | | (1) | (2) |
|---|---|---|---|
| **Actif** | | | |
| Réserves | 22 000 $ | _____ | _____ |
| Titres | 38 000 $ | _____ | _____ |
| Prêts | 40 000 $ | _____ | _____ |
| **Passif et avoir des actionnaires** | | | |
| Dépôts | 100 000 $ | _____ | _____ |

a) Quel montant maximal de nouveaux prêts la banque peut-elle accorder ? Indiquez, à la colonne 1, les postes du bilan tels qu'ils apparaissent après que la banque a accordé ces prêts additionnels.

b) De combien la masse monétaire a-t-elle varié ? Expliquez votre réponse.

c) Quel sera le nouveau bilan de la banque une fois qu'un chèque d'un montant égal à celui du prêt total aura été compensé? Inscrivez la réponse dans la colonne 2.

d) Refaites les points a, b et c de cette question en supposant un coefficient de réserves de 10 %.

3. Supposons que la Banque de Montréal ait des réserves excédentaires de 8 000 $ et des dépôts de 150 000 $. Si le coefficient de réserves est de 10 %, quelles seront les réserves totales de la banque?

4. La Banque Nationale a des réserves de 10 000 $ et des dépôts de 100 000 $. Le coefficient de réserves est de 10 %. Les ménages déposent 5 000 $ en espèces à la banque, ce qui augmente ses réserves. Quelles sont maintenant les réserves excédentaires de la banque?

5. Supposons que la Banque Nationale ait des réserves de 10 000 $ et des dépôts de 100 000 $. Le coefficient de réserves demeure 10 %. La banque vend maintenant des titres d'une valeur de 5 000 $ à la Banque du Canada. La Banque du Canada augmente alors les réserves de la banque de 5 000 $. Quelles sont maintenant les réserves excédentaires de la banque? Pourquoi cette réponse diffère-t-elle (oui, elle est différente!) de celle de la question 4?

6. Soit les transactions suivantes:

**Bilan consolidé de toutes les banques à charte**

|  |  | (1) | (2) |
|---|---|---|---|
| **Actif** |  |  |  |
| Réserves | 4,8 | _____ | _____ |
| Titres | 20,0 | _____ | _____ |
| Prêts | 71,2 | _____ | _____ |
| **Passif et avoir des actionnaires** |  |  |  |
| Dépôts | 96,0 | _____ | _____ |
| Avances de la banque du Canada | 0,0 | _____ | _____ |

**Bilan de la banque du Canada**

|  |  | (1) | (2) |
|---|---|---|---|
| **Actif** |  |  |  |
| Titres | 15,8 | _____ | _____ |
| Avances aux banques à charte | 0,0 | _____ | _____ |
| **Passif et avoir des actionnaires** |  |  |  |
| Réserves des banques à charte | 4,8 | _____ | _____ |
| Dépôts du gouvernement du Canada | 0,1 | _____ | _____ |
| Billets en circulation | 10,9 | _____ | _____ |

a) La Banque du Canada vend des titres d'une valeur de 100 millions de dollars aux courtiers, qui paient ces obligations par chèque. Inscrivez la réponse dans la colonne 1.

b) La Banque du Canada achète des titres d'une valeur de 200 millions de dollars aux banques à charte. Inscrivez la réponse dans la colonne 2.

c) Pour chaque transaction, répondez aux trois questions suivantes :

- À la suite de chaque transaction, l'offre de monnaie a-t-elle changé ; si oui, comment ?

- Pour chaque transaction, quelle a été la hausse ou la baisse des réserves des banques à charte ?

- En supposant un coefficient de réserves de 5 %, de quelle manière le potentiel de création de monnaie du système bancaire a-t-il été modifié consécutivement à chaque transaction ?

7. Supposons que la valeur nominale d'une obligation soit de 10 000 $ et qu'elle rapporte annuellement un montant d'intérêt fixe de 800 $. Calculez soit le taux d'intérêt que l'acheteur de l'obligation obtiendrait pour chacun des prix mentionnés ou le prix de l'obligation pour chaque taux d'intérêt mentionné et écrivez-le dans l'espace approprié. Quelle généralisation pouvez-vous tirer de cet exemple ? Expliquez votre réponse.

8. Que sont les fuites ? Comment peuvent-elles influer sur le crédit potentiel du système bancaire ? Répondez de façon précise.

9. Quel est l'objectif premier de la politique monétaire ? Décrivez le fonctionnement de la politique monétaire. En vous référant à la figure 8.3 (page 282), expliquez comment :
   a) l'allure des courbes de demande de monnaie et de demande d'investissement et
   b) la taille de la PmÉ et celle de la PmM influencent l'efficacité de la politique monétaire. Comment l'effet de rétroaction influence-t-il l'efficacité de la politique monétaire ?

10. Votre copine Isabelle est nommée gouverneure de la Banque du Canada. L'économie traverse une longue période d'inflation aiguë.
   a) Quelles interventions sur le marché public préconisera-t-elle ?
   b) Comment fera-t-elle varier le taux d'escompte ?
   c) Où placera-t-elle les dépôts du gouvernement ?
   d) Comment fera-t-elle varier le coefficient des réserves secondaires ?
   Dans chacun des cas, expliquez comment le changement modifiera les réserves des banques à charte et influencera l'offre de monnaie.

11. En utilisant les bilans des banques à charte et de la Banque du Canada, démontrez, dans chacun des cas, les conséquences des transactions suivantes sur les réserves des banques à charte :
   a) la Banque du Canada achète des titres aux courtiers ;
   b) la Banque du Canada prête aux banques à charte.

12. Évaluez l'efficacité générale de la politique monétaire. Discutez les diverses limites de la politique monétaire.

13. Quels sont les principaux facteurs déterminant a) la demande de monnaie à des fins de transaction et b) la demande de monnaie comme actif liquide ? Expliquez comment il est possible de combiner graphiquement ces deux demandes pour obtenir la demande totale de monnaie. Comment détermine-t-on le taux d'intérêt d'équilibre sur le marché monétaire ? Comment a) l'usage extensif des cartes de crédit et b) une contraction des périodes de paye peuvent-ils influer sur la demande de monnaie à des fins de transaction ? Une carte de débit aurait-elle le même effet ?

14. Expliquez comment les politiques fiscale et monétaire peuvent agir sur les différentes composantes de la demande globale.

15. Pourquoi n'est-il pas réaliste de croire que les politiques fiscale et monétaire peuvent engendrer une parfaite stabilité économique ? Comment pourrait-on améliorer ces politiques ?

16. Nommez une politique stabilisatrice expansionniste, tant fiscale que monétaire, qui permettrait :
    a) un déclin relatif du secteur public ;
    b) une meilleure répartition des revenus ;
    c) un taux de croissance économique élevé.

    Expliquez l'énoncé suivant : « Une politique de stabilisation vraiment efficace implique la coordination des politiques fiscale et monétaire. »

17. Supposons que le marché monétaire soit en équilibre. Si l'offre de monnaie augmente, quels seront les ajustements à faire pour arriver à un nouveau taux d'intérêt d'équilibre ? Quels effets pensez-vous que cette variation du taux d'intérêt aura sur les niveaux de production, d'emploi et des prix ? Répondez à nouveau à cette question en supposant que l'offre de monnaie diminue.

# Complément

## LA CRÉATION DE MONNAIE DANS LE SYSTÈME BANCAIRE

*Le système bancaire peut prêter, c'est-à-dire créer de la monnaie, selon un multiple de ses réserves excédentaires. Ce multiple est possible malgré le fait que chaque banque du système ne peut prêter plus que ses réserves excédentaires.* Il s'agit maintenant de découvrir comment cette conclusion apparemment paradoxale est possible.

Nous tenterons de rendre notre analyse aussi simple que possible. Par conséquent, nous utiliserons trois postulats simplificateurs.

1. Nous supposerons que le coefficient de réserves pour les banques à charte est de 5 %.

2. Nous supposerons que toutes les banques à charte remplissent exactement cette exigence, c'est-à-dire sans garder de réserves excédentaires.

3. Nous supposerons que lorsqu'une banque est en mesure d'effectuer un prêt par suite de l'acquisition de réserves excédentaires, le montant du prêt est égal à ces réserves excédentaires. L'emprunteur tirera un chèque

d'une valeur correspondant au montant total du prêt et le remettra à une autre personne qui le déposera dans une autre banque.

### Le potentiel de crédit du système bancaire

Pour mettre en branle le processus, supposons que quelqu'un dépose 100 $ en espèces à la Banque A ; celle-ci ajoute cette somme à ses réserves ($a_1$). Nous n'enregistrons que les changements au bilan des différentes banques, alors le bilan de la Banque A apparaît comme suit :

#### Bilan : la Banque A

**Actif**

| | |
|---|---|
| Réserves | 100 $ ($a_1$) |
| | −95 $ ($a_3$) |
| Prêts | 95 $ ($a_2$) |

**Passif et avoir des actionnaires**

| | |
|---|---|
| Dépôts | 100 $ ($a_1$) |
| | 95 $ ($a_2$) |
| | −95 $ ($a_3$) |

La Banque a acquis des réserves excédentaires de 95 $. En effet, de ses nouvelles réserves de 100 $, 5 %, ou 5 $, sont requis comme réserves pour le dépôt de 100 $ ; le reste constitue les réserves excédentaires.

Nous devons maintenant tenir compte de notre troisième postulat : l'emprunteur émet un chèque de 95 $, montant total du prêt ($a_2$), et le remet à quelqu'un qui le dépose dans une autre banque, la Banque B. Comme nous l'avons vu lors de la cinquième transaction (page 271), la Banque A perd des réserves et des dépôts d'un montant égal à celui du prêt ($a_3$). Le résultat net de ces transactions est le suivant : les réserves de la Banque A sont maintenant de 5 $ (= 100 $ – 95 $), ses prêts sont de 95 $ et ses dépôts, de 100 $ (= 100 $ + 95 $ – 95 $). Une fois la transaction achevée, les réserves de la Banque A correspondent au minimum exigé par la loi.

Tout comme lors de la quatrième transaction (chapitre 7), la Banque B acquiert les réserves et les dépôts ($b_1$) que la Banque A vient de perdre. Le bilan de la Banque B a l'allure suivante :

#### Bilan : la Banque B

**Actif**

| | |
|---|---|
| Réserves | 95,00 $ ($b_1$) |
| | −90,25 $ ($b_3$) |
| Prêts | 90,25 $ ($b_2$) |

**Passif et avoir des actionnaires**

| | |
|---|---|
| Dépôts | 95,00 $ ($b_1$) |
| | 90,25 $ ($b_2$) |
| | −90,25 $ ($b_3$) |

Une fois le chèque encaissé, la Banque A perd des réserves et des dépôts de 95 $ et la Banque B les acquiert. Mais 5 %, ou 4,75 $, des nouvelles réserves de la Banque B doivent être gardés comme réserves pour couvrir les nouveaux dépôts de 95 $. La Banque B détient donc 90,25 $ (= 95,00 $ – 4,75 $) en réserves excédentaires. Elle peut donc prêter 90,25 $ ($b_2$). Quand l'emprunteur émet un chèque au montant total du prêt et le dépose à la Banque C, les réserves et les dépôts de la Banque B chutent de 90,25 $ ($b_3$). À la suite de ces transactions, les réserves de la Banque B sont maintenant de 4,75 $ (= 95,00 $ – 90,25 $), les prêts sont de 90,25 $ et les dépôts, de 95 $ (= 95,00 $ + 90,25 $ – 90,25 $). Les réserves de la Banque B sont dès lors égales à celles qui sont requises.

La Banque C a acquis des réserves et des dépôts de 90,25 $ ($c_1$), soit ceux qu'a perdus la Banque B. Son bilan est le suivant :

### Bilan : la Banque C

| **Actif** | |
| --- | --- |
| Réserves | 90,25 $ ($c_1$) |
| | −85,74 $ ($c_3$) |
| Prêts | 85,74 $ ($c_2$) |
| **Passif et avoir des actionnaires** | |
| Dépôts | 90,25 $ ($c_1$) |
| | 85,74 $ ($c_2$) |
| | −85,74 $ ($c_3$) |

Les réserves requises sont de 4,51 $, soit 5 % ; le reste, 85,74 $, constitue des réserves excédentaires. Ainsi, la Banque C peut prêter en toute sécurité un maximum de 85,74 $. Supposons qu'elle le fasse ($c_2$). Et supposons que l'emprunteur émette un chèque égal au montant total du prêt et le redépose dans une autre banque ($c_3$).

La Banque D, recevant les 85,74 $ en réserves et en dépôts ($d_1$), indique ces changements à son bilan comme suit :

### Bilan : la Banque D

| **Actif** | |
| --- | --- |
| Réserves | 85,74 $ ($d_1$) |
| | −81,45 $ ($d_3$) |
| Prêts | 81,45 $ ($d_2$) |
| **Passif et avoir des actionnaires** | |
| Dépôts | 85,74 $ ($d_1$) |
| | 81,45 $ ($d_2$) |
| | −81,45 $ ($d_3$) |

Elle peut maintenant prêter 81,45 $ ($d_2$). L'emprunteur émet un chèque d'un montant égal à la valeur totale du prêt et le dépose dans une autre banque ($d_3$).

ACTIVITÉS D'APPRENTISSAGE

Si nous voulions faire preuve de zèle, nous pourrions continuer ainsi avec les banques E, F, G, H, ... N. Nous vous suggérons plutôt de vérifier les calculs des banques E, F et G afin de vous assurer que vous comprenez bien le processus.

L'essentiel de cette analyse est résumé au tableau 8.2. Les données pour les banques E à N vous sont fournies ; vous pourrez ainsi vérifier vos calculs. La conclusion est plutôt étonnante : à partir de réserves excédentaires de 95 $ (acquises par le système bancaire lorsque quelqu'un a déposé 100 $ en espèces à la Banque A), le système bancaire peut prêter 1 900 $, soit 20 fois les réserves excédentaires initiales lorsque le coefficient de réserves est de 5 %. Nous remarquerons que chacune des banques ne prête qu'un montant égal à ses réserves excédentaires.

**TABLEAU 8.2**　　L'expansion de la masse monétaire par le système bancaire

| Banque | (1) Réserves et dépôts | | (2) Réserves requises | (3) Réserves excédentaires ou (1) – (2) | (4) Montant que la banque peut prêter ; nouvelle monnaie créée = (3) | |
|---|---|---|---|---|---|---|
| Banque A | 100,00 $ | $(a_1)$ | 5,00 $ | 95,00 $ | 95,00 $ | $(a_2)$ |
| Banque B | 95,00 | $(a_3 \cdot b_1)$ | 4,75 | 90,25 | 90,25 | $(b_2)$ |
| Banque C | 90,25 | $(b_3 \cdot c_1)$ | 4,51 | 85,74 | 85,74 | $(c_2)$ |
| Banque D | 85,74 | $(c_3 \cdot d_1)$ | 4,29 | 81,45 | 81,45 | $(d_2)$ |
| Banque E | 81,45 | | 4,07 | 77,38 | 77,38 | |
| Banque F | 77,38 | | 3,87 | 73,51 | 73,51 | |
| Banque G | 73,51 | | 3,68 | 69,83 | 69,83 | |
| Banque H | 69,83 | | 3,49 | 66,34 | 66,34 | |
| Banque I | 66,34 | | 3,32 | 63,02 | 63,02 | |
| Banque J | 63,02 | | 3,15 | 59,87 | 59,87 | |
| Banque K | 59,87 | | 2,99 | 56,88 | 56,88 | |
| Banque L | 56,88 | | 2,84 | 54,04 | 54,04 | |
| Banque M | 54,04 | | 2,71 | 51,33 | 51,33 | |
| Banque N | 51,33 | | 2,56 | 48,77 | 48,77 | |
| Autres Banques | 975,36 | | 48,77 | 926,59 | 926,59 | |
| Création totale de monnaie | | | | | 1 900,00 $ | |

*Les réserves perdues par une banque ne le sont pas pour le système bancaire dans son ensemble.* Celles qui sont perdues par la Banque B sont gagnées par la Banque C. La Banque C perd au bénéfice de D, D au profit de E, E à celui de F, et ainsi de suite.

*Le multiplicateur de la monnaie*

La logique sous-jacente au multiplicateur des dépôts bancaires ressemble à celle qui est sous-jacente au multiplicateur des dépenses (chapitre 6). Le multiplicateur des dépôts repose sur le fait que les réserves et les dépôts perdus par une banque sont reçus par une autre banque. De même que la taille du multiplicateur du revenu était déterminée par la réciproque de la propension marginale à épargner, c'est-à-dire la fuite sous forme d'épargne qui se produit à chaque étape de la dépense, de même le multiplicateur des dépôts $m$ est la réciproque du coefficient de réserve R, c'est-à-dire la fuite des réserves requises qui se produit à chaque étape du processus de prêt.

En bref,

$$\text{Multiplicateur des dépôts} = \frac{1}{\text{coefficient de réserves}}$$

ou, symboliquement :

$$m = \frac{1}{R}$$

Dans cette formule, $m$ correspond au nombre maximal de dollars qui peuvent être créés sous forme de dépôts pour chaque dollar de réserves excédentaires, selon la valeur de R. Pour déterminer le montant maximal de nouvelle monnaie scripturale, D, qui peut être créée par le système bancaire à partir de n'importe quel montant de réserves excédentaires, E, nous multiplions simplement les réserves excédentaires par le multiplicateur de la monnaie. C'est-à-dire :

Création maximale de dépôts = réserves excédentaires x multiplicateur de la monnaie

ou, plus simplement :            $D = E \times m$

Alors, dans notre exemple du tableau 8.2 :

$$1\,900\,\$ = 95\,\$ \times 20$$

Cependant, il faut se rappeler que, malgré la ressemblance qui existe entre le multiplicateur de revenu et celui des dépôts, le premier se rapporte aux changements de revenu et le second aux changements de l'offre de monnaie.

Vous pouvez vérifier votre compréhension du mécanisme de l'expansion du crédit bancaire en tentant de résoudre les problèmes suivants :

1. Refaites l'analyse précédente (au moins trois ou quatre étapes) en supposant que le coefficient de réserves soit de 10 %. Quel est le maximum de monnaie que le système bancaire peut créer à partir d'un dépôt en espèces de 100 $ ? (Non, la réponse n'est pas 950 $ !)

2. Expliquez comment un système bancaire, qui a effectué tous les prêts possibles et dont le coefficient de réserves est de 5 %, devra réduire ses prêts en cours de 1 900 $ si un retrait en espèces de 100 $ se produit et oblige la banque à diminuer ses réserves de 100 $.

*Quelques modifications*

Nous avons procédé à l'analyse de la création de monnaie dans un contexte plutôt restrictif. En fait, certaines complications qui nuiraient à la précision de notre analyse peuvent survenir.

**D'autres fuites**

À part la fuite provenant des réserves requises à chaque étape du processus de crédit, deux autres fuites de monnaie peuvent survenir dans les banques

ACTIVITÉS D'APPRENTISSAGE

à charte, réduisant alors le potentiel de création de monnaie du système bancaire.

**LES RETRAITS EN ESPÈCES** Un emprunteur peut exiger qu'une partie de son prêt lui soit remise en espèces. Ou bien, le bénéficiaire d'un chèque tiré par un emprunteur peut se présenter à la banque et demander à être remboursé partiellement ou totalement en liquide plutôt que de voir son dépôt augmenter. Alors, si la personne qui a emprunté 95 $ à la Banque A demande 15 $ en espèces et le reste (80 $) sous forme de dépôt, la Banque B ne recevra que 80 $ en nouvelles réserves (desquels 76 $ constitueront des réserves excédentaires) plutôt que 95 $ (desquels 90,25 $ seront des réserves excédentaires). La baisse des réserves excédentaires réduit le potentiel de crédit du système bancaire. En fait, si le premier emprunteur avait demandé la totalité de la somme en espèces, soit 95 $, et si cette monnaie était demeurée en circulation, le processus de multiplication des dépôts bancaires se serait terminé là. Mais, comme les dépôts sont sûrs et pratiques, cette éventualité est peu probable.

**LES RÉSERVES EXCÉDENTAIRES** Toute notre analyse du processus de création de monnaie à partir du crédit qu'accordent les banques à charte repose sur le postulat que les banques désirent détenir des réserves égales à ce qui est requis. Dans la mesure où les banquiers détiennent des réserves excédentaires, le potentiel de création de monnaie du système bancaire sera réduit. Par exemple, supposons que la Banque A reçoive un dépôt de 100 $ et qu'elle ajoute à ses réserves 10 $ plutôt que le minimum requis de 5 $. Elle ne pourra prêter que 90 $, plutôt que 95 $, et le multiplicateur des dépôts bancaires sera d'autant plus faible. En fait, le montant des réserves excédentaires que les banques ont détenu ces dernières années a été très faible, à peine 0,04 point de pourcentage au-dessus du minimum requis. L'explication est simple : les réserves excédentaires ne rapportent pas de revenu d'intérêt à la banque, contrairement aux prêts et aux placements. Alors, notre postulat d'une banque qui prête une somme égale à ses réserves excédentaires est raisonnable et très acceptable.

Certes, l'implantation graduelle de la nouvelle Loi des banques (1991) pour en arriver à des réserves obligatoires nulles fait en sorte que les banques ne sont plus obligées de détenir des réserves en liquide. On s'attend cependant que leurs réserves dans les chambres fortes, combinées aux dépôts à la Banque du Canada, ne totalisent pas plus que 2 % de la valeur des dépôts inscrits à leur passif.

### LE BESOIN DE CONTRÔLE

Les banquiers peuvent ne pas faire croître l'offre de monnaie à son maximum ; le cas échéant, ils risquent d'accentuer les fluctuations économiques. En restreignant le crédit au moment où l'économie traverse une récession, les banques à charte peuvent comprimer encore davantage la demande globale et accélérer le déclin de l'économie. Il est clair que la contraction de la masse monétaire lors de la Grande Dépression contribua à amplifier la crise. Inversement, en prêtant et, par conséquent, en créant de la monnaie jusqu'à la limite de leur potentiel durant les périodes de prospérité, les banques à charte peuvent accroître les pressions inflationnistes.

# Recherche documentaire

Allez sur Internet à l'adresse suivante : http://www.bank-banque-canada.ca/french/intro-f.htm et faites le plan des informations que vous pouvez y trouver. Résumez également la politique monétaire actuelle.

# L'économique pour comprendre ce qui se passe

Êtes-vous d'accord avec M. Thiessen lorsqu'il dit que la politique monétaire ne peut s'adapter aux disparités régionales ? Justifiez votre réponse. Croyez-vous que ce n'est qu'une question de temps avant qu'une politique monétaire agisse sur le chômage ? Donnez au moins un argument pour soutenir votre position.

**Thiessen maintient la ligne dure**

# La Banque du Canada veut éviter une hausse des taux d'intérêt

### Hélène Baril

LE SOLEIL, Québec le 19 juin 1997, page B1

Même si l'inflation est vaincue, la Banque du Canada n'a pas l'intention d'abandonner sa cible de 1 à 3 % à ne pas dépasser.

« Je crois qu'un relâchement de nos cibles pour ce qui est de l'inflation pourrait faire augmenter les taux d'intérêt au Canada d'un point de pourcentage et même plus et ça n'aiderait en rien l'emploi », a soutenu, hier, le gouverneur de la Banque du Canada, M. Gordon Thiessen.

Pour la première fois depuis sa nomination en 1994, le gouverneur de la Banque du Canada était à Québec hier. Devant les membres de la Chambre de commerce et d'industrie du Québec métropolitain, il a défendu sa politique monétaire dont on attend toujours les effets positifs sur la croissance et l'emploi.

M. Thiessen a expliqué qu'il faut entre un et deux ans avant que l'économie canadienne bénéficie pleinement des taux d'intérêt très bas. Les chômeurs, selon lui, seraient donc à la veille de profiter de la croissance économique soutenue observée depuis le milieu de 1996.

La Banque du Canada a fait ce qu'il y a de mieux pour l'économie, a-t-il plaidé, en maintenant un taux d'inflation faible et des taux d'intérêt bas.

Les conditions monétaires actuelles sont les plus souples depuis 30 ans, et l'économie commence à en bénéficier, estime le gouverneur de la Banque du Canada, dont les prévisions de croissance pour 1997 sont plus optimistes que celles du secteur privé.

Si l'écart avec les États-Unis ne cesse de s'accroître et que le taux de chômage est deux fois plus élevé au Canada, c'est parce que les entreprises américaines ont commencé à se restructurer au milieu des années 80, soit sept ans avant nous, a-t-il soutenu. « On est en retard et je crois que ça explique la différence avec les États-Unis ».

L'économie canadienne a aussi souffert de la rationalisation des finances publiques, rendue nécessaire à cause d'un niveau d'endettement insoutenable. Tout ça est maintenant derrière nous, se réjouit Gordon Thiessen. « Nous sommes maintenant parvenus au point où les avantages l'emportent sur les désavantages ».

En outre, a-t-il dit, l'économie canadienne est devenue beaucoup moins vulnérable à une hausse des taux d'intérêt aux États-Unis ou ailleurs dans le monde. À tort ou à raison, ces paroles ont été interprétées comme une indication que les taux d'intérêt canadiens ne suivraient pas les taux américains à la hausse et le dollar a perdu quelques plumes sur le marché des changes.

Comme il fallait s'y attendre, le gouverneur de la Banque du Canada a refusé de s'aventurer en terrain politique. «Je déteste ne pas répondre à une question, mais je ne répondrai pas à celle-là», a-t-il dit après avoir été interrogé sur la possibilité qu'un Québec indépendant utilise la monnaie canadienne. «Les responsables des banques centrales qui répondent à des questions de ce genre se créent des problèmes sans fin avec les marchés financiers», a expliqué M. Thiessen.

Par ailleurs, la Banque du Canada veut renforcer sa présence dans les régions du pays, ce qui donne raison à ses détracteurs qui critiquent depuis longtemps son fonctionnement en circuit fermé.

En réponse à une question, le gouverneur a d'ailleurs reconnu qu'il était impossible d'adapter la politique monétaire aux disparités qui existent entre l'Est et l'Ouest du pays. «Le taux de la Banque du Canada est une moyenne», a-t-il dit.

# Chapitre 9

# Le commerce international

**O**n dit que notre économie est ouverte parce qu'elle est intimement liée aux économies des autres nations du monde par un réseau complexe d'échanges commerciaux et financiers.

Dans le présent chapitre, nous jetterons d'abord un coup d'œil au volume du commerce international canadien ainsi qu'à ses caractéristiques particulières. Nous expliquerons ensuite les fondements du commerce international. Finalement, nous analyserons les avantages du libre-échange et les arguments en faveur du protectionnisme ainsi que les différentes politiques en cette matière.

## L'IMPORTANCE DU COMMERCE INTERNATIONAL

Il est de plus en plus question de mondialisation des marchés. En effet, les échanges entre les pays n'ont cessé de croître ces dernières années.

### Le volume et les partenaires

Le tableau 9.1 (page 304) nous fournit un indice sommaire de l'importance relative du commerce international pour certains pays représentatifs. Plusieurs nations dont les ressources sont restreintes et les marchés intérieurs limités ne peuvent tout simplement pas produire de façon vraiment efficace tous les biens qu'elles désirent consommer. Alors elles devront importer et exporter. Pour ces pays, les exportations et les importations peuvent constituer de 30 % à 35 % ou plus de leur PIB. D'autres pays, comme les États-Unis, possèdent des ressources abondantes

**TABLEAU 9.1**    Les exportations de marchandises en pourcentage du PIB, pays choisis, 1995

| Pays | Exportations de marchandises | |
|------|------------------------------|---|
| | Pourcentage du PIB | Volume total (en milliards de dollars américains) |
| Pays-Bas | 53,8 | 194,5 |
| Allemagne unifiée | 23,0 | 508,5 |
| Canada | 32,8 | 192,2 |
| Royaume-Uni | 22,4 | 242,0 |
| France | 20,0 | 286,0 |
| Italie | 26,6 | 235,1 |
| Japon | 9,2 | 443,1 |
| États-Unis | 8,1 | 583,9 |

**Source:** Données tirées de *L'État du monde 1997*, Montréal, éditions La Découverte – Boréal Express.

et diversifiées et ont accès à de vastes marchés intérieurs. Ils sont, par conséquent, moins dépendants du commerce international. Les exportations et les importations canadiennes de marchandises représentent de 20 % à 35 % du PIB canadien, selon les années.

### Le volume

Le Canada est en général déficitaire sur le plan des échanges de biens et de services pour des raisons que nous étudierons au chapitre 10. La plupart du temps, cependant, il existe un surplus quant au commerce de marchandises, c'est-à-dire les biens. Cette situation prévalait en 1996, comme le montre le tableau 9.2.

Nous remarquons l'importance des exportations de matières premières (bois, céréales, minerais, etc.) pour l'économie canadienne. Ces biens sont exportés à l'état brut ou avec peu de transformation. Malgré tout, un grand pourcentage de nos exportations sont constituées de biens manufacturés. Nous notons également l'importance des produits finis dans le total de nos importations, principalement des biens manufacturés comme la machinerie.

### Nos partenaires commerciaux

Le tableau 9.3 (page 306) nous fournit un portrait général des partenaires commerciaux du Canada. Remarquez que la plus grande partie de notre commerce international, importations et exportations, se fait avec les États-Unis et avec d'autres pays industrialisés et non avec les pays en voie de développement ou avec les pays de l'Europe de l'Est.

### Le niveau de production

Comme nous l'avons vu au chapitre 5, la variation des exportations nettes, c'est-à-dire la différence entre la valeur des exportations et celle des importations d'un pays, a des effets importants sur le niveau du revenu intérieur de la même manière que les fluctuations des diverses dépenses intérieures. Une petite variation du volume des importations et des exportations canadiennes peut avoir de fortes répercussions sur les niveaux intérieurs de revenu, d'emploi et de prix.

## Les caractéristiques particulières

Mis à part les considérations quantitatives, le commerce international possède certaines caractéristiques qui requièrent une attention spéciale.

### Les différences quant à la mobilité

Bien que cette différence ne soit qu'une question de degré, la mobilité des ressources est considérablement moins grande entre les pays qu'à l'intérieur des pays. Les travailleurs canadiens, par exemple, sont libres de déménager du Nouveau-Brunswick en Ontario ou de la Saskatchewan en Colombie-Britannique. Bien sûr, il existe des limites sociologiques à la mobilité. Pour les Québécois, quitter leur province signifie souvent perdre leur langue et leur culture. Mais si le travailleur le désire, il peut le faire. Cependant, traverser les frontières est une tout autre histoire. Les lois de l'immigration, sans mentionner les barrières linguistiques et culturelles comme celles auxquelles se heurtent les Québécois hors de leur province, restreignent considérablement la migration des travailleurs entre les pays. Diverses réglementations fiscales, économiques et sociales, certaines pratiques en affaires et une quantité impressionnante d'obstacles institutionnels limitent la circulation du capital réel au-delà des frontières internationales. Mais le Canada est un des pays industrialisés où ces limites sont les plus faibles, comme nos importations de machinerie industrielle le démontrent (tableau 9.2).

*Le commerce international tient lieu de mobilité internationale des ressources.* En effet, si les ressources physiques et humaines ne se déplacent pas aussi librement entre les pays qu'à l'intérieur de ceux-ci, la circulation des biens et des services constitue en quelque sorte une compensation.

### Les diverses devises

Chaque pays possède sa propre monnaie. Ainsi, une entreprise canadienne distribuant des Honda ou des Jaguar au Canada doit acheter des yens ou des livres pour payer les constructeurs d'automobiles japonais ou anglais. Au chapitre 10, nous étudierons les complications possibles qui peuvent accompagner ces échanges de devises.

### Les politiques

Comme nous le verrons, le commerce international est sujet à des interférences politiques et à des contrôles substantiellement différents de ceux qui sont appliqués au commerce intérieur.

## LES FONDEMENTS ÉCONOMIQUES DU COMMERCE INTERNATIONAL

Mais pourquoi les pays font-ils du commerce ? Quels sont les fondements du commerce entre les nations ? Le commerce international est un moyen par lequel les pays peuvent se spécialiser, augmenter la productivité de leurs ressources et, de cette manière, réaliser une production totale supérieure. Les nations souveraines, comme les individus ou les régions d'un pays, peuvent être

**Tableau 9.2**    Les exportations et les importations canadiennes de marchandises, 1996

| Exportations et importations sur la base de la balance des paiements, selon le produit, en 1996, en milliards de dollars | | |
|---|---|---|
| **Produits** | **Exportations** 268,2 | **Importations** 233,0 |
| Produits de l'agriculture et de la pêche | 22,4 | 14,1 |
| Produits énergétiques | 26,0 | 9,6 |
| Produits forestiers | 33,3 | 1,9 |
| Biens industriels | 48,2 | 45,8 |
| Machines et équipement | 61,5 | 76,6 |
| Produits automobiles | 62,2 | 51,5 |
| Autres biens de consommation | 8,6 | 25,8 |
| Transactions commerciales spéciales | 5,8 | 7,0 |
| Rajustements non répartis | 0,1 | 0,6 |

**Source :** Données tirées de Statistique Canada, *Dimensions canadiennes* – « Exportations sur la base de la balance des paiements, selon le produit », http://www.statcan.ca/français, 10 octobre 1997, 10:08:47.

**TABLEAU 9.3**    Les exportations et les importations de marchandises canadiennes selon la destination, 1996

| Destination | Exportations | | Importations | |
|---|---|---|---|---|
| | **Valeur**<br>(en milliards de dollars) | **Pourcentage du total** | **Valeur**<br>(en milliards de dollars) | **Pourcentage du total** |
| États-Unis | 221,9 | 79,1 | 181,9 | 76,0 |
| Royaume-Uni | 4,7 | 1,7 | 5,6 | 2,3 |
| Autres pays de la CEE | 12,7 | 4,5 | 15,0 | 7,1 |
| Japon | 12,5 | 4,5 | 7,2 | 6,4 |
| Autres | 28,8 | 10,3 | 29,6 | 14,4 |
| Total | 280,6 | 100,0 | 239,6 | 100,0 |

**Source :** Données tirées de Statistique Canada, *L'Observateur économique canadien*, septembre 1997.

gagnantes en se spécialisant dans des produits qu'elles produisent avec une certaine efficacité et en échangeant ces biens contre d'autres qu'elles ne peuvent produire efficacement.

Il faut cependant approfondir cette réponse. Premièrement, la répartition des ressources économiques – naturelles, humaines et biens de production – entre les nations est très inégale ; les pays diffèrent considérablement quant aux ressources économiques dont ils disposent. Deuxièmement, la production efficace des divers biens requiert des techniques et des ressources différentes.

Nous pouvons illustrer aisément la nature de ces deux constatations et leur interaction. Par exemple, le Japon possède une main-d'œuvre qualifiée et instruite ; le travail spécialisé y est abondant et, par conséquent, bon marché. Ainsi, le Japon peut produire efficacement (à des coûts faibles) tout un éventail de biens dont la production nécessite une main-d'œuvre qualifiée : caméras, transistors, magnétophones. Ces biens constituent des produits dont la réalisation exige l'utilisation intensive de main-d'œuvre.

Par contre, l'Australie possède beaucoup de terres arables par rapport à ses ressources humaines et à son capital et peut donc fournir à bon marché des produits réliés à la terre comme le blé, la laine et la viande. Le Brésil possède le sol, le climat tropical, les précipitations et une main-d'œuvre non spécialisée abondante. Ces ressources sont nécessaires pour produire le café de façon efficace.

Les pays industrialisés sont en position stratégique pour produire efficacement les biens dont la production est intensive quant au capital, comme les automobiles, le matériel agricole, la machinerie et les produits chimiques.

Le Canada se situe dans une position intermédiaire : il peut compter sur des terres et des ressources naturelles abondantes, une main-d'œuvre qualifiée et un capital *per capita* supérieur à celui des États-Unis. Ainsi, le Canada est un producteur efficace de blé et d'autres céréales, de bois, de nombreux minerais et aussi d'acier.

Il est important de souligner que l'efficacité économique avec laquelle les pays produisent les divers biens varie dans le temps. La répartition des ressources et de la technologie peut également changer au point d'influencer l'efficacité relative avec laquelle les biens peuvent être produits dans les différents pays.

Par exemple, durant les dernières décennies, la Corée du Sud a amélioré grandement la qualité de sa population active et a même augmenté de façon considérable son stock de capital. Ainsi, bien que la Corée du Sud fût, il y a un demi-siècle, un exportateur de produits agricoles et de matières premières, elle exporte maintenant de grandes quantités de produits manufacturés. De la même manière, les nouvelles technologies qui ont permis la fabrication de fibres synthétiques et de caoutchouc synthétique ont modifié la combinaison des ressources nécessaires à la production de ces biens ; elles ont ainsi changé l'efficacité relative des pays qui les produisent.

## Les arguments en faveur du libre-échange

### La spécialisation et les avantages comparés

Pour comprendre le principe de l'avantage comparé, nous prendrons l'exemple d'une comptable agréée qui est également une peintre en bâtiment expérimentée. Supposons que notre comptable puisse peindre sa maison en moins de temps qu'un peintre professionnel qu'elle pourrait embaucher. Supposons également qu'elle gagne 50 $ l'heure en tant que comptable et qu'elle doive payer un peintre 15 $ l'heure. Disons que la comptable pourrait peindre sa maison en 30 heures et que le peintre, pour sa part, aurait besoin de 40 heures. Finalement, supposons que la comptable agréée ne retire aucun plaisir lorsqu'elle peint.

La comptable devrait-elle cesser quelque temps son travail de comptable pour peindre sa maison ou devrait-elle engager un peintre? La comptable devrait engager le peintre. Si elle peint sa maison, elle paiera un coût d'option de 1 500 $ (= 30 heures x 50 $ l'heure en revenu sacrifié). Si elle embauche un peintre, il lui en coûtera seulement 600 $ (= 40 heures x 15 $ l'heure versés au peintre). Même si la comptable est meilleure tant en comptabilité qu'en peinture, son avantage relatif ou avantage comparé demeure la comptabilité. Il lui en coûtera moins de faire peindre sa maison si elle se spécialise en comptabilité et utilise une partie de ses revenus pour payer un peintre en bâtiment.

> **AVANTAGE COMPARÉ**
>
> Avantage que possède un producteur (pays, entreprise, individu) dans un domaine de production s'il a un coût relativement plus faible que celui d'un autre producteur.

De la même manière, le peintre en bâtiment peut probablement réduire ses coûts pour des services comptables en se spécialisant dans la peinture et en utilisant une partie de ses revenus pour engager une comptable. Supposons que le peintre ait besoin de 10 heures pour remplir sa déclaration fiscale, tandis que la comptable le ferait en 2 heures. Le peintre sacrifierait 150 $ de revenu (= 10 heures x 15 $ l'heure en temps sacrifié) pour faire une tâche pour laquelle il pourrait engager quelqu'un qui lui demanderait 100 $ (= 2 heures x 50 $ l'heure par la comptable). En ayant recours aux services de la comptable pour remplir sa déclaration des revenus, le peintre abaisserait ses coûts.

Ce qui est vrai pour la comptable et le peintre l'est aussi pour deux pays. Les pays peuvent réduire le coût des biens qu'ils désirent en se spécialisant dans les domaines où ils ont des **avantages comparés**.

Avec cet exemple en tête, nous allons maintenant aborder un modèle de commerce international pour comprendre les gains qui découlent de la spécialisation et du commerce.

### Deux pays isolés

Supposons que l'économie mondiale ne compte que deux pays, le Canada et le Brésil. Supposons également que chacun d'eux puisse produire de l'acier et du soja, mais à un niveau d'efficacité économique différent. Pour être plus précis, supposons que les courbes de possibilités de production intérieure pour le soja et l'acier soient celles qui sont illustrées à la figure 9.1*a* et *b* (page 308). Deux caractéristiques de ces courbes de possibilités de production se dégagent.

#### DES COÛTS CONSTANTS

Nous avons volontairement représenté ces fonctions par des droites. Nous avons en effet remplacé la loi des coûts croissants (chapitre 1) par un postulat simplificateur: les coûts sont constants. Cette simplification nous facilitera grandement la tâche. Avec des coûts croissants, les coûts comparatifs des deux pays pour produire du soja et de l'acier varieraient nécessairement selon la quantité produite; les avantages comparés pourraient alors changer. Le postulat des coûts constants nous permet d'effectuer toute notre analyse sans avoir à utiliser des ratios différents de coûts comparatifs chaque fois que la production varie. Ce postulat ne nuira pas à la validité de notre analyse et de nos conclusions. Plus loin, nous verrons les effets plus réels du postulat des coûts croissants.

#### DES COÛTS DIFFÉRENTS

Les droites de possibilités de production du Canada et du Brésil ne sont évidemment pas pareilles, car elles reflètent des combinaisons différentes de ressources et des degrés différents de progrès technologique. Plus précisément, les coûts d'option pour produire de l'acier et du soja diffèrent sensiblement entre les deux pays.

Nous remarquons, à la figure 9.1*a*, qu'au niveau du plein-emploi le Canada peut augmenter sa production d'acier d'une tonne en renonçant à une tonne de soja. En d'autres mots, au Canada, les termes d'échange intérieur, ou le ratio des coûts, pour les deux produits sont les suivants : une tonne d'acier pour une tonne de soja ou simplement 1A = 1S. En effet, le Canada peut troquer une tonne d'acier contre une tonne de soja, pour ce qui est de la production potentielle, en déplaçant les ressources de la production d'acier à celles de la production de soja. Notre postulat de coûts constants signifie que cet échange ou ce ratio de coûts est possible pour tout point situé sur la courbe des possibilités de production canadienne.

La courbe des possibilités de production du Brésil révèle un ratio d'échange ou de coûts différent. Au Brésil, le ratio de coûts pour les deux produits est d'une tonne d'acier pour deux tonnes de soja ou 1A = 2S.

Si le Canada et le Brésil étaient isolés et, par conséquent, autosuffisants, chacun devrait choisir une combinaison de production située sur sa droite de possibilités de production. Supposons que le point Y de la figure 9.1*a* soit la combinaison choisie par le Canada, soit 18 tonnes d'acier et 12 tonnes de soja. Supposons que la combinaison choisie par le Brésil soit de 8 tonnes d'acier et de 4 tonnes de soja, comme l'indique le point Z à la figure 9.1*b*. Ces choix sont également illustrés à la colonne 1 du tableau 9.4.

## La spécialisation selon les avantages comparés

Compte tenu de ces ratios, existe-t-il une règle pouvant nous dire dans quelle production le Brésil et le Canada devraient se spécialiser ? Oui, cette règle existe. Le principe des avantages comparés nous apprend que la production totale sera supérieure lorsque chaque bien est produit par le pays dont le coût d'option est le moindre. Dans notre exemple, le coût d'option du Canada est inférieur pour l'acier, c'est-à-dire que le Canada ne doit céder qu'une tonne de soja pour produire une tonne d'acier, tandis que le Brésil doit en céder deux. Par conséquent, le Canada possède un avantage comparé quant à l'acier et devrait se spécialiser dans cette production. Le « monde » (Brésil et Canada) n'utiliserait pas efficacement ses ressources si un produit donné (acier) était fourni par un producteur dont les coûts sont relativement élevés (Brésil) quand il aurait pu l'être par un producteur dont les coûts sont relativement faibles (Canada). Si le Brésil produisait de l'acier, l'économie mondiale devrait abandonner plus de soja que nécessaire pour chaque tonne d'acier produite.

À l'opposé, le coût d'option du Brésil pour la production de soja est inférieur. Il ne doit sacrifier qu'une demi-tonne d'acier pour produire une tonne de soja, comparativement au Canada qui doit en sacrifier une tonne. Le Brésil a un avantage comparé dans la production de soja et devrait par conséquent se spécialiser dans cette

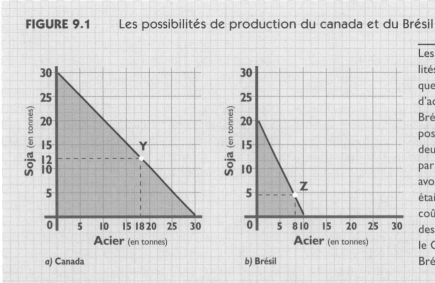

**FIGURE 9.1**     Les possibilités de production du canada et du Brésil

Les deux courbes de possibilités de production montrent quelles quantités de soja et d'acier (*a*) le Canada et (*b*) le Brésil peuvent produire. Les possibilités de production des deux pays sont représentées par des droites parce que nous avons supposé que les coûts étaient constants. Les ratios de coûts se reflètent dans la pente des deux droites : 1A = 1S pour le Canada et 1A = 2S pour le Brésil.

**TABLEAU 9.4** La spécialisation internationale selon les avantages comparés et les gains du commerce (données fictives en tonnes)

| Pays | (1) Production avant spécialisation | (2) Production après spécialisation | (3) Production exportée (–) et importée (+) | (4) Production disponible après commerce | (5) Gains découlant de la spécialisation et du commerce (4) – (1) |
|------|------|------|------|------|------|
| Canada | 18 acier | 30 acier | – 10 acier | 20 acier | 2 acier |
|  | 12 soja | 0 soja | + 15 soja | 15 soja | 3 soja |
| Brésil | 8 acier | 0 acier | + 10 acier | 10 acier | 2 acier |
|  | 4 soja | 20 soja | – 15 soja | 5 soja | 1 soja |
| Le monde | 26 acier | 30 acier |  |  |  |
|  | 16 soja | 20 soja |  |  |  |

production. Une fois de plus, le monde n'emploierait pas ses ressources efficacement si la production de soja était effectuée par un pays dont les coûts sont élevés (Canada) plutôt que par un pays dont les coûts sont faibles (Brésil). Si le Canada produisait du soja, le monde perdrait plus d'acier qu'il ne serait nécessaire pour obtenir une tonne de soja. Pour utiliser les ressources rares de la façon la plus efficace, c'est-à-dire pour obtenir la plus grande production possible, il faut que chaque bien soit produit par le pays dont le coût d'option est le plus faible, ou, si vous préférez, par le pays qui possède un avantage comparé. Dans notre exemple, le Canada devrait produire de l'acier et le Brésil du soja.

En regardant la colonne 2 du tableau 9.4, nous pouvons confirmer rapidement que la spécialisation de la production qui découle de la loi des avantages comparés permet effectivement au monde d'avoir accès à une production supérieure à partir de la même quantité de ressources. En se spécialisant complètement dans l'acier, le Canada peut en produire 30 tonnes et sa production de soja sera nulle. De la même manière, en se spécialisant totalement dans le soja, le Brésil peut en produire 20 tonnes et ne produira pas d'acier. Nous remarquons que le monde a ainsi plus d'acier, 30 tonnes comparativement à 26 (= 18 + 8) tonnes, et plus de soja, 20 tonnes comparativement à 16 (= 12 + 4) tonnes, que si les pays ne se spécialisaient pas.

### Les termes de l'échange

Mais les consommateurs de chacun des pays veulent à la fois de l'acier et du soja. La spécialisation entraîne nécessairement le besoin d'échange ou de commerce de ces deux produits. Quels seront les termes de l'échange? En d'autres mots, quel sera le ratio d'échange auquel le Canada et le Brésil échangeront ces produits? Nous savons que, parce que 1A = 1S au Canada, celui-ci doit obtenir plus d'une tonne de soja pour chaque tonne d'acier exportée, sinon il ne sera pas rentable pour le Canada d'exporter de l'acier en échange du soja brésilien. Cela signifie que le Canada doit obtenir un meilleur prix (plus de soja) pour son acier sur le marché mondial que celui qu'il obtiendrait à l'intérieur, sinon le commerce perdrait tout intérêt. Par ailleurs, le Brésil ne voudra pas payer plus de 2S pour 1A puisqu'il n'aurait aucun avantage à cet échange. Par conséquent, nous pouvons être certains que le ratio d'échange international, ou les termes de l'échange, doit se situer quelque part entre 1A = 2S.

Le ratio d'échange effectif sera établi entre 1S et 2S, selon les conditions d'offre et de demande mondiales des deux produits. Si la demande mondiale de soja est faible par rapport à son offre et que la demande d'acier est forte par rapport à l'offre, le prix du soja sera bas et celui de l'acier élevé. Le ratio d'échange se situera près de 1A = 2S, soit celui que préfère le

Canada. Si les conditions d'offre et de demande mondiales sont à l'opposé, le ratio s'établira près de 1A = 1S, niveau plus favorable au Brésil.

### Les gains du commerce

Supposons, de façon tout à fait arbitraire, que le ratio d'échange international ou que les termes de l'échange soient de 1A = 1,5S.

La spécialisation selon la **loi des avantages comparés** engendre une meilleure affectation des ressources mondiales, et des productions supérieures d'acier et de soja sont maintenant à la disposition du Canada et du Brésil. Pour être plus précis, supposons que, selon les termes d'échange 1A = 1,5S, le Canada exporte 10 tonnes d'acier au Brésil et que, en retour, celui-ci exporte 15 tonnes de soja au Canada. Comment ces nouvelles quantités d'acier et de soja à la disposition des deux pays se comparent-elles aux combinaisons optimales de production qui existaient avant la spécialisation et l'échange international?

Rappelons que le Canada avait choisi 18 tonnes d'acier et 12 tonnes de soja au départ. Maintenant, en produisant 30 tonnes d'acier sans produire de soja et en échangeant 10 tonnes d'acier contre 15 tonnes de soja, il peut profiter de 20 tonnes d'acier et de 15 tonnes de soja. En comparaison des 18 tonnes d'acier et des 12 tonnes de soja obtenues sans spécialisation ni échange, les gains du Canada découlant du commerce sont de 2 tonnes d'acier et de 3 tonnes de soja.

De la même manière, nous avions supposé que la combinaison choisie par le Brésil était de 4 tonnes de soja et de 8 tonnes d'acier (point Z) avant la spécialisation et l'échange. Maintenant, en se spécialisant dans la production de soja et, par conséquent, en en produisant 20 tonnes sans produire d'acier, le Brésil peut réaliser une combinaison de 5 tonnes de soja et de 10 tonnes d'acier en exportant 15 tonnes de soja contre 10 tonnes d'acier canadien. Les gains du Brésil découlant du commerce sont de une tonne de soja et de deux tonnes d'acier.

En se spécialisant et en échangeant, les deux pays ont accès à une quantité plus grande des deux produits. Le tableau 9.4 (page 309) résume

> ### LOI DES AVANTAGES COMPARÉS
> L'élément crucial à retenir est que, en se spécialisant selon la loi des avantages comparés et en échangeant cette production contre des produits pour lesquels ils sont moins efficaces, le Canada et le Brésil peuvent obtenir des combinaisons d'acier et de soja qui débordent les frontières de leurs courbes de possibilités de production respectives.

bien ces données et mérite que vous l'étudiiez en détail.

Nous nous rappellerons (chapitre 1) que les seules façons possibles pour un pays donné d'aller au-delà de ses frontières de possibilités de production étaient: (1) d'accroître la quantité de ressources ou d'en améliorer la qualité; (2) de réaliser des progrès technologiques. Nous avons maintenant découvert une troisième option, le commerce international, par laquelle un pays peut échapper à la contrainte de production qui découle de sa courbe de possibilités de production. Les effets de la spécialisation et du commerce international équivalent à posséder plus de ressources ou des ressources de qualité supérieure ou à découvrir de meilleurs procédés de production.

### Des coûts croissants

Supposons, comme dans l'exemple précédent qui comportait des coûts constants, que le Brésil et le Canada se situent sur leurs courbes respectives de possibilités de production là où leurs ratios de coûts sont respectivement de 1A = 2S et 1A = 1S. Comme auparavant, la loi des avantages comparés suggère que le Canada devrait se spécialiser dans la production d'acier et le Brésil dans la production de soja. Mais maintenant, à mesure que le Canada commence à augmenter sa production d'acier, son rapport de coûts 1A = 1S augmente, c'est-à-dire qu'il devra sacrifier davantage de soja pour obtenir une tonne d'acier supplémentaire. Les ressources ne sont plus parfaitement mobiles entre les différentes utilisations possibles comme le postulat des coûts constants le laissait supposer. Les ressources conviennent de moins en moins à la production d'acier et doivent être réaffectées à la production croissante d'acier, ce qui implique des coûts croissants; cela signifie qu'il faut renoncer à une quantité de plus en plus grande de soja pour chaque tonne d'acier additionnelle. De la même manière, le Brésil, partant d'un rapport de coûts de 1A = 2S, accroît sa production de soja. Mais à mesure qu'il le fait, nous observons que son ratio de coûts 1A = 2S commence à diminuer. En sacrifiant une tonne d'acier, il libérera des ressources qui ne peuvent produire qu'une quantité inférieure à deux tonnes de soja, parce que les ressources transférées conviennent de moins en moins à la production de soja.

Ainsi, comme le ratio canadien de coûts augmente au-delà de 1A = 1S, nous atteindrons un point où les rapports de coûts sont égaux pour les deux pays, par exemple 1A = 1,5S. À ce point, une spécialisation plus grande n'est plus économique. Plus important : ce point où les ratios de coûts sont égaux peut être atteint alors que le Canada produit encore du soja en plus de l'acier et que le Brésil produit de l'acier en même temps que du soja. *Le principal effet des coûts croissants est de limiter la spécialisation avant qu'elle ne soit totale.* C'est pour cette raison que le sud-ouest de l'Ontario produit du soja sur une base commerciale.

### Une affectation plus efficace des ressources

La logique justifiant le **libre-échange** n'est pas nouvelle. En fait, en 1776, Adam Smith touchait le cœur du sujet en affirmant :

La maxime de tout chef de famille prudent est de ne jamais essayer de faire à la maison ce qu'il lui coûte plus cher de faire soi-même que d'acheter. Le tailleur n'essaie pas de fabriquer lui-même ses propres souliers, il les achète plutôt au cordonnier. Le cordonnier n'essaie pas de fabriquer ses propres vêtements, il a recours au tailleur. Le fermier n'essaie ni l'une ni l'autre chose, il emploie plutôt ces différents artisans. Tous trouvent leur intérêt à concentrer leurs efforts dans une activité dans laquelle ils ont un avantage sur leurs voisins et à acheter, en cédant une partie de leur production ou, ce qui revient au même, avec une partie des bénéfices qui en découlent, ce dont ils ont besoin.[1]

Dans un langage plus moderne, la justification du libre-échange repose sur cet argument central : *grâce au libre-échange qui se fonde sur les avantages comparés, l'économie mondiale peut parvenir à une affectation plus efficace des ressources et permettre un niveau de bien-être matériel supérieur.*

---

**LIBRE-ÉCHANGE**

Absence d'entraves artificielles imposées par l'État aux échanges entre individus et entreprises de différents pays.

**TARIFS**

Droits d'accise imposés sur les marchandises importées.

**QUOTA**

Quantité maximale d'un produit qui peut franchir les douanes durant une période déterminée. Les gouvernements fixent cette quantité afin de limiter la concurrence venant des marchés étrangers.

---

Nous pouvons affirmer sans nous tromper que la plupart des économistes appuient le libre-échange sur le plan économique. Par opposition, le protectionnisme consiste à freiner l'entrée de produits étrangers. Il se pratique à l'aide des barrières tarifaires et non tarifaires.

### Les barrières tarifaires

Malgré la solide argumentation en faveur du libre-échange, il existe en réalité toutes sortes de barrières qui nous en éloignent. Nous étudierons plus particulièrement les barrières que nous rencontrons le plus souvent.

#### LES TARIFS

Les **tarifs** sont en fait des taxes qui s'ajoutent au prix des produits importés ; ils représentent une source de revenus ou ils visent à protéger l'industrie intérieure. *Les tarifs imposés à des fins de revenu* touchent généralement des biens qui ne sont pas produits au pays, par exemple, le café et les bananes en ce qui concerne le Canada. Leurs taux sont généralement modestes et l'objectif est d'accroître les revenus fiscaux du gouvernement canadien. D'un autre côté, *les tarifs imposés à des fins de protection* visent à protéger les producteurs intérieurs de la concurrence étrangère. Bien que ce type de tarifs ne soit pas suffisamment élevé pour empêcher l'importation de biens étrangers, il place les compétiteurs étrangers dans une position désavantageuse sur les marchés intérieurs.

#### LES QUOTAS À L'IMPORTATION

Les **quotas** à l'importation déterminent les quantités maximales d'un produit particulier qui peuvent être importées à l'intérieur d'une période donnée. Il arrive souvent que les quotas soient plus efficaces que les tarifs pour freiner le commerce international. Un produit particulier peut être importé en quantité considérable malgré des tarifs élevés ; de faibles quotas peuvent interdire complètement les importations, une fois la limite permise atteinte.

---

1. Adam Smith, *The Wealth of Nations*, New York, Modern Library, Inc., 1937, p. 424, traduit par Ginette Tremblay.

### LES BARRIÈRES NON TARIFAIRES

Les **barrières non tarifaires (BNT)** comprennent les licences obligatoires, les normes de qualité déraisonnables pour certains produits, les retards injustifiés dans les procédures douanières, et ainsi de suite. Par exemple, le Japon et les pays européens exigent fréquemment des licences pour les importateurs. En limitant l'émission de telles licences, les importations peuvent être restreintes de façon très efficace. La Grande-Bretagne prohibe les importations de charbon de cette manière. De façon semblable, des normes excessives de santé et de sécurité peuvent être appliquées aux produits étrangers, ce qui en décourage leur importation.

### LES RESTRICTIONS VOLONTAIRES À L'EXPORTATION

Les **restrictions volontaires à l'exportation** sont des barrières commerciales plutôt nouvelles. Des entreprises étrangères acceptent «volontairement» de limiter la quantité de leurs exportations vers un pays en particulier. Les exportateurs acceptent ces barrières qui ont le même effet qu'un quota à l'importation pour éviter que des barrières plus restrictives ne soient imposées. Ainsi, les constructeurs d'automobiles japonais acceptèrent de limiter leurs exportations au Canada, de crainte de voir augmenter les tarifs ou les quotas à l'importation.

#### Les diverses motivations

Si les tarifs et les quotas entravent le libreéchange et, de ce fait, nuisent à l'efficacité économique, pourquoi existent-ils? Bien que les pays profitent globalement du libre-échange, des industries ou des groupes particuliers peuvent en être affectés. L'exemple des avantages comparés démontrait que l'industrie canadienne du soja et l'industrie brésilienne de l'acier étaient touchées par la spécialisation et le commerce. Dès lors, nous pouvons facilement comprendre que certains groupes désirent protéger ou améliorer leur position économique en persuadant le gouvernement d'imposer des tarifs ou des quotas pour les protéger des effets négatifs du libre-échange. De plus, les coûts du **protectionnisme** sont cachés parce que les tarifs et

> **BARRIÈRES NON TARIFAIRES (BNT)**
>
> Toutes mesures autres que les tarifs et les quotas, qui visent à limiter l'entrée d'un produit dans un pays.
>
> **RESTRICTION VOLONTAIRE À L'EXPORTATION**
>
> Limitation des exportations qu'acceptent certains pays afin de conserver le privilège de vendre leurs produits dans un pays concurrent.
>
> **PROTECTIONNISME**
>
> Politique visant à restreindre le commerce international dans le but d'éviter la concurrence étrangère.

les quotas sont camouflés dans le prix des produits.

## Une revue des arguments en faveur du protectionnisme

Bien que les arguments en faveur du libreéchange dominent dans les salles de cours, les protectionnistes dominent généralement sur la colline parlementaire et aux États-Unis. Quels arguments ces derniers emploient-ils pour défendre les barrières tarifaires et non tarifaires? Quelle en est la validité?

### *L'augmentation de l'emploi intérieur*

Cet argument en faveur des tarifs devient particulièrement prisé lorsque l'économie traverse une récession. Il prend racine dans l'analyse macro-économique. La demande globale d'une économie ouverte comprend $C + I_b + G + X_n$. Les exportations nettes sont égales à la différence entre les exportations (X) et les importations (M). En réduisant les importations, M, la demande globale augmente, ce qui stimule l'économie intérieure en accroissant les revenus et l'emploi. À court terme, cette politique peut fonctionner, mais elle comporte d'importantes faiblesses.

1. Il est clair que tous les pays ne peuvent pas réussir simultanément dans cette entreprise. Les exportations d'un pays doivent être les importations d'un autre pays. Dans la mesure où un pays peut stimuler son économie grâce à un surplus de sa balance commerciale (X – M), le problème de chômage d'une autre économie sera aggravé par le déficit de sa balance commerciale (X – M). Il n'est pas étonnant que la hausse de tarifs et l'imposition de quotas pour atteindre le plein-emploi intérieur soient perçues comme des politiques d'affrontement. Les pays devant supporter les effets des tarifs et des quotas sont susceptibles de répliquer; cela entraînerait une concurrence dans l'imposition de barrières commerciales qui étoufferait le commerce jusqu'à ce que la situation de tous les pays se soit détériorée.

2. À long terme, un excédent des exportations sur les importations est, comme outil de stimulation de l'emploi intérieur, voué à l'échec. Après tout, c'est grâce aux importations canadiennes que les pays étrangers obtiennent les dollars nécessaires à l'achat de produits canadiens. À long terme, un pays doit importer s'il veut exporter. Ainsi, l'effet à long terme des tarifs n'est pas un accroissement de l'emploi intérieur, mais, au mieux, une réaffectation des travailleurs des industries exportatrices vers les industries intérieures protégées. Ce déplacement implique une affectation moins efficace des ressources. Les tarifs enlèvent les ressources aux industries dont la production est suffisamment efficace pour leur procurer un avantage comparé. Il est presque certain que des politiques fiscale et monétaire appropriées et opportunes sont préférables aux quotas et aux tarifs comme politiques anticycliques.

### Diversifier pour stabiliser

Il existe un autre argument, relié étroitement à la création d'emplois intérieurs, en faveur de la protection tarifaire. On invoque, en effet, la nécessité de diversifier pour stabiliser. On souligne qu'une économie hautement spécialisée, telle que l'économie brésilienne avec le soja ou celle de Cuba avec le sucre, dépend fortement des marchés internationaux comme source de revenus. Les guerres, les fluctuations économiques et les modifications défavorables de la structure de l'industrie entraîneront des réajustements fréquents et douloureux pour ces économies. On allègue alors qu'il est nécessaire de protéger ces pays au moyen de tarifs et de quotas de manière à permettre une diversification industrielle plus grande et, de ce fait, à amenuiser leur dépendance envers les marchés mondiaux pour un ou deux produits. Cette protection devrait aider l'économie intérieure à faire face aux dépressions et aux développements politiques internationaux, de même qu'aux fluctuations aléatoires de l'offre et de la demande mondiales de un ou de deux produits particuliers, entraînant ainsi une plus grande stabilité intérieure.

Cet argument contient assurément une part de vérité. Il possède également des limites et des points faibles. D'abord, il est très peu pertinent pour le Canada et les autres économies avancées qui sont déjà hautement diversifiés. Ensuite, les coûts économiques de la diversification peuvent être très élevés; les économies reposant sur la monoculture seront sûrement très inefficaces dans le domaine manufacturier.

### Les industries naissantes

Il existe un argument qui justifie l'existence d'une protection tarifaire pour les industries naissantes. Celles-ci auraient besoin de cette protection pour s'établir. Protéger temporairement les nouvelles entreprises contre la concurrence intense qui provient d'entreprises étrangères plus mûres et par conséquent plus efficaces donnera la chance aux industries naissantes de se développer et de devenir efficaces. Cet argument en faveur de la protection repose sur des cas d'exception. En effet, toutes les industries n'ont pas – et n'auront jamais, si elles doivent subir la concurrence étrangère – la chance de s'adapter à long terme au moyen d'économies d'échelle et d'une plus grande productivité. La protection tarifaire permettrait aux industries naissantes de corriger une mauvaise affectation des ressources mondiales entretenue par des différences historiques entre les niveaux de développement économique intérieur et étranger.

Bien que l'argument en faveur des industries naissantes soit très logique, nous devons émettre certaines réserves.

1. Cet argument ne concerne pas vraiment les pays industrialisés comme le Canada.

2. Pour les pays en voie de développement, il est très difficile de déterminer quelles industries sont capables d'atteindre la maturité économique et, dès lors, méritent cette protection.

3. La protection tarifaire peut très bien ne pas disparaître une fois la maturité de l'industrie atteinte.

4. La plupart des économistes croient que les industries naissantes devraient être subventionnées, mais il existe de meilleurs moyens que les tarifs. Les subventions directes, par exemple, ont l'avantage de révéler quelles industries sont aidées et dans quelle mesure. Elles sont toutefois considérées comme une mesure protectionniste.

## La protection contre le «dumping»

Certains invoquent la nécessité de se protéger contre le «**dumping**» pour justifier l'imposition de tarifs. Il existe deux raisons pour lesquelles les entreprises étrangères pourraient souhaiter vendre en deçà du prix coûtant.

1. Ces entreprises peuvent utiliser le dumping pour éliminer des concurrents canadiens, obtenir ainsi plus de pouvoir monopolistique et ensuite augmenter les prix. Les profits économiques à long terme qui découlent de cette stratégie peuvent plus que compenser les pertes initiales associées au dumping.

2. Le dumping peut être considéré comme une forme de discrimination quant au prix, c'est-à-dire demander des prix différents selon les consommateurs. Le vendeur étranger peut espérer maximiser ses profits en demandant un prix élevé sur son marché où il détient un pouvoir monopolistique important et écouler ses surplus à bas prix au Canada. La production en surplus peut être nécessaire pour diminuer l'ensemble des coûts unitaires grâce aux économies d'échelle.

> **DUMPING**
>
> Au sens le plus strict, pratique qui consiste à vendre un produit à un prix inférieur à son coût de production. Dans un sens plus général, en matière de commerce international, consiste à vendre un produit en deçà du prix de l'industrie dans son pays. L'objectif est d'accaparer une plus grande part d'un marché.

La loi canadienne interdit le dumping. Lorsque le dumping met en péril des entreprises canadiennes, le gouvernement fédéral intervient en imposant des droits de douane «antidumping». Il existe peu de cas dans l'histoire canadienne, car il est fort difficile d'en faire la démonstration. C'est pourquoi le dumping ne peut justifier l'imposition de tarifs permanents sur toute une gamme de produits. Souvent, ce qui semble être du dumping n'est que l'application des avantages comparés. En effet, certains pays peuvent produire à des coûts très inférieurs aux nôtres. Si on abuse de cet argument, le prix des importations augmentera et la concurrence sera réduite. Ainsi, les entreprises canadiennes pourront augmenter leurs prix grâce à leur pouvoir monopolistique accru.

## La main-d'œuvre étrangère à bon marché

Certains économistes soutiennent que les entreprises et les travailleurs d'un pays doivent être mis à l'abri de la concurrence injuste venant des pays où les salaires sont faibles. Si leur pro-

tection n'est pas assurée, des importations bon marché inonderont le marché canadien et les prix des produits canadiens de même que les salaires des travailleurs canadiens diminueront en même temps que notre niveau de vie.

Nous pouvons repousser cet argument sur différents plans. Tout d'abord, cet argument conclut ni plus ni moins que le commerce entre les nations riches et les nations pauvres n'est pas mutuellement bénéfique. Les consommateurs canadiens peuvent se procurer des produits bon marché qu'ils paieraient beaucoup plus cher s'ils étaient fabriqués localement.

Nous nous rappellerons ensuite que les gains du commerce reposent sur les avantages comparés. Par exemple, en observant à nouveau la figure 9.1 (page 308), supposons que le Canada et le Brésil aient des populations actives de taille identique. Leurs positions respectives sur les courbes des possibilités de production montrent que la main-d'œuvre canadienne est la plus productive parce que la population active du Canada peut produire une plus grande quantité des deux biens. Grâce à cette productivité supérieure, nous pouvons nous attendre que la rémunération et le niveau de vie de la main-d'œuvre canadienne seront supérieurs. Au contraire, la main-d'œuvre brésilienne moins productive obtiendra des salaires inférieurs.

L'argument de la main-d'œuvre étrangère bon marché suggère que, pour maintenir son niveau de vie, le Canada ne devrait pas commercer avec le Brésil. Supposons alors que nous cessions le commerce avec ce pays. Est-ce que nos salaires et notre niveau de vie augmenteraient? Non, bien sûr. Pour obtenir du soja, le Canada devrait réaffecter une partie de sa force de travail de l'industrie de l'acier relativement plus efficace vers l'industrie du soja relativement inefficace. La productivité moyenne du travail au Canada diminuerait, entraînant dans sa chute les salaires réels et le niveau de vie. En fait, les populations actives des deux pays auraient des niveaux de vie moindres parce que, sans spécialisation et sans commerce, ils disposeraient d'une production moindre.

Cette argumentation appelle certaines réserves. En effet, les bas salaires versés aux travailleurs brésiliens contribuent à maintenir leur faible productivité. Au Brésil, la morbidité est très élevée, la population souffre de malnutrition. L'analphabétisme contribue également à la faible productivité de la population active. Les travailleurs ne profitent guère des échanges extérieurs, dont la plupart des bénéfices viennent enrichir la classe dominante. Celle-ci investit peu au Brésil et contribue ainsi à perpétuer le sous-développement du pays. L'économie mondiale tirerait certes un meilleur profit d'une population instruite, en santé et convenablement équipée du point de vue technologique. Les échanges extérieurs aident à maintenir en place la classe dominante (en l'enrichissant) et perpétuent alors le gaspillage des ressources humaines. Cependant, il est vrai que le Canada profite de cette situation. Les termes de l'échange ne sont guère favorables au Brésil.

## LES POLITIQUES DE COMMERCE INTERNATIONAL

### Les réalités politiques

Ayant exploré quelques principes généraux du commerce extérieur, nous étudierons maintenant les principales politiques canadiennes en cette matière et leurs résultats. Nous proposerons également différentes solutions. Considérons d'abord la politique intérieure.

La politique générale à partir de laquelle l'actuelle structure tarifaire canadienne a été construite ne fut adoptée que quelques années après la Confédération. La Politique nationale, introduite par Sir John A. Macdonald en 1879, instaurait des tarifs très élevés qui furent la règle pendant près d'un siècle. Cependant, ces tarifs ont commencé à diminuer dans les dernières décennies.

Compte tenu des arguments en faveur du libre-échange, ces tarifs élevés surprennent quand même un peu. Si les tarifs ne sont pas souhaitables du point de vue économique, pourquoi les gouvernements les soutiennent-ils si ardemment? Comme nous l'avons déjà fait remarquer dans le présent chapitre, la réponse se situe sur le plan des réalités politiques et de la défense d'intérêts particuliers. Un petit groupe de producteurs intérieurs pouvant bénéficier de gains économiques importants si des tarifs ou des quotas sont imposés ou maintenus feront

tout en leur pouvoir pour que cela soit; ils iront jusqu'à employer des lobbyistes bien informés. Les très nombreux consommateurs ne subissant individuellement que des pertes minimes seront généralement peu informés ou intéressés. Certes, le public peut être convaincu des bienfaits du protectionnisme non seulement par la vigueur de ses défenseurs, mais également par un argument apparemment plausible du style : «Couper les importations protège nos emplois», ou par un argument patriotique comme : «Achetez canadien». Les effets négatifs que mentionnent les économistes semblent souvent obscurs et trop généraux. Le public peut donc succomber au raisonnement fallacieux suivant : «Si une protection tarifaire limite les importations japonaises et protège ainsi les profits et l'emploi au Canada, comment peut-elle nuire à l'économie dans son ensemble?»

### Le GATT et les accords bilatéraux

Malgré cette tendance à préserver les tarifs protectionnistes, le Canada a été influencé par la vague de libéralisation du commerce international qui s'est fait sentir durant les dernières décennies et a signé plusieurs ententes bilatérales. Les accords bilatéraux ne datent cependant pas d'hier. En 1934, les États-Unis renversèrent les tarifs élevés de la Loi Smoot-Hawley (1930) en adoptant la Loi des accords réciproques sur le commerce. Le Canada signa alors un traité avec les États-Unis, lequel prenait effet le 1er janvier 1936. Ce traité réduisait les droits américains sur plusieurs produits primaires et les droits canadiens sur plusieurs produits manufacturés. Un traité bilatéral subséquent avec les États-Unis fut signé en 1938. L'inclusion dans ces traités de la clause des «nations les plus privilégiées» garantissait que les réductions tarifaires qui en résultaient ne s'appliquaient pas uniquement aux États-Unis, mais étaient rédigées de façon générale afin d'inclure tous les autres pays avec lesquels le Canada négocierait de telles clauses.

L'approche bilatérale fut élargie en 1947 lorsque 23 pays, incluant le Canada et les États-Unis, signèrent l'Accord général sur les tarifs douaniers et le commerce (*General Agreement on Tariffs and Trade*, GATT). Le GATT est basé sur trois principes : (1) un traitement égal et non discriminatoire pour tous les pays membres ; (2) la réduction des tarifs consécutivement à des négociations multilatérales ; (3) l'élimination des quotas d'importations. Fondamentalement, le GATT est un forum pour négocier les réductions de barrières douanières sur une base multilatérale. Cent pays y appartiennent maintenant et il ne fait aucun doute qu'il a joué un rôle important dans la présente tendance à la libéralisation des échanges internationaux. Jusqu'à présent, huit rondes de négociations ont été complétées.

La «ronde Kennedy» fut appelée ainsi parce que la sixième ronde de négociations commerciales du GATT fut en grande partie l'initiative du président Kennedy. Cette ronde, à laquelle le Canada participa, se termina en 1967. De façon générale, ces négociations furent un succès et permirent des réductions tarifaires moyennes de 35 % sur des produits d'une valeur d'environ 40 milliards de dollars. La «ronde de Tokyo» s'est singularisée par l'adoption d'une série de «codes de conduite» qui devaient limiter l'usage et les abus de barrières non tarifaires (BNT).

En 1986, la huitième ronde de négociations du GATT commença à Punta del Este en Uruguay. Les propositions discutées lors de cette ronde comprenaient : (1) l'élimination des barrières commerciales et des subventions agricoles ; (2) l'élimination des entraves au commerce dans le domaine de services qui représentent maintenant près de 20 % du commerce international ; (3) la fin des restrictions en matière d'investissement étranger ; (4) l'établissement et le renforcement des brevets, des droits d'auteur, des marques déposées et des «droits sur la propriété intellectuelle» sur une base internationale.

Ces objectifs étaient très ambitieux et le désaccord traditionnel entre l'Europe et les États-Unis en matière agricole fut exacerbé durant cette ronde. En 1990, les négociations furent rompues temporairement par suite du désaccord quant aux subventions aux fermiers et à l'exportation de produits agricoles. En 1991, les négociations reprirent pour tenter de résoudre ces différends, et un accord fut finalement signé en décembre 1993.

## L'Organisation mondiale du commerce (OMC)

L'OMC a été créée en 1995 par la ronde de négociations de l'Uruguay à laquelle participaient 100 pays et mettait ainsi fin aux traditionnelles négociations du GATT. Elle comprenait 132 pays en septembre 1997. C'est maintenant l'OMC qui gère les accords commerciaux entre les pays membres, qui arbitre les conflits et supervise les politiques commerciales. Elle apporte également une aide technique aux pays en développement. Elle coopère avec les autres organisations internationales. Ses principaux objectifs demeurent de favoriser les échanges internationaux en limitant les barrières tarifaires et non tarifaires ainsi que les procédures douanières. Elle se préoccupe autant des biens, des services, de la propriété intellectuelle (droits d'auteur, propriété industrielle) que du sujet controversé de l'environnement. Elle s'est attaquée plus récemment à la définition de règles communes pour déterminer l'origine d'un produit, plus spécifiquement les produits de la mer et les produits recyclés.

Une autre étape déterminante de la libéralisation du commerce fut l'intégration économique, c'est-à-dire l'union des marchés de deux pays ou plus dans une zone de libre-échange. Mentionnons deux exemples d'intégration économique : l'UE et l'ALENA.

## L'Union européenne (UE)

Le meilleur exemple d'intégration économique est sans conteste l'établissement de l'Union européenne (UE), anciennement la CEE ou le Marché commun. La CEE naquit en 1958. Elle comprenait alors la France, l'Allemagne fédérale, l'Italie, la Belgique, les Pays-Bas et le Luxembourg. La Grande-Bretagne, le Danemark et la république d'Irlande s'y joignirent en 1973 ; la Grèce en devint membre en 1981, puis ce fut le tour de l'Espagne et du Portugal. La nouvelle Union européenne est un nouveau traité entre toutes ces nations.

L'Union européenne a atteint (non sans difficultés) la plupart de ses objectifs : promouvoir un progrès économique et social par la création d'un espace sans frontières intérieures, par le renforcement de la cohésion économique et sociale et par l'établissement d'une union économique et monétaire comportant, à terme, une monnaie unique. Ce traité prévoit également une défense commune et un statut de citoyenneté de l'Union. Plus spécifiquement, elle vise l'élimination entre les États membres des droits de douane et des quotas ou de leurs équivalents ; une politique commerciale commune ; l'abolition des obstacles à la libre circulation des marchandises, des personnes, des services et des capitaux ; la protection de l'environnement ; une coopération au développement ; une politique commune dans le domaine des pêches et de l'agriculture ainsi que des transports ; une politique dans le domaine social comprenant un fonds social européen ; une contribution à la protection de la santé, à l'éducation et à la protection du consommateur ; des mesures dans les domaines de l'énergie, de la protection civile et du tourisme.

## L'Accord de libre-échange nord-américain (ALENA)

Le premier accord de libre-échange entre le Canada et les États-Unis (ALE) a été signé en 1986. Cet accord a été élargi dans un premier temps au Mexique avec la mise en place de l'Accord de libre-échange nord-américain (ALENA) qui a été signé en 1993 et est entré en vigueur le 1$^{er}$ janvier 1995. Au moment de sa signature, on prévoyait qu'il serait complètement en vigueur en 1999. Cet accord a déjà été signé par le Mexique, le Canada, les États-Unis et le Chili et l'on prévoit que d'autres pays d'Amérique latine pourraient y être invités dans les années à venir. Parmi les pays désirant se joindre à l'ALENA (Mercosur), mentionnons le Brésil, l'Argentine, l'Uruguay et le Paraguay. La zone de libre-échange actuelle a une production combinée équivalant à celle de l'Union européenne. Comme autre avantage pour les États-Unis, elle permet de hausser le niveau de vie des Mexicains, ce qui peut freiner le problème de l'immigration mexicaine et de mieux encadrer les politiques environnementales. L'ALENA n'est pas une union douanière comme l'UE, car chaque pays peut contrôler à sa guise des tarifs qu'il souhaite imposer aux pays non membres. Les principaux objectifs de l'ALENA sont de favoriser le libre-échange, d'éliminer toutes les restrictions au commerce de biens et services et de protéger la propriété intellectuelle. Contrairement à l'UE, cet accord ne vise aucune intégration politique.

Le libre-échange avec le Mexique a été encore plus controversé que celui avec les États-Unis. Les critiques craignent ou dénoncent toujours les pertes d'emplois consécutives au déménagement au Mexique des entreprises qui veulent profiter des bas salaires et des normes environnementales et de santé-sécurité moins sévères. Les critiques craignent également que des entreprises japonaises et sud-coréennes ne s'installent au Mexique pour profiter de la zone de libre-échange et mettent ainsi en danger les entreprises et les emplois canadiens.

Les partisans du libre-échange avec le Mexique s'appuient sur l'argument de base du libre-échange : la spécialisation selon les avantages comparés permettra au Canada d'obtenir une production totale plus élevée avec les mêmes ressources. Ils font également remarquer que cette zone encouragera les investissements du monde entier au Mexique, ce qui accroîtra la productivité mexicaine ainsi que son revenu intérieur. Une partie de cet accroissement servira à acheter des produits canadiens. Finalement, les défenseurs de ce traité affirment que certains emplois canadiens disparaîtront de toute façon vers les pays à bas salaires comme la Corée du Sud, Taïwan et Hong Kong. La zone de libre-échange amènera les entreprises canadiennes à être plus efficaces, améliorant leur compétitivité avec les entreprises japonaises et celles de l'UE.

Pourtant, tant les adversaires que les partisans de l'ALENA s'entendent sur un point : il permettra de faire un front commun puissant en matière de commerce avec l'UE et l'Asie. L'accès au vaste marché nord-américain est aussi important pour les pays de l'UE que l'accès au marché européen pour le Canada, les États-Unis et le Mexique. Les observateurs croient que les négociations entre le bloc nord-américain et l'UE s'ensuivront certainement, et peut-être même que l'établissement d'une zone de libre-échange entre ces deux groupes de pays en découlera. Le Japon, ne voulant pas être laissé pour compte, sera obligé de réduire ses barrières tarifaires et non tarifaires.

Concrètement, en juillet 1997, une étude de l'administration Clinton évaluait que le Canada était nettement favorisé par l'ALENA. En fait, les échanges entre le Canada et les États-Unis ont augmenté de 37 % depuis l'entrée en vigueur du traité. De plus, les exportations agricoles américaines au Mexique et au Canada ont augmenté de 2,7 milliards de dollars. Elles sont maintenant comparables aux exportations vers le Japon et beaucoup plus importantes que celles vers toute l'UE.

Cet accord a également eu des effets d'entraînement. Mentionnons la coopération économique Asie-Pacifique : le Canada et 17 pays de la Coopération économique Asie-Pacifique (CEAP) s'entendent pour libéraliser leurs échanges dans les prochaines décennies : Australie, Brunei, Canada, Chili, Hong Kong, Indonésie, Japon, Malaisie, Mexique, Nouvelle-Zélande, Philippines, Papouasie – Nouvelle-Guinée, Singapour, Corée du Sud, Taïwan, Thaïlande et États-Unis.

## Les pressions protectionnistes

Bien que des progrès intéressants aient été enregistrés en matière de libéralisation du commerce international depuis les années 1930, il faut reconnaître que le protectionnisme a la vie dure. Plusieurs facteurs reliés entre eux peuvent expliquer la remontée récente de ce phénomène.

Premièrement, les pressions en faveur du protectionnisme découlent en partie des deux dernières rondes de négociations du GATT. Les industries et les travailleurs dont les profits et les emplois ont été touchés par la libéralisation du commerce ont cherché à restaurer le protectionnisme. En fait, l'imposition de quotas et d'autres barrières non tarifaires a augmenté de façon dramatique depuis les réductions tarifaires de la «ronde Kennedy».

Deuxièmement, l'économie canadienne est plus ouverte qu'elle ne l'était il y a 10 ou 20 ans et, par conséquent, il y a plus d'entreprises et de travailleurs qui sont touchés par l'augmentation de la concurrence étrangère.

Troisièmement, d'autres pays ont amélioré leur compétitivité par rapport aux producteurs canadiens. La productivité canadienne a ralenti, et ce ralentissement a fait augmenter les coûts unitaires en main-d'œuvre et, par conséquent, les prix des produits canadiens, rendant ceux-ci moins intéressants sur les marchés mondiaux si nous les comparons, par exemple, aux produits japonais ou allemands. La concurrence en provenance de pays en voie de développement comme la Corée du Sud, Taïwan et le Brésil s'accroît également. En effet, la concurrence sur les marchés mondiaux peut s'accroître lorsque la valeur du dollar canadien augmente par rapport aux devises autres que le dollar canadien (chapitre 10). Cette hausse de valeur du dollar canadien signifie que tous les produits canadiens coûtent plus cher aux étrangers, autres qu'américains, pour la simple raison qu'ils doivent alors céder plus de devises pour acheter la même valeur d'un produit canadien.

Quatrièmement, la récession mondiale et la stagnation du début des années 1990 ont renforcé la tentation d'utiliser les barrières tarifaires pour soulager les problèmes d'emploi intérieurs. Les récessions entraînent toujours une remontée du protectionnisme. Les conflits se multipliant à ce sujet avec les États-Unis en témoignent.

Il n'est pas surprenant de constater que, bien que le Canada et les États-Unis prêchent le libre-échange et travaillent en sa faveur, ils ne pratiquent pas toujours ce qu'ils proclament.

# Activités
# d'apprentissage

# Résumé

*Si vous ne pouvez répondre à la question qui accompagne le résumé d'une section, vous devriez relire attentivement cette section et essayer de nouveau.*

## LE VOLUME ET LES PARTENAIRES

■ Le commerce international est important pour la plupart des pays, tant quantitativement qu'autrement. Le commerce international est vital pour le Canada à maints égards :

a) le volume des exportations et des importations canadiennes représente dans chaque cas environ 20 % à 30 % du PIB ;

b) le Canada dépend complètement du commerce pour certains biens et matériaux qu'il ne peut obtenir sur ses marchés intérieurs ;

c) les variations du volume des exportations nettes peuvent avoir des effets importants sur les niveaux de revenu et de production intérieurs.

## LES CARACTÉRISTIQUES PARTICULIÈRES

■ Le commerce international et le commerce intérieur diffèrent en ce que :

a) les ressources sont moins mobiles sur le plan international que sur le plan intérieur ;

b) chaque pays utilise sa propre monnaie ;

c) le commerce international est soumis à un plus grand nombre de contrôles politiques.

## LES FONDEMENTS ÉCONOMIQUES DU COMMERCE INTERNATIONAL

■ Le commerce international repose sur deux considérations :

a) la répartition inégale des ressources économiques entre les pays ;

b) le fait que la production efficace des différents produits nécessite des technologies ou des combinaisons de ressources particulières.

*Quels sont les principaux partenaires commerciaux du Canada ?*

*Donnez des exemples de contrôles politiques.*

*Qu'entend-on par production efficace ?*

*Expliquez à l'aide d'un exemple ce qu'est la loi des avantages comparés.*

*Expliquez comment ces principes pourraient s'appliquer au Québec.*

*Nommez d'autres arguments en faveur du protectionnisme.*

*Donnez des exemples.*

*Quelle est la différence entre le GATT et l'OMC?*

*Quels pays sont membres de l'UE?*

## LES ARGUMENTS EN FAVEUR DU LIBRE-ÉCHANGE

■ La spécialisation et le commerce peuvent être avantageux pour deux pays tant et aussi longtemps que les ratios de coûts diffèrent pour deux produits quelconques. En se spécialisant selon la loi des avantages comparés, les pays peuvent engendrer des revenus réels supérieurs avec la même quantité de ressources. Les termes de l'échange déterminent de quelle façon cette hausse de la production mondiale sera partagée entre les pays intéressés. Des coûts croissants limitent les gains qui découlent de la spécialisation et du commerce.

■ En plus de réaffecter les ressources vers les produits pour lesquels un pays a des avantages comparés, la spécialisation internationale égalise les prix des produits et des ressources entre les pays qui commercent. L'argument fondamental en faveur du libre-échange est que celui-ci permet une meilleure affectation des ressources et un meilleur niveau de vie sur le plan mondial.

## UNE REVUE DES ARGUMENTS EN FAVEUR DU PROTECTIONNISME

■ Lorsqu'il s'applique, l'argument le plus solide en faveur du protectionnisme est la protection des industries naissantes. La plupart des autres arguments en faveur du protectionnisme sont des demi-vérités, des déclarations subjectives ou des raisonnements fallacieux qui mettent l'accent sur les effets immédiats du libre-échange et ignorent ses conséquences à long terme.

## LES POLITIQUES DE COMMERCE INTERNATIONAL

■ Les tarifs ont souvent la faveur des consommateurs et des contribuables, car leurs avantages à court terme sont plus facilement compréhensibles que leurs désavantages à plus long terme.

## LE GATT ET LES ACCORDS BILATÉRAUX

■ En signant un traité qui entrait en vigueur le 1er janvier 1936, le Canada s'unissait aux États-Unis dans un mouvement vers la réduction des tarifs. En 1947, le GATT fut créé:

a) pour encourager un traitement non discriminatoire à l'égard de tous les pays commerçants;

b) pour réduire les tarifs;

c) pour éliminer les quotas à l'importation.

## L'ORGANISATION MONDIALE DU COMMERCE INTERNATIONAL (OMC)

■ La « ronde Kennedy » visant des réductions tarifaires réciproques dans le cadre du GATT fut entreprise pour rendre la CEE plus accessible aux producteurs non membres. La « ronde de Tokyo » permit de nouvelles réductions de tarifs et s'arrêta au problème des barrières non tarifaires. La « ronde de l'Uruguay » buta longuement sur un différend entre les États-Unis et la CEE en matière de subventions à l'agriculture. Finalement, en 1995, le GATT fut remplacé par l'OMC (Organisation mondiale du commerce).

## L'UNION EUROPÉENNE (UE)

■ L'intégration économique est un excellent moyen de libéraliser le commerce. Le meilleur exemple est celui de l'UE, à l'intérieur de laquelle les barrières commerciales sont éliminées, un système commun de tarifs à l'égard des pays non membres est appliqué, une libre circulation de la main-d'œuvre et du capital est en vigueur et une monnaie commune est utilisée.

## L'ACCORD DE LIBRE-ÉCHANGE NORD-AMÉRICAIN (ALENA)

■ Un traité de libre-échange fut signé entre le Canada et les États-Unis, le Mexique et le Chili (l'ALENA) qui créait une zone de libre-échange Canada – États-Unis – Mexique – Chili. Ces traités n'ont pas résolu tous les différends entre le Canada et son voisin du Sud. De façon générale, les récessions exacerbent ces différends et favorisent la remontée du protectionnisme.

*Qui, pensez–vous, peut profiter d'un tel traité?*

# Mots-clés

| | | |
|---|---|---|
| Accords commerciaux | Commerce international | Quotas |
| ALENA | Dumping | Restrictions volontaires à l'exportation |
| Avantages comparés | GATT | |
| Balance commerciale | Libre-échange | Tarifs |
| Barrières commerciales tarifaires et non tarifaires | OMC | Termes de l'échange |
| | Protectionnisme | UE (Union européenne) |

# Réseau de concepts

Bâtissez un réseau de concepts avec les éléments suivants. (Inspirez-vous des réseaux de concepts des chapitres précédents.)

| | |
|---|---|
| Intégration économique | OMC |
| Libre-échange | Commerce international |
| UE | Barrières commerciales |
| ALENA | Accords commerciaux |

# Exercices et problèmes

## Suivez les directives et répondez aux questions.

1.  Les tableaux suivants représentent les possibilités de production du Japon et de l'Alberta. Nous supposerons que, avant la spécialisation et le commerce, la combinaison optimale de production du Japon était la possibilité B et que celle de l'Alberta était la possibilité D.

| Possibilités de production du Japon | | | | | | |
|---|---|---|---|---|---|---|
| **Produit** | **A** | **B** | **C** | **D** | **E** | **F** |
| Radios (en milliers) | 30 | 24 | 18 | 12 | 6 | 0 |
| Bœuf (en milliers de tonnes) | 0 | 6 | 12 | 18 | 24 | 30 |

| Possibilités de production de l'Alberta | | | | | | |
|---|---|---|---|---|---|---|
| **Produit** | **A** | **B** | **C** | **D** | **E** | **F** |
| Radios (en milliers) | 10 | 8 | 6 | 4 | 2 | 0 |
| Bœuf (en milliers de tonnes) | 0 | 4 | 8 | 12 | 16 | 20 |

ACTIVITÉS D'APPRENTISSAGE

a) Existe-t-il un avantage pour le Japon et l'Alberta à se spécialiser? Si oui, quels biens devraient-ils produire?

b) Quel est le gain total de production de radios et de bœuf découlant de cette spécialisation?

c) Quelles sont les limites des termes de l'échange? Supposons que les termes de l'échange actuels soient de une unité de radio pour une unité et demie de bœuf et que quatre unités de radios soient échangées contre six unités de bœuf. Quels sont les gains découlant de la spécialisation et du commerce pour chaque pays?

d) Pouvez-vous conclure, à partir de cet exemple, que la spécialisation selon les avantages comparés conduit à l'utilisation la plus efficace des ressources mondiales? Expliquez votre réponse.

2. Supposons que, en utilisant ses ressources pour obtenir le bien X, le pays A puisse produire 80 unités de X; en affectant toutes ses ressources à la production de Y, il pourrait produire 40 unités du bien Y. En faisant de même, le pays B pourrait produire 60 unités de X et 60 unités de Y. En supposant que les coûts soient constants, dans quelle production chaque pays devrait-il se spécialiser? Pourquoi? Quelles sont les limites des termes de l'échange? Expliquez les effets du commerce sur les prix des ressources et des produits de ces deux pays.

3. En quoi le commerce intérieur et le commerce international se ressemblent-ils? En quoi diffèrent-ils?

4. « Le Canada peut produire le bien X de façon plus efficace que la Grande-Bretagne. Mais nous importons quand même ce produit de la Grande-Bretagne. » Expliquez pourquoi.

5. Quelle est l'argumentation des économistes en faveur du libre-échange? Compte tenu de cette argumentation, comment expliquer l'existence de barrières artificielles au commerce international?

6. Critiquez les affirmations suivantes:

a) « Les tarifs protectionnistes limitent à la fois les importations et les exportations du pays qui les imposent. »

b) « L'application élargie de tarifs protectionnistes détruit la capacité du système de prix international d'affecter efficacement les ressources. »

c) « Le chômage apparent peut souvent être réduit par la protection tarifaire, mais, par le fait même, le chômage déguisé augmente. »

d) « Les importations et les exportations canadiennes sont plus élevées depuis la Seconde Guerre mondiale qu'elles ne l'ont jamais été. Cela indique que les tarifs ne restreignent pas le volume du commerce international. »

e) « Compte tenu de la rapidité avec laquelle les progrès technologiques se répandent à travers le monde, le libre-échange entraînera inévitablement de mauvais ajustements structurels et du chômage pour les pays industrialisés. »

f) « Le libre-échange peut améliorer la composition et l'efficacité de la production intérieure. Seule la compagnie Volkswagen a forcé les Américains à fabriquer une automobile de petite taille et seul le succès des étrangers dans l'utilisation de l'oxygène pour la production de l'acier a obligé les aciéries canadiennes à se moderniser. »

ACTIVITÉS D'APPRENTISSAGE

7. Supposons que le Canada conclut un accord avec le Japon, par lequel les importations d'automobiles japonaises sont réduites d'environ 8 %. Quels en seront les effets à court terme sur les industries de l'automobile canadienne et japonaise ? Si cette restriction devient permanente, quels en seront les effets à long terme sur :
   a) l'affectation des ressources ;
   b) le volume d'emploi ;
   c) le niveau des prix ;
   d) le niveau de vie des deux pays ?

8. « Les arguments les plus valides en faveur du protectionnisme sont également les plus mal interprétés. » Quels sont ces arguments ? Pourquoi sont-ils susceptibles d'être mal interprétés ?

9. Critiquez l'utilisation de barrières commerciales artificielles comme les tarifs et les quotas à l'importation en tant qu'outils pour atteindre et maintenir le plein-emploi.

10. Expliquez l'énoncé suivant : « L'intégration économique a deux facettes : elle permet aux membres une libéralisation plus grande du commerce, mais pose aux non-membres de sérieux obstacles au commerce. »

11. Commentez l'affirmation suivante : « L'ALENA bénéficiera à court terme aux travailleurs canadiens. »

## Vrai ou faux ? Justifiez vos réponses.

12. Le pays qui possède un avantage comparé pour un produit donné sera le seul exportateur mondial de ce produit.

13. Le commerce international basé sur le principe des avantages comparés permet une affectation des ressources économiques mondiales plus efficace.

14. La loi des coûts croissants limite la spécialisation internationale.

## Choisissez la bonne réponse.

15. Les négociations de la « ronde de l'Uruguay » portaient, entre autres choses, sur :
    a) l'établissement d'un marché commun entre les États-Unis et le Canada ;
    b) la reconnaissance des brevets, des droits d'auteur et des marques déposées sur le plan international ;
    c) les moyens de rendre le rouble convertible avec les autres monnaies ;
    d) tous les points précédents.

16. Le libre-échange basé sur le principe des avantages comparés est économiquement positif parce que :
    a) il entraîne une affectation efficace des ressources mondiales ;
    b) il accroît la compétition ;
    c) il offre aux consommateurs une gamme élargie de produits ;
    d) toutes ces raisons sont bonnes.

Vous devrez répondre aux questions 17, 18 et 19 à partir des données suivantes concernant le rapport des coûts de production pour deux produits, le poisson (P) et le soja (S), au Danaca et au Nizutaé. Nous supposerons que les coûts sont constants et que ces deux pays sont les seuls au monde.

Danaca : 1P = 2S

Nizutaé : 1P = 4S

17. Au Danaca, le coût réel de chaque unité de soja :
    a) est de 1/2 poisson ;
    b) est de 2 poissons ;
    c) augmente avec la quantité de poissons pêchés ;
    d) diminue avec la quantité de poissons pêchés.

18. Si ces deux pays se spécialisent selon le principe des avantages comparés :
    a) Danaca produira à la fois du poisson et du soja ;
    b) Nizutaé produira à la fois du poisson et du soja ;
    c) Danaca produira du soja et Nizutaé du poisson ;
    d) Nizutaé produira du soja et Danaca du poisson.

19. Parmi les termes d'échange suivants, lequel ne serait pas possible entre Danaca et Nizutaé ?
    a) 1 poisson pour 2 1/2 unités de soja ;
    b) 1 poisson pour 3 unités de soja ;
    c) 1 unité de soja pour 1/5 de poisson ;
    d) 1 unité de soja pour 1/3 de poisson.

20. Le gain découlant du commerce international est :
    a) une augmentation de l'emploi dans le secteur des exportations ;
    b) l'accès à plus de produits que la production intérieure seule ne pourrait offrir ;
    c) des revenus tarifaires ;
    d) une augmentation de l'emploi dans le secteur d'importation intérieure.

21. Nous pouvons décrire un tarif comme :
    a) un droit d'accise sur un bien importé ;
    b) un paiement gouvernemental aux producteurs intérieurs pour leur permettre de vendre à des prix compétitifs sur les marchés mondiaux ;
    c) un droit d'accise sur un bien exporté ;
    d) une loi qui fixe une limite quant à la quantité d'un produit qui peut être importée.

22. Supposons que le Canada élimine les tarifs sur les bicyclettes à 10 vitesses en provenance de l'Allemagne. Nous pourrons nous attendre :
    a) que le prix des bicyclettes allemandes diminuera au Canada ;
    b) que l'emploi augmentera dans l'industrie de la bicyclette allemande ;
    c) que l'emploi diminuera dans l'industrie de la bicyclette canadienne ;
    d) à toutes ces conséquences.

**23.** L'argument de l'industrie naissante pour soutenir l'imposition de tarifs est critiquée :
   a) parce qu'il est difficile de déterminer quelle industrie nécessite une protection ;
   b) parce que les subventions directes sont probablement un meilleur moyen de stimuler de telles industries ;
   c) parce que les tarifs peuvent persister une fois que l'industrie a atteint sa maturité ;
   d) pour toutes ces raisons.

**24.** Dans les faits, les tarifs à l'importation sont :
   a) des taxes spéciales pour les producteurs intérieurs ;
   b) des subventions aux producteurs intérieurs ;
   c) des subventions aux producteurs étrangers ;
   d) des taxes spéciales pour les producteurs étrangers.

**25.** En matière de commerce international, le dumping :
   a) est défini comme une forme de discrimination quant au prix, qui est illégale selon les lois canadiennes antitrust ;
   b) correspond à la pratique de vendre une production excédentaire dans un pays étranger à un prix inférieur à son coût de production ;
   c) constitue en général une raison pour justifier l'imposition de tarifs permanents ;
   d) est défini comme la vente d'une quantité supérieure au quota d'importation.

**26.** Le principal avantage de l'UE pour ses membres est :
   a) l'harmonisation des structures de taxation de tous les pays participants ;
   b) le fait que chaque pays est libre de formuler ses propres politiques en faveur de la concurrence et en matière d'agriculture ;
   c) l'usage d'une monnaie commune par les pays participants ;
   d) la réduction des barrières commerciales permettant aux producteurs de réaliser des économies d'échelle ;
   e) une citoyenneté de l'UE.

# Complément

### LES RÉPERCUSSIONS ÉCONOMIQUES DES TARIFS

Nous observons maintenant les effets des principales barrières commerciales (tarifs à des fins de protection) à partir d'une analyse simple qui s'appuie sur l'offre et la demande. Les courbes $D_i$ et $O_i$ de la figure 9.2 (page 326), illustrent la demande et l'offre intérieures d'un produit pour lequel le Canada possède un désavantage comparé, comme les magnétophones à cassettes. En l'absence de commerce international, le prix intérieur et la production seraient respectivement de $0P_i$ et $0_q$.

Supposons maintenant que l'économie intérieure soit ouverte au commerce international et que les Japonais, qui ont un avantage comparé dans la production de magnétophones à cassettes et qui dominent le marché mondial, commencent à vendre ce produit au Canada. Nous considérerons

ACTIVITÉS D'APPRENTISSAGE

**FIGURE 9.2**    Les effets économiques d'une protection douanière

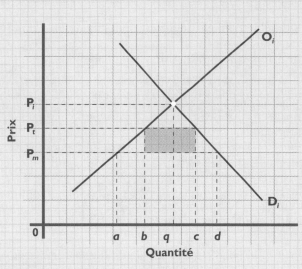

Un tarif de $P_m P_t$ réduira la consommation intérieure de $0d$ à $0c$. Les producteurs intérieurs pourront vendre une production plus grande ($0b$ plutôt que $0a$) à un prix plus élevé ($0P_t$ plutôt que $0P_m$). Les exportateurs étrangers sont touchés parce qu'ils ne peuvent maintenir le niveau de leurs ventes ($bc$ plutôt que $ad$) au Canada. Le rectangle blanc représente le montant des tarifs que paieront les consommateurs canadiens.

que, dans un contexte de libre-échange, le prix intérieur ne peut être différent du prix mondial le plus faible, en l'occurrence $0P_m$. Nous remarquons que, à $0P_m$, la consommation intérieure est de $0d$ et la production intérieure de $0a$, et que la différence entre les deux, $ad$, représente les importations.

### Les effets directs

Supposons maintenant que le Canada impose un tarif de $P_m P_t$ par unité sur les magnétophones importés. Ces tarifs feront augmenter le prix intérieur de $0P_m$ à $0P_t$ et entraîneront divers effets.

Premièrement, la consommation de magnétophones au Canada diminuera de $0d$ à $0c$ à mesure que le prix plus élevé déplacera les consommateurs vers le haut de leur courbe de demande. Les consommateurs canadiens sont directement touchés par le tarif, lequel les amène à acheter moins de magnétophones et à réaffecter leurs dépenses à des produits substituts moins intéressants pour eux.

Deuxièmement, les producteurs canadiens, qui ne sont pas soumis au tarif, obtiennent un prix plus élevé par unité, $0P_t$. Comme ce nouveau prix est plus élevé que celui qui prévalait avant l'entrée en vigueur du tarif, c'est-à-dire le prix mondial de $0P_m$, l'industrie intérieure de magnétophones à cassettes se déplacera vers le haut de sa courbe d'offre $O_i$, faisant augmenter la production intérieure de $0a$ à $0b$. Les producteurs intérieurs profiteront d'un prix plus élevé et de ventes accrues. Ces effets expliquent évidemment le lobby des producteurs intérieurs en faveur de l'imposition de tarifs. Cependant, d'un point de vue social, l'expansion de la production intérieure nous indique que le tarif a permis aux producteurs intérieurs de magnétophones de soustraire des ressources destinées à des productions plus efficaces.

Troisièmement, les producteurs japonais seront touchés par cette mesure. En effet, même si le prix de vente des magnétophones est supérieur de $P_m P_t$, cette hausse revient au gouvernement canadien et non pas aux producteurs japonais! Le prix de revient demeure à $0P_m$, tandis que le volume des importations canadiennes (exportations japonaises) chute de *ad* à *bc*.

Quatrièmement, le rectangle blanc indique le revenu fiscal engendré par l'imposition du tarif, c'est-à-dire le produit du tarif unitaire, $P_t P_m$, par le nombre de magnétophones importés, *bc*. Ce revenu tarifaire est essentiellement un transfert de revenus des consommateurs au gouvernement et ne représente aucun changement important du bien-être économique du pays; le gouvernement gagne ce que le consommateur perd.

### Les effets indirects

Les tarifs ont des effets plus subtils qui dépassent le cadre simplifié de notre diagramme d'offre et de demande. Comme les ventes de magnétophones à cassettes diminuent au Canada, le Japon ne disposera plus maintenant d'autant de dollars pour acheter les exportations canadiennes. Alors, les industries exportatrices du Canada, soit celles dans lesquelles le Canada possède un avantage comparé, couperont leur production et libéreront des ressources. Ces industries sont hautement efficaces puisqu'elles possèdent un avantage comparé et sont capables de vendre des produits sur les marchés mondiaux.

En bref, *les tarifs encouragent directement l'expansion des industries relativement inefficaces qui n'ont pas d'avantage comparé et entraînent de façon indirecte la contraction des industries relativement efficaces qui possèdent un avantage comparé.* Cela signifie évidemment que les tarifs déplacent les ressources dans la mauvaise direction. Il n'y a pas à s'en surprendre. Outre leurs effets particuliers sur les consommateurs et les producteurs intérieurs et étrangers, les tarifs diminuent donc la production mondiale réelle.

# Recherche documentaire

Construisez une banque de signets sur les divers regroupements économiques internationaux en cherchant sur Internet à l'aide des mots-clés suivants, et en utilisant le moteur de recherche de votre choix: OMC, ALENA, UE, IMF (FMI), Eurostat, Worldbank (Banque mondiale), OECD (OCDE), OAS (Organisation des États américains), WTO (OMC), UN (Nations Unies), Europa (UE), UNICC (CEE-ONU).

ACTIVITÉS D'APPRENTISSAGE

ACTIVITÉS D'APPRENTISSAGE

# L'économique pour comprendre ce qui se passe

Expliquez comment les concepts étudiés dans ce chapitre et les précédents peuvent vous aider à comprendre ce texte.

La relance de Montréal passe par la création d'alliances économiques régionales et transfrontalières

## L'économiste Pierre-Paul Proulx au Devoir : Québec et Nord-Est américain, même combat !

**François Normand**
LE DEVOIR, Montréal, le 14 juillet 1997, page B3

Défendu encore par plusieurs économistes, le discours de la compétition entre les pays est attaqué de toutes parts. Notamment par les tenants de l'école de pensée qui affirment que la compétitivité est quelque chose de relatif puisque le jeu des taux de change refait automatiquement, à moyen et long terme, la compétitivité des entreprises.

Un autre discours commence à faire son chemin depuis quelques années, même s'il n'est pas nouveau en soi, et qui conteste également la théorie de la compétition entre les pays : c'est le concept d'intégration économique des régions. En vertu de ce discours, nous sommes de plus en plus dans un contexte, non pas de concurrence entre les pays, mais d'une concurrence interrégionale internationale.

Une école de pensée à laquelle adhère l'économiste Pierre-Paul Proulx de l'Université de Montréal. Selon lui, Montréal fait partie d'une vaste région économique transfrontalière regroupant le Québec, les Maritimes et une dizaine d'États du Nord-Est des

États-Unis. C'est une région qui connaît un déclin relatif depuis des années notamment en raison du vieillissement des industries manufacturières et du déménagement constant de nombreuses entreprises vers l'ouest et le sud du continent nord-américain. La solution pour les entreprises canadiennes et américaines de cette région, c'est d'établir des alliances pour faire des percées dans d'autres marchés comme en Asie, en Amérique du Sud ou en Europe.

Les décideurs politiques canadiens et américains sont de plus en plus sensibles à ce discours. « Puisque nous avons sensiblement les mêmes problèmes de déclin, il est logique que nous unissions nos efforts pour trouver des pistes de solutions », dira Pierre-Paul Proulx lors d'une entrevue au Devoir.

Les nouvelles stratégies des firmes internationales, les changements technologiques, les décisions politiques (à l'origine par exemple de l'Organisation mondiale du commerce, l'ALENA et l'Union européenne), produisent des flux grandissants interna-

tionaux de biens, de services, de capitaux, de personnes et d'informations (voix, images, données et textes) entre des régions du monde qui ne correspondent plus nécessairement aux frontières nationales.

C'est une structure économique qui, selon Pierre-Paul Proulx, prend place en tissant ses liens très rapidement. « C'est pourquoi les gouvernements sont un peu mal pris, face à ce phénomène, confie-t-il. Ils essaient de trouver des solutions dans un contexte économique qui ne les attend pas. »

Bien que la région du Nord-Est américain entre en compétition avec d'autres régions du monde, les villes de ladite région vont néanmoins continuer de se concurrencer entre elles, explique Pierre-Paul Proulx. Le cadre de la compétition entre Montréal, Portland, Boston et New York, fait-il valoir, a tendance à évoluer pour se rapprocher du modèle de concurrence entre les villes d'un même pays : le modèle interne. « Si dans un pays, il y a de la concurrence entre les villes, cela entraîne une mobilité de la main-d'œuvre et des capitaux. [...] Sur le plan international, le niveau de compétitivité des entreprises s'ajuste par le taux de change. Mais de plus en plus, il va falloir nuancer les effets de l'ajustement par le taux de change.»

L'Union européenne et sa nouvelle monnaie, l'euro, en est un bon exemple, dit-il. «Si la monnaie commune européenne voit finalement le jour, il n'y aura plus d'ajustement par le taux de change entre les pays européens.» La concurrence entre les régions européennes se traduira donc par une mobilité des capitaux et des personnes, quoique la multiplicité des langues européennes constitue un certain frein à la mobilité des personnes.

Le leitmotiv de Pierre-Paul Proulx est clair : «Puisqu'on se dirige [dans la région du Nord-Est américain] vers un modèle qui se rapproche de plus en plus du modèle interne, il faut devenir très soucieux des disparités de coûts absolus de production.» Selon lui, on pourrait assister dans les prochaines années à la fixation d'une espèce de parité entre les dollars canadien et américain. «Si les entreprises de l'est du Canada et des États-Unis resserrent leurs liens, elles ne voudront plus des risques inhérents à la fluctuation des taux de change.»

**La relance de Montréal**

La situation économique de la métropole étant peu reluisante, Montréal est-elle prête à affronter les problèmes ? Oui, estime Pierre-Paul Proulx, mais il faudra mettre les bouchées doubles. Selon lui, les problèmes de Montréal s'expliquent justement en raison de son appartenance à la région économique nord-est américain. Alors que le centre de gravité économique suit un axe nord-est du continent, la métropole est encore trop dépendante du marché canadien est-ouest.

«On perd nos marchés en Ontario tandis que l'Ontario ne perd pas ses marchés québécois, explique-t-il. La balance commerciale positive que nous avions avec cette province pendant longtemps se perd. [...] Les problèmes plus spécifiques de Montréal sont attribuables au fait que Montréal ne s'est pas adaptée rapidement à l'axe nord-sud et n'a pas su développer des stratégies de pénétration des marchés dynamiques.»

Selon lui, la solution des problèmes de Montréal passe par une meilleure connaissance de nos marchés et par une réorientation des flux commerciaux dans l'axe normal de l'espace économique nord-américain. Le Québec est toutefois sur la bonne voie.

Depuis quelques années, les exportations de la province vers les États-Unis ont connu un accroissement remarquable. La proportion des exportations québécoises destinées au marché américain, qui était de 73,4 % en 1991, atteint un sommet de 82,1 % en 1994. L'an dernier, elles totalisaient 81 % des exportations québécoises. Pour sa part, les exportations du Québec à destination du nord-est des États-Unis sont légèrement inférieures à 40 %. Il y a donc place à l'amélioration.

Pour ce faire, précise Pierre-Paul Proulx, les Québécois doivent davantage innover dans les secteurs de haute technologie, former des ressources humaines hautement qualifiées, développer des infrastructures multimodales extrêmement efficaces (téléports, aéroports, transports routiers, maritimes et ferroviaires) ainsi que créer une synergie, une vision commune entre les entreprises québécoises et les instituts de formation (cégeps, écoles techniques, universités). Selon lui, le secteur privé devra faire des efforts pour contribuer à la formation des ressources humaines. «Le secteur privé n'est pas assez près de son infrastructure de formation. Il n'est pas prêt à investir dans la formation de la main-d'œuvre, c'est une question de culture.» Reste à savoir si les gens d'affaires comprendront que c'est dans leur intérêt d'investir dans l'éducation...

ACTIVITÉS D'APPRENTISSAGE

# Chapitre 10

# La balance des paiements et le taux de change

Dans le présent chapitre, nous introduirons d'abord, de façon explicite, les aspects monétaires et financiers du commerce international. Comment les différentes devises s'échangent-elles lorsque se font des importations et des exportations? Nous définirons, analyserons et interpréterons ensuite la balance internationale des paiements. Que signifie une balance des paiements favorable ou défavorable? Puis, nous décrirons et expliquerons les systèmes de taux de change qu'utilisaient les pays commerçants et ceux qu'ils utilisent actuellement. Finalement, nous expliquerons les divers mécanismes qui servent à corriger un déséquilibre de la balance des paiements.

---

**TAUX DE CHANGE**

Prix d'une monnaie exprimé en fonction d'une autre monnaie.

---

## LE FINANCEMENT DU COMMERCE INTERNATIONAL

Quoique les techniques particulières de financement des transactions internationales soient plutôt détaillées, leur nature générale demeure quand même facile à comprendre. La principale différence entre les paiements intérieurs et les paiements internationaux réside dans le fait que diverses monnaies nationales sont en cause. Ainsi, lorsqu'une entreprise canadienne exporte des produits à une entreprise britannique, l'exportateur canadien désire être payé en dollars. Mais l'importateur britannique détient des livres sterling. Alors, le problème est d'échanger des livres contre des dollars de manière à permettre la réalisation de l'exportation canadienne.

### Le cas d'une exportation

Supposons qu'un exportateur canadien accepte de vendre à une entreprise britannique du bois d'une valeur de 30 000 $. Supposons que le **taux de change**, c'est-à-dire le taux ou le prix auquel une livre peut être échangée ou convertie en dollars et vice versa soit de 2 $ pour 1 £. L'importateur anglais devra donc verser 15 000 £ à l'entreprise canadienne.

Pour payer le bois canadien, l'importateur anglais tire un chèque de 15 000 £ sur son compte à la Banque de Londres. L'entreprise anglaise envoie son chèque de 15 000 £ à l'exportateur canadien. Cependant, celui-ci doit payer ses employés, ses fournisseurs de matériaux et ses taxes en dollars et non en livres. C'est pourquoi il vend le chèque ou la traite de 15 000 £ à une banque canadienne, par exemple la Banque de Québec, qui négocie des devises. L'entreprise canadienne obtient un dépôt à vue de 30 000 $ à la Banque de Québec en échange du chèque de 15 000 £.

Notons deux points importants. Premièrement, les exportations canadiennes créent une demande étrangère de dollars, demande qui, une fois satisfaite, entraîne une hausse de la quantité de monnaie étrangère (livres sterling, dans ce cas) détenue par les banques canadiennes et accessible aux acheteurs canadiens. Deuxièmement, le financement d'une exportation canadienne (importation anglaise) réduit l'offre de monnaie (dépôts à vue) en Grande-Bretagne et l'augmente au Canada d'une somme équivalente à celle de la transaction.

## Le cas d'une importation

Mais une question demeure : pourquoi la Banque de Québec consent-elle à se départir de dollars pour des livres ? Comme nous venons de le mentionner, la Banque de Québec est un négociant en devises étrangères ; c'est une entreprise qui achète et vend des livres contre des dollars moyennant commission. Ayant expliqué que la Banque de Québec achète des livres avec des dollars lorsqu'il y a une exportation québécoise, nous verrons maintenant comment elle doit vendre des livres pour obtenir des dollars afin de financer une importation canadienne (exportation britannique). Plus précisément, supposons qu'un détaillant québécois désire importer des lainages d'une valeur de 15 000 £ d'une usine anglaise.

Comme l'entreprise exportatrice anglaise doit payer ses dépenses en livres plutôt qu'en dollars, l'entreprise importatrice doit, d'une façon ou d'une autre, échanger ses dollars contre des livres. Elle ira à la Banque de Québec et achètera 15 000 £ pour 30 000 $. Peut-être l'importateur québécois achète-t-il les 15 000 £ que la Banque de Québec a acquises lors de la transaction précédente. Cet achat réduit le dépôt à vue de 30 000 $ que l'importateur possède à la Banque de Québec.

L'importateur québécois fait parvenir son chèque de 15 000 £ à l'entreprise anglaise, qui le dépose à la Banque de Londres.

Nous remarquerons que les importations canadiennes créent une demande de monnaie étrangère (livres sterling, dans ce cas) et que la satisfaction de cette demande réduit la quantité de monnaie étrangère que détiennent les banques canadiennes. De plus, une importation canadienne augmente l'offre de monnaie en Grande-Bretagne et réduit l'offre de monnaie au Canada.

En combinant ces deux transactions, nous pouvons dire que les exportations canadiennes (bois, dans ce cas) font augmenter la quantité de devises détenues par les banques canadiennes et que les importations canadiennes (lainages anglais, dans cet exemple) créent une demande de ces devises. En d'autres termes, *les exportations d'un pays financent ses importations*. Les exportations fournissent les devises nécessaires pour payer les importations. Du point de vue britannique, les exportations de lainages entraînent une offre de dollars, qui sont ensuite utilisés pour répondre à la demande de dollars qui découle des importations de bois.

Bien que nos exemples se réduisent à l'importation et à l'exportation de biens, la demande et l'offre de livres sterling sont également influencées par des transactions portant sur des services et sur des paiements d'intérêts et de dividendes sur les investissements étrangers. Aussi, les Canadiens demandent-ils des livres non seulement pour financer leurs importations, mais également pour acheter des assurances et des frais de transport aux Britanniques, et pour payer des dividendes et des intérêts sur les investissements britanniques au Canada.

Les transactions canadiennes en monnaies étrangères se font habituellement en dollars américains et le commerce canado-américain est 10 fois plus important que le commerce canado-britannique (tableau 10.1, page 334 ). Par conséquent, lorsque les Canadiens pensent à la valeur internationale de leur monnaie, ils l'expriment presque toujours en dollars américains. On exprime rarement la valeur du dollar canadien en livres. À partir de maintenant, nous utiliserons des dollars américains plutôt que des livres sterling dans nos exemples.

# LA BALANCE INTERNATIONALE DES PAIEMENTS

Lorsque nous disons que les exportations financent les importations, nous simplifions la réalité, parce que les relations économiques entre les pays impliquent beaucoup plus que des exportations et des importations. L'éventail des transactions économiques entre les pays est résumé dans la **balance des paiements** ; celle-ci est une sorte de tableau comptable dans lequel un pays enregistre systématiquement les échanges entre ses résidants (individus, sociétés et gouvernements) et ceux des autres pays. Toutes les entrées (recettes) et les sorties (paiements) de fonds y sont comptabilisées, et l'accent est mis sur les divers soldes, suivant en quelque sorte le modèle d'un compte de banque. Une balance canadienne des paiements simplifiée pour 1996 apparaît au tableau 10.1 (page 334).

Elle se divise en deux parties : le compte courant et le compte capital. L'analyse de ce tableau permet d'évaluer la position du Canada dans le commerce mondial et les échanges financiers.

## Le compte courant

Le **compte courant** comprend des transactions visibles, les exportations et les importations de marchandises (biens), et des transactions invisibles. Comme l'indiquent les lignes 1 à 3, les entrées et les sorties peuvent être définies dans un sens très large. Le Canada n'exporte pas seulement du minerai, du bois, des automobiles et des produits agricoles (ligne 1), mais il vend aussi des services à l'étranger : tourisme, transport, assurances, recherche, gestion, etc. De même, le Canada achète des services à l'extérieur. Les intérêts et les dividendes payés pour l'utilisation du capital étranger investi au Canada correspondent à un paiement pour l'« importa-

> ### BALANCE DES PAIEMENTS
> État annuel des transactions économiques internationales d'un pays.
>
> ### COMPTE COURANT
> Partie de la balance des paiements qui regroupe les transactions portant sur les échanges de biens et de services, des revenus de placement et des transferts.
>
> ### BALANCE COMMERCIALE
> Différence entre les exportations et les importations de marchandises d'un pays.
>
> ### INVISIBLES
> Regroupement de services non tangibles (voyages, transport, etc.), de revenus de placement (intérêts et dividendes) et de transferts.
>
> ### COMPTE CAPITAL
> Partie de la balance des paiements qui nous renseigne sur les mouvements nets de capitaux à court et à long terme.

tion » des services obtenus par ce capital. Les Canadiens reçoivent aussi des intérêts et des dividendes pour leurs capitaux investis à l'étranger. Ainsi, à la ligne 2.b, nous remarquons que le Canada a une balance négative importante, ce qui signifie qu'il a contracté une dette extérieure très élevée.

Au tableau 10.1, au compte courant, les exportations canadiennes sont affectées du signe plus (+) et les importations du signe moins (–). Nous nous rappellerons que les exportations canadiennes entraînent des paiements en dollars au Canada de la part des étrangers. Ces transactions, qui impliquent des entrées de dollars au Canada, ont été affectées du signe plus (+). À l'opposé, les importations canadiennes obligent les importateurs à effectuer des paiements aux producteurs étrangers. De telles transactions, qui impliquent des sorties de dollars du Canada, ont été affectées du signe moins (–). Ainsi, comme le solde des services est négatif, cela indique que le Canada doit cette somme au reste du monde (ligne 2.a).

Les transferts font aussi partie du compte courant canadien (ligne 2.c du tableau 10.1). Ils sont également invisibles. Remarquez que le Canada a un surplus de plus d'un milliard de dollars au poste Successions et capitaux des immigrants, ligne 2.c, 1°. Malgré ce que nous pouvons en penser, les immigrants dans leur ensemble apportent plus d'argent avec eux qu'ils n'en envoient à leur parenté. Sont également compris dans les transferts les prêts et les subventions aux pays en voie de développement par l'entremise des Nations Unies.

Nous remarquerons que la balance des marchandises correspond à la **balance commerciale** (celle des biens visibles), tandis que, en additionnant les services, les revenus de placement et les transferts, nous obtenons la balance des **invisibles**.

## Le compte capital

Les Canadiens, individus et entreprises, ont le droit d'investir dans d'autres pays ou de consentir des prêts aux étrangers. Par exemple, quelques sociétés canadiennes sont devenues des multinationales en achetant ou en construisant des usines ou en établissant des points de vente à l'étranger. Les Canadiens peuvent également acheter des titres (actions ou obligations) à des entreprises étrangères, ou bien racheter les avoirs canadiens de non-résidents. Il leur est également possible d'effectuer des dépôts bancaires à l'étranger ou de détenir des dépôts en monnaies étrangères dans nos banques.

De telles transactions impliquent des sorties de capitaux. En d'autres termes, tout comme les importations de biens, ces transactions, investissements ou prêts à l'étranger approvisionnent l'étranger en dollars canadiens ou, comme c'est généralement le cas, en dollars américains préalablement gagnés ou empruntés par des

**TABLEAU 10.1** La balance canadienne des paiements, 1996 (en millions de dollars)

| | Recettes | Paiements | Solde + ou − |
|---|---|---|---|
| **Compte courant** | | | |
| 1. Balance commerciale (X − M) | 267 551 | − 233 026 | 34 525 |
| 2. Balance des invisibles (a + b + c) | | | |
|   *a)* Services | | | − 9 350 |
|     1° Voyages | 12 017 | − 15 231 | |
|     2° Autres | 26 965 | − 33 101 | |
|   *b)* Revenus de placements | | | − 28 016 |
|     1° Intérêts | 6 971 | − 33 861 | |
|     2° Dividendes et bénéfices réinvestis | 10 795 | − 11 920 | |
|   *c)* Transferts | | | 1 155 |
|     1° Successions et capitaux des immigrants | 1 548 | − 402 | |
|     2° Autres | 3 712 | − 3 703 | |
| 3. Balance du compte courant (1 + 2) | | | − 1 685 |
| **Compte capital** | | | |
| 4. Investissement directs | | | − 1 176 |
|   *a)* À l'étranger | | − 10 283 | |
|   *b)* Au Canada | 9 107 | | |
| 5. Placements de portefeuille | | | 2 436 |
|   *a)* Titres étrangers | | − 18 391 | |
|   *b)* Titres canadiens | 20 827 | | |
| 6. Autres créances et engagements | | | 309 |
| 7. Réserves officielles de change | | | − 7 320 |
| 8. Balance du compte capital (4 + 5 + 7) | | | − 5 751 |
| 9. Écart statistique (− [3 + 8]) | | | 7 436 |

**Source :** Données tirées de Banque du Canada, *Revue de la Banque du Canada*, printemps 1997, tableaux J1 et J2.

Canadiens. Nous pouvons donc considérer les investisseurs et les créanciers canadiens comme des importateurs de titres sur les actifs étrangers.

Les étrangers s'engagent également dans des transactions semblables au Canada. Ils achètent des biens immobiliers, des actions et des obligations canadiennes, ils font des dépôts dans les banques canadiennes, etc. Le Canada, en fait, exporte alors des titres et des valeurs et, comme dans le cas d'exportations de marchandises et de services, il se fait payer en monnaies étrangères, surtout en dollars américains.

Au compte capital du tableau 10.1, les sorties de capitaux sont accompagnées d'un signe(–), tandis que les entrées ont une valeur positive. En fait, les sorties de capital liquide paient les entrées de capital étranger (actions, obligations, devises, etc.), tandis que les entrées de capital liquide paient leurs sorties.

### Les investissements directs et les investissements de portefeuille

Le tableau 10.1 révèle le montant net des nouveaux investissements étrangers qui se sont faits au Canada en 1996. Un investissement direct représente une situation où un non-résidant détient assez d'actions dans une entreprise canadienne pour avoir une mainmise sur elle. Par ailleurs, un investissement de portefeuille consiste seulement à acheter des obligations et des actions dans le but de retirer des intérêts et des dividendes et d'avoir une possibilité de réaliser des gains de capital si le prix de ces titres s'accroît. Bien entendu, un investissement de portefeuille n'est pas un investissement dans le sens employé par les économistes : acheter une obligation ou une action ne crée pas en soi de capital physique. La création de capital physique se fait par l'entreprise qui a vendu, à l'origine, l'obligation ou l'action.

Le solde du compte capital, en 1996, était de –5 751 millions de dollars, ce qui signifie que nous avons vendu moins d'actions, d'obligations et d'autres titres canadiens à l'étranger que nous n'en avons achetés de l'étranger. Cette situation est exceptionnelle. Habituellement, le solde du compte capital est positif.

## La variation nette des réserves officielles

Nos réserves monétaires officielles, ou réserves de liquidités internationales, sont détenues par la Banque du Canada, au nom du gouvernement du Canada, dans le Fonds des changes. À la fin de 1997, la composition des réserves officielles de liquidités internationales du Canada était la suivante :

**En millions de dollars canadiens**

| | |
|---|---|
| Or | 155 |
| Dollars américains | 17 521 |
| Autres monnaies étrangères | 507 |
| Droits de tirage spéciaux | 14 310,4 |
| Position de réserve au FMI[1] | 1 227 |
| Total | 20 578 |
| | (14 310,4 millions de DTS) |

**Source :** Banque du Canada, *Revue de la Banque du Canada*, printemps 1997, tableau 12.

### Un déficit ou un surplus

Les banques centrales des pays détiennent des devises et de l'or. Les devises et les réserves servent à compenser la différence entre les soldes des comptes courant et capital. Si le solde du compte capital (en général positif) est insuffisant pour contrebalancer le déficit du compte courant, cela signifie que le Canada a reçu moins de devises dans ses transactions internationales qu'il n'en a utilisées. Par conséquent, la Banque du Canada a dû diminuer ses réserves internationales détenues au Fonds des changes (une valeur positive à la ligne 7 parce que cette transaction correspond à une demande de dollars canadiens) en les vendant sur les marchés

---

1. Le Fonds monétaire international (FMI) fut créé en 1944, par les pays alliés, pour aider à stabiliser les taux de change en prêtant à court terme aux pays qui font face à des déficits temporaires ou à court terme de leurs balances des paiements. Ces prêts sont effectués à la même position de réserve du FMI composée des réserves d'or et de devises fournies par chaque pays participant sur la base du volume de son revenu national, de sa population et du volume de son commerce extérieur. Le FMI approuva, en 1967, un plan destiné à créer une nouvelle monnaie internationale appelée «droits de tirage spéciaux» (DTS). Communément nommés «papier-or», les DTS sont créés par les directeurs du FMI, mais seulement avec l'approbation de 85 % des votes des participants au Fonds. Les DTS sont accessibles aux membres du Fonds selon leur participation au FMI et peuvent être utilisés, comme jadis l'or le fut, pour régler les déficits de la balance des paiements ou satisfaire les besoins de réserves.

des changes étrangers contre des dollars canadiens. Nous faisons face à un **déficit de la balance des paiements**. Les sorties de fonds (importations, voyages à l'étranger, versements d'intérêts et de dividendes à l'étranger, investissements directs au Canada, placements en titres canadiens par des non-résidants, etc.) sont plus grandes que les entrées de fonds (exportations, visite des étrangers, recettes d'intérêts et de dividendes, investissements directs à l'étranger, placements en titres étrangers par des Canadiens, etc.). Si, au contraire, le surplus du compte capital est supérieur au déficit du compte courant, les réserves de devises (une valeur positive à la ligne 7 parce que cette transaction correspond à une offre de dollars canadiens) ont augmenté, c'est-à-dire que la Banque du Canada a augmenté ses réserves en achetant des devises avec des dollars canadiens sur les marchés des changes étrangers. Nous parlons alors de **surplus de la balance des paiements**.

En 1996, les réserves officielles de change ont diminué de 7 320 millions de dollars (ligne 7 du tableau 10.1, page 334). La balance des paiements a donc enregistré un déficit égal à cette somme. En effet, si nous faisons abstraction des erreurs et des omissions (voir le paragraphe suivant), la somme des soldes du compte courant et du compte capital, plus la variation nette des réserves, devrait toujours donner zéro.

En additionnant le déficit de 1 685 millions de dollars du compte courant au déficit de 5 751 millions de dollars du compte capital, incluant la variation des réserves officielles, nous obtenons un déficit de 7 436 millions de dollars. Cependant, comme le processus de collecte des données servant à établir la balance des paiements est complexe et très imparfait, cette somme n'est qu'une estimation. D'un autre côté, la Banque du Canada sait que la variation des réserves officielles de change a été 7 320 millions de dollars. Alors, plutôt que d'aboutir à une somme d'entrées et de sorties équivalente à la variation du Fonds des changes, elle se retrouve avec des sorties excédentaires d'une valeur de 7 436 millions de dollars. Nous

> **DÉFICIT DE LA BALANCE DES PAIEMENTS**
>
> Situation qui survient lorsque l'offre d'une monnaie a été plus grande que sa demande durant une année. Il y a eu plus de sorties de fonds que d'entrées de fonds.
>
> **SURPLUS DE LA BALANCE DES PAIEMENTS**
>
> Situation qui survient lorsque la demande d'une monnaie a été plus grande que son offre durant une année. Les entrées de fonds ont été supérieures aux sorties.

devons donc inscrire 7 436 millions au poste Erreurs et omissions nettes (Écart statistique, tableau 10.1, ligne 9), ce qui permet d'équilibrer la balance des paiements. Bien que la Banque du Canada ne donne aucune indication sur les sources possibles d'erreur, nous pourrions croire que celles-ci proviennent du compte capital (ignorance de certains mouvements de capitaux à long terme) ou bien du compte courant (au poste Autres services), certains individus ayant des incitations fiscales pour déterminer certains paiements au moyen des paradis fiscaux. La perception d'intérêts et de dividendes ainsi que les transactions au poste Voyages ne sont pas toutes déclarées non plus.

## Les déséquilibres de la balance des paiements

La balance des paiements doit toujours être en équilibre, car toutes les transactions doivent être comptabilisées d'une façon ou d'une autre. Mais un tel équilibre a peu de signification sur le plan économique. Ce qui importe est la manière dont cet équilibre a été atteint.

### Une analogie

Considérons le cas de deux familles. Les gains ou les revenus de la première famille excèdent substantiellement ses dépenses en biens et en services. Elle utilise son revenu non dépensé pour acheter des actions et des obligations, pour investir dans l'immobilier (faire des investissements), faire des dons ou, finalement, accroître ses réserves monétaires (épargne). Nous devons constater que tout fonctionne bien pour la première famille; elle est en bonne position financière. De plus, cette famille est en équilibre, en ce sens qu'elle peut maintenir cette position indéfiniment.

La deuxième famille est dans une situation différente. Ses dépenses excèdent ses revenus ainsi que tous les dons qu'elle pourrait être assez chanceuse de recevoir. Elle fait face à des difficultés financières; elle vit au-dessus de ses moyens et doit puiser dans ses réserves monétaires (épargne) ou emprunter (utiliser le crédit) pour financer son déficit. Au sens comptable, nous remarquons que les entrées et les sorties de dollars sont en équilibre pour les deux familles ; la balance des paiements de chacune avec le reste de l'économie est en équilibre. Cependant, la deuxième famille est clairement dans une position de déséquilibre fondamental. Ses réserves monétaires sont limitées ainsi que son accès au crédit ; elle ne pourra donc pas continuer indéfiniment à dépenser plus qu'elle ne gagne. La deuxième famille devra remettre ses finances en ordre.

### Le déséquilibre fondamental de la balance canadienne des paiements

Pour savoir si notre balance des paiements est vraiment en équilibre, il n'est pas suffisant de regarder la ligne 7 du tableau 10.1 (page 334), soit la variation des réserves officielles.

Avoir un surplus ou un déficit de la balance des paiements n'est pas nécessairement un signe de bonne ou de mauvaise santé économique. Habituellement, le solde qui nous renseigne sur notre santé économique est celui du compte courant (tableau 10.1, ligne 3). Ce compte est presque systématiquement déficitaire, sauf lors des années de grave récession (par exemple, la période de 1982-1984) où la chute des importations permet parfois des surplus. La balance canadienne des paiements souffre d'un déséquilibre fondamental.

Avant d'expliquer ce déséquilibre, nous étudierons l'équilibre international et les taux de change, car tant la taille du déficit du compte courant que les moyens par lesquels ces déséquilibres peuvent être résolus dépendent des taux de change.

## L'ÉQUILIBRE INTERNATIONAL ET LES TAUX DE CHANGE

Il existe deux options fondamentales en matière de **taux de change** : (1) un système de taux de change flottants ou flexibles, où les taux auxquels les monnaies nationales s'échangent les unes contre les autres sont déterminés par l'offre et la demande ; (2) un système de taux de change fixes, où l'intervention gouvernementale sur les marchés des changes ou toute autre pratique annule les variations des taux de change

qui, autrement, seraient causées par les fluctuations de l'offre et de la demande.

### Les taux de change flottants

Les taux de change flottants sont déterminés librement par le jeu de l'offre et de la demande. La figure 10.1 (page 338) illustre cette mécanique. L'intersection de $D_0D_0$ et de OO représente la position d'équilibre initiale, le dollar canadien valant 0,70 $ US. Comme nous pouvons le voir sur ce graphique, la demande étrangère de dollars canadiens a une pente négative et l'offre de dollars canadiens une pente positive. Pourquoi ?

La pente négative de la courbe de demande de dollars canadiens représentée par $D_0D_0$ nous indique que, si les dollars canadiens deviennent moins dispendieux pour les étrangers, les produits et les services canadiens leur coûteront moins cher. Les étrangers demanderont donc des quantités plus importantes de biens et de services canadiens et, par conséquent, une plus grande quantité de dollars canadiens pour effectuer ces achats. L'offre de dollars canadiens a une pente positive, OO, parce que, lorsque le prix du dollar canadien exprimé en dollar américain augmente (c'est-à-dire que le prix du dollar américain exprimé en dollar canadien chute), les Canadiens ont tendance à acheter plus de biens et de services étrangers. En effet, lorsque le dollar canadien se négocie à un prix plus élevé par rapport au dollar américain, les Canadiens peuvent obtenir plus de dollars américains et donc plus de biens et de services étrangers pour chaque dollar canadien. En d'autres termes, les biens et les services étrangers coûtent moins cher aux Canadiens, ce qui les incite à en acheter davantage. De tels achats rendent les dollars canadiens disponibles en plus grande quantité pour les étrangers.

### Les variations du taux de change

*La demande internationale de dollars canadiens est toujours équivalente à l'offre totale de devises (surtout des dollars américains) échangées contre des dollars canadiens*, c'est-à-dire :

$$\uparrow \text{demande de \$ CAN} = \uparrow \text{offre de \$ US}$$
$$\downarrow \text{demande de \$ CAN} = \downarrow \text{offre de \$ US}$$

> **TAUX DE CHANGE**
>
> Prix d'une monnaie exprimé en fonction d'une autre monnaie. Il peut être *flottant*, c'est-à-dire être déterminé par la demande et l'offre de cette monnaie, ou *fixe*, c'est-à-dire déterminé par le gouvernement.

Une augmentation de la demande internationale du dollar canadien, comme de $D_0D_0$ à $D_1D_1$ à la figure 10.1*a*, fait augmenter le prix international du dollar canadien (c'est-à-dire son prix par rapport au dollar américain) de 0,70 $ US à 0,80 $ US. Le dollar canadien a pris de la valeur, il s'est **apprécié**. Cela revient à dire qu'une augmentation de l'offre de dollars américains, de $O_0O_0$ à $O_1O_1$ à la figure 10.1*b*, fait diminuer le prix du dollar américain par rapport au dollar canadien, de 1,43 $ CAN (= 1 $ CAN/0,70 $ US) à 1,25 $ CAN (= 1 $ CAN/0,80 $ US). En effet, en supposant que le dollar canadien vaille 0,70 $ US :

$$1 \text{ \$ CAN} = 0,70 \text{ \$ US}$$

et en divisant chaque membre de l'équation par 0,70, nous obtenons :

$$1,43 \text{ \$ CAN} = 1 \text{ \$ US}$$

En d'autres termes, lorsque le dollar canadien vaut 0,70 $ US, le dollar américain vaut 1,43 $ CAN, et non 1,30 $ CAN. Le dollar américain s'est **déprécié**. Au contraire, lorsque le dollar canadien perd de la valeur par rapport au dollar américain, passant, par exemple, de 0,80 $ US à 0,70 $ US, nous disons que le dollar

canadien s'est déprécié par rapport au dollar américain. Le dollar américain s'est quant à lui apprécié : il faut maintenant 1,43 $ CAN (= 1 $ CAN/0,70 $ US) pour acheter 1 $ US, alors qu'auparavant cet achat nécessitait 1,25 $ CAN (= 1 $ CAN/0,80 $ US).

En termes généraux, une monnaie prend de la valeur lorsque nous pouvons acheter une unité d'une monnaie étrangère (dollar américain) avec moins d'unités de la monnaie du pays (dollar canadien). Inversement, une dépréciation signifie que, pour acheter une unité de monnaie étrangère, nous devons céder une plus grande quantité d'unités de la monnaie du pays.

---

> **APPRÉCIATION**
>
> Augmentation du taux de change d'une monnaie par rapport à une autre monnaie, consécutivement au jeu des forces du marché.
>
> **DÉPRÉCIATION**
>
> Diminution du taux de change d'une monnaie par rapport à une autre monnaie, consécutivement au jeu des forces du marché.

---

### Les déterminants des taux de change

Qu'est-ce qui explique l'emplacement des courbes d'offre et de demande du dollar canadien à la figure 10.1*a* ? En d'autres termes, quels facteurs peuvent modifier l'offre et la demande de dollars canadiens et, de ce fait, en faire augmenter ou diminuer la valeur ? Étudions brièvement quelques-uns des facteurs les plus importants.

---

**FIGURE 10.1**　　Le marché des changes étranger

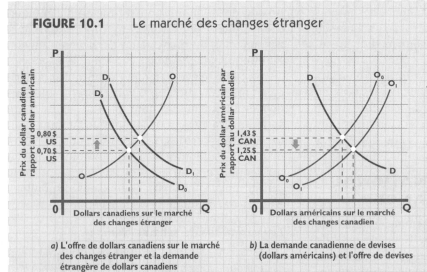

*a)* L'offre de dollars canadiens sur le marché des changes étranger et la demande étrangère de dollars canadiens

*b)* La demande canadienne de devises (dollars américains) et l'offre de devises

*a)* La demande étrangère de dollars canadiens a une pente négative parce que, à mesure que les dollars canadiens deviennent moins coûteux, les biens et les services canadiens deviennent moins onéreux pour les étrangers. L'offre de dollars canadiens a une pente positive parce que, à mesure que le prix du dollar canadien par rapport au dollar américain augmente, les Canadiens désirent acheter de plus grandes quantités de biens et de services étrangers. L'intersection des courbes d'offre et de demande détermine le taux de change d'équilibre s'il est flottant.

*b)* Les courbes de demande et d'offre de dollars américains sur le marché des changes canadien sont respectivement les réciproques des courbes d'offre et de demande illustrées en *a*.

**DES CHANGEMENTS DU REVENU RELATIF** Si la croissance du revenu intérieur d'un pays est plus rapide que celle des autres pays, sa monnaie risque de perdre de la valeur. Les importations d'un pays varient directement en fonction de son niveau de revenu. Si l'économie canadienne croît rapidement et que l'économie américaine est stagnante, les importations canadiennes de produits américains, et par conséquent la demande de dollars américains, augmenteront. Le dollar américain prendra de la valeur par rapport au dollar canadien, et cela signifie une dépréciation de ce dernier.

**DES CHANGEMENTS DE PRIX RELATIFS** Si les prix intérieurs augmentent rapidement au Canada et demeurent constant aux États-Unis, les consommateurs canadiens désireront se procurer les produits américains relativement bon marché, faisant ainsi croître la demande de dollars américains. Les Américains, au contraire, désireront acheter moins de produits canadiens, réduisant ainsi l'offre de dollars américains. La combinaison de la hausse de la demande et de la réduction de l'offre de dollars américains entraînera une appréciation du dollar américain, c'est-à-dire une dépréciation du dollar canadien.

**LES TAUX D'INTÉRÊT RELATIFS** Supposons qu'une politique monétaire expansionniste laisse à un bas niveau les taux d'intérêt au Canada, tandis qu'une politique monétaire restrictive les maintient élevés aux États-Unis. Cherchant des rendements supérieurs, les Canadiens demanderont plus de dollars américains pour pouvoir acheter les titres américains rapportant davantage. À l'opposé, les investisseurs américains réduiront leur offre de dollars américains parce que les obligations canadiennes sont moins intéressantes. Une fois de plus, le dollar canadien perd de la valeur.

**LA SPÉCULATION** Supposons qu'on anticipe fortement une croissance de l'économie canadienne supérieure à celle de l'économie américaine, une inflation plus élevée au Canada qu'aux États-Unis et des taux d'intérêt relativement plus faibles au Canada. Toutes ces anticipations amènent les gens à penser que le dollar canadien va perdre de la valeur par rapport au dollar américain. Alors, les détenteurs de dollars canadiens essaieront de les convertir en dollars américains, faisant ainsi augmenter la demande de dollars américains. En effet, cette prophétie se réalise d'elle-même: le dollar canadien se déprécie et le dollar américain prend de la valeur.

**DES CHANGEMENTS DANS LES GOÛTS DES CONSOMMATEURS** Tout changement des goûts ou des préférences des consommateurs pour les produits d'un autre pays modifiera la demande ou l'offre de la devise de ce pays et influera sur le taux de change. Si les consommateurs de France s'entichent des bicyclettes tout-terrains fabriquées au Québec, ils offriront plus de francs français sur les marchés des changes en achetant davantage de bicyclettes québécoises, et le dollar canadien s'appréciera. Au contraire, si les logiciels français percent au Québec, notre demande de francs français augmentera et le dollar se dépréciera.

### Les taux de change flottants et la balance des paiements

Les défenseurs des taux de change flottants confèrent à ceux-ci une vertu intrinsèque: les taux flottants s'ajustent automatiquement pour éliminer les surplus ou les déficits du compte courant. Cela s'explique facilement quand nous jetons un coup d'œil aux courbes OO et DD, à la figure 10.2 (page 340), laquelle, en fait, reproduit deux des courbes de demande et d'offre du dollar américain (DD et $O_1O_1$) de la figure 10.1*b*.

Le taux de change d'équilibre est de 1,25 $ CAN = 1 $ US et indique qu'il n'y a ni surplus ni déficit dans le compte courant. Lorsque le dollar américain vaut 1,25 $ CAN, la quantité de dollars américains demandée par les Canadiens pour acheter des produits américains, pour payer le transport et les services d'assurances américains et pour verser les intérêts et les dividendes sur les investissements américains au Canada est égale à la quantité offerte de dollars américains pour acheter les exportations canadiennes, les services canadiens et effectuer les paiements d'intérêts et de dividendes sur les investissements canadiens aux États-Unis.

Maintenant, supposons qu'une modification des goûts et des préférences amène les Canadiens à acheter plus d'automobiles américaines. Ou nous pourrions supposer que le niveau des prix canadien a augmenté par rapport au niveau américain, ou que les taux d'intérêt ont chuté au Canada par rapport à ce qu'ils sont aux États-Unis. Chacun de ces changements fera augmenter la demande canadienne de dollars américains de DD à D´D´ à la figure 10.2. Nous remarquons que, au taux de change initial 1,25 $ CAN = 1 $ US, un déficit canadien dans le compte courant se crée, dont la valeur est égale à *ab*. En d'autres termes, à ce taux, il y a une pénurie de dollars américains d'une valeur égale à *ab*. Les transactions du type exportations rapporteront *xa* dollars américains, mais les Canadiens auront besoin de *xb* dollars américains pour financer leurs transactions du type importations. Comme c'est un marché libre, la pénurie influera sur le taux de change (prix d'un dollar américain par rapport au dollar canadien) de la façon suivante: hausse de 1,25 $ CAN à 1,43 $ CAN pour 1 $ US; le dollar canadien s'est donc déprécié.

Il faut maintenant préciser que *le taux de change est un prix très spécial qui lie tous les prix intérieurs (canadiens) aux prix étrangers (américains)*. Une variation du taux de change modifie alors les prix de tous les produits américains pour les Canadiens et les prix de tous les produits canadiens pour les acheteurs américains potentiels. Plus précisément, cette variation particulière du taux de change amoindrira l'intérêt relatif pour les importations et les exportations canadiennes, de telle sorte que l'équilibre de la balance canadienne des paiements sera restauré. Du point de vue canadien, à mesure que le prix canadien du dollar américain augmente de 1,25 $ CAN à 1,43 $ CAN, une automobile

valant 10 000 $ US, qui coûtait initialement 12 500 $ CAN, coûte maintenant 14 300 $ CAN. Les autres produits américains coûteront également plus cher aux Canadiens. Ainsi, les importations canadiennes de biens et de services américains auront tendance à diminuer. Graphiquement, cette situation est illustrée par un déplacement du point *b* au point *c*, à la figure 10.2.

Par contre, du point de vue américain, le taux de change, c'est-à-dire le prix du dollar canadien, a diminué (de 0,80 $ US à 0,70 $ US). La valeur du dollar américain s'est appréciée au Canada. Les Américains n'obtenaient que 1,25 $ CAN pour un de leurs dollars; maintenant, ils en obtiennent 1,43 $ CAN. Les produits canadiens sont alors meilleur marché pour les Américains et, par conséquent, les exportations canadiennes aux États-Unis augmenteront. À la figure 10.2, cette situation est représentée par un déplacement du point *a* au point *c*.

Les deux ajustements que nous venons de décrire, soit une diminution des importations canadiennes des États-Unis et une hausse des exportations canadiennes vers les États-Unis, sont précisément ceux qui sont nécessaires pour corriger le déficit du compte courant canadien. (Vous devriez reprendre ce raisonnement pour un surplus du compte courant canadien.) En bref, les fluctuations libres des taux de change

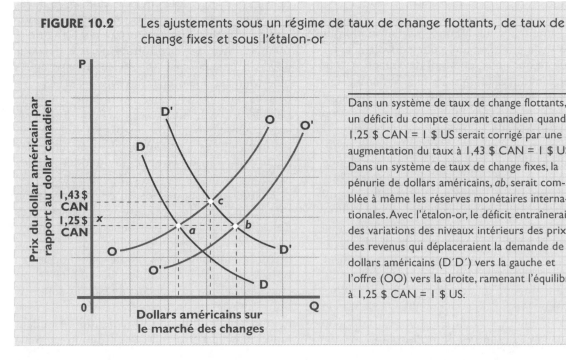

**FIGURE 10.2** Les ajustements sous un régime de taux de change flottants, de taux de change fixes et sous l'étalon-or

Dans un système de taux de change flottants, un déficit du compte courant canadien quand 1,25 $ CAN = 1 $ US serait corrigé par une augmentation du taux à 1,43 $ CAN = 1 $ US. Dans un système de taux de change fixes, la pénurie de dollars américains, *ab*, serait comblée à même les réserves monétaires internationales. Avec l'étalon-or, le déficit entraînerait des variations des niveaux intérieurs des prix et des revenus qui déplaceraient la demande de dollars américains (D'D') vers la gauche et l'offre (OO) vers la droite, ramenant l'équilibre à 1,25 $ CAN = 1 $ US.

qui découlent des déplacements des courbes d'offre et de demande de monnaies étrangères tendent à restaurer automatiquement l'équilibre international. En fait, si les taux de change flottants fonctionnaient parfaitement, il n'existerait pas de déséquilibre de la balance des paiements.

### Les désavantages

Bien que les taux de change flottants corrigent automatiquement un déséquilibre de la balance des paiements, ils peuvent entraîner des problèmes importants.

**L'INCERTITUDE ET LA BAISSE DU COMMERCE** Les risques et les incertitudes associés aux taux de change flottants peuvent décourager le commerce. Illustrons cette assertion. Supposons qu'un concessionnaire automobile canadien négocie l'achat de 10 automobiles au montant de 100 000 $ US. Au taux de change en vigueur de 1,25 $ CAN = 1 $ US, l'importateur canadien s'attend à payer ces automobiles 125 000 $ CAN. Mais si, pendant la période nécessaire à la construction et au transport, le taux de change augmente à 1,43 $ CAN = 1 $ US, le contrat de vente d'une valeur de 100 000 $ US vaudra alors 143 000 $ CAN. Certes, cette modification du taux de change transforme les gains potentiels de l'importateur canadien en pertes substantielles. Conscient de la possibilité d'une dépréciation du dollar canadien, l'importateur canadien peut tout simplement refuser d'assumer un tel risque. L'entreprise canadienne restreindra alors ses opérations à l'automobile canadienne, bloquant ainsi le commerce international de ce produit.

Nous pouvons appliquer le même raisonnement à l'investissement, une transaction enregistrée dans le compte capital. Supposons que, lorsque le taux de change est de 1,50 $ CAN = 1 $ US, une compagnie canadienne investisse 30 000 $ (ou 20 000 $ US = 30 000 $ CAN/1,50) dans une entreprise américaine. Elle prévoit un rendement de 10 %, c'est-à-dire que l'entreprise anticipe des gains de 3 000 $ CAN ou 2 000 $ US. Supposons que cela se réalise, en ce sens que la compagnie américaine engendre un rendement de 2 000 $ US sur son capital, la première année. Mais supposons que, durant l'année, la valeur du dollar canadien ait augmenté jusqu'à 0,75 $ US (le dollar américain ne vaut plus que 1,33 $ CAN). Le rendement absolu

n'est plus que de 2 666,67 $ CAN (= 2 000 $ US/0,75) plutôt que de 3 000 $ CAN, et le taux de rendement s'est abaissé de 10 % à 8,9 % (= 2 666,67 $ CAN/30 000 $ CAN). De ce fait, l'investissement devient risqué. Le risque supplémentaire découlant des possibilités de variations défavorables du taux de change peut persuader les investisseurs canadiens de s'éloigner des placements étrangers.

S'il est prêt à assumer un certain coût, un courtier peut contourner en partie le risque relié aux fluctuations des taux de change en « pariant » sur la valeur future du taux de change. Par exemple, l'importateur canadien d'automobiles de notre exemple peut acheter les dollars américains requis au taux en vigueur de 1,25 $ CAN pour 1 $ US et en prendre possession dans trois mois, lorsque les automobiles américaines seront livrées. Malheureusement, cette manœuvre n'élimine pas tous les risques liés au taux de change. Supposons que le prix du dollar canadien par rapport au dollar américain chute (le dollar canadien prend de la valeur) durant le délai de trois mois et qu'une autre entreprise importatrice concurrente n'ait pas devancé son achat de dollars américains. Cela signifie que le concurrent paiera ses automobiles à un prix inférieur et qu'il pourra les vendre moins cher que notre premier importateur.

**LES TERMES DE L'ÉCHANGE** Les termes de l'échange d'un pays se détérioreront si la valeur internationale de sa monnaie décline. Par exemple, une diminution du prix du dollar canadien par rapport au dollar américain signifie que le Canada doit exporter une plus grande quantité de biens et de services pour financer un niveau donné d'importations en provenance des États-Unis.

**L'INSTABILITÉ** Les taux de change flottants peuvent également avoir des effets déstabilisants sur l'économie intérieure si de grandes variations stimulent et, par la suite, dépriment les industries productrices des biens et des services destinés à l'exportation. Si l'économie canadienne fonctionne au niveau de plein-emploi et que la valeur internationale de sa monnaie se déprécie, comme dans notre exemple, les résultats seront inflationnistes, pour deux raisons. Premièrement, la demande étrangère de produits canadiens augmentera, c'est-à-dire que les exportations nettes (composante de la demande agrégée) s'accroîtront et entraîneront de l'inflation par la demande. Deuxièmement, le prix de toutes les importations canadiennes augmentera.

Au contraire, une appréciation du dollar pourrait faire diminuer les exportations et augmenter les importations, entraînant ainsi du chômage. Si nous l'abordons du point de vue des politiques économiques, l'acceptation d'un taux de change flottant peut compliquer l'utilisation de politiques fiscale et monétaire intérieures visant le plein-emploi et la stabilité des prix. Cela est particulièrement vrai pour les pays qui, comme le Canada, exportent et importent pour une valeur représentant 20 % ou 30 % de leur PIB (tableau 9.1, page 304).

## Les taux de change fixes

À l'autre extrême, des pays ont souvent fixé ou stabilisé leur taux de change pour contrer les désavantages associés aux taux de change flottants. Pour analyser les conséquences et les problèmes qui découlent des taux de change fixes, nous supposons que le Canada ait décidé de garder son taux de change à 1 $ CAN = 0,80 $ US, soit 1,25 $ CAN = 1 $ US.

Le problème fondamental, bien sûr, c'est que la proclamation par le gouvernement d'une parité fixe pour le dollar canadien par rapport au dollar américain n'entraîne pas la stabilité de l'offre et de la demande du dollar américain. Quand la demande et l'offre de dollars américains varient dans le temps, le gouvernement doit intervenir directement ou indirectement sur le marché des changes pour stabiliser le taux de change.

Examinons à nouveau la figure 10.2 (page 340). Nous supposons que la demande canadienne du dollar américain augmente de DD à D´D´ et qu'un déficit de *ab* se produise dans la balance des paiements. Cela signifie évidemment que le gouvernement canadien maintient un taux de change (1,25 $ CAN = 1 $ US) inférieur au taux d'équilibre (1,43 $ CAN = 1 $ US). Comment le Canada peut-il empêcher la pénurie de dollars américains, traduisant un déficit de la balance canadienne des paiements, d'amener le taux de change au niveau d'équilibre ? Il devra modifier la demande ou l'offre du marché, ou les deux, de manière à ce qu'elles continuent de se croiser au taux de change 1,25 $ CAN = 1 $ US. Il existe plusieurs moyens d'y parvenir.

### L'utilisation des réserves

Le moyen le plus souhaitable d'administrer un taux de change est de manipuler le marché en utilisant les réserves. Supposons qu'antérieurement un surplus de dollars américains prévalût sur le marché plutôt qu'une pénurie et que le gouvernement canadien eût placé ce surplus dans le Fonds des changes. Cela signifie qu'à une période antérieure le gouvernement canadien a dépensé des dollars canadiens pour acheter le surplus de dollars américains qui menaçait de réduire le taux de change alors en vigueur de 1,25 $ CAN = 1 $ US à 1 $ CAN = 1 $ US, par exemple. En vendant maintenant une partie de ses réserves en dollars américains, le gouvernement canadien pourrait déplacer l'offre de dollars canadiens vers la droite de manière que O´O´ croise D´D´ au point *b*, à la figure 10.2 ; il maintiendrait ainsi le taux de change à 1,25 $ CAN = 1 $ US.

Historiquement, des pays ont utilisé l'or comme « monnaie internationale » ou, en d'autres termes, comme réserves. Ainsi, dans notre exemple, le gouvernement canadien pourrait vendre une partie de l'or qu'il détient aux États-Unis en échange de dollars américains. Il pourrait utiliser les dollars américains ainsi acquis pour augmenter la quantité obtenue à partir des transactions commerciales et financières et, de cette façon, déplacer l'offre de dollars américains vers la droite de manière à maintenir le taux de change à 1,25 $ CAN = 1 $ US.

Notons que, pour ce faire, les réserves doivent être suffisantes afin de permettre la hausse requise de l'offre de dollars américains. Ce n'est pas un problème si des déficits et des surplus sensiblement de même taille alternent. C'est-à-dire que le surplus de l'année précédente de la balance des paiements avec les États-Unis (ou avec le monde entier) augmentera les réserves canadiennes en dollars américains, et ces réserves pourront être utilisées pour le financement du déficit de cette année. Mais si le Canada connaît d'importants déficits durant une longue période, alors le problème des réserves peut devenir critique et l'obliger à abandonner un système de taux de change fixes. Du moins, un pays dont les réserves sont inadéquates doit-il s'en remettre à des options moins intéressantes s'il souhaite maintenir la stabilité du taux de change. L'option que le Canada a choisie est d'encourager, depuis les années 1970, l'entrée d'investissements étrangers.

### Les ajustements macro-économiques intérieurs

Une autre façon de maintenir le taux de change est d'utiliser les politiques fiscale et monétaire de manière à éliminer les pénuries de dollars américains. En particulier, des mesures fiscales et monétaires restrictives réduiront le revenu intérieur canadien par rapport au revenu intérieur américain. Comme les importations varient directement selon le niveau de revenu intérieur, ces mesures diminueront alors notre demande de produits américains et, par conséquent, de dollars américains.

Dans la mesure où ces politiques restrictives entraînent notre niveau des prix à la baisse par rapport à celui des États-Unis, les acheteurs canadiens de biens de consommation et d'investissement transféreront leur demande de produits américains vers celle de produits canadiens, réduisant ainsi la demande de dollars américains. Finalement, une politique monétaire restrictive fera augmenter les taux d'intérêt canadiens par rapport aux taux américains, réduisant la demande canadienne de dollars américains qui proviennent de l'achat de titres américains.

Du point de vue américain, des prix plus bas pour les produits canadiens et des taux d'intérêt canadiens élevés feront augmenter les importations américaines de produits canadiens et stimuleront l'investissement américain au Canada. Ces deux conséquences feront augmenter l'offre de dollars américains. La combinaison de la baisse de la demande et de la hausse de l'offre de dollars américains aura évidemment tendance à éliminer le déficit initial de la balance canadienne des paiements. Selon la figure 10.2 (page 340), les nouvelles courbes d'offre et de demande se croiseront à un nouveau point d'équilibre sur le segment *ab* où le taux de change demeure 1,25 $ CAN = 1 $ US.

Cela signifie que le maintien d'un taux de change administré n'est guère intéressant. Le «prix» à payer pour cette stabilité est une baisse de la production, de l'emploi et du niveau des prix, en d'autres termes, une récession! Atteindre l'équilibre de la balance des paiements et réaliser la stabilité intérieure sont deux objectifs tout aussi importants; mais sacrifier le second pour le premier revient à laisser la queue agiter le chien. Cependant, c'est précisément ce que fait le Canada.

### Les politiques commerciales

Une troisième série de possibilités politiques comprend des mesures visant à contrôler directement le volume du commerce et des finances. Le Canada peut essayer de maintenir le taux de change à 1,25 $ CAN = 1 $ US devant une pénurie de dollars américains en décourageant les importations (réduisant ainsi la demande du dollar américain) et en encourageant les exportations (ce qui fait augmenter l'offre de dollars américains). Plus précisément, les importations peuvent être réduites au moyen de l'imposition de tarifs ou de quotas à l'importation (chapitre 9). De la même manière, le gouvernement peut imposer des taxes spéciales sur les intérêts et les dividendes que les Canadiens reçoivent de leurs investissements étrangers. D'un autre côté, le gouvernement canadien peut subventionner certaines exportations canadiennes et ainsi augmenter l'offre de dollars américains.

Le problème fondamental issu de ces politiques est qu'elles réduisent le volume du commerce international et modifient sa composition en l'éloignant de ce qui est souhaitable. En fait, les tarifs, les quotas et les autres pratiques de ce genre exigent qu'on sacrifie une partie des gains ou des bénéfices économiques qui découlent du libre-échange basé sur les avantages comparés. Nous ne devons pas sous-estimer ces effets; rappelons que l'imposition de contrôles commerciaux peut entraîner des représailles de la part des pays qui en sont touchés.

### Le contrôle des changes: le rationnement

Il existe une dernière possibilité de contrôler les changes. Le gouvernement canadien résoudrait le problème de la pénurie de dollars américains en exigeant que tous les dollars américains obtenus par les exportateurs canadiens soient vendus au gouvernement. À son tour, le gouvernement redistribuerait ces faibles réserves de dollars américains (*x* à la figure 10.2) entre les divers importateurs canadiens qui demandent la quantité *xb*; cela constituerait en quelque sorte un rationnement. De cette manière, le gouvernement canadien limiterait les importations canadiennes à la somme qu'auraient rapportée les exportations canadiennes. La demande canadienne de dollars américains égale à *ab* ne pourrait être satisfaite. Le gouvernement contraindrait la balance des paiements à l'équilibre en limitant les importations à la valeur des exportations.

Il existe plusieurs objections au contrôle des changes.

1. Tout comme les politiques commerciales – tarifs, quotas et subventions à l'exportation–, le contrôle des changes éloigne le commerce international de sa position optimale.

2. Le rationnement des échanges extérieurs implique une certaine discrimination parmi les importateurs. De sérieux problèmes d'équité et de favoritisme peuvent alors surgir.

3. Les contrôles nuisent à la liberté de choix des consommateurs. Les Canadiens préférant du thé peuvent être amenés à consommer du café. Certains importateurs ne pourront conclure de ventes potentielles si le gouvernement restreint les importations.

4. Des problèmes d'application peuvent survenir. Les forces du marché, la demande et l'offre indiquent qu'il y a des importateurs canadiens qui désirent suffisamment commercer pour payer plus de 1,25 $ CAN pour 1 $ US, soit le taux officiel; cela peut entraîner la création d'un marché parallèle.

Faisons une révision. Les défenseurs d'un régime de taux de change fixes affirment qu'un tel système diminue les incertitudes et les risques associés au commerce et aux finances internationales. Des taux fixes permettraient par conséquent un volume supérieur et plus avantageux de transactions commerciales et financières. Cependant, la viabilité d'un système de taux fixes repose sur deux conditions reliées : la disponibilité de réserves adéquates et l'éventualité de surplus et de déficits se contrebalançant dans le temps. Des déficits importants et prolongés peuvent anéantir les réserves d'un pays. Un pays dont les réserves sont insuffisantes doit envisager des options encore moins intéressantes. D'un côté, il peut devoir se soumettre à des ajustements macro-économiques douloureux, comme une récession ou l'inflation. D'un autre côté, il peut être obligé d'avoir recours à des politiques commerciales protectionnistes ou à des contrôles des changes qui répriment le volume du commerce et des finances internationales.

## LA COMPATIBILITÉ DES POLITIQUES INTÉRIEURE ET INTERNATIONALE

Selon la combinaison particulière de circonstances que connaît un pays tant sur le plan intérieur que sur celui de sa balance des paiements, les politiques économiques intérieure et internationale peuvent être compatibles ou entrer en conflit. L'objet de cette dernière section est de démontrer que nous ne devons pas étudier de façon isolée l'objectif intérieur de plein-emploi accompagné d'une stabilité raisonnable des prix et l'objectif international d'une balance des paiements équilibrée. Les

**TABLEAU 10.2**    Les politiques intérieure et internationale compatibles et en conflit

| Problème intérieur | Problème international (balance des paiements) | Politique intérieure appropriée | Politique internationale appropriée | Relation entre les politiques |
|---|---|---|---|---|
| Chômage | Déficit | Expansionniste | Restrictive | Conflit |
| Inflation | Déficit | Restrictive | Restrictive | Compatibilité |
| Chômage | Surplus | Expansionniste | Expansionniste | Compatibilité |
| Inflation | Surplus | Restrictive | Expansionniste | Conflit |

**Source :** Adapté de Mordechai E. Kreinin, *International Economics : A Policy Approach*, 3ᵉ édition, New York, Harcourt Brace Jovanovich, Inc., 1979, p. 97.

politiques visant à atteindre la stabilité intérieure influeront sur la balance des paiements et vice versa. Nous étudierons brièvement diverses combinaisons de conditions intérieures et internationales et déterminerons si la politique appropriée au secteur intérieur est compatible avec les objectifs de la balance des paiements d'un pays. Le tableau 10.2 résume les quatre cas possibles que nous examinerons.

Supposons que l'économie intérieure souffre du chômage et d'un faible taux de croissance, d'une part, et que le pays doive faire face à un déficit de sa balance des paiements, d'autre part (ligne 1). Les politiques convenant à cette situation intérieure seraient des politiques fiscale et monétaire expansionnistes: dépenses gouvernementales plus élevées ou impôts plus faibles et taux d'intérêt faibles. Malheureusement, ces politiques expansionnistes ne permettraient pas de résoudre le déficit de la balance des paiements; en fait, l'expansion de l'économie intérieure intensifierait ce déficit. Pourquoi? Premièrement, la hausse du revenu intérieur signifie une hausse des importations. Deuxièmement, compte tenu de la possibilité d'une inflation prématurée, les produits intérieurs auront tendance à perdre leur compétitivité sur

les marchés mondiaux, et les exportations chuteront. Troisièmement, le déclin des taux d'intérêt engendré par la politique monétaire expansionniste fera sortir les capitaux qui iront vers d'autres pays où les taux d'intérêt sont maintenant plus élevés, aggravant encore le déficit de la balance des paiements.

D'un autre côté, si l'économie intérieure souffre d'une inflation accompagnée d'un déficit de la balance des paiements, il n'y a pas de conflit entre les politiques (ligne 2). Sur le plan intérieur, des politiques fiscale et monétaire restrictives sont appropriées. Le ralentissement de la croissance des revenus qui en résultera fera chuter les importations; la stabilisation ou la baisse de l'inflation tendra à stimuler les exportations. Enfin, les taux d'intérêt en hausse arrêteront les sorties de capitaux et encourageront les entrées.

Tentez maintenant de vérifier si les mesures intérieures pour enrayer le chômage conviennent pour éliminer le surplus de la balance des paiements (ligne 3).

Finalement, les politiques intérieures pour combattre l'inflation sont en conflit avec celles qui sont nécessaires pour corriger un surplus de la balance des paiements (ligne 4).

# Activités d'apprentissage

## Résumé

*Si vous ne pouvez répondre à la question qui accompagne le résumé d'une section, vous devriez relire attentivement cette section et essayer de nouveau.*

### LE FINANCEMENT DU COMMERCE INTERNATIONAL

*En pratique, à quoi correspond une demande de dollars canadiens ?*

■ Les exportations canadiennes créent une demande étrangère de dollars canadiens et une offre de devises dont les Canadiens peuvent disposer. Au contraire, les importations canadiennes créent une demande de devises et une offre de dollars canadiens disponibles aux étrangers. De façon générale, les exportations d'un pays lui rapportent les devises nécessaires pour payer ses importations.

### LA BALANCE INTERNATIONALE DES PAIEMENTS

*Donnez des exemples concrets de transactions visibles et invisibles et de mouvements de capitaux.*

■ La balance des paiements est un état de compte annuel de toutes les transactions commerciales et financières internationales qui ont été effectuées. Elle comprend le compte capital et le compte courant. Le compte courant comprend des transactions visibles (biens) et invisibles (services). Le compte capital comprend les entrées et les sorties de capitaux à court et à long terme.

Le déficit chronique du compte courant canadien indique que la balance canadienne des paiements connaît un déséquilibre fondamental.

### LES TAUX DE CHANGE FLOTTANTS

*Que signifie en pratique une dépréciation du dollar canadien ?*

■ Un taux de change flottant se dépréciera ou s'appréciera consécutivement à des variations relatives des revenus, du niveau des prix et des taux d'intérêt entre deux nations. Des taux de change flottants corrigent les déséquilibres de la balance des paiements en modifiant l'intérêt relatif que suscitent les biens, les services et les investissements intérieurs et étrangers.

## LES TAUX DE CHANGE FIXES

■ Le maintien de taux de change fixes nécessite des réserves suffisantes pour régler des déficits périodiques de la balance des paiements. Si les réserves sont inadéquates, les pays devront subir des ajustements macro-économiques intérieurs, faire appel à des politiques protectionnistes ou contrôler les changes.

*De quelles réserves parle-t-on ici?*

## LA COMPATIBILITÉ DES POLITIQUES INTÉRIEURE ET INTERNATIONALE

■ Les politiques intérieure et internationale ne sont pas toujours compatibles. Il y a conflit lorsque l'économie enregistre du chômage et un déficit de la balance des paiements ou si elle enregistre à la fois de l'inflation et un surplus de la balance des paiements. Par contre, le même type (expansionniste ou restrictive) de politiques intérieure et internationale est requis si l'inflation sévit en même temps qu'un déficit de la balance des paiements ou s'il y a en même temps chômage et surplus de la balance des paiements.

*Que peut-on faire lorsqu'il y a conflit?*

# Mots-clés

| | | |
|---|---|---|
| Appréciation et dépréciation d'une monnaie | Compte courant | Investissement direct |
| Balance commerciale | Contrôle des changes | Invisibles |
| Balance des paiements | Déficit ou surplus de la balance des paiements | Mouvements de capitaux |
| Compte capital | Investissement de portefeuille | Politiques commerciales |
| | | Services |

# Réseau de concepts

Construisez un réseau de concepts à partir des concepts suivants : chômage, inflation, surplus de la balance des paiements, déficit de la balance des paiements, politique intérieure expansionniste, politique intérieure restrictive, politique internationale restrictive, politique internationale expansionniste, conflit, compatibilité. (Inspirez-vous des réseaux de concepts des chapitres précédents.)

# Exercices et problèmes

## Choisissez la bonne réponse.

1. Une exportation canadienne entraîne :
   a) une demande canadienne de devises, et la satisfaction de cette demande fait diminuer la quantité de dollars détenue par les banques étrangères ;
   b) une demande canadienne de devises, et la satisfaction de cette demande fait augmenter la quantité de dollars détenue par les banques étrangères ;

c) une demande étrangère de dollars, et la satisfaction de cette demande fait diminuer la quantité de devises détenue par les banques canadiennes ;

d) une demande étrangère de dollars, et la satisfaction de cette demande fait augmenter la quantité de devises détenue par les banques canadiennes.

2. Si un importateur canadien peut acheter 10 000 £ pour 20 000 $, le taux de change est de :
   a) 1 $ = 2 £ au Canada ;
   b) 2 $ = 1 £ au Canada ;
   c) 1 $ = 1 £ en Grande-Bretagne ;
   d) 0,50 $ = 1 £ en Grande-Bretagne ;
   e) ne peut être déterminé à partir des informations fournies.

3. Parmi les transactions suivantes, laquelle crée une offre de lires italiennes sur les marchés des changes étrangers ?
   a) Un Français rachète une obligation émise par un industriel italien.
   b) Un exportateur italien achète une assurance d'une firme canadienne.
   c) Un étudiant canadien fait un voyage à Rome.
   d) Un importateur canadien achète 500 caisses de vin de table italien.

4. Parmi les transactions suivantes, laquelle contribuerait à créer un déficit de la balance des paiements ?
   a) Kawasaki construit une usine de motocyclettes à Vancouver.
   b) Des touristes canadiens voyagent en grand nombre en Chine.
   c) Un riche Iranien construit un palace à Montréal.
   d) Le Zaïre paie les intérêts de sa dette au Canada.

5. Un symptôme d'un déficit chronique de la balance des paiements est :
   a) une diminution de la quantité de la monnaie d'un pays détenue par les autres pays ;
   b) un excédent des exportations sur les importations ;
   c) la diminution des réserves de devises ;
   d) une augmentation de la valeur internationale de la monnaie du pays.

6. Si les exportations d'un pays sont de 55 milliards de dollars, tandis que ses importations sont de 50 milliards de dollars, nous pouvons conclure avec certitude que ce pays connaît :
   a) un surplus de sa balance commerciale ;
   b) un surplus de sa balance des paiements ;
   c) une balance positive du compte courant ;
   d) une balance positive des invisibles.

## Vrai ou faux ? Justifiez vos réponses.

7. Soit les données suivantes :

| | |
|---|---|
| Exportations de marchandises | 15 $ |
| Importations de marchandises | −17 |
| Exportations de services | 5 |
| Importations de services | −2 |
| Revenus d'investissement nets | −5 |
| Transferts nets | 4 |
| Entrées de capitaux | 5 |
| Sorties de capitaux | −11 |
| Réserves officielles | 6 |

a) Ce pays a importé plus de produits qu'il n'en a exportés.
b) Ce pays a réalisé un surplus de 1 $ sur les biens et les services.
c) Ce pays reçoit plus de transferts du reste du monde qu'il n'en verse.
d) Les non-résidants ont investi moins dans ce pays que celui-ci ne l'a fait dans le reste du monde.
e) Cette balance des paiements est déficitaire.
f) Dans un système de taux de change flottant librement, cette balance des paiements signifierait une dépréciation de la devise de ce pays.

## Suivez les directives et répondez aux questions

8. Répondez aux questions à partir des données fictives suivantes :

| | |
|---|---|
| Exportations de marchandises | 40 $ |
| Importations de marchandises | −30 |
| Exportations de services | 15 |
| Importations de services | −10 |
| Revenus d'investissement nets | −5 |
| Transferts nets | 10 |
| Entrées de capitaux | 10 |
| Sorties de capitaux | −40 |
| Réserves officielles | +30 |

Toutes les données sont en milliards de dollars.
a) Quelle est la balance commerciale ?
b) Quelle est la balance des invisibles ?
c) Quelle est la balance des capitaux ?
d) Ce pays a-t-il un surplus ou un déficit de la balance des paiements ?

9. Indiquez, pour chacune des situations suivantes, quel poste de la balance française des paiements est touché.
a) Un importateur canadien achète une cargaison de vins de Bordeaux.
b) Une entreprise d'automobiles française décide de construire une usine d'assemblage à Halifax.
c) Une étudiante d'une université canadienne décide d'aller étudier une année à Paris.

ACTIVITÉS D'APPRENTISSAGE

d) Un industriel français exporte de la machinerie au Maroc sur un cargo panaméen.

e) Une obligation du gouvernement du Canada détenue par un citoyen français vient à échéance.

f) Le Canada connaît un déficit de son compte courant dans ses transactions avec la France.

10. Supposons qu'il existe un taux de change flottant entre le Mexique et le Canada. Indiquez, dans chacun des cas suivants, si le peso mexicain prendra ou perdra de la valeur.

a) Le Canada diminue unilatéralement ses tarifs sur les produits mexicains.

b) Le Mexique connaît une grave période d'inflation.

c) La détérioration des relations politiques réduit le tourisme canadien au Mexique.

d) L'économie canadienne entre dans une grave récession.

e) La Banque du Canada met en place une politique monétaire restrictive.

f) Les produits mexicains deviennent plus populaires au Canada.

g) Le taux de croissance de la productivité diminue considérablement au Canada.

11. Expliquez comment un importateur canadien d'automobiles peut financer une livraison de Fiat en provenance d'Italie. Expliquez l'énoncé suivant : «Les exportations canadiennes fournissent les devises que les Canadiens utilisent pour financer leurs importations.»

12. Commentez l'affirmation suivante : «Une hausse du prix du peso en dollars signifie nécessairement une chute du prix du dollar en pesos.» Illustrez et expliquez l'énoncé suivant : «La chose essentielle au sujet des taux de change est qu'ils fournissent un lien direct entre les prix des biens et des services produits dans tous les pays du monde.»

13. Indiquez les principaux coûts et les principaux bénéfices associés à un important déficit du compte courant. Expliquez l'affirmation suivante : «Un déficit du compte courant signifie que nous recevons plus de biens et de services de l'étranger que nous n'en envoyons.» Pourquoi dirions-nous que cette situation est défavorable ?

> **SYSTÈME D'ÉTALON-OR**
>
> Système monétaire international utilisé au XIX$^e$ siècle et au début du XX$^e$, dans lequel chaque nation définissait la parité de sa monnaie suivant une certaine quantité d'or, maintenait un rapport fixe entre son stock d'or et sa masse monétaire, et autorisait les libres importation et exportation d'or.

# Complément

## LES SYSTÈMES DE TAUX DE CHANGE INTERNATIONAUX

### L'étalon-or

Durant la période de 1879-1934, sauf durant les années de la Première Guerre mondiale, le Canada ainsi que la plupart des pays industrialisés participaient à un système monétaire international connu sous le nom d'«**étalon-or**». Ce système prévoyait essentiellement des taux de change fixes. En jetant un regard en arrière pour connaître son fonctionnement puis son déclin, nous pourrons mieux comprendre quelques-uns des problèmes reliés aux systèmes de taux de change fixes.

## LES CONDITIONS

Un pays fonctionne avec l'étalon-or lorsqu'il remplit les deux conditions suivantes :

1. Il doit définir son unité monétaire selon une certaine quantité d'or et être prêt à convertir de l'or en papier-monnaie et du papier-monnaie en or au taux stipulé par sa définition de l'unité monétaire.
2. Il doit permettre à l'or d'être exporté et importé librement.

Si chaque pays définit son unité monétaire en fonction de l'or, les diverses devises auront une relation fixe l'une avec l'autre. Par exemple, supposons que le Canada décide que le dollar vaut 23,22 grains d'or, les États-Unis ayant déjà donné la même valeur à leur dollar. Cela signifie que les dollars canadien et américain ont la même valeur. En fait, c'est cette situation qui prévalait quand les deux pays fonctionnaient avec l'étalon-or : les deux monnaies pouvaient être échangées contre 23,22 grains d'or.

## LES MOUVEMENTS DE L'OR

Maintenant, si nous ignorons temporairement les coûts d'emballage, d'assurances et de transport de l'or entre les deux pays, sous l'étalon-or, le taux de change sera stable, soit 1 $ pour 1 $. La raison en est simple. Personne au Canada ne donnera plus de 1 $ CAN pour 1 $ US parce qu'il est toujours possible d'acheter 23,22 grains d'or avec un dollar canadien au Canada, de l'envoyer aux États-Unis et de le vendre pour 1 $ US. Par ailleurs, aucun Américain ne paierait plus de 1 $ US pour 1 $ CAN. Pourquoi le ferait-il quand il peut acheter 23,22 grains d'or aux États-Unis avec un dollar américain, l'envoyer au Canada et le vendre pour 1 $ CAN ?

Bien sûr, en pratique, les coûts d'emballage, d'assurances et de transport de l'or doivent être pris en considération. Mais ces coûts ne représenteront que quelques cents par 23,22 grains d'or. Par exemple, si ces coûts n'étaient que de 0,03 $ pour 23,22 grains d'or, les Canadiens voulant acheter des dollars américains paieraient jusqu'à 1,03 $ CAN pour un dollar américain plutôt que d'acheter et d'exporter 23,22 grains d'or aux États-Unis pour obtenir un dollar américain. Pourquoi ? Parce qu'il leur en coûterait 1 $ pour obtenir 23,22 grains d'or plus 0,03 $ pour les envoyer aux États-Unis où ils pourraient les échanger contre 1 $ US. Le taux de change de 1,03 $ CAN, au-dessus duquel l'or commencerait à sortir du Canada, est appelé *point d'exportation de l'or*.

Réciproquement, le taux de change devra baisser jusqu'à 0,97 $ CAN avant que l'or n'entre au Canada. Les Américains désirant se procurer des dollars canadiens accepteront au minimum 0,97 $ CAN en échange de un dollar américain, car, du 1 $ CAN qu'ils peuvent obtenir en achetant 23,22 grains d'or aux États-Unis et en les revendant au Canada, ils doivent soustraire 0,03 $ pour les coûts de livraison de l'or. Ce taux de change de 0,97 $, au-dessous duquel l'or entre au Canada, est appelé *point d'importation de l'or*.

La conclusion fondamentale de ces observations est que, dans un système d'étalon-or, les mouvements de l'or entre les pays conduisent à des taux de change pratiquement fixes.

ACTIVITÉS D'APPRENTISSAGE

### LES AJUSTEMENTS INTÉRIEURS

Mais la stabilisation des taux de change dans le système d'étalon-or nécessite un certain mécanisme pour corriger tout déficit ou tout surplus permanent de la balance des paiements auquel un pays pourrait faire face. Dans le système d'étalon-or, ces ajustements étaient d'ordre macro-économique pour les économies intéressées.

Supposons, une fois de plus, que la balance canadienne des paiements soit en déficit parce que le Canada importe davantage des États-Unis qu'il n'y exporte. Le résultat immédiat d'une telle situation sera de faire monter le prix du dollar américain jusqu'au point d'exportation de l'or, soit 1,03 $ CAN. L'or sera exporté vers les États-Unis pour effacer le déficit.

Quand les pays fonctionnaient avec l'étalon-or, l'or était la base des réserves du système bancaire. Alors, une sortie d'or du Canada diminuait les réserves bancaires et la masse monétaire du pays, entraînant une hausse des taux d'intérêt. Toutes choses étant égales par ailleurs, cette situation provoquait une baisse de la demande agrégée, et donc du revenu intérieur, et peut-être du niveau des prix au Canada.

La situation inverse prévalait aux États-Unis. L'entrée d'or faisait croître les réserves des banques, entraînant une expansion de la masse monétaire et une réduction des taux d'intérêt. En conséquence, la demande agrégée, le revenu intérieur et le niveau des prix avaient tendance à augmenter.

La baisse des prix canadiens et la hausse des prix américains encouragent les exportations canadiennes et découragent les importations canadiennes en provenance des États-Unis, ce qui permettra de corriger le déficit canadien initial. De la même manière, la hausse des taux d'intérêt canadiens par rapport aux taux américains encouragera les Canadiens à acheter des titres à l'intérieur, et les Américains augmenteront leurs achats de titres canadiens.

Notons que tous ces changements réduisent la demande canadienne du dollar américain et augmentent l'offre de dollars américains. Selon la figure 10.2 (page 340), la courbe D´D´ se déplacera vers la gauche et la courbe OO vers la droite, la nouvelle intersection se situant quelque part sur le segment entre les points *a* et *b*. À ce point, le déficit initial de la balance des paiements a été éliminé.

Le principal inconvénient de ce système ressort clairement de notre étude du processus d'ajustement qu'il entraîne. Les pays qui fonctionnent avec l'étalon-or doivent se plier à des ajustements intérieurs souvent très pénibles, comme le chômage et la baisse des revenus, d'une part, ou l'inflation, d'autre part. En jouant ce jeu, les pays doivent accepter de soumettre leur économie intérieure à des ajustements macro-économiques douloureux.

### LA FIN DU SYSTÈME

La Grande Dépression mondiale des années 1930 amena la fin de l'étalon-or. Comme la production intérieure et l'emploi chutaient dramatiquement, le retour à la prospérité devint l'objectif prioritaire des pays touchés. Nous nous rappellerons (chapitre 9) que les pays établirent des mesures protectionnistes pour augmenter leurs exportations nettes et ainsi stimuler leur économie intérieure. Chaque pays craignait qu'un déficit de la balance des paiements n'empêche la reprise économique en entraînant une sortie d'or et ses effets restrictifs inévitables. En fait, la plupart des pays tentèrent de dévaluer leur monnaie par rapport à l'or pour rendre leurs exportations plus intéressantes. Ces dévaluations empêchèrent la réalisation d'une des conditions fondamentales du système d'étalon-or, et le système s'effondra.

### Le système de Bretton Woods

Non seulement la Grande Dépression des années 1930 provoqua-t-elle la fin du système d'étalon-or, mais elle entraîna également la mise en place de barrières tarifaires qui entravèrent considérablement le commerce international. La Seconde Guerre mondiale eut aussi des effets néfastes en matière de finance et de commerce international. C'est pourquoi, à la fin de la Seconde Guerre mondiale, la pagaille régnait dans les systèmes commercial et monétaire internationaux.

En 1944, pour établir les fondements d'un nouveau système monétaire international, les nouveaux pays alliés tinrent une conférence à Bretton Woods, au New Hampshire. Cette conférence donna naissance à un système de taux de change qu'on appelle parfois «**système de Bretton Woods**». Ce nouveau système visait à conserver les avantages de l'ancien système d'étalon-or (taux de change fixes) tout en évitant ses désavantages (ajustements macro-économiques intérieurs douloureux).

De plus, la conférence créa le **Fonds monétaire international (FMI)** pour rendre possible et pratique le nouveau système de taux de change. Ce système monétaire international favorisant des taux de change relativement fixes et contrôlés par le FMI fut en vigueur jusqu'en 1971. Le FMI continue de jouer un rôle fondamental en matière de finances et, dans les dernières années, a tenté de résoudre les problèmes d'endettement des pays en voie de développement.

### LE FMI ET LES TAUX DE CHANGE

Pourquoi le système de Bretton Woods se développa-t-il? Durant la Dépression des années 1930, divers pays avaient recours à la **dévaluation** pour stimuler l'emploi intérieur. Par exemple, si le Canada faisait face à un taux de chômage en hausse, il pouvait dévaluer le dollar canadien en augmentant le prix de la livre sterling en dollar, de 2,50 $ pour 1 £ à 3 $ pour 1 £, par exemple. Les biens canadiens coûteraient ainsi moins cher aux Britanniques, et les biens britanniques plus cher aux Canadiens. L'augmentation des exportations qui en résulterait, amplifiée par l'effet multiplicateur, stimulerait la production et l'emploi au Canada.

Le problème vient du fait que la plupart des pays peuvent jouer le jeu de la dévaluation et, en fait, la plupart le firent. Les dévaluations en série qui s'ensuivirent ne profitèrent à personne; au contraire, elles n'ont contribué qu'à perturber encore plus le commerce international. C'est pourquoi les pays participant à la conférence de Bretton Woods s'entendirent pour que le système monétaire de l'après-guerre assure la stabilité générale des taux de change en empêchant les dévaluations néfastes.

De quoi avait l'air ce nouveau système? D'abord, comme dans le cas de l'étalon-or, chaque membre du FMI devait définir son unité monétaire en fonction de l'or (ou des dollars), établissant dès lors un taux de change entre la monnaie de chaque pays et celles de tous les autres participants. De plus, chaque pays était obligé de garder son taux de change stable par rapport aux autres devises.

---

**SYSTÈME DE BRETTON WOODS**

Système monétaire international mis en place après la Seconde Guerre mondiale, dans lequel étaient utilisées des parités réglables, où le Fonds monétaire international aidait à stabiliser les taux de change et où l'or et les devises-clés étaient utilisés comme réserves internationales officielles.

**FONDS MONÉTAIRE INTERNATIONAL (FMI)**

Association internationale créée après la Seconde Guerre mondiale pour consentir des prêts en monnaies étrangères aux nations qui connaissaient des déficits de paiement temporaires et pour gérer des parités réglables.

**DÉVALUATION**

Diminution de la valeur internationale d'une monnaie par suite d'une action gouvernementale.

Mais comment pouvaient-ils faire face à cette obligation ? Comme nous l'avons vu lors de l'étude des taux de change fixes, les gouvernements doivent utiliser leurs réserves monétaires internationales pour intervenir sur les marchés des changes étrangers. Mais où les gouvernements pouvaient-ils se procurer les devises nécessaires pour intervenir ? Dans le système de Bretton Woods, il existait trois sources principales de devises.

**LES RÉSERVES** Chaque pays membre créa un fonds de stabilisation, affilié à sa banque centrale ou à son ministère des Finances, qui avait pour rôle de gérer les réserves officielles de devises étrangères et d'or. Au Canada, ce rôle est encore joué par le Fonds des changes, administré par la Banque du Canada. Ces réserves sont utilisées pour augmenter la demande ou l'offre des devises sur le marché des changes de façon à stabiliser le taux de change. Par exemple, si le dollar canadien tend à s'apprécier, le gouvernement canadien peut intervenir sur le marché des changes en vendant des dollars canadiens contre des dollars américains ou d'autres devises. De cette façon, la hausse du dollar canadien sera freinée. À l'opposé, si le dollar canadien tend à se déprécier, le gouvernement peut utiliser les devises qu'il a en réserve pour acheter des dollars canadiens. De nouveau, l'effet sera de stabiliser le taux de change du dollar canadien.

**LES VENTES D'OR** Le gouvernement canadien pouvait vendre une partie de l'or qu'il détenait en échange des devises dont il avait besoin et qu'il offrirait ensuite sur les marchés des changes.

**LES EMPRUNTS AU FMI** Le gouvernement canadien pouvait également emprunter les devises dont il avait besoin au FMI. Les pays membres du système de Bretton Woods devaient faire des contributions obligatoires. Le montant de la contribution de chaque pays était fixé en fonction de la taille de son revenu intérieur, de sa population et du volume de son commerce. Ainsi, lorsque c'était nécessaire, le Canada pouvait emprunter pour une courte période les devises dont il avait besoin en fournissant sa propre monnaie en garantie.

### DES DÉSÉQUILIBRES FONDAMENTAUX : UNE CORRECTION

Un système de taux de change fixes comme le système de Bretton Woods fonctionne bien tant et aussi longtemps que les déficits et les surplus de la balance des paiements d'un pays se produisent plus ou moins aléatoirement et sont relativement de même taille. Mais si le Canada, par exemple, avait un déséquilibre fondamental de son commerce et de ses finances internationales et faisait face à des déficits importants et chroniques, que se passerait-il ? Il est clair que ses réserves ne tiendraient pas longtemps le coup et qu'il ne pourrait maintenir un taux de change fixe.

Selon le système de Bretton Woods, un déficit fondamental de la balance des paiements était corrigé par une dévaluation, c'est-à-dire par une dépréciation dirigée du taux de change. Le FMI permettait à chacun de réduire la valeur externe de sa monnaie jusqu'à concurrence de 10 % sans avoir à obtenir l'approbation des directeurs du Fonds. Par contre, les dévaluations supérieures à 10 % exigeaient l'approbation des directeurs du FMI. Cette obligation se voulait une protection contre les dévaluations arbitraires utilisées par des pays qui voulaient stimuler leur économie intérieure.

L'objectif de ce système de taux réglables était de créer un système monétaire international réunissant les caractéristiques les plus intéressantes tant d'un régime de taux de change fixes que d'un régime de taux de change flottants. En réduisant le risque et l'incertitude, la stabilité à court terme du taux de change stimulerait le commerce et favoriserait une utilisation efficace des ressources mondiales. De plus, les ajustements périodiques des taux de change, gérés par le FMI dans une perspective d'équilibre de long terme, permettaient à un pays de corriger un déséquilibre fondamental de ses paiements sans qu'il soit obligé de recourir à des changements pénibles du niveau des prix et de la production intérieure.

### LA CHUTE DU SYSTÈME DE BRETTON WOODS

Dans le système de Bretton Woods, l'or et le dollar américain prirent le rôle de réserves internationales. L'acceptation de l'or comme moyen d'échange international découla naturellement de son rôle dans le système d'étalon-or. Le dollar américain fut accepté comme monnaie internationale pour deux raisons :

1. Les États-Unis possédaient l'économie la plus puissante du monde « libre » au sortir de la Seconde Guerre mondiale.

2. Les États-Unis avaient accumulé une quantité importante d'or et, entre 1934 et 1971, ils maintinrent une politique d'achat et de vente d'or aux autorités monétaires étrangères à un prix fixe de 35 $ l'once. De plus, le dollar était convertible en or sur demande ; on prit l'habitude de considérer le dollar américain comme un substitut de l'or et, par conséquent, « aussi bon que de l'or ».

Mais le rôle du dollar américain comme une composante des **réserves monétaires internationales** est à la source du dilemme. La production d'or durant les années 1950 et 1960 n'a pas pu suivre le rythme de croissance des besoins en réserves monétaires internationales et le dollar joua un rôle de plus en plus important comme réserve internationale. Les déficits chroniques de la balance américaine des paiements ont accru la quantité de dollars détenue par les autres pays à un point critique et réduit simultanément les réserves d'or américaines.

La capacité des États-Unis de maintenir la convertibilité de leur dollar en or devint de plus en plus douteuse et, de ce fait, la capacité du dollar de jouer le rôle de monnaie internationale fut mise en doute. Les États-Unis devaient réduire ou éliminer leurs déficits des paiements pour préserver le statut du dollar comme moyen d'échange international. Mais le succès de cette entreprise limiterait l'expansion des liquidités internationales et freinerait la croissance du commerce et des finances internationales.

Ces problèmes se sont aggravés au début des années 1970 et ont provoqué la chute du système de Bretton Woods. Confronté aux déficits chroniques et croissants de la balance des paiements américain, le président Nixon suspendit la convertibilité du dollar en or le 15 août 1971. Cette suspension, en rompant le lien entre l'or et le dollar, équivalait à laisser flotter le dollar américain dont la valeur externe était désormais déterminée par les forces du marché. En laissant flotter leur dollar, les États-Unis se trouvèrent à retirer leur soutien au régime de taux de change fixes et sonnèrent le glas du système de Bretton Woods.

---

**RÉSERVES MONÉTAIRES INTERNATIONALES**

Devises (au Canada presque uniquement des dollars américains) et autres biens tels que l'or et les droits de tirage spéciaux que peut utiliser un pays pour régler un déficit des paiements.

---

### Le flottement administré

Le système qui s'est développé depuis n'est pas facile à décrire ; nous pouvons le qualifier de système de taux de change flottants administrés. D'un côté, il repose sur l'opinion que les conditions économiques rapidement changeantes dans lesquelles se trouvent les pays exigent des taux de change flottants de façon à éviter des déséquilibres chroniques de la balance des paiements. D'un autre côté, il repose aussi sur la reconnaissance que les fluctuations fréquentes et à court terme des taux de change, souvent aggravées par la spéculation, sont nuisibles aux échanges commerciaux et financiers. Le nouveau système exige donc que les banques centrales des divers pays interviennent sur les marchés des changes, en vendant et en achetant des devises, de façon à réduire les fluctuations à très court terme des taux de change.

Ce nouveau système fut entériné par les principaux pays membres du FMI en 1976. On donna à ce nouveau système un objectif ambitieux : le maintien d'une flexibilité à long terme des taux de change de façon, croyait-on, à corriger les déséquilibres fondamentaux de la balance des paiements de divers pays, accompagnée d'une stabilité à court terme de ces taux pour favoriser la croissance harmonieuse des échanges commerciaux et financiers.

Actuellement, le système de taux de change est un peu plus compliqué que ce que peuvent laisser entendre les derniers paragraphes. Tandis que les principales devises, marks allemands, dollars canadiens et américains, yen japonais et la livre sterling, fluctuent ou flottent en réaction aux changements de l'offre et de la demande, la plupart des monnaies des pays de la CEE sont liées entre elles. De plus, plusieurs pays moins développés lient le cours de leur monnaie au dollar américain. Finalement, certains pays lient le cours de leur monnaie à un panier de devises.

Quelle évaluation pouvons-nous faire de ce système ? Les critiques sont à la fois positives et négatives.

#### LES DÉFENSEURS DU SYSTÈME

Les défenseurs soutiennent que ce système a bien fonctionné, mieux encore que ce que l'on en attendait, durant sa brève existence.

**LA CROISSANCE DU COMMERCE**  En premier lieu, les taux de change flottants n'ont pas entraîné les baisses des échanges internationaux prédites par les sceptiques. Le commerce mondial a crû approximativement au même rythme dans le système de flottement administré qu'il l'avait fait durant la décennie des années 1960 dans le système de taux de change fixes de Bretton Woods.

**LE CONTRÔLE DES PERTURBATIONS MAJEURES**  Les défenseurs soutiennent que le système de taux de change administré a surmonté des perturbations économiques majeures qui auraient pu entraîner la chute d'un système de taux fixes. Mentionnons les pénuries agricoles mondiales des années 1972-1974, les hausses dramatiques du prix du pétrole en 1973-1974 puis à nouveau en 1979-1980, la stagflation mondiale en 1974-1976 et en 1981-1983, et les imposants déficits budgétaires américains des années 1980. Tous ces événements ont provoqué des déséquilibres importants dans le commerce et les finances internationales. Les taux flexibles ont facilité l'ajustement à ces événements, alors que ces derniers auraient mis des pressions intolérables dans un système de taux de change fixes.

### LES ADVERSAIRES

Il existe cependant un courant important en faveur d'un système caractérisé par une plus grande stabilité des taux de change. Ceux qui favorisent des taux de change stables relèvent les problèmes suivants du système actuel.

**LA VOLATILITÉ ET L'AJUSTEMENT** Les critiques soutiennent que les taux de change ont été particulièrement volatiles dans le système de flottement administré. Cette volatilité, disent-ils, s'est produite même lorsque les conditions économiques et financières sous-jacentes de certains pays étaient plutôt stables. Plus important encore peut-être, le flottement administré n'a pas résolu les déséquilibres des balances des paiements comme les taux de change flexibles sont supposés être capables de le faire. En effet, les États-Unis traînent des déficits chroniques, tandis que l'Allemagne et le Japon ont des surplus permanents. Les changements de la valeur internationale du dollar, du mark et du yen n'ont pas permis de corriger ces déséquilibres.

**UN «ANTISYSTÈME»** Les sceptiques trouvent que le flottement administré est fondamentalement un «antisystème»; les règles et les directives définissant la conduite de chaque pays quant à son taux de change ne sont pas suffisamment claires ou contraignantes pour rendre le système viable à long terme. Les pays seront inévitablement tentés d'intervenir sur les marchés des changes étrangers, non seulement pour atténuer les fluctuations spéculatives ou à court terme de leur taux de change, mais également pour soutenir leur devise si elle est chroniquement faible ou pour manipuler la valeur de leur devise en fonction d'objectifs de stabilisation. En bref, ils craignent que les taux de change flottent de moins en moins et soient de plus en plus administrés, ce qui pourrait être fatal pour le système actuel.

Un exemple d'un taux de change moins flottant et plus administré s'est produit en février 1987 lorsque le Groupe des Sept (le G7), pays industrialisés comprenant les États-Unis, l'Allemagne de l'Ouest, le Japon, la Grande-Bretagne, le France, l'Italie et le Canada, accepta d'entreprendre des actions pour stabiliser la valeur du dollar américain. Au cours des deux années précédentes, le dollar avait diminué rapidement à cause du déficit commercial imposant des États-Unis. Bien que le déficit commercial demeurât important, on craignait qu'une nouvelle dépréciation du dollar américain n'entravât la croissance économique des économies du G7. Les pays du G7 achetèrent alors de grandes quantités de dollars américains pour relever la valeur du dollar. Depuis 1987, les pays du G7 sont intervenus à intervalles réguliers sur les marchés des changes étrangers pour aider à stabiliser la valeur du dollar américain. Est-ce que ces initiatives peuvent être considérées comme la reconnaissance, par les pays industrialisés, de la défectuosité du système de taux de change flottants? Il n'y a pas encore de réponse unanime à cette question. Les plus grands espoirs comme les pires craintes n'ont pas été confirmés.

ACTIVITÉS D'APPRENTISSAGE

ACTIVITÉS D'APPRENTISSAGE

# Recherche documentaire

Consultez les sites Internet suivants pour connaître l'évolution du taux de change canadien :

http://www.uta.fi/~ktmatu/rate–curres.html

http://www.nijenrode.nl/nbr/trends/exch.html

Trouvez deux autres sites intéressants concernant les relations économiques internationales du Canada. Pensez à Statistique Canada ou à la Banque du Canada.

# L'économique pour comprendre ce qui se passe

Les politiques intérieures et internationales canadiennes sont–elles en conflit ?

### Entrevue avec l'économiste Pierre Fortin

# La compétitivité entre pays : un faux débat

### « La compétitivité, c'est une chose qui se refait de façon automatique »

#### Normand François
LE DEVOIR, Montréal le 2 juillet 1997, page B1

Le monde est une arène... Les pays sont en compétition les uns contre les autres. Les pays occidentaux doivent craindre la concurrence des nouveaux «dragons» d'Asie ou des pays émergents d'Amérique du Sud. Bref, le Canada est Microsoft et la Corée du Sud est IBM.

Le discours sur la compétitivité internationale est à la mode au Canada, mais plus particulièrement aux États-Unis. En vertu de ce discours, notre niveau de vie serait constamment menacé par le dynamisme des économies émergentes (Singapour, Vietnam, Indonésie, Mexique, par exemple) à bas salaires et avec un fort niveau de productivité.

Aux États-Unis, cette thèse est notamment défendue par les économistes Lester Thorow (Head to Head, The Coming Economic Battle Among Japan) et Michael Porter. Tous n'adhèrent cependant pas à cette thèse. L'économiste Paul Krugman (Pop Internationalism), pourfendeur des thèses populaires sur la compétitivité des pays et autres lieux communs, fait flèche de tout bois pour combattre ce discours officiel qui matraque sans cesse que le commerce international est une bataille rangée.

Au Canada, beaucoup de politiciens et hommes d'affaires martèlent souvent ce discours. Un raisonnement biaisé puisqu'il peut mener

les gouvernements à dépenser des fonds publics pour stimuler inutilement la compétitivité nationale, conduire au protectionnisme pour certaines industries ou à des guerres commerciales et, enfin, mener à de mauvaises politiques sur d'importantes questions nationales.

**La carotte**

Selon l'économiste Pierre Fortin, professeur à l'Université du Québec à Montréal (UQAM), le discours sur la concurrence entre les pays est un faux débat puisqu'à long terme la compétitivité se refait d'elle-même en raison des taux de change et des gains de productivité. «C'est Paul Krugman qui a raison», lance-t-il.

Notre niveau de vie, explique Pierre Fortin, n'est nullement menacé par les pays émergents d'Asie, d'Amérique latine ou d'ailleurs. La compétitivité, fait-il valoir, c'est quelque chose qu'on poursuit toujours. «Le système fonctionne de manière à créer une carotte à aller chercher tout le temps. Mais plus tu t'approches de la carotte, plus elle s'éloigne. C'est un système d'incitation fondamental.»

Comment définit-on la compétitivité au niveau des entreprises? Il faut comparer les coûts unitaires de fabrication (les coûts de production/la quantité de gadgets produits) des entreprises canadiennes, par exemple, aux coûts unitaires de fabrication des concurrents étrangers. Donc, pour les entreprises canadiennes, le niveau de compétitivité se mesure par l'écart entre leur coût unitaire de fabrication et celui des concurrents.

### L'effet des taux de change sur la compétitivité

«Pour progresser ou survivre, les entreprises canadiennes qui se comparent à des entreprises étrangères cherchent toujours à améliorer leurs coûts de fabrication par rapport aux autres. Les entreprises doivent être capables de vendre au prix mondial – qui est ajusté pour être le même pour tout le monde, mais en faisant en sorte que leurs coûts de fabrication soient en dessous de ce prix pour faire des profits.»

Si, pour une raison ou une autre, les salaires augmentent plus vite au Canada qu'à l'étranger, ou que la productivité s'accroît moins vite, les entreprises canadiennes vont devenir moins compétitives, au taux de change donné, leurs coûts unitaires augmentent plus vite que ceux des entreprises étrangères.

Les entreprises canadiennes seront alors de moins en moins capables de vendre leurs produits sur les marchés internationaux, où les entreprises étrangères pourront prendre aux compagnies d'ici des parts de marché. Par conséquent, nos importations vont augmenter et nos exportations vont diminuer, ce qui va entraîner un accroissement du déficit extérieur ou de la balance des paiements.

Toutefois, fait valoir Pierre Fortin, il y a d'autres facteurs qui peuvent influer sur la balance des paiements, comme la chute de la demande nord-américaine et les cycles économiques. Donc, avec un déficit extérieur croissant, les devises étrangères rentrent de moins en moins et sortent de plus en plus du Canada. Il se crée alors une rareté de la devise étrangère qui coûte donc plus cher. Par conséquent, le dollar canadien va se déprécier en faisant ainsi baisser le taux de change. Et en se dépréciant, la monnaie va justement permettre aux entreprises canadiennes d'exporter davantage à moindre coût, et d'être donc plus compétitives sur le marché.

### Une roue qui tourne

«Le manque de compétitivité ne peut durer indéfiniment, lance Pierre Fortin. Tu deviens moins compétitif en raison de l'augmentation des coûts unitaires de production; tes exportations diminuent et tes importations augmentent, donc ton déficit extérieur augmente et ta monnaie se déprécie; enfin, en dépréciant, ta monnaie refait ta compétitivité, explique-t-il. C'est une roue qui tourne et c'est comme ça que l'on crée de la richesse.»

Il donne comme exemple le cas du Japon et des États-Unis. Jusqu'à la fin des années 80, la productivité nippone s'accroissait plus rapidement que la productivité américaine. Par conséquent, le coût unitaire de fabrication des entreprises japonaises augmentait beaucoup moins rapidement que celui des compagnies américaines. «Continuellement, le coût relatif des produits japonais diminuait et devenait de plus en plus compétitif.» Les entreprises japonaises ont donc pu exporter en grande quantité leurs produits aux États-Unis et, il fallait s'y attendre, le yen s'est apprécié – en 1993, la valeur du yen était de 60 % plus élevé qu'en 1985. La compétitivité nippone s'est donc amenuisée.

«Depuis quelques années, c'est l'inverse qui se produit, explique Pierre Fortin. La productivité américaine a dépassé la productivité japonaise. Les entreprises américaines deviennent donc plus concurrentielles, les japonaises moins. Les entreprises américaines peuvent donc exporter davantage au Japon. Par conséquent, le yen se déprécie et le dollar s'apprécie…»

«La compétitivité, c'est une chose qui se refait de façon automatique sur quelques années, lance-t-il. C'est ce qui se passe au niveau des pays, et c'est pour ça que c'est imbécile de parler de la compétitivité entre les pays.»

Pourquoi, alors, le discours officiel matraque-t-il sans cesse que notre niveau de vie est menacé par les pays émergents?

«Il faut faire un minimum d'investissement mental de base pour comprendre ce qui se passe à la fois sur le plan des concepts et des réalités que vivent les entreprises», conclut-il, en déplorant que les gens ont trop souvent tendance à adhérer facilement aux idéologies ou aux courants de pensée qui ne requièrent pas beaucoup de réflexion.

# INDEX